SEGURIDAD VIAL Y DERECHO PENAL

Análisis de la LO 15/2007, que modifica el Código Penal en materia de Seguridad Vial

SEGURIDAD VIAL Y DERECHO PENAL

Análisis de la LO 15/2007, que modifica el Código Penal en materia de Seguridad Vial

SANTIAGO MIR PUIG
MIRENTXU CORCOY BIDASOLO
(Directores)

SERGI CARDENAL MONTRAVETA
(Coordinador)

tirant lo blanch

Valencia, 2008

© SANTIAGO MIR PUIG
MIRENTXU CORCOY BIDASOLO y otros

© TIRANT LO BLANCH
EDITA: TIRANT LO BLANCH
C/ Artes Gráficas, 14 - 46010 - Valencia
TELFS.: 96/361 00 48 - 50
FAX: 96/369 41 51
Email:tlb@tirant.com
http://www.tirant.com
Librería virtual: http://www.tirant.es
DEPOSITO LEGAL: V -
I.S.B.N.: 978 - 84 - 9876 - 061 - 3
IMPRIME: GUADA IMPRESORES, S.L. - PMc Media, S.L.

ÍNDICE

ABREVIATURAS

ACP	Código Penal antiguo (versión anterior a la LO 15/2007)
ADPCP	Anuario de Derecho Penal y Ciencias Penales
AJA	Actualidad Jurídica Aranzadi
AP	Actualidad Penal
Art.	Artículo
BOE	Boletín Oficial del Estado
CE	Constitución Española
Cfr.	Confrontar
CP	Código Penal
CPC	Cuadernos de Política Criminal
CR	*Code de la Route*
CS	*Codice della Strada*
DGT	Dirección General de Tráfico
DLL	Diario La Ley
Ed	Editorial
ed.	edición
FGE	Fiscalía General del Estado
FJ	Fundamento Jurídico
Gr.	Grado
Km.	Kilómetro
L	Litro
LLP	La Ley Penal
LO	Ley Orgánica
LSV	Real Decreto Legislativo 339/1990, de 2 de marzo, por el que reprueba el texto articulado de la Ley sobre Tráfico, Circulación de Vehículos a Motor y Seguridad Vial
p.	página
p. ej.	por ejemplo
PJ	Revista del Poder Judicial
RGCo	Real Decreto 722/1997, de 30 de mayo, por el que se aprueba el Reglamento General de Conductores.
RD	Real Decreto
RECPC	Revista Electrónica de Ciencia Penal y Criminología
RGCir	Real Decreto 1428/2003, de 21 de noviembre, por el que se aprueba el Reglamento General de Circulación

s.	siguiente (s)
SAP	Sentencia de la Audiencia Provincial
STS	Sentencia del Tribunal Supremo
TC	Tribunal Constitucional

PRÓLOGO

El elevado número de lesiones y muertes relacionadas con la conducción de vehículos a motor obliga a cuestionar la política desarrollada en el ámbito de la seguridad vial. También la política criminal. Para ello es conveniente conocer la regulación de esta materia en los países de nuestro entorno, analizar rigurosamente la legislación española y su aplicación, y tomar en consideración las observaciones procedentes de todos los colectivos implicados. Con esta finalidad, en el marco del Proyecto de Investigación sobre Políticas Penales en Materia de Seguridad (SEJ2005-08814), subvencionado por el Ministerio de Educación y Ciencia, en la Facultad de Derecho de la Universidad de Barcelona se celebró, en mayo de 2006, un Seminario que contó con la participación de profesores, jueces, fiscales, abogados, representantes de las administraciones estatal y autonómica, y de otros agentes implicados, concretamente, el Real Automóvil Club de Cataluña y la Asociación Stop Accidentes.

Ya entonces era pública la voluntad del Gobierno de impulsar la reforma de los delitos relacionados con la seguridad del tráfico, y el contenido de sus propuestas fue objeto de debate en aquel encuentro. La aprobación de un Anteproyecto de modificación parcial del Código Penal vigente, en el Consejo de Ministros del día 13 de julio de 2006, nos llevó a pensar que la reforma no tardaría en hacerse efectiva. Por ello, decidimos retrasar la publicación de los trabajos elaborados a partir de las ponencias presentadas en aquel Seminario, con la intención de recoger y analizar la nueva regulación. Tras diversas vicisitudes, el Pleno del Congreso ha aprobado la Ley Orgánica 15/2007, de 30 de noviembre, por la que se modifica la Ley Orgánica 10/1995, de 23 de noviembre, del Código Penal en materia de Seguridad Vial. Y con ello creemos que cobra pleno sentido la publicación de este libro, que recoge algunas de las ponencias que se expusieron resumidamente en el Seminario de mayo de 2006, ampliadas y enriquecidas ahora casi todas con el resultado del debate posterior, y la debida atención a los cambios que introducen las reformas legales que entraron en vigor el pasado 2 de diciembre.

SERGI CARDENAL MONTRAVETA
Barcelona, diciembre de 2007

PRESENTACIÓN

Santiago Mir Puig
Catedrático de Derecho Penal
Universidad de Barcelona

El tráfico de automóviles es uno de los ámbitos en que se advierte con claridad lo que Silva ha llamado, con una expresión que ha hecho fortuna, "la expansión del Derecho penal"[1]. Se trata de un campo al que no se extendía el Derecho penal tradicional. En éste tenían poca importancia los delitos imprudentes y menos todavía los delitos de peligro: el paradigma clásico era el delito doloso de lesión, caracterizado por la causación voluntaria de un resultado lesivo de un bien jurídico preferentemente individual. Este paradigma se impuso sobre todo desde que triunfaron los principios del Estado liberal procedentes de la Ilustración y sobre ellos se edificó la construcción teórica del Derecho penal liberal, a partir de autores como Feuerbach y Carrara. No es que en las legislaciones penales no se previesen delitos contra bienes jurídicos no individuales: de hecho en todos los Códigos penales que fueron apareciendo a lo largo del siglo XIX había un buen número de delitos contra el Estado, contra la Moral y contra la Religión, y tales delitos solían encabezar la Parte Especial de los nuevos Códigos. Pero ello puede verse más como herencia del pasado que como fruto del nuevo enfoque liberal que adoptó la doctrina penal clásica. En cualquier caso, lo que ocupó sólo un papel secundario y hasta marginal en las legislaciones y en las elaboraciones teóricas fueron los bienes jurídicos colectivos caracterizados por representar "intereses difusos" (como se ha traducido la expresión *"interessi difusi"* popularizada por Sgubbi en los años 70 del pasado siglo), esto es, *difundidos* a través de la población: no intereses estatales o institucionales, sino intereses colectivos de los ciudadanos. El medio ambiente es uno de esos intereses colectivos que son patrimonio de todos y que ahora sentimos la necesidad de proteger penalmente. La seguridad en el tráfico de automóviles se inscribe también en este nuevo sector de intereses colectivos que só-

---

[1]   Cfr. Silva Sánchez, *La expansión del Derecho penal*, 2ª ed, 2001.

lo desde hace relativamente poco tiempo está centrando la atención del Derecho penal.

La nueva preocupación por estos intereses colectivos se ha debido a dos factores de distinta naturaleza: uno, de carácter técnico, el otro, de signo político. El primero es la aparición en nuestras sociedades desarrolladas de riesgos antes desconocidos que han sido introducidos por el progreso tecnológico. El segundo es la atribución de una función social al Estado.

Siempre ha habido riesgos graves para los seres humanos, como para todo ser vivo. Sin embargo, existe ahora una nueva percepción del riesgo que ha llevado a ver en éste una característica de nuestra sociedad, a la que se define como "sociedad del riesgo"[2]. Ello, que no deja de ser paradójico en una sociedad que asegura una protección mucho mayor que antes frente a las enfermedades y otros riesgos naturales clásicos, debe entenderse en el sentido de que los avances técnicos han introducido nuevos riesgos que antes no existían. Algunos de estos riesgos comprometen el futuro del propio planeta. Otros no son tan globales, pero se encuentran con una sociedad que ha disminuido su tolerancia al riesgo, precisamente porque ha creído poder controlarlo. Ahora el ciudadano se siente con derecho a la seguridad, con derecho a exigir del Estado que le dé seguridad. El tráfico de automóviles es una fuente de nuevos riesgos frente a los cuales se pide mayor protección por parte del Derecho.

El segundo factor que ha favorecido la intervención del Derecho penal para la protección de intereses colectivos de los ciudadanos ha sido, como decíamos, la concepción social del Estado. A medida que se fue imponiendo el modelo de Estado liberal a lo largo del siglo XIX, también se fueron advirtiendo las limitaciones de tal modelo para afrontar los problemas sociales. Aunque fracasaron las alternativas radicales al liberalismo constituidas por los Estados totalitarios fascistas y comunistas, durante la segunda mitad del siglo XX se corrigió el modelo liberal por otro que trató de conciliar la idea de Estado de Derecho con la asignación a ese Estado de un cometido de intervención social, un Estado social de Derecho del que se esperó soluciones eficaces a los problemas sociales. Aunque la primera problemática social que había puesto en marcha esta evolución política

---

[2]   Cfr. BECK, *La sociedad del riesgo* (trad. J. Navarro, D. Jiménez, Mª R. Borrás), 1998.

procedía de las desigualdades sociales, también la delincuencia fue vista como un problema social, tanto porque hunde sus raíces en problemas de integración social, como porque también la protección de las víctimas constituye en sí misma un problema social. En la década de los 70 ello favoreció la extensión del Derecho penal a la protección de intereses no estrictamente individuales sino colectivos, sociales.

Es cierto que a partir de los pasados años ochenta y desde el ámbito anglosajón, se produce un importante retroceso de este Estado social en nombre de un neo-liberalismo que es al mismo tiempo neoconservadurismo. Pero ello no determina una inhibición paralela de la intervención estatal en el campo de la delincuencia. Ocurre precisamente lo contrario: se produce una ampliación constante de la intervención penal. En el Derecho penal material ello tiene lugar en una doble dirección: endureciendo las penas de los delitos clásicos y creando nuevos delitos. En la política penal de los E.E.U.U. llama poderosamente la atención el primer aspecto: regreso a la pena de muerte, ampliación de los casos de cadena perpetua y de su cumplimiento efectivo, elevación general de la duración de las penas privativas de libertad y disminución de sus posibilidades de suspensión o sustitución, etc. En Europa también se advierte una clara tendencia al endurecimiento de las penas, aunque no hasta aquellos extremos. Aquí, en cambio, preocupa especialmente a la doctrina penal la proliferación de nuevos delitos de peligro en el campo de los intereses difusos.

Esto último es lo que sucede en materia de seguridad del tráfico de automóviles. Con el desarrollo de la automoción en la segunda parte del siglo pasado se produjo en primer lugar un aumento considerable de los delitos imprudentes. Por esta vía, la imprudencia, que había tenido una presencia marginal en los sistemas penales anteriores, cobró una importancia significativa. Las muertes, lesiones corporales y daños ocasionados en el tráfico vial no se pueden imputar casi nunca a dolo del conductor, pero sí son imputables en muchos casos a imprudencia, a la infracción de alguna norma de cuidado. Pero esta forma de imputación tiene limitaciones importantes, derivadas del hecho de que la imprudencia presupone que el conductor no quiere (ni busca ni acepta) tener un accidente, aunque sí crea voluntariamente los factores de riesgo que con demasiada frecuencia dan lugar a graves consecuencias. Por la vía de la imprudencia no es posible castigar la conducción peligrosa por sí sola, sino sólo cuando produzca algún resultado lesivo típico. Y como el conductor imprudente confía en que no va a tener ningún accidente, la amenaza de pena asociada al delito imprudente no le hace mucho efecto: no le puede disuadir suficientemente de causar accidentes, porque espera no tenerlos, y no le disuade adecuadamente de conducir de forma peligrosa porque esta conducción no es punible por sí sola como delito imprudente. Como alternativa más eficaz aparece entonces la posibilidad de sancionar la propia conducción peligrosa, ésta sí querida por el conductor. Por ello, siempre se han previsto sanciones de tráfico para quien infringe las normas que rigen la circulación, que en muchos casos tienen como finalidad reducir al mínimo tolerable los riesgos del tráfico viario. Sin embargo, como tales sanciones administrativas no resultan suficientes para disminuir el número de muertes y lesiones graves que en gran cantidad se producen en las carreteras, ya desde hace años se acudió además a la tipificación penal de algunas conductas especialmente peligrosas, como la conducción bajo el efecto de bebidas alcohólicas o drogas y la conducción temeraria con peligro concreto para las personas. Diversas reformas, generalmente ampliadoras de la intervención penal, han intentado en España disminuir la siniestralidad, pero nuestro país continúa teniendo un porcentaje de muertes muy superior al de casi todos los quince países que integraban la Unión Europea antes de su ampliación. Hay una comprensible preocupación por esta situación en el Gobierno, que le ha llevado a impulsar una reforma con la que se espera mejorar la eficacia preventiva de las penas previstas para los delitos de tráfico.

La mayor parte de la doctrina penal ve con recelo, cuando no con abierto rechazo, la actual tendencia a la "mano dura" que predomina en la actualidad. Ello no se corresponde generalmente con la actitud más extendida en la población, que sí suele manifestarse favorable al endurecimiento del Derecho penal. Esta actitud se basa en la suposición de que la elevación del rigor penal ha de tener efectos inmediatos y significativos en la evitación de delitos, y también en la percepción de que los delincuentes son "otros". La primera suposición no se ve confirmada por las estadísticas, que por el contrario muestran que la elevación continua de las penas que se está produciendo no logra una disminución correspondiente de los delitos. Por ello los penalistas solemos repetir, desde Beccaria, que la eficacia de la pena no depende tanto de su gravedad como de la certeza de su aplicación. De hecho ocurre que los delincuentes confían en no ser descubiertos y, por tanto, en que la pena, sea cual sea su gravedad, no les alcanzará. En cuanto a la creencia de que los delincuentes son otros, tampoco es correcta y se ve contradicha por la constatación de la llamada *ubicuidad* de la delincuencia. Pero esta creencia abandona la perspectiva que desde la Ilustración ha condicionado el modelo liberal clásico del Derecho penal y sus postulados de humanización de las penas y garantías para el acusado. Tal perspectiva era la del ciudadano que se ve como posible acusado y que por tanto pide garantías y penas no excesivas. No es la perspectiva que adopta la población que demanda protección frente a los delincuentes: en esta otra perspectiva el ciudadano no se ve como posible delincuente, sino sólo como posible víctima.

En el ámbito del tráfico de automóviles las dos creencias que explican la actitud de dureza de la población ante la delincuencia han de ser matizadas. Empezando por la segunda, es evidente que en el tráfico hay muchos conductores que, sin considerarse delincuentes, infringen con frecuencia las normas de circulación e incluso realizan conductas tipificadas penalmente como conducir habiendo bebido más de lo permitido. Aquí es más fácil que el conductor se vea no sólo como posible víctima, sino también como posible infractor, de modo que puede ver con más preocupación que se agraven las sanciones de tráfico, especialmente si alcanzan naturaleza penal y pueden suponer pérdida del permiso de conducir e incluso privación de libertad. En términos políticos, y simplificando, la agravación de las penas puede dar votos, pero también puede quitarlos. De todos modos, es cierto que sigue habiendo una mayoría que cree que los verdaderos peligros proceden de una minoría de conductores incívicos.

En cuanto a la suposición de que el modo más efectivo de evitar delitos es aumentar la dureza de las penas, en el tráfico se dan algunas características que llevan a muchos ciudadanos a cuestionar esta ecuación. El propio hecho de que muchos conductores "buenos ciudadanos" se vean como posibles sancionados, hace que tengan tendencia a buscar otras vías de evitación de accidentes y presentarlas como más eficaces. Así, muchos señalan la existencia de "puntos negros" en las carreteras como la principal causa de accidentes y alegan que más que sanciones son necesarias mejoras en las vías. También es frecuente que se cuestione incluso la imposición de sanciones acusándola de mero instrumento recaudatorio, o que se ponga en duda la eficacia de medidas como el carné por puntos señalando la posible picaresca a que puede dar lugar.

Sin embargo, tal vez sea el tráfico de automóviles uno de los sectores en que es más fácil conseguir que las sanciones puedan resultar eficaces. Por una parte, los avances tecnológicos (como diversos tipos de radares y cámaras) han permitido en otros países mejorar muy significativamente la detección de infracciones y, por tanto, la aplicación efectiva de las sanciones, disminuyendo sensiblemente las expectativas de impunidad de los infractores. Por otra parte, la posibilidad del cobro de multas es más alta en este ámbito, en que los infractores suelen tener cuentas bancarias o en último término el propio vehículo como objetos de un posible embargo, y también puede hacerse fácilmente efectiva la privación del permiso de conducir. Incluso la pena de privación de libertad tiene un efecto disuasorio especial entre ciudadanos normalmente muy alejados de esta posibilidad.

Quizás sea la vía de aprovechamiento de las posibilidades de reducción de la impunidad de las infracciones y de aseguramiento de la aplicación efectiva de las sanciones que hoy en día es posible en el tráfico viario la más recomendable —mucho más que la ampliación de los delitos y la agravación de las penas—, para hacer compatible la necesaria protección de las personas con el mantenimiento del principio según el cual el Derecho penal ha de ser la *ultima ratio*, el último recurso, y no el primero o el único que se nos ocurre por falta de imaginación.

LA PROTECCIÓN PENAL DE LA SEGURIDAD VIAL EN EL DERECHO COMPARADO

Sergi Cardenal Montraveta
Profesor Titular de Derecho Penal
Universidad de Barcelona

Sumario: I. Introducción. II. Los delitos de homicidio y lesiones. A) ¿Regulación específica del homicidio y las lesiones imprudentes? B) El castigo del homicidio y las lesiones intentadas. C) ¿Regulación específica de los supuestos en los que se produce una pluralidad de resultados de muerte y/o lesiones? D) ¿Regulación específica de la relación concursal entre los delitos de homicidio o lesiones, y los delitos contra la seguridad del tráfico? III. Relevancia penal de la conducción tras el consumo de alcohol y/o de otras drogas. IV. Otros delitos contra la seguridad del tráfico. V. Consideraciones finales.

I. INTRODUCCIÓN

1. El elevado número de muertes y lesiones relacionadas con la circulación vial es una realidad que preocupa, desde hace tiempo, a los ciudadanos y a los poderes públicos de la mayoría de los países de nuestro entorno. Por ello, han adoptado numerosas medidas para intentar reducirlo[1]. La reforma de la legislación penal ha sido una de las medidas adoptadas. Por esta razón, y porque el derecho comparado presenta todavía notables diferencias en este ámbito, parece oportuna la exposición y breve análisis de la *regulación legal* de

---

[1] En el ámbito de la Unión Europea, en 2001 la Comisión elaboró el Libro Blanco *La política europea de transportes para 2010: la hora de la verdad*, en el que se propone reducir a la mitad el número de accidentes mortales en 2010. Ver este y otros documentos en http://ec.europa.eu/transport/roadsafety/index_es.html. Ver también la Recomendación 2004/345/CE de la Comisión, de 6 de abril de 2004, sobre la aplicación de las normas de seguridad vial (DO L 111 de 17.4.2004), así como la Recomendación 2001/115/CE de la Comisión, de 17 de enero de 2001, sobre la tasa máxima de alcoholemia permitida para los conductores de vehículos a motor (DO L 43 de 14.2.2001). Las estadísticas sobre la siniestralidad en nuestras carreteras durante los últimos años pueden consultarse en la página web de la Dirección General de Tráfico.

determinados delitos relacionados con la seguridad vial en algunos de los países vecinos[2]. Más concretamente, me centraré aquí en los aspectos esenciales del tratamiento que la legislación penal francesa, italiana, inglesa y alemana dispensan al homicidio y las lesiones ocasionadas en el ámbito de la circulación vial, a la conducción tras el consumo de bebidas alcohólicas y/o drogas, y a la incriminación de otras modalidades de conducción que comprometen la seguridad del tráfico, sin perjuicio de que se haga también referencia a conductas diversas. Todo ello viene precedido de unas breves notas introductorias acerca de la legislación penal de aquellos países, con especial referencia a las fuentes, la clasificación de las infracciones penales, la eventual concurrencia de diversos sectores del Ordenamiento jurídico, y la trascendencia de lo dispuesto específicamente para cada una de las infracciones en cuanto a sus consecuencias jurídicas.

2. La *legislación penal francesa* relacionada con la seguridad en el tráfico vial se encuentra en el *Code Penal* y en el *Code de la Route* (en adelante, CR), que incorpora algunos preceptos del primero, regula los aspectos esenciales de la circulación de vehículos a motor, e incrimina nuevas conductas. El Código Penal carece de un Título, Capítulo o Sección dedicado específicamente a los delitos contra la seguridad en el tráfico, o bien a los delitos relacionados con la circulación de vehículos.

Atendiendo a su gravedad, el derecho penal francés (art. 111-1 CP) distingue tres clases de infracciones penales: crímenes (*crimes*),

---

[2]   Evidentemente, el conocimiento preciso de la realidad jurídica de un país requiere ir más allá del texto de su regulación legal y ocuparse, también, de los criterios interpretativos propuestos en la doctrina científica y jurisprudencial, de las medidas adoptadas para su aplicación efectiva, etc. Sin embargo, no podemos abordar aquí todos estos extremos. Las referencias a la doctrina científica y jurisprudencial se reducen a los aspectos que se han considerado esenciales o especialmente significativos y, casi siempre, remiten a obras generales. En la doctrina española, ocupándose fundamentalmente de las consecuencias jurídicas previstas en el derecho comparado para los delitos relacionados con los vehículos a motor, ver J. M. TAMARIT SUMALLA / M. E. LUQUE PARRA, *Automóviles, delitos y penas. Estudio de la criminalidad y de las sanciones penales relacionadas con los vehículos a motor*, 2007, pp. 87 y ss.; con carácter más general, ver J. M. TAMARIT SUMALLA, "Sistema de sanciones y política criminal. Un estudio de Derecho comparado europeo", en Revista Electrónica de Ciencia Penal y Criminología, 2007, núm. 09-06, pp. 06:1-06:40 (http://criminet.ugr.es/recpc).

delitos (*délits*) y contravenciones (*contraventions*)[3]. La gravedad de las infracciones depende de la gravedad de las penas que tienen previstas[4]. El elevado número de infracciones *penales* relacionadas con la circulación de vehículos es una de las características de la legislación francesa en este ámbito, y se explica por la naturaleza penal, y no meramente administrativa, de las contravenciones (infracciones que no se castigan con penas privativas de libertad). Otro elemento característico es la extraordinaria severidad con la que pueden llegar a castigarse algunos delitos relacionados con la seguridad en el tráfico. Al respecto, debe recordarse que, con carácter general, el sistema de las consecuencias jurídicas del derecho penal francés se caracteriza por el amplio margen de discrecionalidad que se concede a los Jueces para determinar cuáles deben ser las consecuencias ju-

---

[3]   Entre los efectos de esta clasificación, conviene destacar los siguientes: a) La tentativa de los crímenes se castiga sistemáticamente, la de los delitos sólo se castiga cuando el legislador lo establece, y la de las contravenciones no se castiga nunca (art. 121-4 CP); b) La complicidad se castiga en los crímenes y los delitos, pero no en las contravenciones, salvo que el legislador lo haya previsto (arts. 121-6, 121-7, R 610-2 CP); c) la incriminación de los crimines y de los delitos debe realizarse mediante una ley, mientras que la de las contravenciones se realizará reglamentariamente; d) La competencia material para enjuiciar los crímenes corresponde a la *Cour d'assises*, para los delitos corresponde al *Tribunal correctionael*, y para las contravenciones corresponde al *Tribunal de police* o *Juge de proximité*; e) La ejecución de las multas es distinta según las infracciones por las que se hayan impuesto.

[4]   Ver arts. 131-1 a 131-18 CP. En el derecho penal común, los crímenes tienen prevista la pena principal de reclusión, que tendrá una duración mínima de 10 años y se modula en cuatro grados, atendiendo a su duración (máximo de 15 años, máximo de 20 años, máximo de 30 años, y perpetua). La pena de reclusión no excluye la imposición de una pena de multa, ni la de una o varias penas complementarias.
Las penas correccionales de carácter principal son la prisión y la multa. La pena de prisión se gradúa en una escala de ocho grados (hasta 2 meses, hasta 6 meses, hasta 1 año, hasta 2 años, hasta 3 años, hasta 5 años, hasta 7 años y hasta 10 años). En los casos de reincidencia, la prisión puede superar los 10 años.
El CP francés distingue cinco clases de contravenciones, según la cuantía de la multa que tienen prevista. La cuantía máxima de la multa prevista para las contravenciones de la 1ª clase es de 38 euros, mientras que la cuantía máxima de la multa prevista para las contravenciones de la 5ª clase es de 1.500 euros, que pueden llegar a ser 3.000 en caso de reincidencia.

rídicas de una infracción penal[5]. Una muestra significativa de esta flexibilidad es el hecho de que (salvo en el ámbito de los crímenes) las penas señaladas por el legislador al describir la infracción penal sólo representan un límite máximo (arts. 131-18, 131-18-1, 139-19, 132-19-1 y 132-20 CP)[6]. Las penas complementarias tienen, en principio, carácter facultativo y, como las penas principales, deben imponerse expresamente[7]. En relación con el derecho a conducir, el legislador francés distingue entre las penas de suspensión del permiso[8], la anulación del mismo, y la prohibición de conducir determinados vehículos terrestres a motor, que puede incluir aquellos para cuya conducción no se exige ser titular de un permiso de conducir[9].

3. Como ocurre en España, el *derecho sancionador italiano* relacionado con la seguridad en el tráfico vial se compone tanto de normas de naturaleza administrativa, como de normas de naturaleza penal. Las normas que describen las infracciones y sanciones administrativas relacionadas con la seguridad en el tráfico se encuentran, esencialmente, en el *Codice della Strada* (en adelante CS), que también recoge algunas conductas delictivas y sus consecuencias. El resto de las infracciones y sanciones penales se encuentran disper-

---

[5]   Ver, por ejemplo, P. CONTE / P. MAESTRE DU CHAMBON, *Droit pénal general*, 7. ed, 2004, pp. 51 y ss.

[6]   Además, parece oportuno recordar que el legislador francés ha previsto la posibilidad de sustituir las penas de prisión y multa (arts. 131-5 a 131-9 CP), de imponer sólo las penas complementarias previstas junto con la principal (art. 131-11 CP), de suspender la ejecución de la pena de prisión de hasta cinco años y/o de otras penas (arts. 132-29 y ss. CP), de que el Juez dispense de pena o aplace la decisión sobre su imposición (arts. 132-58 y ss. CP), y de que la ejecución tenga lugar en régimen de semilibertad, vigilancia electrónica, o de forma fraccionada (arts. 132-25 y ss. CP).

[7]   Cfr. arts. 131-10 y 132-17 CP.

[8]   Salvo cuando se establece lo contrario, la suspensión del permiso de conducir puede limitarse a la conducción realizada al margen de la actividad profesional. Ver arts. R 131-1 y R 131-2 CP.

[9]   Ver arts. R 131-3 y R 131-4 CP. De acuerdo con el art. L 224-12 CR, cuando un conductor sea objeto de una condena susceptible de imponer las penas complementarias de suspensión o anulación del permiso de conducir, y no sea titular del mismo, estas penas se reemplazarán por la pena de prohibición de obtener la expedición del permiso de conducir, que tendrá la misma duración que aquellas.

sas en el *Codice Penale*, o en alguna ley penal especial[10]. Ni en el Código Penal ni en el *Codice della Strada* ha previsto el legislador italiano un Título, Capítulo o Sección dedicados específicamente a los delitos contra la seguridad en el tráfico. De hecho, como se expondrá más adelante, la legislación italiana relacionada con el tráfico vial se caracteriza por prever pocos delitos de peligro, y contemplar (hasta muy recientemente) penas de escasa gravedad para la conducción en estado de embriaguez.

El derecho penal italiano divide las infracciones penales (*reati*) entre delitos (*delitti*) y contravenciones (*contravenzioni*), atendiendo a la clase de pena que tienen prevista en el Código Penal[11]. Con carácter cumulativo o alternativo, los delitos tienen previstas las penas principales de reclusión perpetua (*ergastolo*), reclusión (*reclusione*) y la multa (*multa*). Las contravenciones tienen previstas las penas principales de arresto (*arresto*) y/o multa contravencional (*ammenda*)[12]. La suspensión y la revocación del carné de conducir no aparecen como penas autónomas en los catálogos de los arts. 17 y 19 CP. Pero la suspensión está prevista como uno de los efectos de las penas sustitutivas de semidetención y libertad controlada[13]. Además, ocasionalmente se prevé su imposición como sanciones ad-

---

[10]   Al respecto conviene destacar que el Decreto Legislativo de 28 de agosto de 2000, núm. 274, además de modificar las penas previstas en el CP para algunos delitos, ha ampliado el propio catálogo de las penas previstas en el CP.

[11]   Ver art. 39 CP.

[12]   Ver art. 17 CP. En el Código Penal la regulación general de las penas se encuentra en los arts. 17 a 38. En relación con las penas accesorias previstas para los delitos y las contravenciones, ver art. 19 CP, si bien no se trata de un catálogo cerrado.
La pena de reclusión puede tener, en principio, una duración de 15 días a 24 años (art. 23 CP). La pena de arresto puede tener de 5 días a 3 años (art. 25).
Además de las penas principales previstas en el CP, para las infracciones penales atribuidas a la competencia del Juez de Paz, la legislación penal italiana ha previsto la pena de permanencia en el domicilio y la de trabajos de utilidad pública. Son penas principales aplicables a delitos y contravenciones, puesto que esta distinción se realiza atendiendo a las penas previstas para cada conducta en el CP.

[13]   Ver arts. 55 y 56 de la Ley de 24 noviembre 1981, núm. 689.

ministrativas accesorias por la comisión de un delito (p. ej, en el art. 222 CS)[14].

4. También el *derecho sancionador alemán* relacionado con la seguridad en el tráfico se compone tanto de normas de naturaleza administrativa, como de normas penales. Las normas que describen las infracciones y sanciones administrativas relacionadas con la seguridad en el tráfico se encuentran, esencialmente, en la *Straßenverkehrsgesetz* (Ley del Tráfico Vial, en adelante LTV), que también recoge algunas conductas delictivas y sus consecuencias. El resto de las infracciones y sanciones penales se encuentran en el Código Penal (*Strafgesetzbuch*) que, sin embargo, carece de un Título, Capítulo o Sección dedicado específicamente a los delitos contra la seguridad en el tráfico[15]. Otra característica de la legislación penal alemana relacionada con la seguridad del tráfico vial es la incriminación de la modalidad imprudente, junto con la modalidad dolosa.

Con carácter general, el derecho penal alemán distingue dos clases de infracciones penales: los delitos graves (*Verbrechen*) y los menos graves (*Vergehen*). La distinción se realiza atendiendo a la pena que tienen prevista. Los delitos graves tienen prevista una pena principal privativa de libertad de 1 año como mínimo, mientras que los delitos menos graves son los que tienen prevista una pena privativa de libertad de una duración inferior, o bien una pena de multa (§ 12 CP)[16]. En la legislación alemana, la privación del dere-

---

[14]   Ver también arts. 129, 130, 130 bis, 218 y 219 CS. La jurisprudencia italiana ha considerado que la suspensión del permiso de conducir no puede imponerse cuando el delito que tiene prevista tal sanción se ha cometido conduciendo un vehículo para el que no es necesaria ninguna habilitación, ni cuando se ha cometido con un vehículo que sí requiere permiso de conducir, pero el autor todavía no lo ha conseguido nunca; en este sentido, ver la Sentencia de Casación Penal de 29-3-02 (n. 12316), citada en R. CHIAESE / R. PETRUCCI, *Nuovo Codice della Strada e Regolamento. Annotato con la Giurisprudenza*, 5. ed, 2005, p. 213.

[15]   Los delitos de "intervención peligrosa en el tráfico vial" (§ 315b), "puesta en peligro del tráfico vial" (§ 315c), "conducción en estado de embriaguez" (§ 316), y "agresión con violencia a conductores" (§ 316a) están recogidos en la sección vigésimo octava del Código Penal, dedicada a los delitos de peligro público.

[16]   En el ámbito del derecho penal material, la distinción es relevante en relación con la tipicidad de la tentativa (§ 23 CP), de los actos preparatorios (§ 30 CP), la imposición de la consecuencia accesoria de inhabilitación para

cho a conducir no está prevista como pena principal, sino como pena accesoria y medida de seguridad, que puede imponerse a los sujetos plenamente culpables.

Concretamente, la prohibición de conducir está prevista como pena accesoria en el § 44 CP, para los supuestos en los que alguien es condenado a una pena de prisión o multa, por un delito cometido conduciendo un vehículo a motor, o relacionado con la conducción, o que haya supuesto la lesión de los deberes de un conductor de vehículos a motor. Esta pena tendrá una duración de uno a tres meses, y se impone a aquellos conductores respecto de los cuales no cabe apreciar la falta de aptitud para conducir a la que se refiere el § 69 CP. La prohibición puede ir referida a todos los vehículos a motor, o sólo a una determinada clase. En el § 69 CP está prevista la retirada del permiso de conducir como medida de seguridad, para los condenados por un hecho antijurídico realizado mediante la conducción de un vehículo a motor, o relacionado con la conducción, o que haya supuesto la lesión de los deberes de un conductor de vehículos a motor, y para aquellos sujetos que no hayan sido condenados por ser incapaces para actuar con culpabilidad, o bien por no poderse excluir tal posibilidad. El § 69 exige, además, que del hecho cometido se desprenda que el sujeto no es apto para conducir vehículos a motor[17]. La retirada del permiso de conducir comporta que el sujeto no puede obtener uno nuevo durante un período de entre 6 meses y 5 años. Esta prohibición puede establecerse con carácter perpetuo, cuando sea de esperar que el plazo máximo no bastará para neutralizar el peligro que representa el sujeto. El Juez puede excluir de aquella prohibición determinadas clases de vehículos, cuando circunstancias especiales permitan creer que la finalidad de la medida no se pondrá así en peligro. La prohibición tendrá una duración mínima de 1 año cuando, antes de la comisión del hecho, el sujeto ya hubiera sido objeto de una prohibición semejante en los últimos tres años. Dentro de determinados límites, cuando existan razones para creer que el sujeto vuelve a ser apto para conducir vehículos a motor, el Juez podrá dejar sin efecto la prohibición antes de que se cumpla el plazo por el que se impuso.

5. Al aproximarse al *derecho penal del Reino Unido* debe tenerse presente que, junto a las leyes, está compuesto por el denominado *common law*, surgido y desarrollado a través de las decisiones de los

---

el cargo y pérdida del derecho de sufragio (§§ 45 I CP), y en relación con la tipicidad de las amenazas (§ 241 CP).

[17]   El § 69 II añade que, por regla general, será considerado no apto para conducir un vehículo a motor el autor de alguno de los siguientes delitos menos graves: puesta en peligro del trafico vial (§ 315c); conducción en estado de embriaguez (§ 316); alejamiento no permitido del lugar del accidente (§ 142), a pesar de que el autor sabía, o pudo saber, que el accidente ha producido la muerte o lesiones importantes de un hombre, o bien daños significativos en cosas ajenas; embriaguez total (§ 323a) referida a alguno de los hecho enumerados anteriormente.

Tribunales y de los trabajos de juristas eminentes. Ciertamente, la mayor parte del derecho penal inglés se encuentra actualmente en diversas disposiciones legales. Pero algunos delitos (v. gr. el asesinato [*murder*] y el homicidio [*manslaughter*]) se encuentran todavía regidos por el *common law*, sin que exista una definición legal. Y lo mismo sucede en relación con algunos de los presupuestos de la responsabilidad penal y de los conceptos básicos[18]. Las infracciones penales más importantes relacionadas con la circulación vial se encuentran previstas legalmente en la *Road Traffic Act* de 1988 (en adelante, RTA), y la regulación específica de sus consecuencias jurídicas se establece en la *Road Traffic Offenders Act* del mismo año (en adelante, RTOA)[19]. Ambas han sido modificadas con posterioridad, destacando, por su importancia, las reformas aprobadas en 1991 y, más recientemente, las modificaciones introducidas mediante la *Road Safety Act 2006*, que recibió el *Royal Assent* el 8 de noviembre de 2006, pero sólo ha entrado en vigor parcialmente. El contenido de aquellas leyes, aprobadas por el Parlamento británico[20], no se limita a la previsión de los delitos más graves relacionados con la seguridad vial. Como tampoco puede afirmarse que toda la regulación legal relativa a la circulación vial se encuentra en aquellas normas[21]. Otra cuestión que merece destacarse aquí es el amplísimo margen de maniobra que el legislador inglés concede a los jueces en la determinación de la pena[22].

Atendiendo al órgano ante el que se juzgan y al procedimiento que se sigue, es tradicional plantear la siguiente clasificación de las infracciones penales previstas en el derecho inglés: aquellas que se

---

[18]   Ver, p. ej., A. ASHWORTH, *Principles of Criminal Law*, 5. ed, 2006, p. 7.

[19]   La legislación vigente relacionada con la circulación vial puede consultarse en P. WALLIS (*general editor*), *Wilkinsons's Road Traffic Offences*, 22 ed, 2005, tomo 2. El primer tomo de esta obra contiene un estudio doctrinal, con numerosas referencias jurisprudenciales, de las infracciones más importantes y sus consecuencias jurídicas.

[20]   Alguna de las disposiciones de aquellas leyes no rigen en Escocia; ver, p. ej., sec. 4(8) RTA. La mayoría tampoco rigen en Irlanda del Norte; ver, al respecto, sec. 197(3) RTA, sec. 99(7) RTOA.

[21]   Ver también, sin ánimo de ser exhaustivo, *Public Passenger Vehicles Act 1981, Road Traffic Regulation Act 1984, Transport Act 1968, Highway Code, Traffic Management Act 2004*.

[22]   Al respecto, ver, p. ej., P. WALLIS (*general editor*), *Wilkinsons's Road Traffic Offences*, 22 ed, 2005, tomo 1, pp. 403 y ss., 463 y ss., 1071 y ss.

juzgan con acusación ante un jurado en la *Crown Court*, aquellas que se juzgan con un procedimiento abreviado ante Magistrados con poderes limitados en cuanto a la condena, y aquellas cuya gravedad puede variar según las circunstancias concurrentes, y que pueden juzgarse de las dos formas apuntadas[23].

II. LOS DELITOS DE HOMICIDIO Y LESIONES

1. En el ámbito de los delitos de homicidio y lesiones, las diferencias más notables de la legislación de los países que acabamos de mencionar guardan relación con los siguientes aspectos, que se analizarán separadamente: a) regulación específica de los supuestos en los que el homicidio y las lesiones imprudentes se producen en el ámbito de la circulación vial; b) incriminación de la tentativa, admisibilidad de la tentativa con dolo eventual, y diferencias entre su marco penal y el de los delitos consumados; c) regulación específica de los supuestos en los que se produce una pluralidad de resultados de muerte y/o lesiones, y que desplaza la regulación general del concurso de delitos; d) regulación específica de la relación concursal entre los delitos de lesión (homicidio y lesiones) y los de peligro (o contra la seguridad del tráfico), que desplaza el régimen general del concurso de leyes o delitos.

a) ¿Regulación específica del homicidio y las lesiones imprudentes?

2. Como se acaba de indicar, la primera de las diferencias que se advierte en el ámbito de los delitos de homicidio y lesiones, se refiere a la previsión o no de una regulación específica para los supuestos en los que aquellos delitos se producen imprudentemente en el ámbito de la circulación vial (normalmente se hace referencia a la infracción de las normas de seguridad vial). Al respecto, lo primero que conviene subrayar es que, cuando existe, tal regulación específica se refiere, exclusivamente, al homicidio y las lesiones *imprudentes*.

---

23   En relación con esta distinción, ver, p. ej., J. HERRING, *Criminal Law*, 4. ed, 2005, p. 40.

3. En *Italia* los arts. 589 y 590 CP elevan el límite mínimo de la pena del homicidio y modifican el marco penal de las lesiones imprudentes graves o muy graves, cuando el hecho se realiza con violación de las normas sobre la disciplina de la circulación en la vía pública[24]. Además, de acuerdo con el art. 222 CS, en los delitos de lesiones imprudentes que supongan la infracción de las normas previstas en el CS, junto con las sanciones pecuniarias que correspondan, se impondrá la suspensión del permiso de conducir, con una duración de 15 días a 3 meses, salvo que se trate de lesiones graves o muy graves; en este caso la suspensión tendrá una duración de hasta 2 años. En los casos de homicidio imprudente, la suspensión será de hasta 4 años[25]. El legislador italiano también ha previsto la revocación del permiso de conducir para determinados supuestos[26]. Estas sanciones se impondrán aunque la pena impuesta en la condena se suspenda condicionalmente (art. 224 CS). A su vez, el art. 224 bis CS prevé que, al imponerse la pena de reclusión, el Juez también puede

---

[24]   La diferencia de los marcos penales previstos en el art. 590 CP para las lesiones imprudentes, en función de si el hecho se realiza o no con violación de las normas sobre la disciplina de la circulación en la vía pública, no se mantiene en el art. 52.2 del Decreto Legislativo de 28 de agosto de 2000, núm. 274, que sustituye las penas previstas en el art. 590 CP para la mayoría de los supuestos de lesiones imprudentes. Sobre esta cuestión, ver, p. ej., E. MARINUCCI / E. DOLCINI, *Manuale di Diritto Penale. Parte Generale*, 2. ed, 2006, pp. 480-482.

[25]   El art. 222 CS ha sido recientemente modificado, mediante la Ley de 21 de febrero de 2006, núm. 102, sobre disposiciones en materia de consecuencias derivadas de accidentes de circulación.

[26]   Concretamente, desde su reciente introducción (mediante el DL 30-6-2005, núm. 115 y la Ley de 17 de agosto 2005, núm. 168), el art. 130 bis CS prevé la revocación del permiso de conducir en los supuestos en que el conductor "haya incurrido en la violación de una de las normas de comportamiento indicadas o reprendidas en el título V, provocando la muerte de otra persona, cuando la mencionada violación se haya cometido en estado de embriaguez, o cuando de las comprobaciones previstas en los números 4 o 5 del art. 186 resulte un valor correspondiente a una tasa de alcohol igual o superior al doble del valor indicado en el número 9 de aquel precepto, en el sentido del art. 92 del Código Penal, o bien bajo los efectos de sustancias estupefacientes, en el sentido del art. 93 del Código Penal".
Además, de acuerdo con el art. 222.3 CS, podrá imponerse la revocación en los casos de reincidencia reiterada verificada dentro de un periodo de 5 años desde la fecha de la condena definitiva por la primera infracción.

imponer la sanción administrativa accesoria del trabajo de utilidad pública[27].

Por otra parte, en los arts. 9 bis y 9 ter CS se prevé un régimen especial para los casos en que el resultado de muerte o lesiones se produce en el contexto de competiciones o carreras de velocidad[28].

Concretamente, en relación con el *homicidio imprudente*, el art. 589 CP dispone: "Cualquiera que ocasione por culpa la muerte de una persona será castigado con reclusión de seis meses a cinco años. [./.] Si el hecho se ha cometido con infracción de las normas sobre la disciplina de la circulación vial o de aquellas para la prevención de los accidentes de trabajo, la pena será de reclusión de dos a cinco años. [./.] En el caso de muerte de diversas personas, o bien de muerte de una o más personas y lesiones de una o varias personas, se impondrá la pena que debería imponerse por la más grave de las infracciones cometidas, aumentada hasta el triple, pero sin que la pena pueda superar los doce años"[29].

En el art. 61 CP se considera como circunstancia agravante genérica el hecho de actuar con imprudencia consciente[30]. Por otra parte, auque el CP italiano no distingue expresamente entre los delitos realizados con imprudencia grave y los que se realizan con imprudencia leve, el art. 133 establece expresamente que, al determinar la pena, el Juez deberá tener en cuenta el grado de la imprudencia[31].

El art. 9 bis.2 CS establece: "Si del desarrollo de la competición [deportiva de velocidad con vehículos a motor organizada sin autorización] deriva, de algún modo, la muerte de una o más personas, se impondrá la pena de reclusión de seis a doce

---

[27] La posibilidad de imponer esta sanción administrativa accesoria en estos casos se ha introducido mediante la mencionada Ley de 21 de febrero de 2006, núm. 102.

[28] En relación con la regulación de los arts. 9 bis y 9 ter, ver G. PROTOSPATARO (coord.), *Codice della strada commentato*, 4. ed, 2006, pp. 452 y ss.

[29] El art. 589 CP también se ha modificado mediante la Ley de 21 de febrero de 2006, núm. 102. Concretamente, el límite mínimo del marco penal previsto en el segundo párrafo ha pasado de 1 a 2 años.
      La imprudencia se define en el art. 43 CP, que dispone que el delito "es culposo o contra la intención cuando el resultado, aunque haya sido previsto, no es querido por el agente y se verifica a causa de negligencia o imprudencia o impericia, o bien por inobservancia de leyes, reglamentos, órdenes o disposiciones".

[30] En relación con la eficacia de la concurrencia de circunstancias atenuantes y/o agravantes genéricas en la determinación de la pena, ver arts. 63 a 69 CP. Con carácter general, para los casos en los que concurre una única circunstancia agravante, el art. 64 CP dispone que la pena podrá aumentarse hasta un tercio de su cuantía.

[31] En relación con estas cuestiones, ver, p. ej., E. MARINUCCI / E. DOLCINI, *Manuale di Diritto Penale. Parte Generale*, 2. ed, 2006, pp. 280-281.

años; si deriva una lesión personal la pena es de reclusión de tres a seis años". A su vez, el art. 9 bis.3 dispone: "Las penas indicadas en los puntos 1 y 2 se aumentarán hasta un año si las manifestaciones son organizadas con fines de lucro o con el fin de practicar o de consentir apuestas clandestinas, o bien si en la competición participan menores de dieciocho años". El art. 9 bis.5 dispone que, en relación con aquellos que hayan intervenido en la competición, la comprobación del delito dará lugar a la sanción administrativa accesoria de suspensión del permiso de 1 a 3 años, en el sentido del Capítulo II, Sección II, del Título VI. El permiso se revocará siempre si del desarrollo de la competición han derivado lesiones personales graves o gravísimas o la muerte de una o más personas.

Sin que sea fácil delimitar esta conducta de la descrita en el art. 9 bis, el art. 9 ter.1 CS dispone: "Fuera de los casos previstos en el art. 9 bis, si alguien realiza una carrera de velocidad con vehículos a motor, será castigado con reclusión de seis meses a un año y multa de 5.000 a 20.000 euros". La reclusión será de 6 a 10 años cuando se produzca la muerte de una o más personas, y de 2 a 5 años cuando se deriven lesiones personales (art. 9 ter.2). La realización de este delito también comporta la sanción administrativa accesoria de suspensión o revocación del permiso de conducir[32].

4. En *Francia* también existe un régimen especial para los supuestos de homicidio o lesiones graves imprudentes cometidos por conductores[33]. En los arts. 221-6-1, 222-19-1 y 222-20-1 CP se eleva,

---

[32]   La delimitación de las conductas delictivas descritas en los arts. 9 bis y 9 ter CS se ve dificultada por la previsión en el art. 9.8, como *infracción administrativa*, de la conducta consistente en organizar, fuera de los supuestos previstos en aquellos artículos, una competición deportiva de las indicadas en el art. 9 sin estar autorizado del modo aquí previsto. Finalmente, en el art. 9.9 se establece una *sanción administrativa* de multa en cuantía inferior a la prevista en el art. 9.8, para "aquel que no obedece las obligaciones, prohibiciones o limitaciones a las que el presente artículo subordina la realización de una competición deportiva y que resultan de la correspondiente autorización". En relación con las normas *generales* de comportamiento relativas a la velocidad, ver arts. 141 y 142 CS, y su desarrollo reglamentario. Debe destacarse la prohibición general de realizar carreras de velocidad recogida en el art. 141.5 CS, y la sanción administrativa de multa prevista en el art. 141.9 CS para los casos en los que se viola la prohibición del art. 141.5, sin que se trate de los casos previstos en los arts. 9 bis y 9 ter. Los límites de velocidad y las correspondientes infracciones y sanciones se encuentran en el art. 142 CS, que ha sido recientemente modificado mediante la Ley de 2 de octubre de 2007, núm. 160, que, con algunas modificaciones, convierte en ley el Decreto-ley de 3 de agosto de 2007, núm. 117, sobre disposiciones urgentes que modifican el *Codice della Strada* para incrementar el nivel de seguridad en la circulación.

[33]   Cfr. arts. 221-6, 221-6-1, 221-8, 221-9, 221-10, 222-19, 222-19-1, 222-20, 222-20-1, 222-44, R 622-1, R 625-2, 625-3 CP. En España, J.M. Tamarit

con carácter general, el límite máximo de la pena del homicidio y las lesiones imprudentes, y se prevé la posibilidad de una segunda elevación cuando concurren determinadas circunstancias (v. gr. violación manifiestamente deliberada de una obligación especial de seguridad o de prudencia prevista en la ley o el reglamento; conducción bajo la influencia del alcohol u otras drogas; negativa a someterse a las pruebas previstas para comprobar el consumo de drogas o la existencia de un estado alcohólico; conducción sin permiso o con el permiso anulado, invalidado, suspendido o retenido; conducción sobrepasando en 50 km/h o más la velocidad autorizada; continuación de la marcha tras la colisión). La pena de prisión del homicidio imprudente puede llegar a los 10 años, y la de las lesiones imprudentes puede llegar a los 7 años. Además, el legislador francés ha previsto un régimen específico en relación con determinadas penas complementarias (arts. 221-8 y 222-44 CP). En algún supuesto, aquellas agravaciones permiten imponer una pena más grave cuando el resultado se produce imprudentemente por parte de un conductor, que cuando se produce dolosamente[34]. La severidad en el tratamiento de los homicidios y las lesiones imprudentes cometidos por el conductor de un vehículo terrestre a motor contrasta con los marcos penales que se prevén para alguno de los supuestos en los que la misma conducta no llega a producir aquel resultado[35].

Concretamente, en relación con el *homicidio imprudente*, el art. 221-6-1 CP (reproducido en el art. L 232-1 CR) dispone: "Cuando la torpeza, imprudencia, descuido, negligencia o incumplimiento de una obligación de seguridad o prudencia impuesta legal o reglamentariamente, previstos en el art. 221-6, se cometan por el conductor de un vehículo terrestre a motor, el homicidio involuntario está castigado con cinco años de prisión y 75.000 euros de multa. [./.] Las penas se elevarán a siete años de prisión y 100.000 euros de multa cuando: 1° El conductor ha cometido una violación manifiestamente deliberada de una obligación especial de seguridad o de prudencia prevista por la ley o el reglamento, y distinta de las mencionadas a continuación; 2° El conductor se encuentra en estado de embriaguez manifiesta o bajo la influencia de un estado alcohólico caracterizado por una concentración de alcohol en la sangre o en el aire espirado igual o superior a los índices fijados por las disposiciones legales o reglamentarias del

---

Sumalla se ha manifestado muy críticamente en relación con esta regulación; ver J. M. TAMARIT SUMALLA / M. E. LUQUE PARRA, *Automóviles, delitos y penas. Estudio de la criminalidad y de las sanciones penales relacionadas con los vehículos a motor*, 2007, pp. 91 y 153-154.

34   Cfr. arts. 222-11, 222-19-1 y 222-20-1 CP.

35   Ver *infra*.

Código de Circulación, o se haya negado a someterse a las verificaciones previstas por este Código y destinadas a establecer la existencia de un estado alcohólico; 3º Resulte de un análisis de sangre que el conductor había hecho uso de sustancias o plantas clasificadas como estupefacientes, o se haya negado a someterse a las verificaciones previstas por el Código de Circulación destinadas a establecer si conducía habiendo hecho uso de estupefacientes; 4º El conductor no fuera titular del permiso de conducir exigido por la ley o el reglamento, o su permiso hubiera sido anulado, invalidado, suspendido o retenido; 5º El conductor haya sobrepasado en 50 km/h o más la velocidad máxima autorizada; 6º El conductor, a sabiendas de que acaba de causar u ocasionar un accidente, no se hubiera detenido y tratara así de sustraerse a la responsabilidad penal o civil en que hubiera podido incurrir. [./.] Las penas se elevarán a diez años de prisión y 150.000 euros de multa cuando el homicidio involuntario se haya cometido con dos o más de las circunstancias mencionadas en el número 1º y siguientes del presente artículo"[36].

El art. 221-8 CP (reproducido también en el art. 232-1 CR) establece: "Las personas físicas culpables de las infracciones previstas en el presente capítulo incurrirán igualmente en las siguientes penas complementarias: 1º La prohibición, conforme a las modalidades previstas en el artículo 131-27 CP, de ejercer la actividad profesional o social en cuyo ejercicio o con ocasión de la cual se ha cometido la infracción; [...]; 3º La suspensión del permiso de conducir, durante un periodo máximo de cinco años, que puede limitarse a la conducción realizada al margen de la actividad profesional; en los casos previstos por el art. 221-6-1 CP, la suspensión del permiso de conducir no puede ir acompañada de suspensión condicional (*sursis*) ni siquiera parcialmente, ni puede verse limitada a la conducción realizada al margen de la actividad profesional; en los casos previstos por los números 1 a 6 y el último párrafo del art. 221-6-1 CP, la duración de esta suspensión es de hasta diez años; 4º La anulación del permiso de conducir con prohibición de solicitar la emisión de un nuevo permiso hasta un máximo de cinco años. 4º bis La obligación de realizar una estancia de sensibilización sobre los daños derivados del uso de sustancias estupefacientes, conforme a las modalidades previstas en el art. 131-35-1 [...] 7º En los casos previstos en el art. 221-6-1 CP, la prohibición de conducir ciertos vehículos terrestres a motor, incluidos aquellos para cuya conducción no se exige permiso de conducir, durante un periodo máximo de cinco años; 8º En los casos previstos en el art. 221-6-1 CP, la obligación de realizar, a costa del condenado, una estancia de sensibilización por la seguridad vial; 9º En los casos previstos en el art. 221-6-1 CP, la inmovilización, por el máximo de un año, del vehículo del que se haya servido el condenado para cometer la infracción, cuando sea el propietario; 10º En los casos previstos en el art. 221-6-1 CP, el comiso del vehículo del que el condenado se ha servido para cometer la infracción, cuando sea el propietario. [./.] Toda condena por los

---

[36] Con carácter general, en el art. 221-6 CP se castiga el homicidio imprudente con 3 años de prisión y 45.000 euros de multa, y con penas de 5 años de prisión y 75.000 euros de multa "en caso de violación manifiestamente deliberada de una obligación especial de seguridad o de prudencia impuesta por la ley o el reglamento".

delitos previstos en los números 1 a 6 y el último párrafo del art. 221-6-1 CP da lugar, de pleno de derecho, a la anulación del permiso de conducir, con la prohibición de solicitar uno nuevo hasta un máximo de diez años. En caso de reincidencia, la duración de la prohibición llegará, de pleno derecho, a los diez años, y el Tribunal puede, mediante una decisión especialmente motivada, prever que tal interdicción sea definitiva"[37].

5. En el *Reino Unido*, la producción de la muerte de otra persona por conducción peligrosa (*causing death by dangerous driving*), se incrimina específicamente en la sec. 1 de la *Road Traffic Act 1988* (modificada en 1991). Se trata de un delito que siempre se juzgará en la *Crown Court*, y que actualmente tiene prevista una pena máxima de 14 años de prisión[38]. Además, salvo que concurran "razones especiales", se impondrá una pena de inhabilitación para conducir durante un periodo mínimo de 2 años (3 años si existe una condena previa relevante), y hasta que el condenado no apruebe un examen de conducir[39]. En 1991 se introdujo en la sec. 3A RTA el delito de producción de la muerte de terceros por conducción descuidada relacionada con la influencia de bebidas alcohólicas y drogas (*causing death by careless driving when under influences of drink or drugs*), cuya definición ha sido modificada mediante la *Road Safety Act 2006*. También este delito se juzga siempre en la *Crown Court*, y tiene actualmente prevista una pena máxima de 14 años de prisión y/o una multa de cuantía ilimitada, así como la inhabilitación para conducir en los términos que se acaba de indicar[40].

---

[37] La pena prevista en el apartado 4º bis se ha introducido recientemente mediante la Ley núm. 2007-297, de 5 de marzo de 2007, relativa a la prevención de la delincuencia.

[38] La pena de prisión se elevó de 10 a 14 años en virtud de la *Criminal Justice Act 2003*. En un primer momento, la *Road Traffic Offenders Act 1988* preveía una pena de prisión de 5 años, que se elevó a 10 años mediante la *Criminal Justice Act 1993*.
Los supuestos en los que la muerte se produce mediante la conducción peligrosa de un vehículo hurtado, están específicamente previstos en la sección 12A de la *Theft Act 1968*, y se castigan también con una pena de prisión de hasta 14 años.

[39] Ver sec. 33 *Road Traffic Offenders Act 1988*, que remite a la Parte I del Catálogo 2 de la misma disposición. Sobre la regulación de la inhabilitación para conducir, ver secciones 34 a 40, 97 y 98 RTOA. Excepcionalmente, esta pena puede ser perpetua; al respecto, ver P. WALLIS (*general editor*), *Wilkinsons's Road Traffic Offences*, 22 ed, 2005, tomo 1, pp. 474-476.

[40] La pena de prisión se elevó de 10 a 14 años en virtud de la *Criminal Justice Act 2003*.

Muy recientemente, la *Road Safety Act 2006* ha introducido en la sec. 2B RTA el delito de producción de la muerte por conducción descuidada o desconsiderada (*causing death by careless, or inconsiderate, driving*)[41]. Podrá juzgarse en la *Crown Court*, o bien de forma sumaria en la *Magistrates' Court*. En el primer caso puede castigarse con prisión de hasta 5 años y/o multa de cuantía ilimitada. En el segundo caso comporta una multa máxima del nivel 5 (5.000 libras) y/o 12 meses de prisión (en Inglaterra y Gales) o 6 meses de prisión (en Escocia). La inhabilitación para conducir tendrá una duración mínima de 12 meses.

Así mismo, la *Road Safety Act 2006* ha introducido en la sec. 3ZB RTA una regulación específica de los supuestos en los que quien produce la muerte es un conductor que carece de permiso, al que se ha privado del derecho a conducir, o que conduce sin disponer del correspondiente seguro (*causing death by diriving: unlicensed, disqualified or uninsured drivers*)[42]. Podrá juzgarse en la *Crown Court*, o bien de forma sumaria en la *Magistrates' Court*. En el primer caso puede castigarse con prisión de hasta 2 años y/o multa de cuantía ilimitada. En el segundo caso comporta una multa máxima del nivel 5 (5.000 libras) y/o 12 meses de prisión (en Inglaterra y Gales) o 6 meses de prisión (en Escocia). La inhabilitación para conducir tendrá una duración mínima de 12 meses.

La previsión de aquellas figuras delictivas no excluye la estimación de un delito de asesinato cuando el vehículo se utiliza intencionadamente como arma para producir la muerte. Y tampoco excluye que, en algunos casos, la muerte provocada imprudentemente por el conductor se castigue (más gravemente) como un delito de homicidio imprudente, en la modalidad de *"constructive manslaughter"* o *"gross negligence manslaughter"*[43]. Sin embargo, la jurisprudencia

---

[41]   La sec. 20 de la *Road Safety Act 2006*, por la que se introduce la sec. 2B RTA, todavía no ha entrado en vigor.

[42]   La sec. 21 de la *Road Safety Act 2006*, por la que se introduce la sec. 3ZB RTA, todavía no ha entrado en vigor. En relación con los límites de este delito, ver p. ej. S. COOPER / M. ORME, *Road Traffic Law*, 2006, pp. 30-31.

[43]   El *constructive manslaughter* es un delito de *common law*, que consiste en la producción de la muerte por la realización de un acto antijurídico (en principio, un acto delictivo) y peligroso; se trata, por lo tanto, de una figura similar al homicidio preterintencional. En relación con la posición del *Crown Prosecution Service* sobre la posible estimación de un delito de ho-

ha entendido que las previsiones específicas de la *Road Traffic Act* hacen que la condena por un delito de homicidio imprudente se reserve para los casos muy graves, que comportan un riesgo muy alto de producción de la muerte, o bien para los supuestos en los que la conducción no se produce en una carretera o lugar público. También se admite la posibilidad de apreciar un delito de homicidio cuando la muerte no se produce por la forma de conducir, sino por la omisión de socorro del conductor[44].

En cuanto a la producción de un resultado de lesiones, debe destacarse que en la RTA no se prevé expresamente tal hipótesis. Sin embargo, y a pesar de que el delito de conducción peligrosa no exige la producción de lesiones, también es aplicable en estos casos. Por ello, será excepcional que la acusación recurra al delito de producción de lesiones por conducción furibunda o arbitraria (*causing bodily harm by furious or wanton driving*), previsto en la sección 35 de la *Offences Against the Person Act 1861*, y que también puede sancionarse con 2 años de prisión, pero por el cual no puede imponerse una pena de inhabilitación para conducir[45].

Concretamente, la sec. 1 RTA dispone: "Una persona que cause la muerte de otra persona conduciendo peligrosamente un vehículo propulsado mecánicamente en una carretera u otro lugar público, es culpable de un delito"[46].

La sec. 2B establece: "Una persona será culpable de un delito si causa la muerte de otra persona conduciendo un vehículo propulsado mecánicamente en la carretera u otro lugar público, sin el debido cuidado y atención, o sin una razonable consideración por las otras personas que usan la carretera o el lugar".

La sec. 3A establece: "(1) Una persona será culpable de un delito si causa la muerte de otra persona conduciendo un vehículo propulsado mecánicamente en la carretera u otro lugar público, sin el debido cuidado y atención, o sin una razonable consideración por las otras personas que usan la carretera o el lugar, y (a) en el momento de condu-

---

micidio, ver su reciente informe *Policy for prosecuting cases of bad driving*, en http://www.cps.gov.uk/publications/prosecution/pbd_policy.html.

[44] Al respecto, ver, p. ej., P. WALLIS (*general editor*), *Wilkinsons's Road Traffic Offences*, 22 ed, 2005, tomo 1, pp. 429-430; A. ASHWORTH, *Principles of Criminal Law*, 5. ed, 2006, pp. 299-301.

[45] Así lo destaca en sus instrucciones el *Crown Prosecutors Service*, partiendo de la *Home Office Circular 46/1983*; cfr. htpp://www.cps.gov.uk/legal/section9/index.html. Ver también P. WALLIS (*general editor*), *Wilkinsons's Road Traffic Offences*, 22 ed, 2005, tomo 1, pp. 454-455.

[46] En relación con la definición legal de conducción peligrosa, que se incrimina también como delito autónomo de peligro en la sec. 2 RTA, y se define en la sec. 2A, ver *infra*.

cir, es incapaz de hacerlo, debido a la bebida o las drogas (*he is, at the time when he is driving, unfit to drive through drink or drugs*), o (b) ha consumido tanto alcohol que su proporción en el aire espirado, sangre u orina excede, en ese momento, el límite prescrito[47], o (c) habiendo sido requerido, dentro de las 18 horas siguientes, para suministrar una muestra en cumplimiento de la sección 7 de esta Ley, se negara a hacerlo sin una excusa razonable[48], o (d) habiendo sido requerido por la policía para autorizar el análisis en el laboratorio de una muestra de su sangre obtenida conforme a lo dispuesto en la sección 7A de esta Ley, se negara a hacerlo sin una excusa razonable. [./.] (2) A los efectos de esta sección, una persona debe ser considerada incapaz de conducir, en cualquier momento, cuando tiene afectada su habilidad para conducir correctamente (*when his ability to drive properly is impaired*). [./.] (3) La anterior subsección (1)(b), (c) y (d) no es aplicable en relación con aquel que conduzca un vehículo propulsado mecánicamente distinto de un vehículo a motor".

La sec. 3ZB dispone: "Una persona será culpable del delito previsto en esta sección si causa la muerte de otra persona al conducir un vehículo a motor en una carretera y, en el momento de conducir, realiza un delito de los previstos en (a) la sección 87(1) de esta Ley (conducir de forma distinta a lo que resulta acorde con la licencia), (b) la sección 103(1)(b) de esta Ley (conducir mientras dura la inhabilitación) o (c) la sección 143 de esta Ley (usar un vehículo a motor mientras carece de seguro o no está asegurado contra riesgos a terceros)".

6. En *Alemania*, la singularidad del tratamiento del homicidio y las lesiones imprudentes (§§ 222 y 229 CP)[49] cometidas en el marco

---

[47] Conforme a lo dispuesto en la sección 11(2) RTA, la referencia al "límite prescrito" en relación con la proporción de alcohol, debe entenderse como una remisión a las siguientes tasas: 35 microgramos de alcohol en 100 mililitros de aire espirado, 80 miligramos de alcohol en 100 mililitros de sangre, y 107 miligramos de alcohol en 100 mililitros de orina. Sin embargo, en relación con las tasas de alcohol en aire espirado, no se formula ninguna acusación pública cuando la tasa es inferior a 35 microgramos; así lo destaca en sus instrucciones el *Crown Prosecutors Service*, partiendo de la *Home Office Circular 46/1983*; cfr. htpp://www.cps.gov.uk/legal/section9/index.html

[48] Por lo que respecta al cumplimiento de los requerimientos dirigidos a averiguar la proporción de alcohol en el aire espirado o la sangre, la sección 11(3) RTA establece expresamente que sólo se entenderá que se ha proporcionado una muestra de aire cuando ésta permita realizar el test o el análisis correspondiente.

[49] Para el homicidio imprudente, el § 222 CP prevé una pena privativa de libertad de hasta 5 años o multa. Las lesiones imprudentes se castigan en el § 229 CP con una pena privativa de libertad de hasta 3 años o multa. Los supuestos en los que el homicidio imprudente se produce mediante una conducta realizada con dolo de lesionar (homicidio preterintencional) se contemplan específicamente en el § 227 CP. En el § 316a CP se prevé una

de la circulación vial se limita, en principio, a lo dispuesto en los §§ 44 y 69 CP, en relación con la privación del derecho a conducir. No se prevé específicamente un tipo agravado para todos los supuestos en los que las lesiones imprudentes se producen con infracción de las normas de circulación vial. Pero el límite máximo de la pena prevista para algunos delitos dolosos de peligro es superior al de las lesiones imprudentes, de modo que la concurrencia del delito de lesiones con alguno de aquellos delitos de peligro podrá comportar una pena más grave que la prevista para las lesiones imprudentes. Concretamente, cuando el delito de lesiones imprudentes se produzca en concurso ideal con el delito de intervención dolosa y peligrosa en el tráfico vial (§ 315b), o bien en concurso con el delito doloso de puesta en peligro del tráfico vial (§ 315c), la pena privativa de libertad podrá llegar hasta los 5 años, superado así el límite de los 3 años previsto con carácter general para las lesiones imprudentes en el § 229 CP[50]. Además, debe destacarse que el § 315b III CP prevé una pena más elevada (de 1 a 10 años de privación de libertad, o de 6 meses a 5 años en los casos menos graves) para los supuestos en los que, como consecuencia de una intervención dolosa y peligrosa en el tráfico vial, se produce imprudentemente una grave afectación de la salud, o bien la afectación de la salud de una gran cantidad de personas.

b) El castigo del homicidio y las lesiones intentadas

7. La mayoría de las muertes y lesiones que se producen en el ámbito de la circulación vial no son dolosas. Sin embargo, sí cabría entender que un número importante de aquellos resultados se produce con dolo eventual. Por otra parte, también sucede, en ocasiones, que el homicidio y las lesiones dolosas no llegan a consumarse.

---

pena más grave para los supuestos en los que la muerte se produce con imprudencia grave, mediante un ataque al conductor o al pasajero de un vehículo, aprovechando las especiales circunstancias del tráfico vial, y para cometer un robo con violencia o intimidación, un hurto o una extorsión violentos. El legislador alemán también ha previsto una regulación específica para los casos en los que el homicidio imprudente está directamente vinculado a una conducta de abandono cometida por parte de quien se encuentra en posición de garante (§ 221 III CP).

50   En relación con los delitos de peligro previstos en los §§ 315b y 315c CP, ver *infra*.

Por todo ello, hemos considerado oportuno exponer las diferencias que existen en el derecho comparado en relación con el castigo de la tentativa.

8. En la *legislación italiana*, junto con los delitos y contravenciones dolosos consumados, se castigan también los delitos intentados. Con carácter general y salvo cuando el delito consumado tenga prevista una pena de cadena perpetua, al autor del delito intentado se le impondrá la pena del delito consumado reducida entre uno y dos tercios (arts. 49 y 56 CP). Una parte de la doctrina y la jurisprudencia italianas consideran que la descripción legal de la tentativa que realiza el art. 56 CP impide apreciar un delito intentado realizado con dolo eventual[51].

9. En la *legislación penal francesa*, junto con los hechos consumados, con carácter general se castiga también la tentativa de los crímenes; la tentativa de los delitos se castiga cuando así lo prevé la ley expresamente (arts. 121-4 y 121-5 CP). El marco penal del crimen o delito intentado es el mismo que el de la infracción consumada[52].

Conviene recordar que, en Francia, la consideración del aspecto subjetivo de los hechos delictivos se basa en la distinción entre hechos realizados intencionadamente y hechos realizados imprudentemente, recogida en el art. 121-3 CP. Este punto de partida, y su desarrollo doctrinal, no coinciden necesariamente con la distinción entre hechos dolosos y hechos imprudentes que se realiza en el marco de la legislación penal española, alemana e italiana. Por otra parte, aquella situación ha llevado a que, en principio, se rechace en Francia la posibilidad de admitir que sea constitutiva de una tentativa punible la realización parcial del hecho típico con dolo eventual en relación

---

[51] Concretamente, se entiende que el dolo eventual es incompatible con la exigencia legal de la realización de actos "dirigidos inequívocamente a cometer un delito". Sobre esta cuestión, ver p. ej, E. MARINUCCI / E. DOLCINI, *Manuale di Diritto Penale. Parte Generale*, 2. ed., 2006, pp. 344-345, destacando la división de la doctrina y la jurisprudencia, pero aceptando la tentativa con dolo eventual; G. LATTANZI, *Codice Penale anotato con la giurisprudenza*, 4. ed, 2004, p. 216-217, que sólo recoge sentencias que rechazan la tentativa con dolo eventual.

[52] Esto no significa necesariamente que la tentativa y la consumación se castiguen siempre igual, pues la ausencia del resultado podrá tenerse en cuenta por el Juez al determinar la pena (ver art. 132-24 CP).

con la concurrencia de todos los elementos del tipo[53]. Por lo tanto, en principio, la conducta consistente en poner en considerable peligro la vida de terceros, sin la intención de producir la muerte, pero aceptando esta posibilidad, sólo se castigará a través del correspondiente delito de peligro (arts. 223-1 y ss. CP), y no podrá castigarse como una tentativa de homicidio, lo que permitiría imponer una pena mucho más grave.

10. Una situación similar a la de Francia es la que existe en el *Reino Unido*, donde la *Criminal Attempts Act 1981* ofrece una definición general de la tentativa y la castiga en relación con aquellos delitos que pueden o deben juzgarse con acusación ante un jurado en la *Crown Court*[54]. La referencia de la definición legal a la intención (*intent*) y la delimitación jurisprudencial de este elemento frente a la temeridad (*recklessness*), llevan a excluir el castigo de lo que podría entenderse como tentativa de homicidio o lesiones con dolo eventual[55].

11. En *Alemania*, los delitos graves intentados se castigan con carácter general, mientras que la tentativa de los delitos menos graves sólo se castiga cuando así lo establece expresamente el legislador en relación con cada uno de ellos (§ 23 I CP). Tanto la mayoría de la doctrina como la jurisprudencia alemanas admiten que, salvo que se oponga a ello la descripción legal concreta del correspondiente delito, el dolo del delito intentado puede ser un dolo eventual[56]. En cuanto a la pena que corresponde al delito intentado, el § 23 II establece que la atenuación de la pena prevista para el delito consumado

---

[53]	Ver, por ejemplo, P. CONTE / P. MAESTRE DU CHAMBON, *Droit pénal general*, 7. ed, 2004, pp. 121, 193-194. Estos autores reconocen (*Op. cit.*, pp. 225-226) que, sin embargo, a veces la jurisprudencia condena por una infracción intencional a alguien que no ha querido el resultado, en base a que, al menos, al haber creado un riesgo deliberadamente, ha previsto o debía de haber previsto la posibilidad del resultado que finalmente se ha producido.

[54]	La sección 1 de la *Criminal Attempts Act 1981* establece: "Si, con la intención de cometer un delito de aquellos a los que se aplica esta sección, una persona realiza un hecho que va más allá de la mera preparación de su comisión, es responsable de intentar cometer el delito".

[55]	Ver, p. ej., J. HERRING, *Criminal Law*, 4. ed, 2005, pp. 85 y ss., 451 y ss.

[56]	Sobre esta cuestión, ver p. ej, H.-H. JESCHECK / T. WEIGEND, *Tratado de Derecho penal. Parte General* (trad. de M. Olmedo Cardenete), 5. ed, 2002, p. 554, con referencias.

tendrá carácter facultativo en los casos de tentativa idónea[57]. En los casos de tentativa inidónea, el § 23 III permite no imponer ninguna pena o atenuarla.

c) ¿Regulación específica de los supuestos en los que se produce una pluralidad de resultados de muerte y/o lesiones?

12. Otra de las características de los homicidios y las lesiones cometidos en el marco de la circulación vial consiste en que, a menudo, concurren con otras infracciones penales. Empezaré exponiendo las distintas respuestas que ofrece el derecho comparado cuando se produce un concurso entre diversos delitos de homicidio y/o lesiones imprudentes, para analizar a continuación la regulación del concurso entre estos delitos y determinados delitos de peligro, más concretamente, los denominados delitos contra la seguridad del tráfico.

13. El *legislador italiano* ha optado por una regulación específica para el concurso ideal de homicidios y/o lesiones imprudentes, que puede resultar más favorable que la aplicación de las reglas generales previstas en los arts. 71 a 83 CP[58].

Concretamente, para los supuestos en los que se produce la muerte de diversas personas, o bien la muerte de una o varias y, además, lesiones en una o varias, el art. 589 CP dispone que se impondrá la pena que debería inflingirse por la más grave de las infracciones cometidas, aumentada hasta el triple, aunque no podrán superarse los 12 años de reclusión. Este régimen queda desplazado en los casos previstos en los arts. 9 bis.2 y 9 ter.2 CS.

---

[57] Conviene destacar que el límite mínimo del marco penal del homicidio doloso (5 años de prisión) previsto en Alemania (§ 212 CP) es muy inferior al previsto en España.

[58] La regulación italiana del concurso de delitos distingue entre los supuestos de concurso real de delitos, y los casos de concurso ideal y delito continuado. En el primer caso, la determinación de la pena se hace con arreglo al principio de acumulación, si bien respetando ciertos límites. En los casos de concurso ideal y delito continuado, se impone la pena correspondiente al delito más grave aumentada hasta el triple, sin que pueda superarse el límite de la pena que correspondería imponer aplicando las reglas previstas para el concurso real (art. 81 CP).

Cuando se produzcan lesiones en varias personas, el art. 590 CP dispone que se impondrá la pena que debería infligirse por la más grave de las infracciones cometidas, aumentada hasta el triple, aunque no podrán superarse los 5 años de reclusión[59]. Este régimen general queda desplazado en los casos previstos en los arts. 9 bis.2 y 9 ter.2 CS.

14. En *Francia* y *Alemania* será de aplicación el régimen general del concurso de delitos previsto, respectivamente, en los arts. 132-2 y ss. CP francés[60], y en los §§ 52 a 55 CP alemán[61].

15. En *Inglaterra*, cuando se pone conscientemente en peligro a varias personas, o podría preverse la muerte de varias personas, su producción efectiva se considera como una circunstancia agravante del delito[62].

d) ¿Regulación específica de la relación concursal entre los delitos de homicidio o lesiones, y los delitos contra la seguridad del tráfico?

16. Como hemos indicado ya, en *Italia*, con carecer general y de forma bastante ambigua, los arts. 589 y 590 CP *elevan* el límite mínimo del marco penal del homicidio y las lesiones imprudentes, "si el hecho se ha cometido con infracción de las normas sobre la disciplina de la circulación vial". A su vez, en los arts. 9 bis y 9 ter CS se prevén específicamente los casos en los que el homicidio y/o las lesiones derivan de una competición no autorizada. La referencia en la descripción legal de los delitos de peligro a que el hecho no constituya

---

[59] Cuando, como sucederá en la mayoría de casos, el enjuiciamiento de las lesiones corresponda al Juez de Paz, las penas previstas en el Código Penal quedan sustituidas por las previstas en el art. 52 del Decreto Legislativo de 28 agosto de 2000, núm. 274.

[60] De acuerdo con esta regulación, se procederá a la acumulación de las penas correspondientes a los distintos delitos, respetando algunos límites (no podrán imponerse varias penas de la misma naturaleza, y la que se imponga vendrá limitada por el máximo legal más elevado).

[61] El § 52 no prevé con carácter imperativo una agravación de la pena prevista para el delito más grave en los casos de concurso ideal de delitos. Para los casos de concurso real de delitos, los §§ 53, 54 y 55 prevén la imposición de una pena conjunta.

[62] Ver P. WALLIS (*general editor*), *Wilkinsons's Road Traffic Offences*, 22 ed, 2005, tomo 1, pp. 467-472.

un delito más grave[63], vendría a confirmar que el legislador italiano ha optado por la estimación de un concurso de leyes (principio de subsidiariedad)[64].

17. Al configurar como una modalidad agravada del homicidio y las lesiones imprudentes los supuestos en los que, además, concurren las circunstancias que definen determinados delitos de peligro, parece que también el *legislador francés* habría excluido la posibilidad de acudir al régimen general del concurso de delitos, que no permite llegar a imponer penas tan graves como las previstas en los arts. 221-6-1, 222-19-1 y 222-20-1 CP.

18. En el *Reino Unido* la comisión de una pluralidad de infracciones se considera como una circunstancia agravante[65].

19. En *Alemania*, no hay una regulación específica para los supuestos que ahora analizamos, de modo que será de aplicación el régimen general. Por lo tanto, es posible apreciar un concurso entre un delito de lesión y otro de peligro, cuando la comisión de este último haya puesto en peligro bienes jurídicos distintos del que se ha visto lesionado[66]. Por otra parte, conviene recordar que, el límite máximo de la pena prevista para algunos delitos dolosos de peligro, es superior al de las lesiones imprudentes, de modo que la concurrencia de ambos delitos podrá comportar una pena más grave que la prevista para las lesiones imprudentes.

III. RELEVANCIA PENAL DE LA CONDUCCIÓN TRAS EL CONSUMO DE ALCOHOL Y/O DE OTRAS DROGAS

1. En todos los países cuya legislación estamos analizando, la conducción posterior al consumo de alcohol u otras drogas está previs-

---

[63]   Cfr., por ejemplo, art. 186.2 CS.

[64]   Con carácter general, ver, p. ej., E. Marinucci / E. Dolcini, *Manuale di Diritto Penale. Parte Generale*, 2. ed., 2006, pp. 387-390. Cfr. G. Protospataro (coord.), *Codice della strada commentato*, 4 ed, 2006, pp. 2214 y 2218, n. 22.

[65]   Ver P. Wallis (*general editor*), *Wilkinsons's Road Traffic Offences*, 22 ed, 2005, tomo 1, pp. 467-472.

[66]   Ver, p. ej., C. Roxin, *Strafrecht Allgemeiner Teil. Band II. Besondere Erscheinungsformen der Straftat*, 2003, § 33 n. m. 209.

ta como delito autónomo cuando, además, concurren determinadas circunstancias. Las diferencias se refieren a la delimitación de las conductas típicas, y a sus consecuencias jurídicas. Al respecto, debe destacarse que en algunos países la severidad de las penas previstas para los delitos de homicidio y lesiones contrasta con la reacción prevista en el ámbito de los delitos de peligro, a menudo con la única excepción de las "alcoholemias". Es lo que sucede en la legislación de Italia, Francia y el Reino Unido, donde se prevén penas mucho más graves que en España para los delitos de resultado y —con la excepción mencionada— sucede lo contrario en relación con los delitos de peligro.

2. En *Italia*, el art. 186 CS incrimina la conducción en estado de embriaguez, añadiendo que, a tales efectos, se considera que el conductor se encuentra en estado de embriaguez cuando la tasa alcohólica es superior a 0,5 gr. por litro de sangre[67]. La jurisprudencia ha declarado reiteradamente que el estado de embriaguez puede considerarse probado por medios distintos del análisis de aire espirado, como también ha señalado que el Juez puede, incluso, desatender el resultado reflejado por el etilómetro, siempre que su convicción se apoye en una motivación lógica y exhaustiva[68]. Pero este panorama puede cambiar en el futuro. Y es que el contenido del art. 186 CS ha sido recientemente modificado, junto con otros preceptos, mediante la Ley de 2 de octubre de 2007, núm. 160 (publicada en la *Gazzeta Ufficiale* núm. 230, del 3 de octubre de 2007), que, con algunas modificaciones, convierte en ley el Decreto-ley de 3 de agosto de 2007, núm. 117, sobre disposiciones urgentes que modifican el *Codice della Strada* para incrementar el nivel de seguridad en la circulación. Tras esta reforma, el art. 186 CS prevé marcos penales distintos (que van desde la multa de 500 euros a la multa de 6.000 euros con arresto de hasta 6 meses), en función de la tasa de alcohol que se haya comprobado y que, como mínimo, será de 0,5 gr./l de sangre. La mencionada reforma ha afectado también a las consecuencias de la negativa a someterse a las comprobaciones reguladas en el propio

---

[67]   La referencia a esta tasa se introdujo en 2002.

[68]   Ver la numerosa y reciente jurisprudencia citada en R. CHIAESE / R. PE-TRUCCI, *Nuovo Codice della Strada e Regolamento. Annotato con la Giurisprudenza*, 5. ed, 2005, pp. 211-213; G. PROTOSPATARO (coord.), *Codice della strada commentato*, 4. ed, 2006, pp. 2194 y ss., con referencias a los pronunciamientos del Tribunal Constitucional italiano.

art. 186. Ya no se prevé la misma pena que para la conducción en estado de embriaguez, salvo que la negativa constituya un delito más grave[69]. Si bien admite que la negativa pueda ser constitutiva de delito, el art. 186.7 prevé ahora únicamente sanciones administrativas (multas de 2.500 a 12.000 euros y suspensión o revocación del permiso de conducir).

La conducción con alteración física o psíquica derivada del consumo de sustancias estupefacientes o psicotrópicos se castiga en el art. 187 CS, que ya no remite a las penas previstas en el art. 186.2. Tras su reforma mediante Ley de 2 de octubre de 2007, núm. 160, el art. 187.8 tampoco establece las mismas penas para la conducción con alteración física o psíquica derivada del consumo de sustancias estupefacientes o psicotrópicas y para el rechazo de su comprobación[70].

El art. 186 CS dispone: "1. Está prohibido conducir en estado de embriaguez como consecuencia del uso de bebidas alcohólicas. [./.] 2. Salvo que el hecho constituya un delito más grave, quien conduzca en estado de embriaguez será castigado: a) con multa de 500 a 2.000 euros cuando se haya comprobado un valor correspondiente a una tasa de alcoholemia superior a 0,5 y no superior a 0,8 gramos por litro (g/l). La comprobación del delito comporta la sanción administrativa accesoria de la suspensión del permiso de conducir de tres a seis meses; b) con multa de 800 a 3.200 euros y arresto de hasta tres meses cuando se haya comprobado un valor correspondiente a una tasa de alcoholemia superior a 0,8 y no superior a 1,5 gramos por litro (g/l). La comprobación del delito comporta en todo caso la sanción administrativa accesoria de la suspensión

---

[69] El art. 186.7 establecía: "En caso de rechazar las comprobaciones a las que se refieren los apartados 3, 4 o 5, el conductor será castigado con las sanciones previstas en el apartado 2, salvo que el hecho constituya un delito más grave". La jurisprudencia italiana parecía aceptar el concurso de delitos entre las infracciones descritas en los arts. 186.2 y 186.7 CS; ver, en este sentido, la Sentencia de Casación Penal de 2-7-97 (n. 6355), citada en R. CHIAESE / R. PETRUCCI, *Nuovo Codice della Strada e Regolamento. Annotato con la Giurisprudenza*, 5. ed, 2005, p. 212.

[70] En relación con el art. 187. 8 CS (en la redacción anterior a su reforma mediante la Ley de 2 de octubre de 2007, núm. 160) la jurisprudencia italiana ha considerado que la sanción administrativa accesoria de suspensión del permiso de conducir sólo es aplicable al delito de conducción bajo la influencia de sustancias estupefacientes, y no a la negativa a someterse a las comprobaciones médicas previstas para cuando hay razones para sospechar que el conductor se encuentra en aquella situación; ver la Sentencia de Casación Penal de 14-2-03 (n. 7339), citada en R. CHIAESE / R. PETRUCCI, *Nuovo Codice della Strada e Regolamento. Annotato con la Giurispruden-za*, 5. ed, 2005, p. 218.

del permiso de conducir de seis meses a un año; c) con multa de 1.500 a 6.000 euros y arresto de hasta de seis meses, cuando se haya comprobado un valor correspondiente a una tasa de alcoholemia superior a 1,5 gramos por litro (g/l). La comprobación del delito comporta en todo caso la sanción administrativa accesoria de la suspensión del permiso de conducir de uno a dos años. El permiso de conducir se revocará siempre, en el sentido del Capítulo I, Sección II, del Título VI, cuando el delito se cometa por el conductor de un autobús, de un vehículo de una masa total, con pleno cargamento, superior a 3,5 t., de un conjunto de vehículos, o bien en el caso de reincidencia en el plazo de dos años. Respecto a la retirada del permiso se aplicará lo dispuesto en el art. 223. [./.] 2 bis. Si quien conduce en estado de embriaguez provoca un accidente de circulación, se duplicarán las penas previstas en el apartado 2, y se dispondrá la paralización administrativa del vehículo por noventa días, en el sentido del Capítulo I, Sección II, del Título VI, salvo que aquél pertenezca a una persona extraña al delito. En todo caso, se impondrán las sanciones accesorias previstas en los arts. 222 y 223. [...] 6. Cuando de las comprobaciones previstas en los apartados 4 o 5 [comprobación de la tasa de alcohol por parte de la policía o de la estructura sanitaria] resulte un valor correspondiente a una tasa de alcoholemia superior a 0,5 gramos por litro (g/l), el interesado se considera en estado de embriaguez a los fines de la aplicación de las sanciones previstas en el art. 186.2. [./.] 7. Salvo que el hecho constituya delito, en caso de rechazar las comprobaciones previstas en los apartados 3, 4 o 5, el conductor quedará sujeto a la sanción administrativa del pago de una suma de entre 2.500 y 10.0000 euros. Si la infracción se comete con ocasión de un accidente de circulación en el que el conductor haya resultado implicado, se impondrá la sanción administrativa pecuniaria de 3.000 a 12.000 euros. Las infracciones comportan las sanciones administrativas accesorias de suspensión del permiso de conducir por un periodo de seis meses a dos años, y de paralización administrativa del vehículo por un periodo de ciento ochenta días, en el sentido del Capítulo I, Sección II, del Título VI, salvo que aquél pertenezca a una persona extraña a la infracción. Al disponer la suspensión del permiso, el Prefecto ordenará que el conductor se someta a una visita médica conforme a lo dispuesto en el apartado 8. Cuando el mismo sujeto cometa más infracciones en el plazo de dos años, se impondrá siempre la sanción administrativa accesoria de revocación del permiso de conducir en el sentido del Capítulo I, Sección II, del Título VI. [...]"[71].

---

[71] Antes de su reforma mediante la Ley de 2 de octubre de 2007, núm. 160, el art. 186 disponía: "1. Está prohibido conducir en estado de embriaguez como consecuencia del uso de bebidas alcohólicas. [./.] 2. Cuando el hecho no constituya un delito más grave, la conducción en estado de embriaguez se castiga con el arresto de hasta un mes y multa de 258 a 1.032 euros. Para la imposición de la pena es competente el Tribunal. La comprobación del delito comporta la sanción administrativa accesoria de suspensión del permiso de quince días a tres meses, o bien de uno a seis meses cuando el mismo sujeto comete varias infracciones en el curso de un año, en el sentido del Capítulo II, Sección II, del Título VI. Cuando la violación se comete por el conductor de un autobús o de un vehículo de una masa total, cargado por

El art. 187 CS dispone: "1. Quien conduzca en estado de alteración psico-física después de haber consumido sustancias estupefacientes o psicotrópicas será castigado con multa de 1.000 a 4.000 euros y arresto de hasta tres meses. La comprobación del delito comporta en todo caso la sanción administrativa accesoria de suspensión del permiso de conducir entre seis meses y un año. El permiso de conducir se revocará siempre, en el sentido del Capítulo I, Sección II, del Título VI, cuando el delito se cometa por el conductor de un autobús, de un vehículo de una masa total, con pleno cargamento, superior a 3,5 t., de un conjunto de vehículos, o bien en el caso de reincidencia en el plazo de dos años. Respecto a la retirada del permiso se aplicará lo dispuesto en el art. 223. [./.] 1 bis. Si quien conduce en estado de alteración psico-física, después de haber consumido sustancias estupefacientes o psicotrópicas, provoca un accidente de circulación, se duplicarán las penas previstas en el apartado 1, y se dispondrá la paralización administrativa del vehículo por noventa días, en el sentido del Capítulo I, Sección II, del Título VI, salvo que aquél pertenezca a una persona extraña al delito. En todo caso, se impondrán las sanciones accesorias previstas en los arts. 222 y 223. [...] 8. Salvo que el hecho constituya delito, en caso de rechazar las comprobaciones previstas en los apartados 2, 3, o 4, el conductor quedará sujeto a las sanciones administrativas previstas en el art. 186.7. Al disponer la suspensión del permiso, el Prefecto ordenará que el conductor se someta a una visita médica conforme a lo dispuesto en el artículo 119 [requisitos físicos y psíquicos para la obtención del permiso de conducir]"[72].

---

completo, superior a 3,5 t., o bien de un conjunto de vehículos, con la sentencia condenatoria se dispondrá la revocación del permiso de conducir en el sentido del Capítulo II, Sección II del Título VI; en este caso, respecto a la retirada del permiso se aplicará lo dispuesto en el art. 223 [...] 6. Cuando de las comprobaciones previstas en los apartados 4 o 5 [comprobación de la tasa de alcohol por parte de la policía o de la estructura sanitaria] resulte un valor correspondiente a una tasa de alcoholemia superior a 0,5 gramos por litro (g/l), el interesado se considera en estado de embriaguez a los fines de la aplicación de las sanciones previstas en el art. 186.2 [...]".

[72]   Antes de su reforma mediante la Ley de 2 de octubre de 2007, núm. 160, el art. 187 disponía: "1. Está prohibido conducir en condiciones de alteración física y psíquica derivada del uso de sustancias estupefacientes o psicotrópicos [...] 7. Salvo que el hecho constituya un delito más grave, cualquier que conduzca en condiciones de alteración física y psíquica derivada del uso de sustancias estupefacientes o psicotrópicas, será castigado con las sanciones del artículo 186.2 [...] 8. Salvo que el hecho constituya un delito más grave, en caso de rechazar las comprobaciones previstas en los apartados 2, 3, o 4, el conductor será castigado con las sanciones del artículo 186.2".

3. En *Francia* (arts. L 234-1 y L 234-2 CR)[73] la incriminación genérica de la conducción en estado de embriaguez (manifiesta)[74] va acompañada de la incriminación de la conducción con determinadas tasas de impregnación alcohólica (a partir de 0,8 gr./l sangre o 0,4 mgr./l aire espirado)[75]. Las mismas penas principales y complementarias están previstas en el art. L 234-8 CR para la negativa a someterse a las comprobaciones destinadas a corroborar el consumo de alcohol (previstas en los arts. L 234-4 a 6 CR), o bien a las pruebas preventivas sobre la impregnación alcohólica en aire espirado (previstas en el art. L 234-9 CR)[76].

La conducción tras el consumo de estupefacientes se castiga en el art. L 235-1 CR, elevándose las penas cuando, además, se detecte una concentración de alcohol igual o superior a las tasas fijadas por las disposiciones legales o reglamentarias (esto es, las tasas que determinan la presencia de un delito o de una mera contravención). De acuerdo con el art. L 235-3 CR, se impondrán las mismas penas a quien rechace someterse a las comprobaciones para determinar el consumo de sustancias o plantas clasificadas como estupefacientes (previstas en el art. L 235-2).

> Concretamente, el art. L 234-1 CR dispone: "I. Incluso en ausencia de todo signo de embriaguez manifiesta, el hecho de conducir un vehículo bajo la influencia de un

---

[73] La última modificación de estos preceptos se produjo mediante la Ley núm. 2003-495, de 12 de junio de 2003.

[74] La jurisprudencia francesa identifica la embriaguez manifiesta con aquellos supuestos en los que el propio conductor muestra síntomas de embriaguez (aliento con olor a alcohol, manifestaciones incoherentes, dificultades para guardar el equilibrio, etc), sin exigir que la embriaguez se manifieste también y necesariamente en la conducción. Ver P. COUVRAT, M. MASSE, Y OTROS, *Code de la Route commenté*, 6. ed, 2006, pp. 136-137.

[75] En el art. R 234-1 CR se castiga con una pena más leve la conducción de un vehículo de transporte con tasas de alcohol inferiores a las previstas en el art. L 234-1 CR e iguales o superiores a 0,2 gr./l. sangre o 0,1 mgr./l. aire espirado, así como la conducción de otras categorías de vehículos con tasas iguales o superiores a 0,5 mgr./l sangre, o 0,25 mgr./l aire espirado. La pena de estos supuestos es la multa prevista para las contravenciones de 4ª clase: hasta 750 euros. Se impondrá también la pena complementaria de suspensión del permiso de conducir por un máximo de tres años, pudiendo limitarse a la conducción independiente de la actividad profesional.

[76] Las penas de prisión son muy superiores a las previstas en el art. L 233-1 para los supuestos de desobediencia relacionados con la circulación de vehículos a motor.

estado alcohólico (*conduire un véhicule sous l'empire d'un état alcoolique*) caracterizado por una concentración de alcohol en la sangre igual o superior a 0,80 gramos
por litro, o bien por una concentración de alcohol en el aire espirado igual o superior a
0,40 miligramos por litro, se castiga con dos años de prisión y multa de 4.500 euros.
[./.] II. El hecho de conducir un vehículo en estado de embriaguez manifiesta se castiga
con las mismas penas. [./.] III. En los casos previstos en I y II de este artículo, puede
prescribirse la inmovilización, dentro de las condiciones previstas en los artículos L 325
a L 325-3. [./.] IV. Estos delitos dan lugar, de pleno derecho, a la reducción de la mitad
del número máximo de puntos del permiso de conducir. [./.] V. Las disposiciones del
presente artículo son aplicables al acompañante de quien aprende a conducir".

Por su parte, el art. L 234-2 CR prevé las penas complementarias siguientes[77]: a)
Suspensión del permiso de conducir, durante un periodo máximo de tres años, no pudiendo limitarse dicha suspensión a la conducción realizada al margen de la actividad
profesional, ni ir acompañada de suspensión condicional, ni siquiera parcial; b) Anulación del permiso de conducir, con la prohibición de solicitar la expedición de uno nuevo
durante un máximo de tres años; c) Trabajos de interés general según las modalidades
previstas en el art. 131-8 CP y según las condiciones previstas en los arts. 131-22 a
131-24 CP y en el art. 20-5 de la *Ordonnance* nº45-174 de 2 febrero 1945 relativa a la
infancia delincuente; d) Pena de días-multa, en las condiciones fijadas en los arts. 131-
5 y 131-25 CP; e) Prohibición de conducir ciertos vehículos terrestres a motor, incluidos
aquellos para cuya conducción no se exige permiso de conducir, por un periodo con
una duración máxima de cinco años; f) Obligación de realizar, a costa del condenado,
una estancia de sensibilización por la seguridad vial.

El art. L 235-1 CR dispone: "I. Toda persona que conduzca un vehículo, o que
acompañe a quien aprende a conducir, cuando resulte de un análisis sanguíneo que ha
consumido sustancias o plantas clasificadas como estupefacientes, será castigada con
dos años de prisión y multa de 4.500 euros [./.] Si la persona también se encuentra bajo
los efectos de un estado alcohólico caracterizado por una concentración de alcohol en
sangre o en el aire espirado igual o superior a las tasas fijadas por las disposiciones
legales o reglamentarias del presente Código, las penas llegarán a los tres años de prisión y 9.000 euros de multa". También se prevé la imposición de las penas complementarias contempladas en el art. L 234-2 CR, a las que recientemente (mediante la Ley
núm. 2007-297, de 5 de marzo) se ha sumado la obligación de realizar una estancia de
sensibilización sobre los daños derivados del uso de sustancias estupefacientes[78]. Además, podrá prescribirse la inmovilización del vehículo, y se producirá, de pleno derecho,
la reducción de la mitad del número máximo de puntos del permiso de conducir.

4. En *Alemania*, la conducción sin la seguridad necesaria, como
consecuencia de la ingestión de bebidas alcohólicas u otras sustancias embriagadoras, se incrimina en los §§ 315c y 316 CP, que no

---

[77] En relación con los supuestos de reincidencia, ver art. L 234-12 CR.
[78] En relación con los supuestos de reincidencia, ver art. L 235-4 CR.

contienen ninguna referencia expresa a tasas de alcoholemia. En lo que aquí interesa, la delimitación de ambos parágrafos viene determinada por la producción o no de un resultado de peligro para la integridad física, la vida de otra persona, o cosas ajenas de un valor significativo. Es en el ámbito de las infracciones administrativas donde se hace referencia expresa a determinadas tasas de alcohol. Concretamente, el § 24a de la Ley del Tráfico Vial prevé, como infracción administrativa, castigada con una multa de hasta 1.500 euros, la conducción en el tráfico vial, dolosa o imprudente, de un vehículo a motor con 0,25 mgr. o más. de alcohol por litro de aire espirado, o con 0,5 gr. o más por litro de sangre, o con una cantidad de alcohol en el cuerpo que lleva a tales concentraciones, o bien bajo los efectos de determinadas sustancias embriagadoras que se mencionan en un Anexo de aquél parágrafo. Se entiende que se producen los efectos de tales sustancias cuando se comprueba su presencia en la sangre[79]. Respecto a la medición de la tasa de alcohol en aire espirado, debe destacarse que la legislación alemana no prevé la posibilidad de forzar la colaboración del conductor, que sólo viene obligado a soportar la oportuna extracción de sangre, en los términos previstos en el § 81a de la Ley de Enjuiciamiento Criminal (*Strafproze ordnung*)[80].

En relación con la aplicación de los §§ 316 y 315c CP, es necesario indicar aquí que la doctrina científica y jurisprudencial alemanas parecen coincidir en considerar que existirá una incapacidad absoluta para la conducción con seguridad —y, por lo tanto, debe apreciarse el delito previsto en el § 316 o, en su caso, el § 315c — a partir

---

[79]   Concretamente, el § 24a de la Ley del Tráfico Vial dispone: "(1) Actúa antijurídicamente quien conduce un automóvil en el tráfico vial, a pesar de tener 0,25 mg. o más de alcohol por litro de aire espirado, o bien 0,5 gr. o más de alcohol por litro de sangre, o una cantidad de alcohol en el cuerpo que lleva a semejante concentración de alcohol en aire espirado o sangre [./.] (2) Actúa antijurídicamente quien conduce un automóvil en el tráfico vial, bajo la influencia de una de las sustancias embriagadoras mencionadas en el Anexo a este precepto. Existe semejante influencia cuando se comprueba la presencia en la sangre de una de las sustancias mencionadas en este Anexo. No rige la primera proposición cuando la sustancia procede de la ingestión, conforme a lo establecido, de un medicamento prescrito para un determinado caso de enfermedad [....]". La tasa de alcoholemia se redujo de 0,8 a 0,5 gr./l de sangre mediante la Ley de 27 abril de 1998.

[80]   Al respecto, ver P. HENTSCHEL, *Straßenverkehrsrecht*, 38 ed, 2005, § 24a StVG n. m. 16; § 81a StPO, ns.ms. 1, 4 y 5.

de la comprobación de una concentración de 1,1 gr. de alcohol por litro de sangre (1 gr. se considera el valor básico, al que se añade un margen de seguridad de 0,1 gr.), en el momento de la conducción o con posterioridad. En estos casos no se admite prueba en contrario, salvo en supuestos de extraordinaria tolerancia al alcohol derivada de una enfermedad[81]. Por debajo de aquella tasa y, en principio, a partir de una tasa de 0,3 gr., se entiende que debe acudirse a otros indicios para apreciar la falta de capacidad de conducir[82].

En lo que aquí interesa, el § 315c CP dispone: "(1) Quien, en el tráfico vial, [./.] 1. conduce un vehículo, a pesar de que [./.] a) como consecuencia de la ingestión de bebidas alcohólicas u otras sustancias embriagadoras (*berauschender Mittel*), o [./.] b) como consecuencia de deficiencias físicas o mentales [./.] no está en situación de conducir el vehículo de forma segura, [...] y pone así en peligro la integridad física o la vida de otra persona o cosas ajenas de un valor significativo, será castigado con pena privativa de libertad de hasta cinco años o multa.

(2) La tentativa es punible en los casos del número 1 del apartado 1.

(3) Quien, en los casos del apartado 1, [./.] 1. causa imprudentemente el peligro, o [./.] 2. actúa imprudentemente y causa imprudentemente el peligro [./.] será castigado con pena privativa de libertad de hasta dos años o multa".

El § 316 CP dispone: "(1) Quien conduzca un vehículo en el tráfico, a pesar de no estar en situación de conducirlo de forma segura, como consecuencia de la ingestión de bebidas alcohólicas u otras sustancias embriagadoras, será castigado con una pena privativa de libertad de hasta un año o multa, salvo que el hecho esté contemplado en el § 315a o en el § 315c [./.] (2) Quien realice el hecho imprudentemente también será castigado conforme al apartado 1"[83].

5. En el *Reino Unido*, junto con la incriminación genérica (sec. 4 RTA) de la conducción por parte de quien es incapaz de hacerlo co-

---

[81]   Ver, p. ej., P. HENTSCHEL, *Straßenverkehrsrecht*, 38 ed, 2005, § 316 StGB, n.m. 11 y ss.; H. TRÖNDLE / T. FISCHER, *Strafgesetzbuch und Nebengesetze*, 54 ed, 2006, § 316 ns. ms. 6 y 6a.

[82]   Ver, p. ej., P. HENTSCHEL, *Straßenverkehrsrecht*, 38 ed, 2005, § 316 StGB ns. ms. 15 y ss.; H. TRÖNDLE / T. FISCHER, *Strafgesetzbuch und Nebengesetze*, 54 ed, 2006, § 316 n. m. 7.

[83]   De acuerdo con el § 47 CP alemán, en principio, la comisión del delito descrito en el § 316 se castigará con una pena de multa. La pena privativa de libertad de 6 meses a 1 año suele reservarse para los reincidentes. Normalmente, la comisión de aquel delito comporta la retirada del permiso de conducir (§ 69 II); cuando, excepcionalmente, no se produce la retirada del permiso, lo habitual será imponer la pena accesoria de prohibición de conducir (§ 44 I). Sobre estas cuestiones, ver, p. ej,, H. TRÖNDLE / T. FISCHER, *Strafgesetzbuch und Nebengesetze*, 54 ed, 2006, § 316a, ns. ms. 11, 11a, 11b y 11c.

rrectamente, a causa de la bebida o la droga, se incrimina también la conducción cuando se superan determinadas tasas de impregnación alcohólica (sec. 5 RTA en relación con la sec. 11): 35 microgramos de alcohol en 100 mililitros de aire espirado, 80 miligramos de alcohol en 100 mililitros de sangre, y 107 miligramos de alcohol en 100 mililitros de orina[84]. La singularidad de esta regulación radica en que no sólo se castiga la conducción. Con la misma pena se incrimina también el mero intento de conducir en tales circunstancias y, con una pena con un límite máximo inferior, se incrimina a quien se encuentra a cargo de un vehículo propulsado mecánicamente, salvo que se pruebe que no es posible que condujera mientras era incapaz de hacerlo debido al consumo de alcohol u otras drogas o superaba las tasas indicadas[85]. La conducción y el intento de conducir (secs. 4(1) y 5(1)(a) RTA) sólo se pueden juzgar de forma sumaria en la *Magistrates' Court*, y tienen prevista en la RTOA una pena de prisión con una duración máxima de 6 meses y/o multa que no exceda del nivel 5 (5.000 libras). Salvo que concurran razones especiales, se impondrá, también, una pena de inhabilitación para conducir durante, al menos, 1 año. El hecho de estar a cargo de un vehículo propulsado mecánicamente en las circunstancias apuntadas (secs. 4(2) y 5(1)(b) RTA) también se puede juzgar únicamente de forma sumaria en la *Magistrates' Court*. Tiene prevista una pena de prisión con una duración máxima de 3 meses y/o multa que no exceda del nivel 4 (2.500 libras). La pena de inhabilitación para conducir es aquí discrecional.

---

[84] La eficacia probatoria de las muestras de aire espirado, orina y/o sangre se regula en la sec. 15 RTA. Al respecto, ver, p. ej., P. WALLIS (*general editor*), *Wilkinsons's Road Traffic Offences*, 22 ed, 2005, tomo 1, pp. 393-395. Excepcionalmente puede considerarse probado que, en el momento de la conducción, la proporción de alcohol era superior a la reflejada en el test; sobre esta cuestión, ver, p. ej. *Op. cit.*, tomo 1, pp. 334 a 338.

[85] Al determinar si existía tal posibilidad, el Tribunal puede prescindir de las lesiones que presente el sujeto y de los daños del vehículo. Por su parte, la jurisprudencia y la doctrina destacan que estar a cargo de un vehículo que se encuentra en la carretera o en un lugar público, no presupone encontrarse en estos lugares. Así sucede en supuestos en los que el encargado del vehículo es su propietario, quien lo posee legítimamente, o quien lo ha conducido recientemente. La condición de estar a cargo de un vehículo permite castigar momentos previos a aquellos en los que ya puede apreciarse un intento de conducir; al respecto, ver, por ejemplo, R. CARD, R. CROSS Y PH. A. JONES, *Criminal Law*, 15. ed, 2001, p. 524.

En la sec. 6 RTA se regulan los supuestos en los que la policía puede requerir la realización de un test preliminar de aire espirado (*breath test*), sobre las cualidades del requerido (*impairment test*), y sobre el consumo de drogas. La negativa inexcusable a colaborar en la práctica de un test preliminar tras el oportuno requerimiento, se castiga con una multa que no exceda del nivel 3 (1.000 libras), con la posibilidad de que se imponga también la inhabilitación para conducir. En la sec. 7 RTA se regulan los requerimientos que la policía puede formular en el curso de la investigación de las infracciones previstas en las secciones 3A, 4 y 5 RTA. La negativa inexcusable, tras el oportuno requerimiento, a proporcionar una muestra que pueda ser analizada, se incrimina en la sec. 7(6). En el caso de que la solicitud de la muestra guarde relación con la investigación de los delitos previstos en las secs. 4 y 5, se podrán imponer las mismas penas que si se hubiera comprobado su efectiva realización.

> Concretamente, la sec. 4 RTA dispone: "(1) Es culpable de un delito la persona que, al conducir, o intentar conducir, un vehículo propulsado mecánicamente en una carretera u otro lugar público, es incapaz de hacerlo a causa de la bebida o la droga. [./.] (2) Sin perjuicio de la anterior subsección (1), cuando está a cargo de un vehículo propulsado mecánicamente que se encuentra en la carretera u otro lugar público, es culpable de un delito la persona que es incapaz de conducir, a causa de la bebida o la droga. [./.] (3) En relación con la anterior subsección (2), se considerará que una persona no ha estado a cargo de un vehículo propulsado mecánicamente, si prueba que, en el momento material, las circunstancias eran tales que no existía ninguna posibilidad de que lo estuviera conduciendo mientras permaneció incapaz de conducir a causa de la bebida o la droga [...] [./.] (5) A los efectos de esta sección, una persona deberá considerarse incapaz de conducir si su habilidad para conducir correctamente está afectada (*if his ability to drive properly is for the time being impaired*) [...]"[86].
>
> El contenido de la sec. 5 es el siguiente: "(1) Si una persona, después de consumir tanto alcohol como para que su proporción en el aire espirado, sangre u orina exceda del límite prescrito, [./.] (a) conduce o intenta conducir un vehículo de motor en un carretera u otro lugar público, o [./.] (b) está a cargo de un vehículo a motor en una carretera u otro lugar público, es culpable de un delito. [./.] (2) Es una defensa para la persona acusada del delito previsto en la anterior subsección (1)(b), probar que, en el momento en que se alega que cometió el delito, las circunstancias eran tales que no existía ninguna posibilidad de conducción del vehículo mientras la proporción de alcohol en su aire espirado, sangre u orina permanecía con posibilidades de superar el límite prescrito [...]"[87]

---

[86] En la sec. 11 RTA se establece que, en las secciones 3A a 10, la referencia legal a "droga" incluye cualquier sustancia intoxicante distinta del alcohol.

[87] En la sec. 11 RTA se establece que, en las secciones 3A a 10, la referencia legal al "límite prescrito" significa, según los casos: 35 microgramos de alco-

IV. OTROS DELITOS CONTRA LA SEGURIDAD DEL TRÁFICO

1. La incriminación de la conducción en supuestos distintos a los acabados de examinar presenta importantes diferencias en los países que venimos considerando. No en todos ellos existe un delito genérico de conducción imprudente, ni coinciden las modalidades específicas de conducción peligrosa que el legislador ha incriminado expresamente. Así mismo, existen diferencias en relación con la incriminación de la afectación de la seguridad vial mediante conductas distintas de la conducción, en cuanto a la relevancia de la comisión imprudente de los delitos de peligro, y en relación con la exigencia de la producción de un resultado de peligro concreto.

2. La *legislación penal italiana* no prevé un delito genérico de peligro para la vida o la salud, ni tampoco uno más específico de conducción temeraria. En el ámbito de la circulación, la mera puesta en peligro de la vida y/o la salud de las personas sólo es penalmente relevante cuando está relacionada con el consumo de alcohol, de otras drogas, con competiciones o carreras de velocidad no autorizadas (arts. 9 bis y 9 ter CS[88])[89], o bien cuando se trate del delito de

---

hol en 100 mililitros de aire espirado, 80 miligramos de alcohol en 100 mililitros de sangre, y 107 miligramos de alcohol en 100 mililitros de orina.

[88]   Esta materia se reformó mediante la Ley 214/2003, de 1 de agosto. La regulación de los arts. 9 bis y 9 ter se completa con las infracciones administrativas previstas en los arts. 9.8 (organización, fuera de los supuestos previstos en los arts. 9 bis y 9 ter, de una competición deportiva de las indicadas en el art. 9 sin estar autorizado del modo aquí previsto) y 9.9 CS (desobediencia de las obligaciones, prohibiciones o limitaciones a las que el art. 9 subordina la realización de una competición deportiva y que resultan de la correspondiente autorización). En relación con las normas *generales* de comportamiento relativas a la velocidad, ver arts. 141 y 142 CS, y su desarrollo reglamentario. Debe destacarse la prohibición *general* de realizar carreras de velocidad recogida en el art. 141.5 CS, y la sanción administrativa de multa prevista en el art. 141.9 CS para los casos en los que se viola la prohibición del art. 141.5, sin que se trate de los casos previstos en los arts. 9 bis y 9 ter. Los límites de velocidad y las correspondientes infracciones y sanciones se encuentran en el art. 142 CS. Sobre la delimitación de las conductas previstas en los arts. 9.8, 9.9, 9 bis, 9 ter y 141.5, ver G. PROTOSPATARO (coord.), *Codice della strada commentato*, 4 ed, 2006, pp. 452 y ss.

[89]   El legislador italiano ha ido despenalizando numerosas modalidades concretas de conducción temeraria para convertirlas en infracciones adminis-

atentado a la seguridad de los transportes públicos previsto en el art. 432 CP[90].

Concretamente, el art. 9 bis.1 CS establece: "Salvo que el hecho constituya un delito más grave, si alguien organiza, promueve, dirige o de cualquier modo favorece una competición deportiva de velocidad con vehículos a motor sin estar autorizado en el sentido del art. 9, será castigado con reclusión de uno a tres años y multa de 25.000 a 100.000 euros. La misma pena se aplica a aquel que toma parte en la competición no autorizada"[91].

A su vez, el art. 9 bis.3 dispone: "Las penas indicadas en los puntos 1 y 2 se aumentarán hasta un año si las manifestaciones son organizadas con fines de lucro o con el fin de practicar o de consentir apuestas clandestinas, o bien si en la competición participan menores de dieciocho años".

---

trativas, castigadas con cuantiosas multas (que en algunos casos llegan a los 6.774 euros) y la suspensión del permiso de conducir (que en algunos casos puede alcanzar una duración de hasta 24 meses); cfr., p. ej., arts. 142.9, 143.4 y 12, 148, 168.8 y 9, 176.19 y 20, 179.2, 2 bis y 3 CS. Concretamente, el Decreto Legislativo núm. 507, de 30 de diciembre de 1999, desincrimó conductas como el cambio de sentido de la marcha, atravesar la medianera, circular en sentido contrario, o circular sin permiso. Al respecto, ver G. PRO-TOSPATARO (coord.), *Codice della strada commentato*, 4 ed, 2006, pp. 1.512, 2.092-2.093, 2.886 y ss.

[90] El art. 432 CP dispone: "Quien, fuera de los casos previstos en los artículos precedentes, pone en peligro la seguridad de los transportes públicos por tierra, agua o aire, será castigado con reclusión de uno a cinco años. [./.] Se impondrá la reclusión de tres meses a dos años a quien lance cuerpos contundentes o proyectiles contra vehículos en movimiento destinados al transporte público por tierra, agua o aire. [./.] Si del hecho deriva un desastre, la pena será de reclusión entre tres y diez años".

Entre las contravenciones relativas a la integridad de las personas en los lugares de tránsito público o en las viviendas, el art. 673 CP tipifica la de *omisión de la colocación o retirada de señales o protecciones*. Concretamente, el art. 673 dispone: "Quien omite colocar las señales o las protecciones prescritas en la ley o por la Autoridad para impedir peligros a las personas en un lugar de tránsito público, o bien remueve aquellas señales o protecciones, o apaga las luces colocadas como señales, será castigado con arresto de hasta tres meses o con multa contravencional de hasta 516 euros [./.] Se impone la misma pena a quien remueve aparatos o señales diversas a las indicadas en la disposición precedente y destinadas a un servicio público o de necesidad pública, o bien apaga las luces del alumbrado público".

[91] Como ya hemos señalado anteriormente, el art. 9 bis.2 dispone: "Si del desarrollo de la competición deriva, de algún modo, la muerte de una o más personas, se aplicará la pena de reclusión de 6 a 12 años; si deriva una lesión personal la pena es de reclusión de 3 a 6 años".

El art. 9 bis.5 dispone que, en relación con aquellos que hayan intervenido en la competición, la comprobación del delito dará lugar a la sanción administrativa accesoria de suspensión del permiso de uno a tres años, en el sentido del Capítulo II, Sección II, del Título VI. El permiso se revocará siempre si del desarrollo de la competición han derivado lesiones personales graves o gravísimas o la muerte de una o más personas. A su vez, se establece que con la sentencia condenatoria se dispondrá siempre la confiscación de los vehículos de los participantes, salvo que pertenezcan a una persona extraña al delito y que ésta no lo hubiera cedido con ese fin.

El art. 9 ter.1 dispone: "Fuera de los casos previstos en el art. 9 bis, si alguien realiza una carrera de velocidad con vehículos a motor, será castigado con reclusión de seis meses a un año y multa de 5.000 a 20.000 euros"[92]. La realización de este delito también comporta la sanción administrativa accesoria de suspensión o revocación del permiso de conducir, así como la confiscación del vehículo.

3. En *Francia*, junto con el delito genérico de "riesgo causado a otro" (art. 223-1 CP)[93] y las "alcoholemias", el legislador ha optado por la incriminación autónoma de diversas conductas que comprometen la seguridad del tráfico, v. gr., superar reiteradamente los límites de velocidad[94], organización de carreras[95], colocación de objetos que obstaculizan el paso de vehículos[96], omitir reiteradamente la distancia de seguridad en el interior de un túnel[97].

---

[92] La reclusión será de 6 a 10 años cuando se produzca la muerte de una o más personas, y de 2 a 5 años cuando deriven lesiones personales (art. 9 ter.2).

[93] El art. 223-1 CP dispone: "El hecho de exponer directamente a otro a un riesgo inmediato de muerte o de heridas susceptibles de provocar mutilación o invalidez permanente, por la violación manifiestamente deliberada de una obligación especial de seguridad o de prudencia impuesta por la ley o el reglamento, será castigado con un año de prisión y multa de 15.000 euros". En relación con las consecuencias jurídicas, ver también arts. 223-18 y 223-19 CP. A diferencia de lo que sucede en el ámbito de los delitos de homicidio y lesiones graves imprudentes, aquí la singularidad de los supuestos en los que el delito se comete con ocasión de la conducción de un vehículo terrestre a motor se reduce al terreno de las penas complementarias. Haciendo referencia a los supuestos en los que la jurisprudencia francesa ha apreciado este delito genérico de peligro en el ámbito de la circulación vial, ver P. Couvrat, M. Masse, y otros, *Code de la Route Commenté*, 6. ed, 2006, pp. 972-974.

[94] Ver art. L 413-1 CR (prisión de tres meses y multa de 3.750 euros).

[95] Ver art. L 411-7 CR (prisión de seis meses y multa de 18.000 euros).

[96] Ver art. L 412-1 CR (prisión de dos años y multa de 4.500 euros).

[97] Ver art. L 412-2 CR (prisión de seis meses y multa de 3.750 euros).

4. El *legislador alemán* incrimina la conducción temeraria en el §
315c CP, mediante la referencia a diversas modalidades específicas,
la exigencia de un resultado de peligro concreto, y sin limitar la relevancia penal al ámbito de las conductas dolosas. Esta regulación
se completa con las previsión en el § 315b del delito de "intervención
peligrosa en el tráfico vial", y con la incriminación de la "agresión
con violencia a conductores" en el § 316a CP[98].

El § 315b CP no excluye expresamente la posibilidad de que el
menoscabo para la seguridad del tráfico, y el resultado de peligro
para las personas o bienes, se produzcan mediante la conducción de
un vehículo. Sin embargo, la doctrina y jurisprudencia dominantes
consideran que la delimitación entre los §§ 315c y 315b radica en
que el primero abarca aquellas conductas que se limitan a la lesión
de una regla de circulación, mientras que el § 315b hace referencia a
los ataques a la seguridad de la circulación procedentes del exterior,
así como a aquellos supuestos en los que el vehículo no se utiliza
como medio de transporte, sino que se emplea conscientemente para
fines ajenos a la circulación (como "arma" o instrumento para dañar)[99][100].

Concretamente, el § 315b dispone: "(1) Quien menoscabe la seguridad del tráfico
vial [./.] 1. destruyendo, dañando o eliminando instalaciones o vehículos, [./.] 2. dispo-
niendo obstáculos, o [./.] 3. realizando una intervención similar, igualmente peligrosa

---

[98]   Este parágrafo establece: "Quien, para cometer un robo con violencia o intimidación, un hurto o una extorsión violentos, realiza un ataque a la integridad, la vida o la libertad de decisión del conductor de un vehículo a motor o
de un pasajero, aprovechando las especiales circunstancias del tráfico vial,
será castigado con pena privativa de libertad no inferior a cinco años".

[99]   Así, p. ej., U. KINDHÄUSER, *Strafgesetzbuch. Lehr- und Praxiskommentar*, 3.
ed, 2006, § 315b, n. m. 5; P. HENTSCHEL, *Straßenverkehrsrecht*, 38 ed, 2005,
§ 315b, n. m. 1, 10 y 13, destacando que, en los casos de utilización del
vehículo para fines ajenos al tráfico, el Tribunal Supremo alemán exige actualmente, como elemento del § 315b, que el conductor actúe, como mínimo,
con dolo eventual de producir daños.

[100] Cuando no se produzca el resultado de peligro concreto que exige el § 315b,
pero se ponga en peligro la seguridad del tráfico mediante conductas que
consistan en eliminar, hacer irreconocibles o alterar el sentido de señales
de atención o de prohibición u otras, destinadas a prevenir accidentes o
situaciones de peligro general, podrá apreciarse el delito de "uso incorrecto
de llamadas de ayuda, y afectación de medios de prevención de accidentes
y ayuda de emergencia" previsto en el § 145, o bien un delito de daños, previsto en los §§ 303 y 304 CP.

[./.] y ponga así en peligro la integridad física o la vida de otra persona, o cosas ajenas de valor significativo, será castigado con pena privativa de libertad de hasta cinco años o multa.

(2) La tentativa es punible.

(3) Si el autor actúa en las circunstancias del § 315 apartado 3, se impondrá una pena privativa de libertad de uno a diez años, y en los casos menos graves una pena privativa de libertad de seis meses a cinco años.

(4) Quien, en los casos del apartado 1, cause el peligro imprudentemente, será castigado con pena privativa de libertad de hasta tres años o multa.

(5) Quien, en los casos de apartado 1, actúe imprudentemente y cause el peligro imprudentemente, será castigado con pena privativa de libertad de hasta dos años o multa"[101].

De acuerdo con el § 320 CP, en los casos del § 315b apartados 1, 3 ó 4, apartado 3 en relación con el § 315 apartado 3 número 1, el Tribunal puede atenuar o dejar de imponer la pena prevista en el § 315b cuando el autor neutralice voluntariamente el peligro antes de que se produzca un daño relevante. En los casos del § 315b apartado 5, el Tribunal dejará de imponer la pena. Si el peligro se neutraliza sin la intervención del autor, bastará con su esfuerzo voluntario y serio de alcanzar ese objetivo.

El § 315c dispone: "(1) Quien, en el tráfico vial, [./.] 1. conduce un vehículo, a pesar de que [./.] a) como consecuencia de la ingestión de bebidas alcohólicas u otras sustancias embriagadoras (*berauschender Mittel*), o [./.] b) como consecuencia de deficiencias físicas o mentales [./.] no está en situación de conducir el vehículo de forma segura, o bien [./.] 2. de manera gravemente contraria a las normas de circulación y despreocupada [./.] a) no respeta la preferencia de paso, [./.] b) adelanta incorrectamente o de otro modo conduce incorrectamente en maniobras de adelantamiento, [./.] c) conduce incorrectamente en cruces de peatones, [./.] d) conduce demasiado deprisa en lugares de difícil visibilidad, cruces de calles, bocacalles o pasos a nivel, [./.] e) no conserva la calzada derecha de la vía en lugares de difícil visibilidad, [./.] f) da la vuelta en autopistas o carreteras, conduce hacia atrás o contra dirección, o lo intenta, o [./.] g) no hace reconocibles a una distancia suficiente vehículos parados o averiados, pese a que ello sería necesario para la seguridad del tráfico, [./.] y pone así en peligro la integridad física o la vida de otra persona o cosas ajenas de un valor significativo, será castigado con pena privativa de libertad de hasta cinco años o multa.

(2) La tentativa es punible en los casos del número 1 del apartado 1.

(3) Quien, en los casos del apartado 1, [./.] 1. causa imprudentemente el peligro, o [./.] 2. actúa imprudentemente y causa imprudentemente el peligro [./.] será castigado con pena privativa de libertad de hasta dos años o multa".

---

101 Las circunstancias del § 315 apartado 3, al que remite el § 315b apartado 3, son las siguientes: 1) que el autor actúe con la intención de provocar un siniestro, o bien de posibilitar o encubrir otro hecho punible; o bien 2) que el autor cause con el hecho un daño grave en la salud de otra persona, o daños en la salud de una gran cantidad de personas.

5. En el *Reino Unido*, el legislador ha previsto en las secs. 2, 2A y 3 RTA tres modalidades genéricas de conducción que pone en peligro la seguridad del tráfico: la conducción peligrosa (*dangerous driving*), la conducción descuidada (*careless driving*), y la conducción desconsiderada (*inconsiderate driving*)[102], cuya relevancia penal no se limita a los supuestos de comisión dolosa[103]. Además, en la RTA se prevén otras modalidades más específicas de "conducción imprudente", así como formas distintas de afectación de la seguridad del tráfico vial, v.gr. el abandono de vehículos en posiciones peligrosas (sec. 22 RTA)[104], la producción de peligro a otros usuarios de la vía (sec. 22A RTA)[105], la promoción o participación en carreras de vehículos a motor en vías públicas (sec. 12 RTA)[106], conductas relacionadas con la venta fraudulenta de los medios de protección de los menores (sec. 15 RTA)[107], incumplimiento de las indicaciones relativas a la dirección de la marcha (sec. 35 RTA)[108], y el uso peligroso de vehículos por las condiciones de éstos (sec. 40A RTA)[109].

La conducción peligrosa podrá juzgarse en la *Crown Court*, o bien de forma sumaria en la *Magistrates' Court*. En el primer caso puede castigarse con prisión de hasta 2 años y/o multa de cuantía ilimi-

---

[102] En relación con los límites de estas conductas, además de lo que se dice a continuación, ver, p. ej., P. WALLIS (*general editor*), *Wilkinsons's Road Traffic Offences*, 22 ed, 2005, t. 1, pp. 412 y ss., 430 y ss.; S. COOPER / M. ORME, *Road Traffic Law*, 2006, pp. 21 y ss. Ver. también la web del *Crown Prossecutors Service* (http://www.cps.gov.uk/legal/section9/index.html).

[103] Ver, p. ej., P. WALLIS (*general editor*), *Wilkinsons's Road Traffic Offences*, 22 ed, 2005, t. 1, pp. 413-419, 430 y ss.; S. COOPER / M. ORME, *Road Traffic Law*, 2006, pp. 21, 24-25.

[104] Esta infracción tiene prevista una pena de multa del nivel 3 (hasta 1000 libras).

[105] Esta infracción puede dar lugar a una pena de hasta siete años de prisión. Se introdujo en 1991 para hacer frente al riesgo procedente de la colocación o lanzamiento de obstáculos. Ver P. WALLIS (*general editor*), *Wilkinsons's Road Traffic Offences*, 22 ed, 2005, t. 1, pp. 1023-1024.

[106] Esta infracción tiene prevista una pena de multa del nivel 3 (hasta 1000 libras).

[107] Esta infracción tiene prevista una pena de multa del nivel 3 (hasta 1000 libras).

[108] Esta infracción tiene prevista una pena de multa del nivel 3 (hasta 1000 libras).

[109] Esta infracción tiene prevista una pena de multa del nivel 5 (hasta 5000 libras).

tada. En el segundo caso comporta una multa máxima del nivel 5 (5.000 libras) y/o 6 meses de prisión. Salvo que concurran "razones especiales", se impondrá al condenado la inhabilitación para conducir durante un periodo mínimo de 1 año, y la obligación de aprobar un nuevo examen de conducir.

La conducción descuidada y desconsiderada son delitos que sólo se pueden juzgar de forma sumaria en la *Magistrates' Court*, y castigarse con una multa del nivel 5 (5.000 libras)[110], puntos de penalización y/o inhabilitación para conducir.

Concretamente, la sec. 2 RTA dispone: "Una persona que conduce peligrosamente un vehículo propulsado mecánicamente en un carretera u otro lugar público es culpable de un delito".

La *conducción peligrosa* se define en la sec. 2A(1) de la *Road Traffic Act* como aquella que: a) "queda muy por debajo de lo que se espera de un conductor competente y cuidadoso", y b) "sería obvio para un conductor competente y cuidadoso que conducir así resulta peligroso". La sec. 2A(2) añade: "También deberá considerarse que una persona conduce peligrosamente [...] cuando, para un conductor competente y cuidadoso, sería obvio que es peligroso conducir el vehículo en el estado actual de éste". Al respecto, en la sec. 2A(4) el legislador añade que deberá tomarse en consideración cualquier cosa incorporada al vehículo o trasladada por éste, así como la forma en que se ha incorporado o se traslada[111]. El propio legislador ha aclarado también, en la sec. 2A(3), que el peligro puede referirse tanto a personas como a la producción de daños importantes en los bienes. Y que, en la determinación de aquello que cabría esperar o sería obvio desde la perspectiva de un conductor competente y cuidadoso en un caso concreto, debe atenderse no sólo a las circunstancias que cualquiera tomaría en consideración, sino también a aquellas que el autor podría tomar en consideración por sus conocimientos especiales.

La sec. 3 RTA establece: "Si una persona conduce una vehículo propulsado mecánicamente, en una carretera u otro lugar público, sin el debido cuidado y atención, o sin una razonable consideración por las otras personas que usan la carretera o el lugar, es culpable de un delito".

---

110 Mediante la *Road Safety Act 2006* (sec. 23) se ha elevado la multa, que antes era una de nivel 4 (2.500 libras). Esta reforma entró en vigor el 24 de septiembre de 2007, de acuerdo con lo dispuesto en la *Road Safety Act 2006 (Commencement No. 2) Order 2007*.

111 De acuerdo con lo dispuesto en la sec. 13A RTA (introducida en 1991), la conducción de vehículos no será constitutiva de los delitos previstos en las secs. 1, 2 y 3 RTA cuando se ajuste a la autorización concedida con ocasión de un evento relacionado con el motor. En relación con los criterios que deben seguirse en la regulación de esta materia que haga la Secretaría de Estado, ver sec. 13A(2).

La *conducción descuidada* constituye una infracción residual en relación con otras infracciones más específicas, que abarca aquellos supuestos en los que la forma de conducir se aparta de lo que se espera de un conductor razonable, prudente y competente, atendiendo a todas las circunstancias concurrentes. Se diferencia de la conducción peligrosa por la menor gravedad de la imprudencia. También aquí la conducta se valora desde un punto de vista estrictamente objetivo. En los supuestos de *conducción desconsiderada*, se requiere que un tercero haya sido molestado. La *Road Safety Act 2006* ha introducido la sec. 3ZA RTA, en la que se indica, respecto de las seccs. 2B, 3 y 3 A, que se considerará que una persona conduce sin el debido cuidado y atención únicamente si "la forma en que conduce se aparta de los que cabe esperar de un conductor competente y cuidadoso". No sólo se tendrán en cuenta las circunstancias que quepa esperar que sean tomadas en consideración, sino también aquellas cuya consideración derive de los conocimientos del acusado. Por otra parte, ahora se indica expresamente que para entender que alguien conduce sin la razonable consideración respecto de otras personas, es necesario que éstas se hayan visto incomodadas[112].

V. CONSIDERACIONES FINALES

1. Prescindiendo de la cuestión relativa a los límites de los marcos penales previstos en cada país, cuya trascendencia depende, en gran medida, de la regulación general sobre la determinación y ejecución de las penas, las cuestiones más significativas que plantea la regulación del derecho comparado en el ámbito de los delitos de homicidio y lesiones son, por una parte, la oportunidad de un tratamiento específico de aquellos delitos cuando se producen en el ámbito de la circulación de vehículos de motor y, por otra parte, la oportunidad de un tratamiento específico de su relación con otras infracciones.

Si bien es cierto que la peligrosidad inherente a la circulación de vehículos a motor justifica la intervención del derecho penal mediante la técnica de los delitos de peligro, no parece que, así mismo, esté justificada una modificación de los marcos penales previstos con carácter general para el homicidio y las lesiones, salvo en relación con la imposición de la pena de privación del derecho a conducir. En este sentido, parece más acertada una mejora de la regulación de las condiciones de cumplimiento de esta pena, que elimine la rigidez de

---

[112]   La sec. 30 de la *Road Safety Act 2006*, que introduce la sec. 3ZA de la RTA, entró en vigor, respecto de las secs. 3 y 3A, el 24 de septiembre de 2007, de acuerdo con lo dispuesto en la *Road Safety Act 2006 (Commencement No. 2) Order 2007*.

la regulación actual, y que vaya acompañada de un mayor y mejor control de su cumplimiento, así como de un endurecimiento de la reacción a su incumplimiento[113]. Por otra parte, lo más coherente con este planteamiento parece rechazar la previsión de un régimen específico de las relaciones concursales, tanto el que se preveía anteriormente en el art. 383, como el previsto en la actualidad en el art. 382, que tampoco coincide con el régimen general previsto para el concurso ideal en el art. 77 CP.

2. En relación con la conducción tras el consumo de bebidas alcohólicas, el derecho comparado pone de relieve importantes discrepancias sobre la trascendencia que debe otorgarse a la mera comprobación de una determinada concentración de alcohol en sangre o aire espirado. Tales discrepancias se traducen en la delimitación de las conductas delictivas, y también en la determinación de las consecuencias jurídicas. Pero lo más significativo de la regulación de esta materia en otros países es, seguramente, la opción del legislador o de la jurisprudencia por fijar una tasa de concentración alcohólica que proporcione seguridad jurídica en esta materia. En un trabajo publicado recientemente me pronunciaba a favor de que también en España se diera este paso[114]. La decisión adoptada por nuestro legislador en este sentido no puede considerarse arbitraria[115], pero sigo echando en falta la elaboración, con suficientes garantías de objetividad, de un informe detallado sobre los conocimientos alcanzados en la comunidad médica acerca de la influencia del alcohol y de la importancia de factores personales en relación con la intensidad y efectos de esa influencia.

3. En relación con el resto de las conductas que crean un peligro para la vida o la salud de las personas en el marco de la circula-

---

113   También Tamarit Sumalla se ha mostrado crítico con el régimen de ejecu ción y las consecuencias del incumplimiento de la pena prevista en el art. 47 CP. Ver J. M. Tamarit Sumalla / M. E. Luque Parra, *Automóviles, delitos y penas*, 2007, pp. 133-134, 147-150, 163-164.

114   S. Cardenal Montraveta, "Los delitos relacionados con la seguridad del tráfico en el derecho comparado", en InDret. Revista para el análisis del Derecho, núm. 3/2007, p. 31 (http://www.indret.com)

115   Cfr., p. ej, J. A. Gisbert Calabuig, *Medicina legal y toxicología*, 6 ed, a cargo de E. Villanueva Cañadas, 2004, pp. 878 y ss., especialmente p. 891; J. de Dios Casas Sánchez / M. S. Rodríguez Albarrán (dirs.), *Manual de medicina legal y forense*, 2000, pp. 1358-1359.

ción de vehículos a motor, lo más destacable es el ya mencionado contraste de las penas previstas en Italia, Francia e Inglaterra, con respecto a las que se prevén para los supuestos en los que se produce la lesión efectiva de aquellos bienes jurídicos. El hecho de que, casi sin excepción, los delitos de peligro previstos en aquellos países sean delitos de peligro abstracto, no es suficiente para explicar semejante contraste. Frente a este modelo, que extiende el castigo de los delitos de peligro abstracto más allá de los supuestos de conducción bajo la influencia del alcohol y/o de otras drogas, pero prevé penas de poca gravedad, el legislador alemán ha optado, con carácter general, por limitar la intervención penal mediante la exigencia de un resultado de peligro concreto, pero prever penas más severas. Ninguno de ambos modelos me parece plenamente satisfactorio. Ni me parece satisfactoria la técnica legislativa consistente en la enumeración de distintas modalidades de conducción imprudente, que encontramos a menudo en el derecho comparado. Nuestro legislador tampoco se ha limitado a describir los delitos contra la seguridad del tráfico utilizando cláusulas generales, que abarquen *todos* los supuestos de conducción temeraria. Esta es la opción que considero preferible: la configuración de un "modelo mixto" en el que la intervención penal se limite a las conductas dolosas, pero se extienda gradualmente desde los supuestos más graves de peligro abstracto hasta los de peligro concreto.

EL NUEVO DERECHO PENAL VIAL: GENERALIDADES CRÍTICAS

Joan J. Queralt
Catedrático de Derecho penal
Universidad de Barcelona

I. PLANTEAMIENTO: ANTECEDENTES Y CARENCIAS

La reciente reforma del Código penal a manos de la LO 15/2007 en materia de seguridad vial ha tenido una elaboración difícil, con mayor éxito propagandístico que el que cabe augurar a su eficaz aplicación, vistos algunos de los gravísimos defectos de los que adolece. Llama la atención, visto el iter parlamentario, que para sacar a la luz 7 artículos del Código penal y algunas disposiciones adicionales, aun más claramente reglamentaristas, se haya necesitado agotar una legislatura. Así las cosas, se comprende que un tan ambicioso como discutible proyecto de modificación de nuestro principal texto punitivo duerma un inexplicado letargo, que conduce a que muera con la legislatura.

Con estos antecedentes, las previsiones de una *regulación penal de la seguridad vial que fuera integral*, esto es, que afectara a todos los sectores implicados y no sólo a los conductores y que abordara la problemática desde la perspectiva no sólo represiva, sino social, cultural, asistencial y económica nunca llegaron a formularse. Estamos ante un parche más que recurre a la simple y efectista maniobra de cara la galería consistente, por un lado, en aumentar las penas, introduciendo las de privación de libertad, y, por otro, en convertir el Derecho penal en lacayo de un impotente Derecho administrativo sancionador. Porque no se olvide que con el aun en buena medida sistema sancionador administrativo de cuño prebeccariano y antigarantista, el bloqueo sancionador es claro. Un sistema burocrático e ineficaz, más recaudatorio que otra cosa, donde las administraciones parece que desconocen algo tan simple como notificar en tiempo y forma, esto es personalmente, y, si se molestan en responder a los recursos, lo hacen pro forma y sin que la respuesta tenga que ver con sus peticiones, un sistema que obliga a los ciudadanos, no siempre denunciados con base o motivos suficientes, a recurrir a los tribunales de lo contencioso-administrativo para, después de mucho tiempo y dinero, acaso vean reconocida su pretensión ante un castigo gubernativo improcedente, un sistema, en fin, de estas lamentables características no pude tener legitimidad para engendrar un sistema penal que le supla en lo que debería hacer y hacer bien. El carácter de *ultima ratio* del Derecho penal no supone recurrir a él cuando los demás instrumentos y sistemas de control social son impotentes, sino cuando los demás medidos de dicho control social, correctamente desplegados, se demuestran insuficientes. *Ignota una administración vial integral, de fomento, de control y sancionadora,* que sepa por sí misma llevar a buen puerto sus competencias, no es lícito echar la responsabilidad de un secular desaguisado sobre las espaldas del Derecho penal.

Las líneas que siguen no son desde luego laudatorias para con la reforma, pues ha puesto negro sobre blanco todos los defectos del Derecho penal moderno: desconocimiento del instrumento que se maneja por parte de los legisladores y de sus impulsores y, por tanto, creación de una legislación que aumentará la inseguridad jurídica. Dependerá de la mejor o peor técnica de los operadores y de sus escrúpulos a la hora de aplicar dogmática o literalmente la nueva realidad normativa.

Por si todo ello fuera poco, no se han facilitado ni constan en lugar accesible al público los datos que provocan esta reforma penal tan poco satisfactoria. Hablar de imprudencia, de alcohol o de velocidad al volante, por ejemplo, es hablar de lugares comunes. Faltan datos sobre siniestralidad real, relacionado parque móvil teórico, parque móvil circulante medio y por segmentos (días laborales/festivos/vacacionales, por horarios, ...), tipos de vías (categoría, estado, frecuencia de uso, ...), análisis concretos de los lugares donde ocurre cada siniestro (clase, tipo y estado de los vehículos y demás factores implicados en el siniestro), conductores implicados (edad, profesionalidad, antigüedad, habitualidad al conducir, control psicofísico), ... Estos y otros extremos no son extraíbles ni tan sólo conjeturables partiendo de los estadísticas oficiales, no siempre al día, por otra parte; vid. http://www.dgt.es/dgt informa/observatorio seguridad vial/index.htm, para España y http://ec.europa.eu/transport/road-safety/road_safety_observatory/introduction_en.htm, desde una perspectiva europea.

No cabe dejar de señalar que *el factor de la conducción de vehículos a motor no es el único que interviene en la alta siniestralidad vial*; el estado de las vías y de los vehículos y el nivel de calidad de los productos por —no son infrecuentes las llamadas por importantes marcas a revisiones de determinadas series de sus vehículos—. Sin embargo, se persiste en perseguir criminalmente únicamente al conductor; a la Administración se le imputa con dificultad la responsabilidad patrimonial de los accidentes y ello recientemente (vid. la modélica S 30-9-1982 —anterior Sala 4ª-) y fabricantes y reparadores parecen quedar al margen. Resulta, desde luego, un reparto poco equitativo[1].

En fin, nos hallamos, en mi opinión, ante un *uso indebido del Derecho penal*, tanto por vulnerar la exclusiva protección de bienes jurídicos y no meros desideratums morales y por vulneración de su carácter fragmentario y de *ultima ratio*. No debe pasarse por alto que la separación entre Derecho penal y moral no es sólo entre Derecho penal y moral sexual. Imponer bajo pena la obligación de ser justos y benéficos sigue siendo igualmente ilegítimo aunque no tenga el sexo como referente.

---

[1] A ello habría que añadir algún aspecto más que llamativo. Por un lado, se rebajó en el RD 772/1997, sobre Reglamento General de Conductores (modificado, entre otros por los RRDD 1598/2004 y 62/2006), a 16 años la edad para poder conducir motocicletas de hasta 125 cc. (permiso A-1), al igual que determinados, en apariencia, automóviles, de idéntica cilindrada, lo que, en teoría, sólo en teoría, parece limitarles para velocidades moderadas. Igualmente, existe la posibilidad de que en estos más que frágiles vehículos pueda ir un *paquete* o acompañante. Otra perla en la gestión del tráfico es que se pueda conducir cualquier turismo y especialmente motos, de toda condición y cilindrada, con sólo dos años de antigüedad, sin verificación alguna de la experiencia e idoneidad adecuadas. Por último, fomentar permisos de conducir a 1 € al día para los más jóvenes no parece que ya en la dirección de una política criminal de la seguridad, sino en la de una política económica de la industria.

II. OBJETO DE PROTECCIÓN: ¿DELITOS FORMALES?

Se sigue protegiendo en estos delitos la *seguridad de la circulación rodada en sí* misma. Hasta ahora se configuran estos delitos como los primigenios *delitos de peligro*; a partir de la reforma operada en virtud de la LO 15/2007, esta calificación dista de poder ser sostenida, al menos de modo inconcuso. En efecto, como veremos, la nueva formulación penal junto a delitos de peligro contempla *ilegítimos delitos formales*, esto es, infracciones que no son susceptibles por sí mismas de no ya de lesionar una bien jurídico, sino, ni tan siquiera de ponerlo en peligro.

Al formalizar el delito, el Derecho penal pierde su sentido, dado que el referente de un bien jurídico-penalmente protegido digno de tal nombre no llega a nacer. El legislador ha pretendido criminalizar unas infracciones administrativas graves ya existentes, que en no pocas ocasiones generarán un peligro jurídico-penalmente relevante, pero que sin la mención de un referente de antijuridicidad material, no son más que una burda dúplica penal de lo ya existente, derivando en un *Derecho sancionador de oportunidad*. En efecto, si ambos preceptos, el administrativo y el penal son idénticos, diferenciándose únicamente en la sanción, la solución al *bis in idem* —voluntaria y artificialmente creado por el legislador— está en manos del operador denunciante, esto es, de la Administración, que en función de sus planteamientos derivará a los juzgados penales o guardará para sí la tramitación del expediente; esto es Derecho sancionador de oportunidad, o lo que es lo mismo, un Derecho sancionador arbitrario.

No es lícito argumentar que nos enfrentamos, en todo caso, a tipos de peligro abstracto, categoría en sí misma discutible de ser merecedora de protección penal. Lo decisivo es la existencia de un bien jurídico y de la certeza razonable de la capacidad de lesión de la conducta punida. Así, por ejemplo, estando como está castigada la *conducción temeraria* (art. 380), *ningún espacio material* queda para la infracción del nuevo art. 379. 1, es decir, la conducción a gran velocidad, que, por otra parte, queda suficientemente protegida en sede gubernativa. Reservada para la conducción temeraria (art. 380. 1), la conducción a alta velocidad sólo puede integrar un peligro abstracto; pero si ello así, suceden dos cosas. La primera ¿qué función tiene la regulación administrativa del exceso de velocidad?

La segunda la regulación del exceso de velocidad en el texto penal carece de coherencia, pues caben literalmente en su seno conductas que, a lo mejor, ni serían falta grave administrativa.

Así es: la Ley exige que la conducción, para entrañar el peligro del que se quiere proteger a la sociedad, *supere determinados límites de velocidad*[2]. Éstos se fijan en función de si la vía es urbana o interurbana; en el primer caso, ha de superarse la velocidad fijada reglamentariamente en 60 Km./h. y, en el segundo, en 80 Km./h. La *distinción de vías es tan formal y añeja como inadecuada*. Por un lado, se deja que sea, en parte, la autoridad administrativa la que fije la base del tipo, lo que contradice en buena medida la *ratio decidendi* de la STC 24/2004, sobre la legitimidad de las leyes penales en blanco, en función de que sea la ley penal y no la extrapenal de referencia la que fije el núcleo de la prohibición. Y aun así, alguna conducta podría quedar impune, al menos, en atención a este precepto; tal sería el caso del conductor que conduce por zona peatonal (velocidad autorizada = 0), pero su comportamiento no es temerario, aun yendo a 70 Km./h. Aun pasando por alto esta nada baladí objeción, la diferenciación entre vías es poco respetuosa con el bien jurídico, la seguridad vial, que dice proteger. En efecto, superar en 10 ó 20 Km./h. la velocidad en una zona urbana restringida (zona escolar, p. ej.) no sería constitutivo de delito pese a su evidente peligro y, por contra, circular por autopista de peaje, de día y seco a 220 Km./h. podría no generar peligro alguno.

III. OBJETO DE PROTECCIÓN: ¿VUELTA AL BIEN JURÍDICO-PENAL?

De todos modos, el legislador, lejos de haber cumplido su manifiesto propósito de reducir el arbitrio judicial y formalizar al máximo los delitos que nos ocupan, abunda en una *gravísima contradicción* que va a poner en juego todo el andamiaje punitivo que tanto le ha costado alumbrar.

---

[2]   Lo que se diga aquí puede ser aplicable *mutatis mutandis* a la conducción bajo ciertas dosis de alcohol o drogas; vid., in extenso, mi *Derecho penal español. Parte Especial*, [5]2007, pp. 925 ss.

Si se repara en el art. 382, esta norma contiene una específica previsión concursal, pero también *contiene algo más*. En efecto, para que el concurso tenga lugar, es decir, para que quepa agrupar jurídicamente las penas derivadas de un delito contra la seguridad vial y un delito contra las personas o las cosas, *el delito contra la seguridad vial debe comportar un riesgo y no una mera infracción normativa*, pues la *producción del riesgo prevenido es requisito del concurso*. Si ello es así, *el legislador está exigiendo tácitamente* en los arts. 379, 380 y 381, *pero expresamente en el art. 382, la evidencia del riesgo*, sea concreto o abstracto.

Inequívoca es esa exigencia en sede concursal y, si lo es para que el delito entre en concurso, *se debe obviamente a que el riesgo es una exigencia del delito* y no de la *relación concursal*; ésta —aquí y en cualquier otro texto— es típica y antijurídicamente irrelevante, esto es, *no añade nada nuevo ni a la tipicidad ni a la antijuridicidad formal y/o material de los comportamientos*.

No sería de recibo bajo ningún concepto exigir el riesgo cuando hubiere de aplicarse un concurso y contentarse con la antijuridicidad formal cuando no se presentara la multiplicidad delictual. *Admitir este dislate supondría que de un mismo precepto, dependiendo de un eventual concurso, se derivan dos delitos diversos.*

Lo inmediatamente precedente pone en solfa la criticada antijuridicidad meramente formal de los nuevos preceptos —de este y de los que le siguen— en materia de seguridad vial. Ciertamente nos enfrentamos a una grave contradicción debida a la ligereza del legislador. Partiendo, pese a todo, del incuestionable respeto que la Ley, como emanación de la soberanía popular, merece, procede una *interpretación plausible* y esta sólo puede ser la que se deriva de *dotar de contenido material a los delitos reformados*[3].

IV. NOVEDAD Y CONFUSIÓN

Una novedad importante[4], pues crea un delito casi ex novo, es la de conducir sin permiso. Este nuevo precepto, que también nos

---

[3]   Una vez más de pone de relieve la ineficacia de la voluntad del legislador como método hermenéutico.

[4]   Con una *vacatio legis* de unos cinco meses, pues entra en vigor el 1-5-2008.

llega de la mano de la LO 15/2007, presenta una factura de aluvión —cada fase del iter parlamentario supone un nuevo añadido[5]— que demuestra la insuficiencia de sus mimbres y la *carencia de una auténtica política-criminal en materia de seguridad vial*. Otra prueba de esta afirmación es que, visto el castigo único de este conjunto de infracciones, que se quedan a medio camino, en su caso, entre el quebrantamiento de condena y la desobediencia, el bien jurídico protegido que parece plural (por su ataque a la seguridad vial y la capacidad prestacional de las administraciones en juego), resulta menos grave que la última infracción reseñada; con lo que de nuevo, desentrañar la proporcionalidad del legislador no parece tarea fácil.

Alberga este precepto en su seno cuatro modalidades delictivas. La última en aparecer es la de *conducir sin haber disfrutado nunca de permiso*, que, a su vez, es una antigua infracción meramente formal —derogada en 1983— y que por sí misma no comporta peligro alguno para la circulación. Por ello, dado el diferente peso antijurídico de esta infracción con las siguientes, su criticable punición deviene, además, censurable por desproporcionada.

Las demás conductas son la conducción habiendo perdido los puntos, de acuerdo a la L 17/2005, o conducir tras haber sido privado cautelar o definitivamente del permiso por resolución judicial. En sí mismas estas conductas son claras y fácilmente comprensibles. Sin embargo, el modo de su punición lleva a confusión. En efecto, las dos últimas podían haberse derivado al quebrantamiento de condena, pero, en tal caso, conducir con el permiso revocado por haber perdido los puntos, o se dejaba impune penalmente —pero sancionable en vía gubernativa—, o se castigaba por desobediencia, lo que resultaba inadmisible por brindar más protección a los mandatos administrativos que a los judiciales.

Al crear una pena intermedia entre el quebrantamiento y la desobediencia, al incluir en el tipo conducir sin haber tenido nunca permiso, pero al no contener referencia alguna a peligro para la circulación vial, estamos, o ante nuevas infracciones formales, o ante una desobediencia privilegiada en relación con el art. 383, lo que no deja de llamar la atención. Si el bien jurídico es la guía de la interpretación del tipo, cuando tal no está bien definido por la ley, la legitimi-

---

[5]   Vid. la Tabla comparativa anexa a esta obra.

dad del castigo decae, pues la confusión terminológica y conceptual están reñidas con el Derecho penal más elemental.

Ello lo corrobora que el contenido de cada una de las cuatro conductas descritas en el tipo, pese a sus notables diferencias morfológicas, es radicalmente diverso. Así, la pérdida del carnet por puntos que puede ser debida a causas graves (alcoholemia) o mínimas (circular a 20 km/h por encima de lo permitido), o meramente administrativas (conducir un vehículo sin estar habilitado para ello), supone la *creación de un peligro sin que se haya producido peligro alguno* cuando el conductor con el permiso revocado ha sido sorprendido. En cambio, la pérdida de la licencia por una causa judicial penal, incluso si es cautelar la medida, *supone siempre la existencia de un peligro ya acreditado* para la conducción. Ningún peligro supone en sí conducir sin haber obtenido nunca el permiso.

V. LA PENALIDAD

Vista la especial previsión concursal del art. 382, y al margen de las consideraciones ya vertidas al respecto, sigue llamando la atención una ausencia previa a la reforma: no se entiende cuál es la razón para que el delito de peligro concreto previsto en el art. 385 (el anterior art. 382) no deba ser comprendido por esta regla concursal especial. No se atina a comprender cómo, en cambio, sí quedan sujetos a dicha regla delitos de peligro concreto, abstracto y formal y no otro de peligro concreto. Si el legislador se decidió a romper las reglas concursales previstas con carácter general, debió hacerlo también para el supuesto del art. 385 o para ninguno de los mencionados.

En segundo lugar toca echar un somero vistazo a las penas elegidas. Siguiendo la pauta —que pudo no ser asumida dada su amplia vacatio legis— de la LO 15/2003, *se usa y abusa de la pena corta privativa de libertad*. No sólo es un uso político-criminal censurable, sino que se abusa en la certidumbre de que no se impondrá. En primer término, cuando la pena privativa de libertad tenga una pena alternativa no privativa libertad, la tendencia judicial es la de imponer ésta. En los casos en que, sin embargo, no haya más remedio, tratándose de delincuentes primarios, la seguridad ex ante de sus suspensión es total, por lo que el efecto disuasorio dista mucho de desplegarse. Una vez más, *la huida al Derecho penal culmina con la retórica del Derecho penal simbólico.*

Por último, llama la atención la regulación de *la pérdida del permiso o licencia.* De acuerdo al art. 47 II, cuando la pena de privación del derecho a conducir fuere por un tiempo superior a dos años, comportará la pérdida de vigencia del permiso (art. 5 RD 772/1997) o licencia (art. 8 RD 772/1997) que habilite para la conducción. A diferencia del nonnato proyecto de 2006, y con *peor planteamiento político-criminal, no se establece la prohibición de obtener durante ese mismo periodo* la preceptiva autorización administrativa para conducir vehículos motorizados. De nuevo, otra incongruencia legislativa pone de manifiesto la poca seriedad que se autoexige el legislador, lo que, a fuer de responsables, no libera a los intérpretes y operadores de ser a la hora de interpretar y aplicar tal Derecho más pulcros que el legislador.

HOMICIDIO Y LESIONES EN EL AMBITO DEL TRÁFICO VIARIO
Problemática concursal entre los delitos contra la seguridad en el tráfico y los resultados lesivos a ellos imputables

Mirentxu Corcoy Bidasolo
Catedrática de Derecho Penal
Universitat de Barcelona

Sumario: I. Análisis sociológico y criminológico de la delincuencia viaria. Problemas de Derecho penal material y procesal. II. Eficacia de los principios de confianza y de defensa en el ámbito del tráfico viario. III. Delitos de homicidio y lesiones por imprudencia. Clases de imprudencia: grave, leve y profesional. IV. Criterios para determinar la gravedad de la imprudencia cuando concurre con conductas ilícitas en el tráfico. V. Imputación del resultado. Diferentes intervinientes y concurrencia de riesgos. Diversos resultados lesivos. VI. Homicidios y lesiones dolosas en el tráfico viario. Especial consideración de los problemas político-criminales y dogmáticos de la llamada "conducción suicida" (art. 381 CP). VII. Problemática concursal. En particular, análisis de la cláusula concursal del art. 382 CP. VIII. Conclusiones y propuestas *de lege lata* y *de lege ferenda*

I. ANÁLISIS SOCIOLÓGICO Y CRIMINOLÓGICO DE LA DELINCUENCIA VIARIA. PROBLEMAS DE DERECHO PENAL MATERIAL Y PROCESAL

1. En este trabajo trato de poner de manifiesto los problemas más relevantes que se suscitan cuando se producen muertes o/y lesiones, e incluso daños, imputables a una conducción imprudente. La primera cuestión surge cuando nos referimos a estos supuestos calificándolos de "accidentes de tráfico". Denominación errónea en todos aquellos supuestos en los que los resultados lesivos sean imputables a la conducta imprudente o dolosa, de una o varias personas. Y es errónea porque no se trata de un "accidente" sino que estamos frente a una conducta delictiva, relevante jurídico-penalmente, aun cuando, por regla general, sea imprudente. Por ello es importante dar un tratamiento informativo diferente a los casos en que efectivamente sólo podemos hablar de "accidente", frente a aquellos que pudieran ser calificados de delictivos.

2. Una segunda cuestión, no menos importante, a la hora de diferenciar supuestos cualitativamente diferentes, surge del hecho de que, tradicionalmente, los diferentes operadores jurídicos parten de la presunción de la naturaleza imprudente de estas conductas. No obstante, en algunos casos, la calificación adecuada sería la de dolosa, aun cuando se tratase de dolo eventual, con las importantes diferencias tanto de desvalor de injusto como respecto de las consecuencias jurídicas que la concurrencia de dolo lleva aparejada. En este sentido, y sólo a título enunciativo, hay que reseñar que no sólo la pena es superior en los hechos dolosos sino que concurren otros aspectos tan relevantes como: a) la cancelación de antecedentes penales como consecuencia de la comisión de un delito imprudente es de dos años (art. 136. 2.2º CP); b) mayor arbitrio judicial, pues el Juez no está limitado por las reglas de determinación de la pena cuando concurran atenuantes o agravantes (art. 66.2 CP); c) distinto alcance de la posibilidad suspensión de la condena (art. 81.1º CP) ... Desde una perspectiva político-criminal, diferenciar los supuestos dolosos de los imprudentes podría ser útil para evitar la escalada punitiva, en la que nos encontramos inmersos, especialmente en este ámbito y en la violencia de género. Ello, con independencia de que, desde una perspectiva dogmática, es indispensable diferenciar entre hechos dolosos e imprudentes para que la respuesta jurídica corresponda sea proporcional al verdadero desvalor del hecho.

3. Un tercer problema tiene su origen en la falta de criterios jurisprudenciales en el tratamiento de la delincuencia imprudente. Este problema es común a todas las resoluciones judiciales sobre imprudencia, pero se aprecia especialmente en la delincuencia imprudente en el ámbito del tráfico viario. Por lo demás, los pocos principios que en este concreto ámbito ha ido desarrollado la jurisprudencia están necesitados de revisión y fundamentación. En particular, de entre estos principios, son especialmente relevantes: la llamada concurrencia de culpas, la inversión del principio de confianza y la adopción del principio de defensa. Todos ellos son criterios válidos, pero distorsionados por el alcance y contenido que les otorga la jurisprudencia. Por ello y dado la importancia que estos principios alcanzan en la delincuencia imprudente en el tráfico viario serán uno de los objetos de este trabajo.

4. En la misma línea, una buena práctica judicial en este ámbito requiere de una "verdadera" jurisprudencia en materia de definición y distinción entre imprudencia grave y leve. Jurisprudencia con la

que no contamos en la actualidad porque, tras la reforma procesal operada en 1988, los delitos imprudentes, por la pena que tienen prevista, son competencia de los Juzgados de lo Penal y en segunda instancia de las Audiencias Provinciales. En consecuencia, hace ya muchos años que sólo existe una jurisprudencia menor, que no merecería ni tan siquiera esta denominación, pues carece de criterios uniformes, mejor dicho está carente de criterios. Ello tiene como consecuencia que nos enfrentemos a resoluciones contradictorias, no sólo entre las diferentes Audiencias, sino también entre las diferentes Secciones de una misma Audiencia, e incluso dentro de las Secciones, dependiendo quién haya sido el Ponente. La alarma social que esta situación provoca facilita también la escalada punitiva a la que me he referido y de la que es un buen ejemplo la LO 15/2007, de reforma del Código Penal, en materia de seguridad vial.

5. Junto a estas cuestiones, que afectan al Derecho penal material, nos encontramos con problemas de índole procesal derivados, en gran medida, de la utilización fraudulenta que se hace de la distinción entre delito y falta y de la sumisión del procedimiento penal a la obtención de una mayor o menor indemnización, por parte de las víctimas. Por motivos diversos, casi todos los operadores jurídicos convierten los procedimientos penales por delitos cometidos en el ámbito del tráfico viario en un "mercado" en el que la Justicia es la gran olvidada. En definitiva, la dejación de funciones, en unos casos, y la actuación rutinaria, en otros, de los Jueces de Instrucción y de lo Penal, y, especialmente, de los Fiscales, determina que el proceso penal, en los "accidentes de tráfico", sea dirigido por los abogados de las compañías aseguradoras, letrados que, en la mayoría de los procedimientos, defienden más a la empresa aseguradora que al autor o a la víctima. Por lo demás, en general, los abogados de aseguradoras no son penalistas y procuran que el proceso sea lo más simple posible puesto que mientras en unos procedimientos representan a la víctima, en otros les corresponderá defender al acusado. En consecuencia, les conviene que, en todo caso, las penas impuestas sean mínimas y, por consiguiente, tratar de seguir un procedimiento por falta[1].

---

[1]   En el Proyecto de Reforma del Código Penal (PRCP) que se presentó en el Congreso de los Diputados el 15 enero 2007, se tomaba en consideración este problema.

6. Esta conjunción de factores ha llevado, en la práctica, a que la mayoría de "accidentes de tráfico" se califiquen como falta, ya sea de homicidio por imprudencia leve o de lesiones por imprudencia grave o leve, con las importantes consecuencias que ello tiene, tanto a nivel procesal y de prescripción como respecto de la pena a imponer[2]. Esta situación se evidencia en los Juzgados de lo Penal y el problema se ha agravado tras la sentencia del Pleno del Tribunal Constitucional 167/2002, de 18 de septiembre, ratificada por STC 200/2002, que prohíbe al Tribunal de apelación o casación condenar a quien ha sido absuelto en la primera instancia a menos que se vuelva a oír en juicio a todos los implicados. Ello implica que la absolución en primera instancia (Juzgado de lo Penal) muy excepcionalmente podrá ser revocada en segunda instancia[3]. Casi igualmente difícil es conseguir que se transforme un procedimiento por falta en uno por delito y que se revoque por la Audiencia una sentencia de un Juzgado de lo Penal, en la que se condena por falta, y se condene en segunda instancia por delito[4].

---

[2]   En este sentido es paradigmática de esta situación la STS de 21 de mayo de 2003, en el supuesto del atropello en una paso de peatones de una persona, llevando el acusado una velocidad muy elevada y habiendo cambiado de carril para adelantar a un vehículo que se encontraba parado en el paso de peatones. Pese a la gravedad de los hechos relatados la Audiencia Provincial de Tarragona condenó por falta de homicidio por imprudencia leve. Este caso, excepcionalmente, llego al Tribunal Supremo, quien casó la sentencia y condenó por delito de homicidio por imprudencia grave.

[3]   En este sentido, SAP Barcelona (Sección 10), 30 de octubre de 2003, ratifica la absolución en base a la jurisprudencia del Tribunal Constitucional aun cuando se advierte de los indicios relevantes de la existencia de una conducta imprudente de los imputados absueltos.

[4]   STS 22 de febrero de 2005, es un caso excepcional por haber llegado la acusación hasta la más alta instancia, tras pasar el recurrente por la Audiencia Provincial de Tenerife y por el Tribunal Superior de Justicia de Canarias hasta llegar al Supremo, siendo el Ministerio Fiscal el primero que se niega a la admisión del recurso de apelación por infracción de ley por indebida aplicación del art. 621.2 e inaplicación del art.142, es decir, por la incorrecta calificación de los hechos como homicidio por imprudencia leve (falta) cuando lo adecuado era la calificación como homicidio por imprudencia grave (delito). Sólo el interés y la insistencia del perjudicado, en un proceso que teóricamente es de interés público, permitió subsanar la primera calificación errónea y condenar finalmente por delito de homicidio por imprudencia grave.

7. A lo anterior se suma que, incluso en los casos en que se condena por delito de homicidio o de lesiones graves por imprudencia grave, se imponen penas inferiores a dos años de prisión, las denominadas de "no cumplimiento", en cuanto permiten la suspensión de la condena. Y ello pese a que, *de lege lata*, en un homicidio por imprudencia grave se puede imponer una pena de prisión de hasta cuatro años (art. 142 CP) y las lesiones graves por imprudencia grave pueden conllevar prisión de hasta tres años (art. 152 CP). Ambas son penas privativas de libertad que no pueden ser suspendidas, excepto cuando el sujeto hubiera cometido el hecho como consecuencia de su adicción al alcohol, drogas, estupefacientes o sustancias psicotrópicas (art. 87.1 CP), en cuyo caso se puede sustituir la pena por tratamiento de deshabituación. Todo ello sin olvidar el régimen de concursos en los supuestos en que se haya producido más de una muerte o/y lesiones. Concurso que, atendiendo a las circunstancias concretas, como veremos, puede ser real o ideal.

8. En el Proyecto de Reforma del Código Penal, de 13 de julio de 2006, (PRCP) se incorporaba, la totalidad de las conductas imprudentes con resultado lesivo para la vida o salud de las personas, al Libro II del Código Penal, suprimiendo las figuras leves que el texto vigente alberga en los tres primeros apartados del art. 621. Ello comportaba una importante intensificación de la reacción penal frente a las mismas. Es lo que sucede con el homicidio imputable a imprudencia no grave, que pasaba a ser sancionado, en el art. 142.1, con pena de prisión de seis meses a dos años, absorbiendo la descripción típica de la falta del art. 621.2, que prevé una mera pena de multa de uno a dos meses, lo que conllevaba una alteración cualitativa de la reacción penal mediante su retribución por medio de pena privativa de libertad. Ello siempre que se interpretase que la imprudencia no grave es equivalente a la leve. Así mismo, desaparecía la falta de lesiones por imprudencia grave del art. 621.1 CP, aunque sin un correlato delictivo en el nuevo texto. En cuanto a las lesiones por imprudencia leve perdían el tratamiento penal indiferenciado que les otorga el vigente art. 621.3, que contempla una pena de multa de 10 a 30 días cualquiera que sea la naturaleza y gravedad del resultado, y diversificaba el marco penal en función del mismo, siendo sancionadas con pena de tres a seis meses de prisión si se trata de las lesiones del art. 147.1, de uno a tres años de prisión si se trata de lesiones del art. 149 y de seis meses a dos años

de prisión, si se trata de lesiones del art. 150[5]. La propuesta no contemplaba la criminalización de aquellas otras lesiones imprudentes que, de haberse causado dolosamente serían constitutivas de falta, que seguían siendo atípicas. Entiendo, sin embargo, que, una vez más, está escalada punitiva no estaba justificada puesto que, como se señalaba en el apartado 7., las penas pueden llegar hasta cuatro años, en el caso del homicidio por imprudencia grave y hasta tres años en las lesiones graves por imprudencia grave y la suspensión del cumplimiento de la pena es potestativa puesto que, en las penas de hasta dos años, queda al arbitrio del Tribunal.

9. En la determinación de la pena el art. 66 CP establece dos criterios: *"la extensión adecuada a las circunstancias personales del delincuente y a la mayor o menor gravedad del hecho"*, mientras que la suspensión se fundamenta en: *"la peligrosidad criminal del sujeto"*, de acuerdo con el art. 80.1 CP. Por ello, tanto la imposición de la pena en su grado mínimo[6], como la suspensión casi automática no están justificadas por la letra de la ley[7]. Estas posibilidades, sin em-

---

[5]   Art. 152 1. PRCP *"El que por imprudencia causare algunas de las lesiones previstas en los artículos anteriores será castigado*
1º Con la pena de prisión de tres a seis meses, si se tratara de las lesiones del art. 147.1.
2º Con la pena de prisión de uno a tres años, si se tratare de las lesiones del art. 149.
3º Con la pena de prisión de seis meses a dos años, si se tratare de las lesiones del art. 150.
Cuando las lesiones fueran cometidas por imprudencia grave se impondrán las penas señaladas en su mitad superior."

[6]   Cfr. STS 30 de junio de 2004, establece que las circunstancias a valorar en la determinación de la pena son: *"a) Las circunstancias personales del delincuente son aquellos rasgos de su personalidad delictiva que configuran igualmente esos elementos diferenciales para efectuar tal individualización penológica; b) Por lo que afecta a la gravedad del hecho se refiere la ley a aquellas circunstancias fácticas que el Juzgador ha de valorar para determinar la pena y que sean concomitantes del supuesto concreto que está juzgando"*.

[7]   En algunas sentencias del Tribunal Supremo se pone de relieve la naturaleza potestativa de la suspensión, entre otras, STS 25 de mayo de 2002, afirmándose que es una facultad discrecional que debe ser motivada por el Tribunal sentenciador, lo cierto es que en la práctica es inusual que no se conceda. En este sentido, sería casi una excepción SAP Jaén de 21 de abril de 2005, en la que se niega la suspensión de la condena, aun cuando en ese caso, por ser el condenado una persona que sufre adicción a las drogas, la

bargo, no se toman en consideración al interpretar los conceptos de *"gravedad del hecho"* y de *"peligrosidad del delincuente"*, en relación con la gravedad y la peligrosidad propia de la comisión de delitos dolosos del llamado "derecho penal nuclear". Sin embargo, tanto la gravedad del hecho como la peligrosidad de una persona deben valorarse en relación con la conducción, no respecto de delitos contra la libertad sexual, la propiedad.... Personas que, presumiblemente, nunca cometerían delitos de esa naturaleza, pueden ser extremadamente peligrosas en el tráfico viario y, en ese caso, podría motivarse correctamente la imposición de la pena en la mitad superior o no conceder la suspensión[8].

10. Ello no obstante, es cierto que no suspender la condena en el caso de los "accidentes de tráfico", es incluso más difícil de fundamentar puesto que, al tratarse de delitos imprudentes, no queda limitada por el hecho de que no sea la primera vez que el sujeto haya delinquido (art. 81.1 CP). Consecuencia de esta previsión legal es la sensación de impunidad que se tiene en la "calle" y que es debida, en parte, a la regulación legal, aun cuando el mayor problema es la aplicación incorrecta de la ley o mejor dicho "automática". El PRCP de 2006, prestaba atención a esta cuestión, proponiendo la derogación del art. 81.1 CP. En la actualidad este precepto, a efectos de la suspensión, establece una excepción para los delitos imprudentes: *"A tal efecto no se tendrán en cuenta las anteriores condenas por delitos imprudentes"*. No obstante, no hay que olvidar que esta excepción no rige para los delitos contra la seguridad en el tráfico, en cuanto delitos dolosos, aun cuando esta afirmación es discutida por quienes mantiene que los delitos de peligro son tentativas imprudentes respecto de bienes jurídico-penales individuales (vida, salud, patrimonio), especialmente tipificadas[9]. Sin entrar en el fondo de

---

8 suspensión de la ejecución de la prisión es posible hasta en penas de 5 años (art. 87, reformado por LO 15/2003)

8 SAP Barcelona (Sección 6ª) 7 de noviembre de 2005 (Ponente: Sr. Gimeno Jubero), pone de manifiesto que la aplicación de las reglas del art. 66 CP, debe tomarse en consideración la gravedad del hecho en relación con las reglas de circulación y la personalidad del delincuente, *"sus rasgos de personalidad delictiva deben valorarse respecto de estos delitos"*. Es decir, de los delitos cometidos en el desarrollo de la conducción.

9 Cfr. entre otros, WOLTER, *Objektive und personale Zurechnung von Verhalten, Gefahr und Verletzung in einen funktionalen Strafrechtssystem*, Ed. Duncker & Humblot, 1981, 210; KÜPPER, "Zum Verhältnis von dolus even-

esta discusión, que excedería con mucho el objeto de este trabajo, no podemos olvidar que en el Código Penal son varios los delitos de peligro previstos por imprudencia (p. ej. art. 367 CP, comisión imprudente de los delitos contra la salud de los consumidores o art. 317 CP, respecto de los delitos contra la seguridad en el trabajo). Por consiguiente, en los supuestos en que los resultados lesivos sean imputables a una conducta calificada como delito contra la seguridad en el tráfico no será posible la suspensión, si el autor ya ha sido condenado previamente por delitos contra la seguridad en el tráfico, cuyos antecedentes no hayan sido cancelados[10].

11. Respecto de la pena de privación del derecho de conducir vehículos a motor y ciclomotores[11], se ha modificado el art. 47 CP, añadiendo un nuevo párrafo[12]. Con ello aparece un nuevo efecto asociado a esta pena, consistente en la *"pérdida de vigencia del permiso que habilite para la conducción cuando la pena fuera superior a dos años"*. Se ha suprimido, sin embargo, una pena análoga a la inhabilitación, prevista en la primera redacción del PRCP, consistente en *"la privación del derecho a obtenerlos durante el tiempo de la condena, cuando ésta se hubiere impuesto en sentencia con una duración superior a los dos años"*. Se diversificaba de ese modo el contenido de estas penas en función de la duración por la que hubieren sido impuestas en sentencia aplicando las reglas de determinación legal y de individualización judicial[13]. Si la pena tuviera una duración de

---

tualis, Gefährdungsvorsatz und bewusster Fahrlässigkeit", ZStW 100, 1988, p. 769. Argumento éste muy utilizado por la doctrina alemana, ya desde BINDING, *Die Normen und ihre Übertretung,* Tomo II, 2ª ed., 1914, p. 387.

[10] Como veremos, Infra VI, esta posibilidad es mayor tras la reforma de la cláusula concursal, al calificar estos supuestos como concurso de delitos y no de leyes.

[11] Lo mismo se prevé respecto de la privación del derecho a la tenencia y porte de armas, en la que la retirada de la licencia puede consistir en la pérdida definitiva del derecho a la tenencia y porte de armas.

[12] Art. 47.3 *"Cuando la pena impuesta lo fuere por un tiempo superior a dos años comportará la pérdida de vigencia del permiso o licencia que habilite para la conducción o la tenencia o porte, respectivamente"*.

[13] Esta diversificación de las consecuencias jurídicas no es nueva en nuestro ordenamiento, pues el Código Penal de 1973 contemplaba, al menos hasta la reforma operada en el mismo por la LO 8/1983, de 25 de junio, la posibilidad de privar definitivamente al culpable del permiso de conducir por repetición de condenas, en sus artículos 340, bis a) y 565.1 y 6.

hasta dos años, conllevaba la mera interdicción temporal de los derechos a conducir o a tener y portar armas, si su extensión excede los dos años conllevaría, además de la interdicción temporal, la pérdida definitiva de las correspondientes licencias y la prohibición de obtener otras nuevas durante el tiempo de duración de la condena.

12. En la efectividad de la protección penal de la seguridad en el tráfico suscita también graves problemas la multireincidencia. Se ha constatado que, en muchas ocasiones, los autores de delitos contra la seguridad en el tráfico o/y de lesiones y/o homicidios en este ámbito ya habían sido condenados con anterioridad y estaban privados del derecho a conducir vehículos a motor y ciclomotores o carecían de carne. En este sentido, en el PRCP se introducía, en el que hubiera sido el art. 384[14], un tipo especial de quebrantamiento de condena que abarcaba los incumplimientos de sanciones y medidas cautelares de origen administrativo. La norma trataba de proteger por igual la integridad de las resoluciones judiciales penales y administrativas en razón a su común vinculación con el bien jurídico que constituye la seguridad del tráfico[15]. En la LO 15/2007, en el

---

En el Código Penal alemán también se diferencia la interdicción del derecho a conducir vehículos de motor por un tiempo de uno a tres meses, que se concibe como pena accesoria (parágrafo 44), de la retirada del permiso de conducir, que se regula como medida de seguridad aplicable únicamente a quien ha revelado un estado de peligrosidad por haber acreditado con su acción criminal su falta de aptitud para conducir un vehículo, tanto si resulta condenado, como si no lo es sólo porque su inimputabilidad es reconocida o no es excluida (parágrafo 69).

[14]   El precepto sancionaba al que *"condujere un vehículo a motor o un ciclomotor habiendo sido privado judicial o administrativamente del derecho a hacerlo, o cuando el correspondiente permiso se encontrare suspendido o cancelado"*.

[15]   De otra opinión el informe del CGPJ sobre el Anteproyecto que considera acertada su integración sistemática en el Capítulo IV del Título XVII del Libro II CP, en atención a que se protege el mismo bien jurídico.

El CGPJ considera también correcto que el quebrantamiento de *"resoluciones administrativas, queda erigido un tipo penal de nueva configuración que lo que protege no es tanto la efectividad de las resoluciones administrativas como la seguridad del tráfico afectada por el hecho de conducir quien ha sido administrativa o judicialmente desapoderado de su derecho a circular por las vías públicas en base a un precedente comportamiento que ha puesto de manifiesto su peligrosidad. En ambos aspectos el precepto se revela útil y adecuado al fin de política criminal propuesto en la reforma"*.

art. 384 CP, se introduce un particular supuesto de quebrantamiento de condena, tipificando la conducción en los casos de pérdida de vigencia del permiso por pérdida total de los puntos, habiendo sido privado judicialmente del permiso o no habiéndolo obtenido nunca. Es decir, con un alcance más amplio incluso que el de la PRCP, y por supuesto que lo que sería el concepto de quebrantamiento del art. 468.1 CP[16].

13. La referida sensación de impunidad, en parte debida a la suspensión automática de las penas de prisión, también había sido tomado en consideración en el PRCP con la introducción de un nuevo precepto, art. 94[17], relativo a los efectos de la reincidencia en la eje-

---

[16]   Sobre este precepto, vid. PRIETO GONZÁLEZ, "El delito de conducción sin permiso en la reforma de los delitos contra "la seguridad vial", en este mismo libro.

[17]   Art. 94 PRCP 1. *"A los reos reincidentes y habituales no se les podrá dejar en suspenso la ejecución de la penas privativas de libertad en los casos previstos en el artículo 80.1 de este Código, salvo en los supuestos a que se refieren el apartado 4 del mismo artículo y el apartado 1 del artículo 87.*
2. A los reos habituales no les podrán ser sustituidas las penas privativas de libertad en los casos previstos en el art. 88 de este Código.
3. Tanto a los reos reincidentes como a los habituales, los Jueces o Tribunales, oídas las partes y mediante resolución motivada les impondrán alguna de las siguientes medidas:
1ª. Que la clasificación del condenado en el tercer grado de tratamiento penitenciario no pueda efectuarse hasta el cumplimiento de la mitad de la pena impuesta.
2ª. Que para la concesión de la libertad condicional se hayan extinguido las cuatro quintas partes de la condena impuesta.
3ª. El sometimiento a programas de tratamiento terapéutico o educativo de hasta dos años.
4ª. Cumplida la condena, decretar libertad vigilada por tiempo de hasta dos años.
5ª. Cumplida la condena, decretar la medida de expulsión regulada en el artículo 89 de este Código.
4. Cuando se hubiere acordado la imposición de las medidas señaladas en los números 1º y 2º del apartado anterior, el Juez de Vigilancia Penitenciaria, valorando las circunstancias personales del reo, la evolución del tratamiento reeducador y el pronóstico de reinserción social, podrá acordar razonadamente, oído el Ministerio Fiscal, la aplicación del régimen general de cumplimiento.
5. A los efectos previstos en este Código se consideran reos habituales los que al delinquir hayan sido ejecutoriamente condenados por tres o más delitos dolosos o el mismo número de delitos de homicidio o lesiones cometidos por

cución de las penas y, en concreto, con la suspensión de la condena. Puesto en relación este precepto con la reforma propuesta del art. 80.1º, nos encontrábamos de facto con una grave endurecimiento de las penas de prisión para los delitos imprudentes. A ello se unía la propuesta del PRCP de aumentar los plazos de prescripción que en los delitos menos graves pasaría de tres a cinco años (art. 131.1 PRCP). Todo ello ha quedado en suspenso, evitando una nueva escalada del rigor punitivo que es dudoso que respetara tanto el principio de proporcionalidad como el de utilidad y eficacia.

14. Una última cuestión que se debe evidenciar en este ámbito es la necesidad de contar con atestados policiales completos que permitan una buena instrucción. En esta dirección es esencial determinar cómo se produjo el accidente, puesto que la calificación jurídico-penal de los hechos depende esencialmente de los momentos previos y coetáneos a la producción del resultado, más que del resultado en si mismo[18]. Sólo conociendo las circunstancias concretas en que se produjo el accidente podremos determinar a qué personas son imputables jurídico-penalmente los hechos y la gravedad de la infracción de la norma de cuidado de cada uno de ellos. Hay que tener presente que la mayor o menor gravedad de esta infracción va a determinar que el hecho se califique como delito o como falta, con las consecuencias ya enunciadas. Datos relevantes en este contexto pueden ser tanto la situación física y psíquica en que se encontraban el autor y la víctima (pruebas de alcoholemia y drogadicción), como la situación en que quedaron los vehículos, el estado técnico de estos, las condiciones de la calzada y señalización, las condiciones climáticas... Junto a las pruebas periciales que deben acompañar a los hechos anteriores es conveniente, siempre que sea posible, contar con pruebas testificales, no sólo de los policías, que normalmente acuden al lugar de los hechos cuando ya se ha consumado el hecho, sino de las personas que vieron como se produjeron.

---

imprudencia en un plazo no superior a cinco años, no debiendo ser tenidos en cuenta los antecedentes penales cancelados o que debieran serlo. La habitualidad podrá ser apreciada aunque los delitos que la integren sean todos ellos objeto de enjuiciamiento en la misma sentencia."

[18]   La gravedad de los hechos imprudentes no se fundamenta en el resultado producido sino en la intensidad de la infracción del deber de cuidado. Es decir, es menos grave una muerte imputable a una imprudencia leve que unas lesiones imputables a una imprudencia grave.

II. EFICACIA DE LOS PRINCIPIOS DE CONFIANZA Y DE DEFENSA EN EL ÁMBITO DEL TRÁFICO VIARIO

1. El principio de confianza es una creación de la jurisprudencia alemana en relación con el tráfico y ha sido recogido por nuestra jurisprudencia. Según la concepción clásica del principio de confianza: *"el participante en el tráfico puede confiar en que los demás se comporten también correctamente, mientras no le conste lo contrario por circunstancias especiales del caso"*. Con este principio se trata de limitar cuáles, de entre los riesgos procedentes de terceros o de circunstancias externas, pueden ser imputables al autor. De acuerdo con el principio de confianza, *a priori*, a cada conductor sólo se le pueden atribuir los riesgos procedentes de su conducta, no los que procedan de conductas de terceros.

2. No obstante, la aparentemente amplia eficacia de este principio resulta minimizada por lo que podemos denominar *"restricciones al principio de confianza"*. En la propia definición del principio, se introduce una excepción a este límite en los casos en que sea previsible la existencia de otros riesgos procedentes de factores externos (estado de la calzada, condiciones climáticas, fallos del vehículo...). Sin embargo, lo que no nos dice es cuándo son previsibles otros riesgos y sobre todo por qué y cuándo esos riesgos pueden imputársele. Respecto de la previsiblidad de otros riesgos habrá que acudir al criterio del espectador objetivo situado en el lugar del autor, con todos las circunstancias cognoscibles *ex ante*. En los casos en que ese espectador objetivo —hombre medio— hubiera advertido los riesgos se entiende que eran previsibles. Para que los riesgos previsibles puedan imputarse al autor éste debe tener además la posibilidad efectiva de evitarlos, es decir, sólo se le podrán imputar los riesgos que tenga el deber de prever y evitar.

3. Los riesgos procedentes de terceros —ya sean otros conductores o la víctima—, de acuerdo con la literalidad del principio de confianza, no le deberían ser imputados nunca al autor, en tanto en cuanto éste puede confiar en que esos terceros actuarán correctamente. Desde esta interpretación del principio de confianza, el autor no está obligado a prever las infracciones que cometan los demás. Es en este punto donde se produce la segunda restricción del principio de confianza en el sentido de que se afirma que el autor *"no podrá confiar en la conducta correcta de los demás si el mismo infringe el deber de cuidado"*. Ello supone la aplicación del principio del *ver-*

sare in re illicita, rechazado por la doctrina, y además determina que el principio de confianza resulte superfluo, puesto que el sujeto que infringe el deber de cuidado no puede confiar en que los demás actúen correctamente, sino que, por el contrario, se le hace responsable también de esos riesgos. Por el contrario, entiendo que en estos casos sigue vigente el principio de confianza y que sólo podrán imputarse al autor los riesgos, tanto si proviene de factores externos como si proceden de terceros, cuándo éste tenga el deber de preverlos y evitarlos. En los demás casos estaremos frente a un supuesto de concurrencia de riesgos[19], al que haremos referencia.

4. En el contexto de riesgos procedentes de terceros, en orden a determinar cuándo el autor tiene el deber de preverlos y evitarlos, es de aplicación el *principio de defensa*. El principio de defensa, también creación jurisprudencial para el ámbito del tráfico viario, supone una limitación del principio de confianza en base al deber de solidaridad. Sirve a la protección de las personas más débiles: niños, ancianos y disminuidos físicos o psíquicos.

Sintetizando podemos referir dos interpretaciones del principio de defensa:

a) *Interpretación estricta.* Los riesgos procedentes de terceros desprotegidos sólo deberían ser imputables al autor cuando podían haber sido conocidos por éste si hubiera atendido a su deber de cuidado. Es decir, cuando atendiendo a las circunstancias concurrentes el autor podía advertir *ex ante* que se iba a producir esa conducta peligrosa. Previsibilidad que requiere, entre otras cosas, que se pudiera advertir que se trata de un niño, un disminuido o un anciano.

b) *Interpretación amplia.* Supone la inversión del principio de confianza, de forma que el conductor no puede confiar nunca en la conducta prudente de las personas más desprotegidas, entre las que, en la actualidad, se incluye a los peatones y los ciclistas. Entiendo que con esta interpretación se infringe el principio de responsabilidad subjetiva, esencial en Derecho penal[20]. Esta interpretación no

---

[19]   En este sentido, STS 491/2002, 18 de marzo, establece que el principio de confianza debilita la esfera de lo previsible pero que ello no es suficiente para convertir una grave infracción de un deber de cuidado elemental en una negligencia leve.

[20]   Perfectamente descrito por la STS 8 de junio de 1985: *"El principio de confianza conforme al cual quien desarrolla una conducta de riesgo común puede esperar que los demás se comporten conforme a las exigencias del*

es admisible porque supone imputar objetivamente esos riesgos, sin exigir que el conductor tuviera el deber de preverlos y evitarlos, es decir, estaríamos ante un supuesto de responsabilidad objetiva inadmisible en el Derecho Penal, y expresamente rechazada en los artículos 5 y 10 del Código Penal. Ello es así porque además, en muchas ocasiones, los riesgos creados por estos intervinientes sólo son imputables a ellos mismos, a su propia imprudencia[21].

III. DELITOS DE HOMICIDIO Y LESIONES POR IMPRUDENCIA. CLASES DE IMPRUDENCIA: GRAVE, LEVE Y PROFESIONAL

1. En relación con los homicidios y lesiones imprudentes, como ya enunciaba, un primer aspecto a considerar es la calificación de la imprudencia como grave o leve por las relevantes consecuencias jurídicas que conlleva. En el Código Penal se diferencian los homicidios y lesiones imprudentes en atención a la gravedad de la imprudencia, de forma que, si ésta es grave, el homicidio y las lesiones graves serán delito, mientras que si es leve se calificarán como falta, al igual que las lesiones leves (art. 147.2 CP), por imprudencia grave (art. 621.1 CP). En la legislación penal no se establece criterio alguno sobre cuándo estamos frente a una imprudencia grave o leve y su definición se ha llevado a efecto por la doctrina y la jurisprudencia. Un primer problema, ya enunciado supra I, es que actualmente carecemos de una jurisprudencia merecedora de este nombre. Esta ausencia de criterios no resulta desmentida por la existencia de alguna sentencia (por ejemplo, STS 22 de febrero de 2005[22]), en la que se

---

tráfico, sin que todo conductor de vehículo haya de prever las infracciones reglamentarias que cometan los demás, tal principio es relativo y flexible, viniendo excepcionado por el de conducción dirigida o de seguridad y por el de defensa, en los supuestos de posibles enfrentamientos en la circulación urbana con niños, ancianos o minusválidos psíquicos, debiendo tenerse presente su presunta inconsciencia, su impulsividad azarosa, su desconocimiento de las disposiciones regladas y sus repentinos cambios de actitud, ha de contarse con su impensado proceder contra las normas de tráfico".

[21] Cfr. CANCIO MELIÁ, *Conducta de la víctima e imputación objetiva en Derecho penal.* Ed. Bosch, 1998, p. 219 ss.

[22] Reflejo evidente de que en la actualidad no existen criterios jurisprudenciales es el dato objetivo de que, en esta sentencia, al referirse a la jurispru-

pretende definir los requisitos que debe cumplir una conducta para ser calificada como imprudencia grave. Aun cuando la redacción es confusa[23], cabe entender que los elementos de la imprudencia grave serían una alta previsibilidad de la producción del resultado y una infracción grave del deber de cuidado. La cuestión es que no aporta criterios para determinar cómo debe valorarse la previsibilidad, es decir, si debe hacerse desde una perspectiva objetiva, subjetiva o intersubjetiva, y sin criterios para valorar en que consiste la infracción grave del deber de cuidado, y ni tan siquiera para analizar cómo se determina ese deber[24]. Sin olvidar que en estas resoluciones no se toma en consideración que la previsibilidad y la infracción del deber de cuidado, no son dos elementos independientes, puesto que una previsibilidad muy elevada fundamenta la gravedad de la infracción del deber de cuidado, porque condiciona el contenido de ese deber y en consecuencia la gravedad de su infracción.

2. Si partimos de que el deber de cuidado es el elemento fundamentador de la imprudencia, la infracción de un deber de cuidado elemental es lo que constituye la imprudencia grave. Por ello es necesario establecer criterios que permitan concretar cuál era el deber

---

dencia en relación con el concepto de imprudencia, en general, y grave, en particular, se remite a sentencias de los años 60 y 70.

23   STS 22 de febrero de 2005, afirma que: *"Se cumplen, pues, todos los requisitos construidos jurisprudencialmente para configurar la imprudencia grave, pues desde el plano subjetivo, se infringe con cualquier previsibilidad del hecho, al conducir en tan lamentables condiciones físicas, lo que hubiera determinado la abstención de pilotar un automóvil en esas condiciones, y desde el plano normativo, se ha infringido todo deber de cuidado en la conducción, aminorando la velocidad para adecuarla al tipo de tramo urbano por donde transitaba en ese momento"*.

24   Un poco más acertada es la definición recogida en STS de 11 junio de 2003, *«la jurisprudencia de esta Sala suele considerar grave la imprudencia cuando se han infringido deberes elementales que se pueden exigir al menos diligente de los sujetos. Es temeraria, se ha dicho reiteradamente, cuando supone «un olvido total y absoluto de las más elementales normas de previsión y cuidado». Estas consideraciones adquieren especial relieve cuando la situación de riesgo creado con el comportamiento imprudente afecta a bienes de primer interés, como es la vida de las personas, y cuando se está creando un peligro elevado para dichos bienes sin la adopción de las necesarias medidas de cuidado y control. Lo que no cabe duda, es que estas notas concurren en el supuesto que examinamos y todo ello justifica plenamente la acertada calificación de la imprudencia como grave»*.

de cuidado en cada caso concreto ya que sólo así podrá determinarse cuando la infracción del cuidado merece ser calificada como grave.

En esta dirección pueden señalarse una serie de criterios de utilidad para esta valoración:

a) En el deber de cuidado es necesario diferenciar entre deber objetivo de cuidado, como elemento del injusto imprudente, y reglas de cuidado, que, en el caso del tráfico viario, abarcan toda la normativa relativa a la seguridad vial. En este sentido hay que señalar que no puede equipararse la infracción de normas de seguridad vial con la infracción del deber de cuidado[25], aun cuando la infracción de las normas de seguridad constituye un indicio de la posible infracción del deber de cuidado[26]. Para determinar el deber objetivo de cuidado hay que atender, no sólo a la normativa extra-penal, sino también a las reglas de experiencia que vinculan determinados peligros a ciertas actividades y a las medidas de seguridad que *ex ante* aparecen como más adecuadas para evitar dichos riesgos.

b) El contenido del deber objetivo de cuidado se fundamenta en la previsibilidad objetiva —deber objetivo de cuidado— de lesión de bienes jurídicos y éste será el criterio rector en la concreción del deber objetivo de cuidado. Por consiguiente, el deber objetivo de cuidado, en el caso concreto, se determina a partir de todas las circunstancias concurrentes *ex ante*, pues sólo de esta forma se puede determinar el grado de peligro para el bien jurídico —previsibilidad objetiva— y, en consecuencia, establecer cuál o cuáles eran las conductas adecuadas en ese caso. Poniendo en relación la que hubiera

---

[25]   Diferenciación esencial que la LO 15/2007 ha olvidado, al establecer presunciones, según las cuales la infracción de determinada normativa administrativa teóricamente fundamenta *per se* la comisión de un delito.

[26]   Esta situación es análoga a la que se produce en relación con el delito de conducción bajo la influencia del alcohol, drogas o sustancias estupefacientes, en el sentido de que no es aceptable la doctrina jurisprudencial que califica directamente la superación del índice de alcoholemia con la comisión del delito. Para que exista delito es necesario probar que en el caso concreto se ha puesto efectivamente en peligro la seguridad en el tráfico. En este sentido, el voto particular de Magaldi Paternostro, entre otras, SAP Barcelona (Sección 2ª) 5 de marzo de 2003, quien requiere para la concurrencia del mencionado delito que se pruebe la existencia de un peligro abstracto, pero no meramente presunto, para el tráfico lo que no resulta probado por la superación del índice de alcoholemia en un control rutinario sin que haya existido conducción anómala alguna.

sido una conducta cuidadosa con la llevada a efecto por el autor se podrá valorar la gravedad de la infracción del deber de cuidado y, por consiguiente, si en el caso concreto esa infracción debe calificarse como grave o como leve.

c) La previsibilidad objetiva debe limitarse por la previsibilidad subjetiva —deber subjetivo de cuidado—, entendiendo por tal el deber que tenía el autor de conocer el peligro que su conducta implicaba para el bien jurídico. Es decir, el hecho de calificar una conducta como imprudente implica afirmar que no concurre dolo, es decir, que el sujeto desconoce el riesgo exacto que supone su conducta, pero al mismo tiempo requiere que el autor tuviera el deber, en el caso concreto, de conocer la existencia de ese riesgo. Por consiguiente, en los supuestos en los que la víctima lleva a efecto una conducta que no era previsible, en los casos en que un tercer conductor realiza una maniobra no previsible o cuando el autor se encuentra con obstáculos en el tráfico tampoco previsibles, estaremos frente a riesgos no imputables a éste. Es decir: su deber de cuidado no alcanza la previsión de esos peligros. En este aspecto es donde despliegan su eficacia, mayor o menor, los principios de confianza y de defensa, a los que se hizo referencia.

d) Para determinar qué riesgo debía prever el autor habrá que atender a todas las circunstancias concurrentes *ex ante*, conocidas por el autor o que debería de conocer, si hubiera cumplido con el deber objetivo de cuidado. Lo contrario, es decir, determinar la gravedad de la imprudencia, únicamente, en base al peligro objetivo concurrente y al resultado producido supone otra forma de responsabilidad objetiva o, dicho con otras palabras, de falta de antijuricidad material. En este sentido, por consiguiente, es incorrecta la aplicación del principio de defensa desde una perspectiva estrictamente objetiva, afirmando la gravedad de la infracción del deber de cuidado en base a que la víctima era un anciano, un disminuido psíquico o un niño, sin tomar en consideración si el conductor tenía el deber, atendiendo a las circunstancia concurrentes, de conocer esa característica de la víctima y, en consecuencia, el deber de prever una conducta imprudente de esta[27].

---

[27]   En este sentido, sin embargo, STS 26 de enero de 1982, fundamenta la gravedad de la imprudencia, exclusivamente, en que la víctima era un niño de 8 años; STS 21 de junio de 1979, en base a que se trataba de una anciana

IV. CRITERIOS PARA DETERMINAR LA GRAVEDAD DE LA IMPRUDENCIA CUANDO CONCURRE CON CONDUCTAS ILÍCITAS EN EL TRÁFICO

a) *Imprudencia leve*. En los supuestos en los que la conducción, tanto con ingesta de alcohol, como con infracción de normas de seguridad vial, crea un riesgo que afecta de modo no grave la seguridad en el tráfico. Consecuentemente, en tanto sólo pueden calificarse como infracción administrativa, en el supuesto en que le sea imputable un resultado lesivo, tendríamos un indicio para calificar la imprudencia como leve, subsumible en los apartados 2 y 3 del art. 621 CP. Es decir, estaríamos ante una falta de homicidio o de lesiones graves por imprudencia leve[28]. Así mismo, como veremos, la imprudencia debería ser calificada como leve en aquellos supuestos en los que en el resultado concurran riesgos diversos, ya sean del autor y un tercero, de la víctima o de circunstancias naturales[29].

b) *Imprudencia grave y conducción bajo la influencia de drogas tóxicas, sustancias psicotrópicas o estupefaciente.* Una de las cuestiones que, en relación con el tráfico viario, ha determinado la calificación de la imprudencia como grave es la relación entre ésta y la conducción bajo la influencia del alcohol[30]. Siendo cierto que la conducción habiendo ingerido sustancias que afectan a las capacidades físicas y psíquicas es un indicio de la gravedad de la infracción del deber de cuidado, no lo es menos que, en abstracto, no puede afirmarse la calificación de esos hechos *per se* como imprudencia grave. Ello por diversas razones: a) la influencia puede ser mayor o menor atendiendo a las condiciones físicas del sujeto y al número y clase

---

[28] de 74 años; en el mismo sentido, entre otras, SSTS 14 de marzo de 1980; 25 de noviembre de 1975; 6 de febrero de 1978; 17 de abril de 1978.
Cfr. MAGALDI PATERNOSTRO, "De los delitos contra la seguridad en el tráfico", en *Comentarios al Código Penal. Parte Especial* (Córdoba Roda/García Arán, Dirs.), T II, Ed. Marcial Pons, 2004, p. 1706.

[29] Vid. Infra IV sobre las consecuencias de la concurrencia de riesgos en la producción del resultado.

[30] Cfr. Entre otras muchas, SSTS 703/2001, 28 abril; 2411/2001, 1 de abril, donde se fundamenta la calificación de los hechos como imprudencia grave en base a la conducción bajo la influencia de bebidas alcohólicas; 2237/2002, 1 abril; STS 270/2005, 22 de febrero, en relación con la influencia de alcohol y pastillas antidepresivas.

de bebidas ingeridas[31]; b) en el supuesto de que exista un plus de riesgo para la seguridad en el tráfico (velocidad excesiva, saltarse un semáforo, subirse a la acera...), al inherente a la influencia del alcoholo o drogas, los hechos deberían calificarse como conducción temeraria[32]; c) el respeto al principio de lesividad o antijuricidad material, requiere el juicio sobre el injusto típico, a realizar en el caso concreto atendiendo a todas las circunstancias concurrentes. En consecuencia, desde esta perspectiva, no son conformes con las garantías y límites del Derecho Penal, las presunciones establecidas por LO 15/2007, en los arts. 379 y 380 CP y, más en concreto, la calificación *iuris et de iure* de una conducta como temeridad manifiesta cuando concurran velocidad excesiva y alcohol. En todo caso, incluso de *lege lata*, es decir, una vez vigentes las referidas presunciones, no es de recibo una interpretación formal de la letra de la ley, en tanto en cuanto los tipos penales deben interpretarse respetando siempre los principios y límites que rigen en Derecho penal, principios tales como el de antijuricidad material o responsabilidad subjetiva (Título Preliminar CP), así como las estructuras de la Parte General del Derecho penal (Título I CP).

c) *Conducción temeraria e imprudencia grave.* Cuestión diferente es la relación entre el delito de conducción temeraria y la imprudencia grave. Ello es así porque, como unánimemente se afirma por doctrina y jurisprudencia, la actual imprudencia grave, del Código Penal de 1995, es idéntica a la imprudencia temeraria prevista en

---

[31]   En otro sentido, la STS 2411/2001, 1 de abril, afirma que: *"...incurre en imprudencia temeraria, toda vez que la conducción de automóviles requiere inexcusablemente unas condiciones psicosomáticas de concentración, atención destreza y pericia que aseguren el más perfecto dominio del mentado vehículo y de sus mandos, dominio que en mayor o menor medida no es posible cuando el conductor se halla influido por la ingestión de bebidas espirituosas, las cuales dificultan, cuando no imposibilitan el manejo del automóvil en condiciones de seguridad, privándole de la lucidez necesaria, de la atención y de la concentración precisas y de la rapidez de reflejos y de decisión que caracterizan al buen conductor".*

[32]   Es cierto que en la actualidad la conducción temeraria está configurada como delito de peligro concreto, salvando las presunciones de temeridad del art. 380.2 CP. Por ello, como se verá propongo la sustitución de este apartado por uno en el que se tipifique la conducción temeraria de peligro abstracto. Temeridad que puede tener su origen en el consumo de alcohol o drogas o en otras circunstancias.

el Código Penal anterior. Por consiguiente, si se valora que una conducción es manifiestamente temeraria, en el sentido del art. 381 CP, en principio, si se producen unos determinados resultados lesivos imputables a ella, la calificación será de homicidio o lesiones por imprudencia grave[33]. No obstante, ello sólo "en principio" puesto que será necesario probar, en el caso concreto, tanto la relación causal entre la conducción manifiestamente temeraria y los resultados lesivos, como la imputación objetiva de estos a la conducta[34]. Por ello es necesario tomar en consideración si el resultado es imputable exclusivamente a un riesgo o si, por el contrario, se ha producido una concurrencia de riesgos. Cuando el resultado sea imputable a dos o más riesgos, sólo una parte del riesgo creado por el autor es imputable a su conducta y, por consiguiente, aun cuando su imprudencia pudiera calificarse *ex ante* como grave, *ex post* resulta que sólo puede calificarse como leve[35].

4. *Imprudencia profesional*. Esta modalidad de imprudencia se ha aplicado excepcionalmente, pese a que, tanto en el Código Penal de 1973 como en el actual, un supuesto cualificado de la imprudencia grave es la imprudencia profesional (arts. 142.3. y 152.3 CP). Con la actual regulación, la calificación de unos hechos como imprudencia profesional determina la imposición, junto a la pena de prisión o multa, y la privación del derecho a conducir vehículos de motor o ciclomotores, la inhabilitación especial para el ejercicio de la profesión[36]. Con la anterior regulación, la excepcional aplicación de

---

[33] MAGALDI PATERNOSTRO, "De los delitos contra la seguridad en el tráfico" (op. cit.), p. 1705-1706.

[34] Sobre la exigencia de prueba de la causalidad y de la imputación objetiva, CORCOY BIDASOLO, "La distinción entre causalidad e imputación objetiva y su repercusión en el proceso —presunción de inocencia e *in dubio pro reo*-". En *La ciencia del Derecho Penal ante el nuevo siglo. Libro Homenaje al Profesor Don José Cerezo Mir* (Díez Ripollés/Romeo Casabona/GraciaMartín/Higuera Guimerá, Edit.), Ed. Tecnos, 2002. En el mismo sentido, STS 1253/2005, 26 octubre, FJ 8, requiere que tras comprobar la "*causalidad natural*" se pruebe la imputación del resultado, probando la creación *ex ante* de un riesgo desaprobado —no permitido- que se realiza *ex post* en el resultado.

[35] Cfr. CORCOY BIDASOLO, *El delito imprudente. Criterios de imputación del resultado*. 2ª ed., Ed. B de F, 2005, p. 527 ss

[36] Con el actual carné por puntos y la previsión, tras la reforma, en el art. 47 CP, de que la privación del derecho a conducir superior a dos años conlleva

la imprudencia profesional se explicaba, desde una perspectiva político-criminal, porque llevaba aparejada la imposición de penas privativas de libertad de cumplimiento. La doctrina afirma, y de hecho es así, que todavía se aplicará menos con la actual regulación porque lleva aparejada la inhabilitación especial lo que para un profesional puede ser incluso más grave que la prisión, teniendo en cuenta que puede llegar a tener una duración de seis años, en el homicidio (art. 142.3 CP), y de cuatro en las lesiones (art. 152.3 CP).

a) Desde una perspectiva dogmática, en aras a limitar su aplicación, la jurisprudencia establece la distinción entre "*imprudencia profesional*" e "*imprudencia del profesional*", afirmando que sólo la primera da lugar a la aplicación del tipo cualificado de los arts. 142.3 y 152.3 CP. Por "*imprudencia profesional*" se entiende la falta de capacitación para el ejercicio de la profesión, es decir, lo que se conoce como "impericia". "*Imprudencia del profesional*" se considera cualquier otra infracción del deber de cuidado que el profesional cometa en el ejercicio de su profesión. La justificación de esta diferenciación, y la consecuente no calificación como imprudencia cualificada, podría fundamentarse en el hecho de que ser un profesional determina su habituación al riesgo y, por consiguiente, que no sea absolutamente consciente de éste. La jurisprudencia, para calificar unos hechos como imprudencia profesional, exige además el requisito de "condición profesional del agente" con las siguientes características: 1°) Profesional de la actividad concreta; 2°) Ejercicio habitual y público; 3°) Que este ejercicio profesional constituya su *modus vivendi*.

b) En el caso del tráfico viario la situación es, en parte, diferente puesto que los homicidios o lesiones por imprudencia llevan aparejado la privación del derecho a conducir, lo que implica que, de *facto*, en el supuesto de que el autor sea un profesional de la conducción (chofer, taxista, camionero...), la privación del derecho a conducir es "casi" una inhabilitación especial. Especialmente en aquellos supuestos en los que la pena de privación del derecho a conducir impuesta sea superior a dos años puesto que, conforme al art. 47.3 CP, lo que comporta la pérdida de vigencia del permiso para la conducción. Pérdida de vigencia que debería interpretarse como inhabilitación, puesto que, ineludiblemente, la pérdida de vigencia implica

---

la pérdida de vigencia del permiso, se resta fuerza sancionatoria a la pena de inhabilitación.

la necesidad de volver a examinarse para la obtención del permiso y ello no podrá llevase a efecto mientras dure la condena puesto que durante ese tiempo, el autor está privado del derecho a conducir. Lo que no es evidente es si está pérdida de vigencia implica así mismo que no se pueda obtener el carné durante el tiempo de la condena[37].

c) En el homicidio por imprudencia profesional, art. 142.3 CP, la privación del derecho a conducir va desde uno a seis años y la inhabilitación de tres a seis años, mientras que, en las lesiones graves por imprudencia profesional, art. 152.3 CP, tanto la privación del derecho a conducir como la inhabilitación, van de uno a cuatro años. Este tratamiento diferente entiendo que no está justificado y que, en todo caso, la pena de inhabilitación en el supuesto de que los hechos se califiquen como imprudencia profesional, si partimos de que se trata de un hecho más grave, debería ser superior a la de privación del derecho a conducir.

V. IMPUTACIÓN DEL RESULTADO. DIFERENTES INTERVINIENTES Y CONCURRENCIA DE RIESGOS. DIVERSOS RESULTADOS LESIVOS

1. La imprudencia sólo se castiga cuando estamos frente a un delito consumado por lo que, en todo caso, debe probarse que el resultado, ya sea de muerte o lesiones, es imputable al riesgo creado por el autor. La imputación del resultado es algo más que la prueba de una relación causal entre la conducta y el resultado, como tradicionalmente se había entendido, puesto que lo relevante no es tanto la causalidad, relación de naturaleza ontológica, como la valoración sobre si el riesgo que se ha realizado en el resultado es el creado por el autor, relación de riesgo de naturaleza normativa, que tiene en cuenta el riesgo en cuanto jurídico-penalmente relevante, no desde una perspectiva ontológica. En la jurisprudencia, aun cuando formalmente se habla de imputación objetiva, ya desde el año 1983, en la práctica se siguen utilizando criterios ontológicos, propios de la causalidad. Ello conlleva, en el ámbito que nos ocupa, que se ha-

---

[37] Previsión que sí estaba en la redacción del art. 47 en el PRCP, que diferenciaba dos supuestos, la pérdida de vigencia y la pérdida unida a la imposibilidad de obtenerlo durante el tiempo de la condena.

ble de concurrencia de culpas cuando en el resultado influye tanto la conducta del autor como de la víctima o de terceros. Por ello, las resoluciones son, una vez mas, casuísticas calificando de forma diferente hechos que jurídicamente son iguales.

2. *Doctrina jurisprudencial sobre la eficacia del comportamiento de la víctima en la calificación jurídica de los hechos cometidos por el autor.* Del tratamiento jurisprudencial de esta cuestión es un claro ejemplo la Sentencia del Tribunal Supremo de 18 de marzo de 2002[38], que analiza las consecuencias del comportamiento de la víctima (peatón atropellado). En la sentencia se describen las diversas posiciones, desde la inoperancia de la compensación de culpas en materia penal, que había sido la doctrina tradicional, hasta la incidencia de la conducta de la víctima en la cadena causal, aminorando la responsabilidad del autor del hecho, manteniendo que «... *así las cosas, en el caso presente, incluso aplicando esa doctrina que admite la compensación de culpas en materia penal, que es la más favorable a la tesis aplicada en la sentencia recurrida para calificar la imprudencia de autos como leve, hemos de llegar a la misma conclusión que venimos manteniendo: no tiene aptitud la participación de la víctima en el hecho para convertir en leve la imprudencia del acusado que en sí misma considerada, como ya ha quedado razonado, ha de reputarse grave».*

3. Vemos una vez más la incoherencia de la jurisprudencia, incluso cuando proviene de nuestro más alto Tribunal, puesto que, en primer lugar, acepta que cabe la compensación de culpas en el ámbito penal, lo que de siempre había sido rechazado por doctrina y jurisprudencia y, en segundo lugar, admitiendo la relevancia de la conducta de la víctima, en relación con la calificación de los hechos, lo niega en el caso de autos sin ninguna clase de motivación. Independientemente de ello, desde una perspectiva dogmática, no es correcta la que podríamos considerar doctrina jurisprudencial, puesto que en estos casos no se trata de concurrencia de culpas sino de riesgos y no es un problema de causalidad sino de imputación objetiva.

4. En consecuencia, debe analizarse si el resultado es imputable exclusivamente al riesgo creado por el autor, si, por el contrario, en parte, también es imputable al riesgo creado por la víctima o, final-

---

[38]   En el mismo sentido, sentencias del Tribunal Supremo de 5 de marzo de 2003 y 11 de junio de 2003.

mente, si es únicamente imputable a esta última. En el segundo caso la consecuencia es que no todo el riesgo creado por el autor se realiza en el resultado, por lo que, aun cuando *ex ante* su conducta pudiera calificarse como imprudencia grave, *ex post* deberá calificarse como leve, porque sólo una parte de ese riesgo es el que se ha realizado en el resultado, siento éste también imputable a la conducta de la víctima, o en su caso, a la de un tercero o a circunstancias externas (atmosféricas, del estado de la calzada...). El Tribunal Supremo, por el contrario, admitiendo en un primer momento la posibilidad de la relevancia de la conducta de la víctima, en relación con la calificación de los hechos, a continuación analiza la gravedad de la imprudencia exclusivamente desde una perspectiva *ex ante*, lo que implica no tomar en consideración la influencia que en el resultado ha tenido la conducta de ésta. En consecuencia, si el resultado es imputable tanto a la conducta del autor como a la de la víctima, de un tercero o de circunstancias no previsibles jurídico-penalmente, aun cuando *ex ante* la imprudencia del autor pueda calificarse como grave, sólo podrá imputársele una imprudencia leve, puesto que, en cuanto estamos castigando por un delito consumado, el resultado es imputable sólo en parte a la imprudencia del autor[39]. Esta solución, en sus consecuencias, se acerca a la doctrina jurisprudencial seguida en la llamada "concurrencia de culpas", pero la fundamentación es muy diferente, A través del instituto de la imputación objetiva, realmente, se justifica por qué no estamos ante una "compensación civil de culpas", inadmisible en la jurisdicción penal[40], sino que se trata de aplicar los criterios de imputación objetiva, probando la relación de riesgo entre conducta y resultado.

---

[39] En este sentido, aun cuando sin una fundamentación correcta, entre otras, SAP Málaga 21 de enero de 2003, en un supuesto en el que la víctima conducía su ciclomotor sin casco y sin que se haya probado que pusiera el intermitente o que hiciera gesto alguno indicando que iba a torcer. En la sentencia se afirma que las lesiones, en la región parietal y frontal, que produjeron la muerte, no se hubieran producido con el casco, entendiendo que, por ello, al acusado sólo se le puede imputar una imprudencia leve, por no controlar el vehículo al llevar una velocidad excesiva, constitutiva de falta y que, en consecuencia, en el ámbito de la responsabilidad civil, este hecho implica que deba reducirse la indemnización en un 10%.

[40] No olvidemos que en la jurisprudencia se afirma reiteradamente que "no cabe la compensación civil de culpas" en el ámbito penal pero en la práctica se lleva a efecto a través de la llamada "concurrencia de culpas".

5. En ocasiones la jurisprudencia ha tomada en consideración el riesgo creado por la víctima exclusivamente en el ámbito de la responsabilidad civil, sin otra justificación que la afirmación de que no se ha apreciado la concurrencia de culpas, aun cuando al mismo tiempo se afirme que el concreto resultado se ha producido como consecuencia del riesgo creado por la víctima[41]. Solución tanto más injustificada al tratarse de una responsabilidad civil derivada de delito, por lo que, en su determinación, el primer presupuesto es precisamente la existencia de un delito que es menos grave si el resultado es imputable sólo en parte al autor y que no existiría si fuera imputable exclusivamente a la víctima.

6. Una cuestión que también ha suscitado discusión es la relativa a la condena del conductor por lesiones o muerte de los pasajeros[42]. Aun cuando, la jurisprudencia, en general, opta por la condena al piloto, sin ulteriores consideraciones[43], entiendo que deben diferenciarse tres supuestos:

a) *Los pasajeros consienten activamente*, colaborando aun cuando sea con un apoyo moral o psíquico, o incluso impulsando la conducción imprudente: deberían ser calificados como cómplices, cooperadores o inductores[44]. No obstante, lo cierto es que, en la práctica, no se castiga nunca a los ocupantes y si uno de ellos muere o resulta lesionado se imputa esa muerte o lesión al conductor[45].

---

[41]   Vid. Supra nota 39, SAP Málaga de 21 de enero de 2003.

[42]   Sobre esta cuestión, ampliamente, Corcoy Bidasolo/Carpio Briz, "La llamada conducción "suicida" y la responsabilidad de la víctima a propósito de la STS de 17 de octubre de 2005", *LL* 2007, comentando la referida sentencia, en la que se condena al conductor por delito de homicidio doloso al imputarle la muerte del copiloto. Copiloto que previamente había intervenido activamente de forma que sólo puede calificarse como coautoría.

[43]   En este sentido, entre otras, STS 2237/2001, 1 abril, en la que se condena al conductor por las lesiones del copiloto y la muerte del pasajero sentado en la parte trasera, sin entrar en ningún momento a valorar cuál había sido la conducta de ambos.

[44]   Cfr. Muñoz Conde, *Derecho Penal. Parte Especial*, 16ª ed. Ed. Tirant lo Blanch 2007, p. 690, entiende que no cabe responsabilidad de partícipes e inductores

[45]   En este sentido, STS 17 de octubre de 2005, comentada por Corcoy Bidasolo/Carpio Briz, *LL* 2007, op. cit.

b) *Los pasajeros se ven inmersos en la conducción imprudente*: al conductor se le puede imputar la muerte o lesiones de los pasajeros[46].

c) *Situaciones límite*:

— *Los ocupantes consienten pasivamente*, en el sentido, de que en ningún momento intentan que el conductor cese en su conducción imprudente. Entiendo que la pasividad difícilmente puede considerarse una intervención en el hecho jurídico-penalmente relevante, ni tan siquiera a título de cómplice y, por consiguiente, su muerte o lesiones podrán imputarse a la conducta imprudente del conductor[47].

— En sentido contrario, también existen casos en los que *la intervención del pasajero tiene tal entidad que merece la calificación de coautoría*[48]. Cuando los ocupantes deciden conjuntamente llevar a efecto la conducción temeraria y apoyan al conductor en todo momento, aun cuando el apoyo sea verbal, se debería condenar a los ocupantes como coautores en el delito cometido por el conductor. Consecuentemente, la muerte o lesión del ocupante-coautor no puede imputarse como homicidio doloso al conductor-coautor[49].

— *Responsabilidad de terceros, en posición de garante, que no impiden la conducción*. En Alemania, la jurisprudencia ha calificado como autoría accesoria, en comisión por omisión, la conducta del dueño de un bar que no impidió que un cliente que estaba borracho cogiera el vehículo. Esta situación podría trasladarse a los amigos o familiares que permiten que su compañero o familiar conduzca estando ebrio. Si bien la

---

[46]   Cfr. SAP Soria 14 de noviembre de 2003, en la que, entre los hechos probados, se afirma que los ocupantes advirtieron al conductor de que fuera con cuidado y que redujera la velocidad.

[47]   En este sentido, STS 2411/2001, de 1 de abril, condena al conductor por delito de homicidio por imprudencia grave imputándole la muerte del ocupante que iba en la parte trasera del vehículo

[48]   En este sentido, hay algunas sentencias en las que el pasajero ha sido calificado como coautor, STS 15 de diciembre de 1978, en un supuesto en el que el conductor conduce desatentamente y el pasajero da un golpe brusco al volante; STS 17 de febrero de 1976, en la que un sujeto deja conducir a otro sin carné, se sienta a su lado y le va introduciendo las marchas.

[49]   En este sentido, CORCOY BIDASOLO/CARPIO BRIZ, *LL* 2007, op. cit.

calificación como autoría accesoria es excesiva, la conducta de familiares o amigos que efectivamente, en el caso concreto, están en posición de garante, de no impedir la conducción podría llegar a considerarse complicidad.

7. *La producción de diversos resultados lesivos* imputables a una única conducta imprudente supone que deban aplicarse las reglas del concurso ideal de delitos (art. 77 CP)[50]. Por consiguiente, se debería aplicar la pena del delito más grave en su mitad superior. Sin embargo, en el propio art. 77.3. CP, se establece un límite, en el sentido, de que se deberán castigar por separado las distintas infracciones, es decir, como concurso real de delitos, cuando la pena que corresponda sea superior aplicando las reglas del concurso ideal. Esta situación se produce en muchas ocasiones en el ámbito del tráfico viario, en aquellos supuestos en los que se produce un homicidio y unas lesiones imprudentes, puesto que en esos casos la pena a imponer debería ser como mínimo de dos años, seis meses y un día de prisión y tres años, seis meses y un día de privación del derecho a conducir vehículos, es decir, la pena del homicidio por imprudencia grave en el grado mínimo de su mitad superior. Pena que es superior a la de sumar la pena del homicidio por imprudencia grave en su mitad inferior más la pena de la falta de lesiones por imprudencia grave, por lo que, en virtud de lo establecido en el art. 77.3 CP se aplicara la pena que correspondería al concurso real. Sin embargo, ello sucede si partimos de la pena del homicidio en su mitad inferior cuando los jueces pueden imponerla en toda su extensión y en ese caso ya no sería más favorable la imposición separada de las penas[51]. Por lo demás, en algunos supuestos lo adecuado sería la calificación como concurso real. Ello se suscita cuando puedan diferenciarse diversos momentos en esa conducta imprudente. P. ej. arrollar a una moto y posterior atropello de un peatón en un paso de cebra.

---

[50]   En este sentido, entre otras muchas, SAP Madrid 3 de abril de 2003 y SAP Soria 14 de noviembre de 2003, en ambas se estima el recurso y se modifica la sentencia del Juzgado de lo Penal, en lo relativo a la calificación de los delitos de homicidio y lesiones, en relación de concurso ideal de delitos, no de concurso de leyes, como habían sido calificados.

[51]   Cfr. STS 233/2003, 21 de febrero, confirma la sentencia de la Audiencia en la que al acusado se le había impuesto una pena de dos años y seis meses de prisión por un delito de homicidio y otro de lesiones, ambos por imprudencia grave, motivando el por qué la pena no es desproporcionada.

VI. HOMICIDIOS Y LESIONES DOLOSAS EN EL TRÁFICO VIARIO. ESPECIAL CONSIDERACIÓN DE LOS PROBLEMAS POLÍTICO-CRIMINALES Y DOGMÁTICOS DE LA LLAMADA "CONDUCCIÓN SUICIDA" (ART. 381 CP)

1. Los resultados lesivos imputables a una conducción temeraria pueden ser calificados como delito de homicidio o lesiones dolosos, pese a que hasta ahora, en contadas ocasiones se haya calificado una conducta en el tráfico viario como delito doloso[52]. El tema debe ponerse en relación con el delito de conducción con manifiesto desprecio para la vida de los demás, "conducción suicida", regulado en el art. 381 CP por LO 15/2007[53]. Conducta típica que supone la tipificación expresa de una tentativa de homicidio en dolo eventual, tanto en la redacción prevista en el art. 384 ACP como en la actual[54]. En consecuencia, si a esta "conducción suicida" son imputables muertes o/y lesiones, éstas deberían calificarse como homicidio o/y lesiones dolosos[55]. Es decir, en todos aquellos supuestos en los

---

[52]　En este sentido, la STS 218/2003, 18 de febrero, condena por dos delitos de tentativa de homicidio doloso, en un supuesto en el que el acusado embiste con su coche un ciclomotor en el que viajaban dos personas. Anteriormente, en casos similares, se habían calificado conductas de esta naturaleza como imprudentes.

[53]　En su nueva redacción se eleva la pena de la conducción con manifiesto desprecio por la vida de los demás (art. 381 CP), imponiendo la pena de prisión de dos a cinco años —en la anterior redacción era de uno a cuatro años- y la multa de doce a veinticuatro meses —antes de seis a doce meses-.

[54]　Entre otros, LUZÓN PEÑA/DE VICENTE REMESAL/DÍAZ Y GARCÍA CONLLEDO, "¿Conductores suicidas o conductores homicidas?, *Rev. Jurídica de Castilla-La Mancha*, nº 7, 1989, p. 363 ss.; de otra opinión, MAQUEDA ABREU, "La idea de peligro en el moderno Derecho Penal. Algunas reflexiones a propósito del Proyecto de Código Penal de 1992", *AP* 1994-1, p. 483; SILVA SÁNCHEZ, "Consideraciones dogmáticas y de política legislativa sobre el fenómeno de la conducción suicida", *La Ley* 1998-1, p. 970-980; en otro sentido, CALDERÓN CEREZO/CHOCLÁN MONTALVO, *Código Penal Comentado*, Ed. Deusto, 2005, p. 844, consideran que es un precepto intermedio entre delito de peligro y tentativa.

[55]　La cuestión es análoga a la que se planteaba respecto de la calificación de los hechos como delito de homicidio o lesiones por imprudencia grave cuando los resultados lesivos fueran imputables a una conducción temeraria, Supra. III 3.c).

que la peligrosidad de la conducción es tan elevada que el conductor no puede confiar racionalmente en que no se produzca un resultado lesivo estamos frente a unos hechos que deberían calificarse como delito consumado o intentado de homicidio doloso. En una dirección análoga, desde la perspectiva del principio acusatorio, la jurisprudencia, estima que hay homogeneidad entre el delito de homicidio y el delito de conducción temeraria[56]. Quienes niegan esta identidad se basan, esencialmente, en la falta de determinación del riesgo y de los resultados previsibles en estos casos, al entender que la tentativa de homicidio debe referirse a un objeto u objetos determinados[57]. Al respecto, me pregunto ¿Cuándo se pone una bomba en un tren o en un parking están determinados los resultados previsibles? ¿Alguien pondría en duda que concurre dolo?

2. La redacción del art. 381 CP (antes art. 384 ACP), en sus elementos típicos objetivos, se remite al delito de conducción temeraria del art. 380 CP (antes art. 381 ACP). En un segundo párrafo del art. 381 CP, sigue estando prevista la misma conducta típica pero de peligro abstracto. En esta segunda modalidad típica no es necesario que concurra la puesta en peligro concreto de la vida o integridad física de las personas. La única diferencia entre el actual art. 381 y el anterior art. 384, aparte del aumento de las penas, se limita a la modificación del elemento subjetivo. La reforma operada por LO 15/2007 sustituye el término *"consciente"*, del art 384 ACP, por el de *"manifiesto"*. El elemento *"consciente"*, hoy derogado, suponía que el dolo propio de los delitos contra la seguridad en el tráfico, conocimiento de la peligrosidad de la conducta para la vida e integridad de los demás, debía complementarse con lo que podríamos denominar una "actitud". En consecuencia, una interpretación posible de este elemento era entender que el legislador había optado, al menos en este caso, por una concreta concepción del dolo: la defendida por las llamadas "teorías del sentimiento". Los partidarios de estas teorías

---

[56]   En este sentido, la STS de 19 de febrero de 1996, entiende que existe una homogeneidad fáctica entre el delito de homicidio, por el que venía acusado, y el delito de conducción temeraria, ya que *"todos los elementos del segundo tipo están contenidos en el tipo delictivo de las acusaciones y no existe ningún nuevo elemento del cual el acusado no haya podido defenderse"*.

[57]   En este sentido, RAMOS TAPIA, "El delito de conducción temeraria con consciente desprecio por la vida de los demás (A propósito de la STS 25 octubre 1999)", *RECPC* 02-02-2000.

atienden a la actitud interna del sujeto frente a la previsible producción del resultado[58], a su "indiferencia" respecto de la producción o no del resultado[59]. Sin embargo, para un amplio sector de la doctrina y la jurisprudencia la diferencia estribaba en que en este caso el dolo debe abarcar la producción del resultado mientras que, en los demás delitos contra la seguridad en el tráfico, el dolo requiere exclusivamente la conciencia de la peligrosidad de la conducta[60]. Este planteamiento sólo es cierto en parte porque en los delitos contra la seguridad en el tráfico, considerados de peligro concreto, el dolo debe abarcar también el peligro para la vida o integridad física —en tanto resultado de peligro—. Por consiguiente, lo que requería el art. 384 ACP era un elemento subjetivo del injusto en el que, al autor, conociendo la probabilidad de que se produjera la muerte o/y lesiones de una o más personas, le era indiferente la producción de esos resultados. Sin embargo, para que concurra dolo de lesión lo relevante no es la actitud del sujeto hacia la vida de los demás, sino que es necesario que, en base a las circunstancias concurrentes, no pueda confiar racionalmente en que podrá evitar el resultado de muerte o lesiones. El concepto incorporado en la LO 15/2007, de "*manifiesto*" responde más a esta idea, así como a la actual normativización y objetivación del dolo.

3. Desde una perspectiva político-criminal, la dificultad de aplicar el art. 384 ACP provenía precisamente de la inclusión del elemento sujetivo del injusto "*consciente desprecio*", en la práctica, más difícil

---

[58]   Cfr. Corcoy Bidasolo, *El delito imprudente*, 2ª ed. Ed. B de F, 2005, p. 258-259.

[59]   Desde la perspectiva de la "indiferencia", podrían interpretarse estas teorías como correctivas de las teorías de la probabilidad, en este sentido, Jakobs, *Strafrecht Allgemeiner Teil*, 1983, p. 224.

[60]   Cfr. STS 561/2002, 11 de abril, se afirma que, a diferencia de los demás delitos contra la seguridad en el tráfico, en el art. 384 el dolo abarca no sólo la infracción de la norma de cuidado sino también el eventual resultado, "*por ello, si una persona crea, con su forma temeraria de conducir, un concreto peligro para la vida o la integridad de las personas y lo hace con consciente desprecio para estos bienes jurídicos, debe entenderse que se representa y admite la posibilidad de su lesión, puesto que los pone en peligro precisamente porque no los aprecia; representación y consentimiento que obliga a atribuirle el dolo denominado eventual*"

de probar que el dolo[61]. Ello es así porque, en la actualidad, la doctrina y jurisprudencia casi unánime aceptan que concurre dolo siempre que el autor conoce la elevada probabilidad de que con el riesgo creado por su conducta se produzca el resultado, con independencia del móvil, ánimo, motivos... que le llevaron a realizar esa conducta y sin que sea necesario que "quiera la producción del resultado", siendo suficiente con la prueba de que conocía que no podía confiar racionalmente en que éste no se produjera[62]. A ello hay que sumar que, desde una perspectiva de antijuricidad material, es discutible que pueda otorgarse relevancia al mayor o menor desprecio por la vida, salvo que éste se manifieste objetivamente en un mayor peligro jurídico-penalmente relevante para la vida o salud de los demás. Es decir, desde la concepción del Derecho penal como un Derecho penal del hecho, dirigido a la protección de bienes jurídico-penales, es irrelevante el aprecio o desprecio del autor respecto de esos bienes jurídicos. En este punto pues la reforma viene a paliar el problema, por cuanto, aun cuando se mantiene el elemento *"desprecio"*, éste no va referido a que sea *"consciente"* sino *"manifiesto"*. La manifestación del desprecio deberá valorarse a través de las circunstancias

---

[61] Por ello es comprensible que la jurisprudencia califique como *"consciente desprecio"* la conducción extremadamente peligrosa. En este sentido, STS 11 de abril de 2001, considera *"consciente desprecio"* el hecho de *"transitar por una vía rápida, en sentido contrario al obligatorio, durante un trayecto notablemente superior a 1,5 kms, aumentado incluso su velocidad ante la advertencia de otro conductor sobre la irregularidad de su proceder y mientras se cruzaba con otros vehículos"*, sin entrar en ningún momento a valorar la situación anímica del conductor respecto del valor de la vida de los demás.

[62] De esta doctrina es clara expresión la STS 474/2005, 17 de marzo, que casa la sentencia y condena por tentativa de homicidio, en un supuesto en el que la Audiencia entendía que, dada la *"nimiedad del factor desencadenante"*, no concurría dolo de matar sino de lesionar. El Tribunal Supremo, sin embargo, establece que: *"El dolo no depende de que el autor haya tenido motivos para matar o que el conflicto en el que se causa la muerte de otro haya tenido una especial intensidad, toda vez que para apreciar que el autor obró dolosamente sólo se requiere que éste haya conocido el peligro concreto de la realización del tipo, cualquiera que sea su motivación"*. Añadiendo: *"Es posible que no haya deseado la muerte de la víctima, pero desde antiguo la doctrina y la jurisprudencia distinguen con claridad entre deseo y dolo, considerando que este no se debe excluir por el deseo de no producir el resultado"*.

objetivas concurrentes en el caso concreto, no siendo relevante la "actitud" del sujeto[63]. Subsistiendo sin duda problemas de prueba y valoración del elemento "manifiesto", no es discutible que serán menores que los derivados del "consciente".

4. Ello respalda, a su vez, la concepción del delito de conducción con manifiesto desprecio para la vida de los demás como una tentativa de homicidio en dolo eventual, defendida por parte de un sector de la doctrina[64] y de la jurisprudencia[65], con el que coincido. Por consiguiente, si a esa conducción "suicida" le son imputables muertes o/ y lesiones, éstas deberían calificarse como homicidio o/y lesiones dolosos. Es decir, en todos aquellos supuestos en los que la peligrosidad de la conducción es tan elevada que el conductor no puede confiar racionalmente en que no se produzca un resultado lesivo, estamos frente a unos hechos que deberían calificarse como delito consumado o intentado de homicidio doloso. Jurídicamente los hechos para los que está previsto el art. 381 CP, la llamada "conducción suicida",

---

[63]   Cfr. QUERALT JIMÉNEZ, *Derecho penal español. Parte especial*, 5ª ed., Ed. Atelier 2008, p. 933, considera que se trata de un cambio semántico pero que en todo caso *"pretende huir de cierto subjetivismo y centrarse en una esfera más objetiva"*.

[64]   Cfr. LUZÓN PEÑA/DE VICENTE REMESAL/DÍAZ Y GARCÍA CONLLEDO, *Rev. Jurídica de Castilla-La Mancha*, nº 7, 1989, p. 363 ss.; MORILLAS CUEVA, "Delitos contra la seguridad del tráfico", *PJ*, nº Especial XII, 1989, p. 190; MIR PUIG, "Conducción temeraria y el nuevo art. 340 bis d) del Código Penal", en *Derecho de la circulación*, nº 11, 1993, p. 187-194; MUÑOZ CONDE, *Derecho Penal. Parte Especial*, op.cit., p. 685 ss,, afirmando que el "desprecio" es un elemento más normativo que psicológico, siendo lo único relevante si el autor merece la pena del delito doloso o la del imprudente; ORTS BERENGUER, *Comentarios al CP de 1995* (Vives Antón, Coord.), Ed. Tirant lo Blanch, 1996, p. 1723, quien considera la introducción de este precepto oportuna pero no de absoluta necesidad; SILVA SÁNCHEZ, *La Ley 1998-1*, op. cit. p. 970-980; ZUGALDÍA ESPINAR, "Consideraciones críticas en torno a la reforma del Código Penal de 21 de junio de 1989", *PJ*, nº. Especial XII, 1989, p. 67 ss.; de otra opinión, QUERALT JIMÉNEZ, *Derecho penal español, op.cit.*, p. 933, entiende que este delito, que denomina de "conducción parahomicida", es un delito de peligro y que, por tanto, debe estar ausente el dolo de matar.

[65]   En este sentido, por ejemplo, la STS de 11 de abril de 2001, considera que se trata de un *"tipo autónomo de tentativa de lesiones u homicidio en dolo eventual, que permite el castigo ante la dificultad dogmática de aceptar el castigo de la tentativa de homicidio con dolo eventual"*. En el mismo sentido, SOTO NIETO, "Esencia y caracteres del delito del artículo 384 del Código Penal", *DLL* nº 6351.

deberían calificarse como delito de homicidio o lesiones dolosos consumados o intentados[66]. Con ello se pone de manifiesto que no es el *"manifiesto desprecio"* lo que fundamenta la relevancia típica, sino esencialmente el peligro objetivamente adecuado y relevante para lesionar la vida o la integridad física. Por mucho desprecio o desdén que alguien sienta por la vida de los demás, si ello no se traduce en un riesgo objetivo para esas vidas, conocido por él, su "actitud" carece de relevancia típica.

5. No obstante, para un sector doctrinal que podemos considerar minoritario[67], el precepto se justifica en base a la dificultad para unos, e imposibilidad para otros, de apreciar tentativa de homicidio en los supuestos en los que sólo concurre dolo eventual[68]. Postura que debe rechazarse, entre otras razones, porque el Código Penal no diferencia el dolo eventual del dolo directo. Excepto cuando ese dolo directo se traduce en unas determinadas circunstancias objetivas, como puede ser el precio, la alevosía o el ensañamiento, que requieren de dolo directo, pero que sólo por su mayor peligrosidad objetiva transforman el homicidio en asesinato, o agravan las lesiones. Este sector doctrinal minoritario[69], parte de que en la tentativa es nece-

---

[66]   Por ello no es congruente la tesis de la SAP Madrid (Sección 7ª), 10 de marzo de 2003 (Ponente: Sr. Martel Rivero), donde, a partir de la doctrina sentada en la STS 561/2002, se califican los hechos como concurso ideal entre delito del art. 384 y homicidio imprudente, puesto que, si realmente lo que diferencia el art. 384 de los otros delitos contra la seguridad en el tráfico es la *"representación y el consentimiento que obliga a atribuir el denominado dolo eventual"*, cuando se produce un resultado no pueden calificarse los hechos como homicidio imprudente, tal y como se hace en esta sentencia, sino como homicidio doloso

[67]   Cfr. FARRÉ TREPAT, *La tentativa de delito*, Ed. Bosch, 1986, p. 77 ss, admite la tentativa en dolo eventual y desarrolla un amplio panorama sobre la posición de la doctrina española y alemana al respecto

[68]   Cfr. RAMOS TAPIA, *RECPC*, 2-3—2000, op.cit. p. 3, en base a la dificultad de apreciar la tentativa con dolo eventual y los problemas de calificación en supuestos de producción de múltiples resultados lesivos considera una solución necesaria y adecuada la creación de este precepto; SUÁREZ-MIRA RODRÍGUEZ/JUDEA PRIETO/PIÑOL RODRÍGUEZ, *Manual de Derecho Penal, Tomo II. Parte Especial*, 3ª ed., Ed Thomson-Civitas, 2005, se refieren a la tesis de la Circular FGE 2/1990, rechaza la tentativa de homicidio.

[69]   MAQUEDA ABREU, "La idea de peligro en el moderno Derecho Penal. Algunas reflexiones a propósito del Proyecto de Código Penal de 1992", *AP* 1994-1, p. 481; RAMOS TAPIA, *RECPC*, 2-3—2000, op. cit. p. 4, *"El delito de conducción*

sario que *ex ante* estén determinados los resultados, lo que no sucede en estos supuestos. Como ya enunciaba, *supra* V.1. *in fine*, me pregunto ¿dirían lo mismo de quien pone una bomba en un mercado, desconociendo si logrará matar a 2, 3, 20 o ninguna persona?, ¿por qué es diferente la situación cuando alguien conduce un vehículo a toda velocidad en sentido contrario por una autopista transitada o se salta los semáforos en una calle céntrica de una ciudad?, ¿en qué se diferencian estos hechos respecto de quien pone una bomba en su barco para cobrar el seguro, siéndole "indiferente" si la tripulación tendrá tiempo de saltar o no? El móvil, ya sea religioso, político, económico (por cobrar un seguro o por ganar una apuesta) o, simplemente, por sentir la adrenalina, en nada cambia la lesividad de la conducta y, por consiguiente, no debería modificar, al menos sustancialmente, su relevancia jurídico-penal.

6. Así mismo, algunos autores a partir de distintos grupos de casos[70], desde una estricta perspectiva dogmática, diferencian los supuestos en los que el autor que conduce en sentido contrario no ve aproximarse ningún vehículo de aquellos otros en los que sí lo hace. En el primer caso, consideran discutible calificar los hechos como tentativa de homicidio, en base a la falta la inmediatez temporal del comienzo de la ejecución, como criterio dominante en la tentativa[71]. Desde una perspectiva procesal de prueba, ciertamente, en estos

---

temeraria del art. 384 supone, como todos los delitos de peligro colectivo, un modelo de tipificación penal autónomo respecto a la tentativa porque el peligro se configura en función de víctimas potencialmente indiferenciadas".

[70]   Cfr. LUZÓN PEÑA/DE VICENTE REMESAL/DÍAZ Y GARCÍA CONLLEDO, *Rev. Jurídica de Castilla-La Mancha*, nº 7, 1989, op. cit. p. 363 ss.; MIR PUIG, *Derecho de la circulación*, nº 11, 1993, op. cit. p. 188; SILVA SÁNCHEZ, *LL* 1998-1, op. cit. p. 970, diferencian cuatro grupos de casos, fundamentalmente coincidentes, con algunos matices. Casos:
1º) Conducción en sentido contrario sin ver aproximarse ningún vehículo
2º) Conducción en sentido contrario divisando algún vehículo que se aproxima
3º) Cruzarse con un vehículo, a consecuencia de la conducción en sentido contrario, sin resultado lesivo para sus ocupantes o terceras personas
4º) Ocasionar la muerte o lesiones corporales a alguna persona a consecuencia de la conducción en sentido contrario
[71]   MIR PUIG, *Derecho de la circulación*, nº 11, 1993, op. cit. p. 191; en sentido contrario, LUZÓN PEÑA/DE VICENTE REMESAL/DÍAZ Y GARCÍA CONLLEDO, *Rev. Jurídica de Castilla-La Mancha*, nº 7, 1989, op. cit. p. 363 ss, entienden que en este supuesto también se ha iniciado ya la ejecución del delito.

supuestos siempre subsiste la duda sobre lo que hubiera hecho el autor en el caso de avistar un vehículo que viniera de frente, lo que, en base al principio *in dubio pro reo*, nos debería llevar a negar la existencia de tentativa de homicidio. Planteándose este problema, y dada la elevada probabilidad de que estas situaciones se produzcan, se justificaría, a su vez, la previsión de un delito de peligro abstracto de "conducción suicida", sin peligro para la vida o integridad.

7. Por lo demás, y desde una perspectiva político-criminal[72], el delito de "conducción suicida" podría entenderse legitimado a partir de la reticencia de los Tribunales a apreciar la existencia de dolo de lesión en el ámbito del tráfico viario[73]. No obstante, en la actualidad, esta postura está cambiando rápidamente, incluso podríamos decir que invirtiéndose, ya que hay sentencias en las que se condena por homicidio doloso en este ámbito, cuando en supuestos similares nunca se hubiera apreciado la existencia de dolo. Así mismo, como ya puso de manifiesto MIR PUIG[74], la existencia de este precepto puede tener el efecto contrario al pretendido desde el momento en que supone una disminución notable de las penas, respecto de la tentativa, lo que convierte este precepto en un tipo privilegiado de tentativa de homicidio. No obstante, con la elevación de las penas previstas en el art. 381 CP, tras la LO 15/2007, esta cuestión ya no es tan evidente porque si se disminuye en dos grados la pena de la tentativa, lo que sería pienso práctica generalizada, la pena sería inferior en la tentativa de homicidio.

8. Para un sector de la doctrina[75], mantener el delito de conducción suicida puede ser perjudicial para el acusado porque impide aplicar la figura del desistimiento. Es cierto que la conducción suicida, en especial el supuesto de peligro abstracto, art. 381.2 CP, se con-

---

72   LASCURAIN SÁNCHEZ, *Comentarios al Código Penal* (Rodríguez Mourullo, Dir./Jorge Barreiro Coord.), Ed. Civitas, 1997, p. 1051, justifica el precepto por razones de político-criminales de llamar la atención.

73   Es paradigmática en este sentido la STS 23 de abril de 1993, en la que se califica como delito de conducción suicida lo que es claramente una tentativa de homicidio, puesto que el acusado se lanza a toda velocidad en su moto contra su mujer, al salir de los Juzgados en los que se estaba tramitando el divorcio.

74   *Derecho de la circulación*, nº 11, 1993, op. cit. p. 193.

75   Entre otros, LASCURAIN SÁNCHEZ, *Comentarios al Código Penal*, op.cit., p. 1049.

suma en el momento en que se efectúa esa conducción y surge el consiguiente riesgo para la seguridad en el tráfico. Consumado el delito no cabe el desistimiento. Pero ello sucede también en la conducción temeraria o en la conducción bajo la influencia del alcohol. Cuestión diferente es que, en estos casos, si el sujeto cesa en la conducción al advertir el riesgo, pueda aplicarse la circunstancia de arrepentimiento. O, en su caso, dependiendo de la situación concreta, podría argumentarse que en el primer momento no concurría dolo, puesto que cuando el sujeto advierte el riesgo abandona la conducción y, en consecuencia, no existe una conducta típica. En todo caso, si el sujeto deja la conducción, sin poner en peligro la vida o salud de persona alguna, sólo podría ser condenado en base al art. 381.2 CP, no por el primer párrafo, con la atenuante, incluso como muy cualificada, de arrepentimiento.

9. Por consiguiente, tanto desde la perspectiva dogmática como político-criminal, en la actualidad, ya no estaría legitimada su existencia, excepto en los casos en los que no se constate la existencia de peligro por no cruzarse con vehículos ni con peatones. Para estos casos, en los que la existencia de dolo respecto de los resultados lesivos sea dudosa o en los que no se pone en peligro ni la vida ni la salud de las personas, lo más adecuado hubiera sido añadir un apartado al art. 380 CP, en el que se incluyera una modalidad cualificada para supuestos de extraordinaria temeridad, sin concurrencia de peligro para la vida o integridad. Así mismo, dado que también pueden producirse situaciones de temeridad extraordinaria, sin peligro *ex post*, en el mismo art. 380 CP, cabría añadir otro apartado de conducción temeraria sin concreto peligro para la vida o la salud.

10. La LO 15/2007 incorpora en un tercer párrafo del art. 381 CP la previsión que se encontraba en el art. 385 ACP. Es decir, se prevé el comiso del vehículo a motor o ciclomotor utilizado en la comisión del delito de "conducción suicida". Este precepto había sido contestado por la doctrina[76] por estimar: 1) que era superfluo, puesto que la previsión del comiso ya está en el art. 127 CP, al que por otra parte se remite; y 2) que la previsión expresa únicamente respecto del delito de conducción suicida excluye la posibilidad del

---

[76]   Entre otros, TAMARIT SUMALLA, *Comentarios. Parte Especial. Derecho Penal* (Quintero Olivares Dir./Morales Prat Coord.), 5ª ed., Ed Thomson-Aranzadi 2005, p. 1463.

comiso en los demás delitos contra la seguridad en el tráfico[77]. MA-
GALDI PATERNOSTRO[78] esgrime convincentemente los dos argumentos
en pro y en contra de la necesidad de la previsión expresa. A favor
de su previsión, parte de que, en los delitos de conducción temeraria o bajo la influencia de sustancias tóxicas, el vehículo a motor o
ciclomotor no es el instrumento del delito sino que lo delictivo es
utilizar el vehículo en esas condiciones. En contra de su previsión,
y a mi parecer el argumento más convincente, MAGALDI PATERNOS-
TRO plantea en las últimas líneas, que la previsión del comiso no es
necesaria, en tanto en cuanto, el art. 381 CP, no es otra cosa que
una tentativa de homicidio expresamente tipificada[79]. A partir de
ello entiendo que sigue siendo superflua la previsión, al igual que
todo el precepto. Su única utilidad es, en sentido análogo al de lo
que decíamos respecto del art. 381. 1 y 2 CP, facilitar a los Tribunales ordenar el comiso, ante la falta de costumbre de hacerlo, diferenciando, expresamente, este precepto de los demás delitos contra
la seguridad en el tráfico.

VII. PROBLEMÁTICA CONCURSAL. EN PARTICULAR, ANÁLISIS DE LA CLÁUSULA CONCURSAL DEL ART. 382 CP

1. La reforma de los delitos contra la seguridad en el tráfico establece cambios relevantes en lo relativo a la relación concursal entre
los delitos contra la seguridad en el tráfico y los delitos de lesiones/
homicidios imprudentes, en el sentido de que: a) prevé el tratamiento propio del concurso ideal de delitos; b) requiere que el resultado
lesivo sea "constitutivo de delito"; c) incluye en su cláusula concursal
el llamado delito de "conducción suicida" que antes quedaba excluido; d) excluye de la cláusula el delito de alteración de las señales o

---

[77]   Expresamente en este sentido, STC 137/2005, 23 mayo, establece que sólo
    puede considerarse instrumento del delito, a los efectos del art. 127 CP, el
    vehículo de motor o ciclomotor utilizado para la comisión de un delito de
    "conducción suicida".

[78]   "De los delitos contra la seguridad en el tráfico", op.cit., p. 1739-1740.

[79]   MAGALDI PATERNOSTRO, "De los delitos contra la seguridad en el tráfico",
    op.cit., p. 1740.

colocación de obstáculos en la vía pública, art. 382 ACP, actual art. 385 CP; e) desparece la regla de determinación de la pena prevista en el art. 382.2 ACP, en el sentido de que, en los delitos contra la seguridad en el tráfico, procederán los Jueces y Tribunales a su prudente arbitrio, sin sujetarse a las reglas del art. 66 CP.

2. De entre estos cambios entiendo como más relevante pasar a tratar, *de facto,* la relación entre los delitos contra la seguridad en el tráfico y los resultados lesivos como concurso de delitos, ideal-medial, y no como concurso de leyes. Ello es así porque, aun cuando aparentemente está redactado como una cláusula de concurso de leyes *"apreciarán tan sólo la infracción más gravemente penada",* la pena prevista *"en su mitad superior",* es la propia del concurso ideal-medial del art. 77.1 CP. Con la salvedad de que no se establece la limitación prevista en el párrafo 2 del art. 77, en el sentido que *"la pena impuesta nunca podrá exceder de la suma de las que correspondería aplicar si se penaran separadamente las infracciones",* en cuyo caso se sancionarán por separado (art. 77.3 CP)[80]. Ello no obstante, entiendo que deberá aplicarse esta limitación, en base a una interpretación sistemática y favorable al reo[81].

3. Con la regulación anterior, en la que el art. 383 ACP establecía una cláusula de concurso de leyes, la jurisprudencia afirmaba que no se infringía el principio de *non bis in idem* si se fundamentaba la concurrencia de una imprudencia grave en base a que se hubiera apreciado conducción bajo la influencia del alcohol (STS 1 de abril de 2002). La situación cambia desde el momento en que, de acuerdo con el art. 382 CP, entre el delito de conducción bajo la influencia del alcohol y los homicidios y/o lesiones por imprudencia se suscita un concurso ideal de delitos. Fundamentar la gravedad de la imprudencia en la existencia de la conducción bajo la influencia del alcohol y condenar al mismo tiempo por este delito, que no olvidemos es de peligro abstracto, entiendo que podría infringir el principio de *non bis*

---

[80]   Cfr. Muñoz Conde, *Derecho Penal. Parte Especial,* op.cit, p. 678 ss., pone de manifiesto esta posible laguna.

[81]   Al respecto hay que tener en cuenta que, en la actualidad, la jurisprudencia entiende que, para valorar la opción más favorable al reo, no se debe tomar en consideración la pena en abstracto sino la que correspondería en concreto para cada uno de los delitos.

in idem[82]. Ello excepto en los casos en los que la conducta contenga un plus de riesgo, es decir, que el riesgo concurrente no se circunscriba al que se realiza en el resultado sino que afecté también a la seguridad en el tráfico. P.ej. en aquellos supuestos en los que el riesgo inherente a la conducción bajo la influencia de alcohol o drogas se haya desarrollado durante un tiempo relevante antes de concretarse en el resultado de lesión para la vida o salud.

4. Esta modificación de la cláusula concursal podría afectar también a la posibilidad de suspender la condena, conforme al art. 81.1 CP[83]. Entender que entre los dos delitos existe un concurso de leyes implica que sólo se condena por uno de ellos, aun cuando se entienda que se han realizado *efectivamente* ambos delitos[84]. En el supuesto de que el sujeto hubiera sido previamente condenado por la comisión de un delito de homicidio o lesiones imprudentes imputable a una delito contra la seguridad en el tráfico, por aplicación de la cláusula concursal prevista el art. 383 ACP, sería posible la suspensión de la condena. Por el contrario, si, de acuerdo con la actual redacción del art. 382 CP, se afirma que concurre un concurso ideal de delitos, no sería posible la suspensión, porque el sujeto habría sido ya condenado por un delito doloso, el delito contra la seguridad en el tráfico.

5. Que la nueva redacción el art. 382 CP requiera que el resultado lesivo sea "*constitutivo de delito*", plantea la duda acerca de si ello supone excluir de la cláusula concursal los resultados lesivos constitutivos de falta o, si, por el contrario, el término delito abarca tanto los delitos como las faltas. Pese a que ambas interpretaciones son posibles, la incorporación de un nuevo requisito nos acerca más a la primera de ellas, puesto que, previamente, era evidente que abarcaba tanto los delitos como las faltas. Sin embargo, ello no tendría consecuencias prácticas puesto que de ser el resultado lesivo constitutivo de falta de homicidio o lesiones por imprudencia leve o

---

[82]   No obstante, STS 703/2001, 28 abril, no sólo fundamenta la imprudencia grave en la conducción bajo la influencia del alcohol, sin ulteriores consideraciones sino que además afirma que concurren dos delitos.

[83]   Supra I. 10, sobre la relevancia de la modalidad concursal a efectos de la suspensión de la condena.

[84]   En este sentido, entre otras, CALDERÓN CEREZO/CHOCLÁN MONTALVO, *Código Penal*, op. cit.; MIR PUIG, *Derecho Penal. Parte General*, 7ª ed. Ed. Reppertor, 2004, p. 646 ss.; PEÑARANDA RAMOS, *Concurso de leyes, error y participación en el delito*, 1991, p. 35 ss; STS 703/2001, 28 abril.

de lesiones menos graves por imprudencia grave, imputables a una conducta calificada como delito contra la seguridad en el tráfico se deberían seguir las reglas generales del concurso. En consecuencia, ambas infracciones estarían en relación de concurso ideal, aplicando el art. 77.2 CP, es decir, la pena del delito más grave en su mitad superior. Solución idéntica a la que llegaríamos de aplicar directamente el art. 382 CP.

6. Otra cuestión a tomar en consideración es la de qué concurso es de aplicación en los supuestos en los que se produce más de un resultado lesivo, ya sea muerte y lesión o varias muertes o/y lesiones... En estos casos, en principio, habrá que apreciar un concurso ideal entre los diversos homicidios y/o lesiones por imprudencia, imponiendo, en consecuencia, la pena del delito más grave en su mitad superior. La jurisprudencia, sin embargo, aprecia un único delito imprudente sea cuál sea el número de personas muertas o/y lesionadas. Solución que sólo puede entenderse como inercia de su tradicional concepción de la imprudencia como un único delito, a partir del art. 565 CP 1973[85]. En todo caso la pena en su mitad superior sólo podrá imponerse cuando no sea superior a la suma de las penas por separado (art. 77.3 CP). Aunque la aplicación del concurso ideal en estos supuestos será la regla general, ello no excluye que en determinados supuestos, atendiendo a las características concretas del caso, nos encontremos ante un concurso real de delitos. Esta situación se suscitaría cuando puedan diferenciarse dos ó más conductas imprudentes a las que atribuir los diferentes resultados lesivos. La pena obtenida de la aplicación del concurso ideal (o real, en su caso) será la que se pondrá en relación de concurso ideal, conforme al art. 382 CP, con la correspondiente al delito contra la seguridad en el tráfico cometido.

7. En relación con el delito de "conducción suicida", pienso que una interpretación del art. 381 CP, en el sentido propuesto, partiendo de que el dolo abarca la producción del resultado, conlleva que, de

---

[85]   En este sentido, por todas, STS 2237/2002, 1 de abril, en un supuesto en el que se produce la muerte de una persona y lesiones en otra, aprecia un único delito de homicidio por imprudencia grave. Consecuencia de ello, en atención a la cláusula concursal del art. 383 ACP, condena por un delito contra la seguridad en el tráfico, cuando hubiera sido superior la pena de los delitos de resultado si se hubiera apreciado primero el concurso ideal entre el homicidio y las lesiones imprudentes.

producirse éstos y ser imputables a la conducción suicida, se deberá castigar por homicidio o lesiones dolosas. Al respecto es importante tener en cuenta que estaríamos ante un supuesto de realización de dos delitos dolosos, el delito contra la seguridad en el tráfico y el homicidio y/o lesiones, por lo que el desvalor del resultado más grave puede consumir el más leve, lo que no sucede en los otros supuestos en los que nos enfrentamos a un binomio dolo-imprudencia. La cláusula concursal, prevista en el art. 382 CP, sólo será aplicable si además del riesgo realizado en los resultados lesivos concurre riesgo para la seguridad en el tráfico o para otras personas. Por el contrario, en principio, cuando el riesgo creado se circunscribe a la/s persona/s lesionada/s o muerta/s estaríamos ante un concurso de leyes[86]. La decisión a favor de una u otra calificación debe tomarse a partir de si, en el caso concreto, el riesgo creado ha afectado efectivamente la seguridad en el tráfico. Si no concurre peligro concreto respecto de personas distintas de las muertas o lesionadas, el concurso ideal se plantea entre los delitos de lesión y el art. 381.2 CP y en el caso de que sí haya existido peligro concreto, el precepto que deberá ponerse en relación de concurso ideal es el art. 381.1 CP.

8. La cláusula concursal no es aplicable cuando el sujeto utiliza, conscientemente, como medio para la comisión de un homicidio o unas lesiones un vehículo a motor o un ciclomotor. En ese supuesto, la calificación deber ser, al menos, de homicidio o lesiones dolosas. En el caso de las lesiones se podría aplicar la agravante de medio peligroso, del art. 148.1º CP[87] y la muerte, atendiendo a cómo se han producido los hechos, podría ser calificada como asesinato.

9. Respecto de la modalidad concursal a aplicar cuando los resultados afecten a la propiedad, daños por imprudencia grave (art. 267 CP), es necesario determinar, primero, si en los delitos contra la seguridad en el tráfico se protege también la propiedad y, en segundo,

---

[86] En el mismo sentido que se plantea en los supuestos de delitos contra la seguridad en el trabajo a los que se imputa la producción de uno o varios resultados lesivos. Al respecto, vid. CORCOYBIDASOLO/CARDENAL MONTRAVETA/ HORTAL IBARRA, "Protección penal de los accidentes laborales. (A propósito de la Sentencia de la Audiencia Provincial de Barcelona (Sección 2ª) 2 de septiembre de 2003)", PJ nº 71, 2003, p. 39 ss.

[87] Las sentencias del Tribunal Supremo de 19 de mayo de 2003 ó de 13 de septiembre de 2002, entre otras, aplican esta agravante en supuestos de lesiones dolosas cometidas con vehículo de motor.

lugar si es aplicable la cláusula del art. 382 CP. Tanto si se afirma la autonomía de los delitos contra la seguridad en tráfico, como si se concibe la seguridad en el tráfico como un bien jurídico intermedio[88] y, por supuesto, si se afirma que en ellos se protege la vida y la salud de las personas[89], lo cierto es que, en todo caso, el referente es la vida y la salud, aun cuando sea a través de proteger la confianza del ciudadano en que éstas no serán lesionadas. Existiendo pocos pronunciamientos al respecto, se podría afirmar, aun cuando sea por omisión, que existe la opinión generalizada de que en los delitos contra la seguridad en el tráfico no tiene cabida la protección del patrimonio[90]. En las modalidades típicas de peligro concreto ello se desprende también del hecho de que se limitan los resultados típicos a los casos de peligro para la vida y la integridad o salud de las personas, habiéndose suprimido la referencia a los *"bienes"*, por LO 3/1989[91]. A partir de ello no es congruente entender que la situación es diferente en los previstos como de peligro abstracto[92]. Siendo la respuesta a la primera cuestión negativa —en los delitos contra la seguridad en el tráfico no se protege ni directa ni indirectamente el patrimonio— ello no condiciona la posibilidad de aplicar la cláusula concursal[93]. Al referirse, el art. 382 CP, a *"cualesquiera resultado lesivo"*, no se excluye que este resultado lesivo consista en un daño en la propiedad, con independencia de que la relevancia penal de ese

---

[88]   STC 2/2003.

[89]   STC 161/1997

[90]   Cfr. MAGALDI PATERNOSTRO, "De los delitos contra la seguridad en el tráfico", op.cit., p. 1729, afirma que en el bien jurídico protegido en el Capítulo IV no puede hallar cabida el peligro que puedan correr los bienes patrimoniales; en otro sentido, TAMARIT SUMALLA, *Comentarios. Parte Especial.* op.cit., p. 1463, afirma que la cláusula concursal es de aplicación también cuando el resultado lesivo afecta al patrimonio, aun cuando no se haga referencia al patrimonio en los delitos anteriores.

[91]   En otro sentido, el CP de 1973, art. 340 bis a) 2º, en el delito de conducción temeraria, el resultado de peligro concreto se refería a *"la vida de las personas, su integridad y sus bienes"*.

[92]   Cfr. MAGALDI PATERNOSTRO, "De los delitos contra la seguridad en el tráfico", op.cit., p. 1729-1730.

[93]   Cfr. MAGALDI PATERNOSTRO, "De los delitos contra la seguridad en el tráfico", op.cit., p. 1730, del hecho de que no se proteja el patrimonio en los delitos contra la seguridad en el tráfico y de que la relevancia penal de los daños por imprudencia grave requiere que estos sean superiores a los 80.000 euros, concluye que no es de aplicación la cláusula concursal.

resultado se limite a los supuestos en que concurra imprudencia grave y a que la cuantía de los daños sea superior a 80.000 euros (art. 267 CP). No obstante, dado que el art. 382 CP establece una relación concursal análoga a la del concurso ideal de delitos, independientemente, de que se aplique o no la cláusula las consecuencias serán las mismas: concurso ideal de delitos, cuando concurre un delito contra la seguridad en el tráfico con un delito de daños por imprudencia grave en cuantía superior a 80.000 euros.

10. Sin haberse producido una reforma expresa de la relación concursal entre el delito de conducción bajo la influencia de bebidas alcohólicas (art. 379 CP) y el de negativa a la realización de la prueba de alcoholemia (art. 383 CP) tengo la esperanza que la jurisprudencia deje de calificar estos hechos como concurso de delitos, cuando sólo pueden calificarse de concurso de leyes (entre otras muchas, califican como concurso de delitos, SAP Asturias de 18 de septiembre de 2003 ó SAP Guipúzcoa de 27 de marzo de 1998). Ello, entre otras razones, porque el Tribunal Constitucional (STC 161/1997) justificó la constitucionalidad del art. 383 (art. 380 ACP), afirmando que no infringía el principio de proporcionalidad, en base a calificarlo como delito complejo, en el que se protege tanto la seguridad en el tráfico como el buen funcionamiento de la Administración de Justicia. Y tengo esta esperanza porque la justificación expresa o tácita de la jurisprudencia se basaba en que en el art. 380 ACP no estaba prevista la privación del permiso de conducir y en el actual art. 383 CP sí que lo está.

VIII. CONCLUSIONES Y PROPUESTAS *DE LEGE LATA* Y *DE LEGE FERENDA*

1. *De lege lata, necesidad de una interpretación ajustada a los principios que rigen en Derecho penal* y consecuente aplicación adecuada de la legislación penal existente, a través de:

a) Un menor abuso de la calificación como falta, acusando por delito siempre que la conducta revista una gravedad relevante. Al respecto hay que tomar en consideración que la acusación por delito no impide una condena por falta lo que en la práctica si sucede a la inversa. *De lege ferenda*, sería conveniente la supresión de las faltas y las imprudencias leves, reconduciéndolas a la vía civil o administrativa, puesto que en esos casos lo más relevante será el resarcimiento para la víctima.

b) Adecuar la pena a la gravedad del hecho teniendo en cuenta que es posible la imposición de la pena en toda su extensión (art. 66.2 CP). En los delitos imprudentes, los jueces o tribunales pueden determinar las penas a su prudente arbitrio, sin sujetarse a las reglas del art. 66.1 CP, atendiendo a la gravedad del hecho. En este sentido es importante tener en cuenta que la pena puede motivarse en atención a las necesidades de prevención especial y que para ello se tiene que tener en cuenta la peligrosidad del sujeto, no respecto a la posibilidad de que cometa otro tipo de delitos sino respecto de su peligrosidad como conductor.

c) No suspensión automática de la ejecución de la pena privativa de libertad o, en su caso, en lugar de suspensión, sustituirla por otras (art. 88 CP), tales como trabajos en beneficio de la comunidad, o condicionar la suspensión al cumplimiento de alguna de las obligaciones previstas en el art. 83.1. CP, siguiendo, por ejemplo, cursos de educación vial, atendiendo a la víctima....

d) Sería esencial contar con una verdadera jurisprudencia que sentase los criterios básicos acerca del concepto de imprudencia y sobre cuándo estamos frente a una imprudencia grave, leve o profesional. En esta línea sería de gran ayuda la transformación de nuestro Tribunal Supremo en un Tribunal de unificación de jurisprudencia que evitase la situación actual donde la condena o absolución depende no ya de la Audiencia que corresponda sino del concreto Juzgado competente o de la Sección de la Audiencia a la que corresponda el enjuiciamiento o la apelación.

2. *De lege ferenda, en relación con la legislación penal material*, se podrían plantear cuatro reformas, no previstas en la LO 15/2007, 30 noviembre, de reforma del Código Penal en materia de seguridad vial.

a) La reforma del art. 81.1º CP, en el sentido de que tampoco se pueda suspender la ejecución de la pena privativa de libertad cuando previamente el autor haya sido condenado por delitos imprudentes. Reforma que pienso es adecuada no sólo para el ámbito del tráfico viario sino en general. Con independencia de que si el sujeto ya ha cometido algún delito contra la seguridad en el tráfico no podría suspenderse. Ello no implica la imposición en todo caso de pena privativa de libertad porque existe la posibilidad, aun cuando poco utilizada, de sustitución de esta pena por otras menos lesivas.

b) Modificar los arts. 152 y 621 CP, de forma que las lesiones por imprudencia grave constituyeran siempre delito, sea cual sea la gravedad final de estas lesiones, con independencia de que se posibilite un mayor arbitrio al Juez en la imposición de la pena. No obstante, al respecto no hay que olvidar que el desvalor del injusto se fundamenta en la gravedad de la conducta no en el resultado, muy especialmente en los delitos imprudentes. Ello no excluye que se deba tomar en consideración la mayor o menor gravedad de las lesiones en la determinación de la responsabilidad civil.

c) En el caso que se mantengan las faltas de homicidio y lesiones por imprudencia leve, e incluso, la falta de lesiones leve por imprudencia grave, debería modificarse el art. 621.6. CP, en lo relativo a la exigencia de denuncia de la persona perjudicada. Máxime cuando los perjudicados en muchas ocasiones, en un primer momento, en lo último que piensan es en la denuncia o creen que por el hecho de que la policía haya intervenido y levantado un atestado ya no es necesario formular una denuncia formal. Esta situación de indefensión en que pueden encontrarse los perjudicados es especialmente grave por dos razones. En primer lugar, porque tratándose de faltas la prescripción se produce a los seis meses (art. 131.2. CP) y, en segundo lugar, pero casi más importante, es la costumbre judicial, de abrir diligencias por falta en los "accidentes" de tráfico con las dificultades que existen para poder transformarlo en procedimiento por delito.

d) Ampliar las posibilidades de sustitución de las penas privativas de libertad, tanto respecto al límite de un año, máximo dos (art. 88.1 CP), como a las modalidades de penas sustitutorias, limitadas actualmente a la multa y los trabajos en beneficio de la comunidad (art. 88.1 CP).

e) Modificación de la pena de inhabilitación especial en el art. 152.3, de forma que sea más grave que la privación del derecho a conducir, es decir, por ejemplo, de dos a cinco años.

3. *Respecto de las reformas introducidas por LO 15/2007, de 30 de noviembre,* plantearía dos consideraciones, en relación con los temas analizados en este trabajo:

3.1. Convendría suprimir la cláusula concursal del art. 382 CP y aplicar de las reglas generales del concurso cuando concurre un delito de peligro con uno o varios de lesión, entre otras razones porque ello posibilita en mayor medida adecuar la pena a la mayor o menor lesividad del hecho[94]. Tres supuestos: 1) El peligro afecta exclusivamente a la persona o personas lesionadas o muertas: delito de homicidio y/o lesiones por imprudencia grave; 2) Existe un peligro generalizado para la seguridad del tráfico viario y se producen muerte y/o lesiones: concurso ideal de delitos entre el delito contra la seguridad en el tráfico y los delitos de lesión; 3) Concurso real de delitos cuando puedan diferenciarse las conductas a las que se les imputa los distintos resultados lesivos.

3.2. En relación con el llamado *delito de "conducción suicida"*, art. 381 CP, pese a los argumentos político-criminales que podrían justificar su existencia, sería conveniente su supresión y castigar los supuestos de conducción extraordinariamente temeraria con peligro para la vida o la salud como tentativa de homicidio lesiones y, en el caso que se produzcan resultados lesivos, como homicidio y/o lesiones dolosas consumadas. En otro sentido, se podrían incorporar dos nuevos apartados al art. 380 CP, de conducción temeraria. Un apartado en el que se incluyera una modalidad cualificada, para supuestos de extraordinaria temeridad, sin peligro para la vida o salud, es decir, la "conducción suicida" de peligro abstracto. En el otro apartado se tipificarían las situaciones de temeridad no extraordinaria, sin peligro *ex post*, es decir, el delito de conducción temeraria sin concreto peligro para la vida o la salud. Lo considero conveniente porque, con independencia de la opinión crítica que me merece el apartado 2 del art. 380 CP, en cuanto establece una presunción de temeridad, no queda claro si está configurado como delito de peligro abstracto o concreto. Por consiguiente, debería eliminarse este apartado e introducir los propuestos.

4. *Problemas de orden procesal.* En general son también más de práctica que de dificultades derivadas de la legislación vigente. Ello es así porque no existen razones procesales que justifiquen la apertura de un procedimiento por falta cuando existen indicios suficientes de que la conducta podría ser constitutiva de imprudencia grave. Como tampoco hay una justificación legal para la reticencia a la transformación de un procedimiento por falta en otro por delito. Menos justificada si cabe está la "costumbre" de negarse a reabrir

---

[94]   En este sentido, LASCURAIN SÁNCHEZ, *Comentarios al Código Penal,* op.cit., p. 1049.

un procedimiento abierto por falta, archivado por prescripción al no haberse producido la denuncia, aun cuando se aporten indicios suficientes de que se trataba de un delito. Respecto de las dificultades, derivadas de la jurisprudencia constitucional, que se producen en apelación para condenar cuando ha existido una previa absolución o para condenar por delito cuando se ha hecho en primera instancia por falta, es un problema general que necesita de un nuevo planteamiento de lo que es la apelación y de cuál debe ser su alcance. Cuestión que excede con mucho las pretensiones de este trabajo.

EL DELITO DE CONDUCCIÓN TEMERARIA (ARTS. 379.1 y 2 *IN FINE* y 380): ALGUNAS REFLEXIONES AL HILO DE LAS ÚLTIMAS REFORMAS

JUAN CARLOS HORTAL IBARRA
Profesor de Derecho Penal
Universidad de Barcelona

I. INTRODUCCIÓN

1. Los delitos de conducción temeraria y de conducción bajo la influencia de bebidas alcohólicas y/o drogas tóxicas (arts. 379 y 380 CP) constituyen, tanto desde un punto de vista teórico como práctico, las dos infracciones penales más importantes en el marco de los denominados tradicionalmente "delitos contra la seguridad del tráfico"[1]. Basta traer a colación los numerosos trabajos en los que la doctrina jurídico-penal ha abordado el análisis de estos dos delitos y las numerosas resoluciones judiciales en las que se han aplicado ambos ilícitos penales para corroborar dicha aseveración. El delito de conducción temeraria se introdujo en nuestro ordenamiento jurídico-penal por medio de la Ley 8-04-1967, sobre modificación de

---

[1] Tradicionalmente porque la reciente reforma operada en la LO 15/2007 ha sustituido dicha rúbrica por la de *"De los delitos contra la seguridad vial"*, mención que, a mi juicio, no ha de comportar por sí misma una distinta configuración del bien jurídico-penal protegido en el marco de este grupo de ilícitos penales.

determinados artículos del CP y de la LECrim[2], en cuyo art. 340 bis a) 2º se sancionaba con una pena de multa y la privación del derecho a conducir al que *"condujera un vehículo de motor con temeridad manifiesta y pusiera en concreto peligro la vida de las personas, su integridad o sus bienes"*.

2. Con posterioridad, en el plano material, dicho precepto ha sido objeto de tres grandes modificaciones: **a)** en primer lugar, la efectuada por medio de la LO 3/1989, de 21 de junio, en la que se eliminó la referencia a los *"bienes"* como objeto sobre el que podía recaer el peligro concreto[3] y se introdujo la pena de arresto mayor (pena de prisión de 1 mes y 1 día a 6 meses) como alternativa a la pena de multa cuya cuantía se incrementó significativamente (de 100.000 a 1.000.000 pts.); **b)** en segundo lugar, la contenida en la LO 10/1995, de 23 de noviembre, mediante la cual se aprobó el denominado "Código Penal de la democracia", en la que se endurecieron las penas previstas en el derogado art. 340 bis a) 2º, en la línea ya iniciada en el año 1989, eliminando la pena de multa como sanción alternativa a la prisión, elevando ostensiblemente la pena privativa de libertad (de 6 meses a 2 años) y el período de privación del derecho a conducir (de 1 hasta 6 años); y **c)** en tercer lugar, la reforma operada por LO 15/2003, de 25 de noviembre, en la que se añadió un segundo párrafo al art. 381 CP, que establecía una doble presunción, en relación a la concurrencia de sus dos elementos típicos esenciales (*"temeridad manifiesta"* y *"concreto peligro para la vida o la integridad de las personas"*) que,

---

[2] Por medio de la Ley 8-04-1967 se unificaron los delitos relacionados con la seguridad en el tráfico introducidos en las Leyes 9-05-1950 y 24-12-1962, sobre uso y circulación de vehículos a motor, en las que, respectivamente, se castigaba con una pena de arresto mayor o multa al que *"condujere un vehículo de motor a velocidad excesiva o de otro modo peligroso para el público, dada la intensidad del tráfico, condiciones de la vía pública u otras circunstancias que aumenten el riesgo"* y con una pena de multa (de 5.000 a 50.000 pesetas) y privación del derecho a conducir (de 2 meses a 1 año) al que *"condujera un vehículo de motor con temeridad manifiesta y pusiere en concreto e inminente peligro la seguridad de la circulación y la vida de las personas, su integridad o sus bienes..."*.

[3] Esta supresión, tal y como pusieron de relieve algunos autores, resultaba acorde con la despenalización de los daños imprudentes. En este sentido, entre otros, MIR PUIG, "Conducción temeraria y el nuevo art. 340 bis d) del Código Penal", en VV.AA., *Derecho de la Circulación (aspectos civiles y penales)*, Madrid 1993, p. 184.

como expondré más adelante[4], suscitó numerosas críticas en el seno de la doctrina jurídico-penal[5]. A estas modificaciones ha de sumarse la contenida en la LO 15/2007, de 30 de noviembre, por la que se modifica la Ley Orgánica 10/1995, de 23 de noviembre, del Código Penal en materia de seguridad vial[6]. En ella, entre otras cuestiones, se ha eliminado la desafortunada presunción relativa a la puesta en peligro concreto y se han objetivado algunos de los supuestos en que concurre una conducción manifiestamente temeraria.

3. El presente trabajo tiene como finalidad analizar desde una perspectiva dogmática y político-criminal los distintos elementos que tradicionalmente han caracterizado al delito de conducción temeraria frente al resto de delitos contra la seguridad en el tráfico. Especial atención se prestará a las dos últimas reformas acontecidas, estos es, la establecida en la LO 15/2003 y la más reciente operada en la LO 15/2007, en que nuestro legislador ha completado el

---

4 Vid., *infra*, epígrafe V.a).

5 En este sentido, han mostrado su desacuerdo con la reforma operada por la LO 15/2003 en el marco del delito de conducción temeraria, entre otros, ALCÁCER GUIRAO, "Embriaguez, temeridad y peligro para la seguridad del tráfico. Consideraciones en torno a la reforma del delito de conducción temeraria", LLP (10) noviembre 2004, p. 2 y 8 ss; GUÉREZ TRICARICO, "Influencia del alcohol y conducción peligrosa en los delitos contra la seguridad del tráfico: algunas consideraciones", DLL (6338) octubre 2005, p. 12 ss; MAGALDI PATERNOSTRO, en *Comentarios al Código Penal. Parte Especial*, Tomo II, (Córdoba Roda/García Arán dirs.), Madrid 2004, p. 1716 y 1718 ss; MUÑOZ CONDE, *Derecho Penal. Parte Especial*, 16ª ed., Valencia 2007, p. 684; ORTS BERENGUER, en VV.AA, *Derecho Penal. Parte Especial*, Valencia 2004, p. 828; TAMARIT SUMALLA, en *Comentarios a la Parte Especial del Código Penal*, (Quintero Olivares dir.), 4ª ed, Pamplona 2005, p. 1962 ss.

6 Ante la imposibilidad de aprobar el Nuevo Proyecto de Reforma de Código Penal en esta legislatura, el gobierno a través de su grupo parlamentario y con el apoyo de Convergencia i Unió, Esquerra Republicana de Catalunya, Izquierda Unida-Iniciativa per Catalunya Verds, Coalición Canaria y el Grupo Mixto, decidió tramitar de forma autónoma las modificaciones operadas en materia de Delitos contra la Seguridad Vial para dar una respuesta así a las elevadas cifras de siniestralidad en el tráfico que se siguen registrando y el renovado e inusitado interés que las mismas han despertado en la opinión pública. Buena prueba de este interés es el cambio que se observa en las noticias ofrecidas en los distintos informativos, donde a diario se incluyen imágenes sobre algunos de los graves y aparatosos "accidentes" que se producen en nuestra red viaria.

proceso de administrativización ya iniciado en el 2003, objetivando[7] numéricamente los dos elementos sobre los que se construyeron las novedosas presunciones legales relativas a la temeridad manifiesta y la puesta en peligro concreto introducidas en la primera de las normas mencionadas (*"altas tasas de alcohol en sangre"* y *"exceso desproporcionado de velocidad"*). De hecho, las dificultades interpretativas que en su día suscitó en el seno de la doctrina la concreción de ambos elementos explican, en cierta medida, el proceso de estandarización que ha experimentado este grupo de delitos en general y el delito de conducción temeraria en particular y, consiguientemente, justifica la importancia que en esta investigación se le ha dado a su delimitación, pese a su expresa eliminación en el vigente articulado.

4. Antes de adentrarme en el examen de dichas cuestiones, quisiera realizar unas breves consideraciones acerca del bien jurídico-penal protegido en los ahora llamados "Delitos contra la Seguridad Vial". En la doctrina se pueden distinguir tres posiciones: **a)** en primer lugar, los autores que consideran que se protege directamente la vida, integridad física y salud de las personas que participan en el tráfico viario (tesis individualista)[8]; **b)** en segundo lugar, los que, contrariamente, sostienen que se protege la "seguridad en el tráfico viario" en sí misma, esto es, de forma autónoma con respecto a los bienes jurídico-penales vida, integridad física y salud[9] (posición "colectivista" o "autonomista"); y **c)** por último, los que, a modo de solución intermedia, defienden que se protege la seguridad en el tráfico rodado pero no como un interés en sí mismo, sino como un instrumento para tutelar la vida, integridad física y salud de las personas que participan en este concreto ámbito, configurando de esta manera

---

[7]   Alude expresamente en un sentido crítico a esta progresiva objetivización en *pro* de la caracterización de la presunción legal sobre la temeridad manifiesta, entre otros, MUÑOZ CONDE, *Derecho Penal...*, op. cit, p. 684.

[8]   En este sentido, entre otros, ORTS BERENGUER, *Derecho Penal...*, op. cit., p. 818.

[9]   Abogan por esta solución, entre otros, CORCOY BIDASOLO, "Delitos contra la seguridad en el tráfico en el Código Penal de 1995", TSJAP (7) 1998, p.11; LA MISMA, *Delitos de peligro y protección de bienes jurídico-penales supraindividuales*, Valencia 1999, p. 226 ss; MAGALDI PATERNOSTRO, *Comentarios...*, op.cit., p. 1690 ss, quien ha asumido el planteamiento defendido por esta última autora; QUERALT JIMÉNEZ, *Derecho penal español. Parte especial*, 4ª ed, Barcelona 2007, p. 919.

los delitos contra la seguridad del tráfico como un adelantamiento de la barrera de protección de estos bienes jurídico-penales individuales (posición "intermedia")[10]. La doctrina mayoritaria, no obstante, coincide a la hora de configurar los delitos contra la seguridad en el tráfico como "delitos de peligro" en contraposición a la categoría de los "delitos de lesión" entre los que ha ocupado y sigue ocupando un lugar preferente el delito de homicidio sobre el que se ha construido la Parte General del Derecho penal[11].

5. La asunción de una u otra posición podría comportar, "en principio", importantes consecuencias jurídico-penales a la hora de resolver los supuestos en que a resultas de la comisión de un delito contra la seguridad en el tráfico se ocasiona la muerte y/o lesión imprudente de una persona. En efecto, tanto los autores que dotan de autonomía al bien jurídico-penal "seguridad en el tráfico viario" con respecto a los mencionados bienes jurídico-penales individuales, como los que defienden la tesis intermedia, deberían abogar, en coherencia, por la solución del concurso ideal de delitos, castigando el delito más grave en su mitad superior, con arreglo a lo establecido en el art. 77.1 y 2 CP. Y digo "en principio", porque nuestro legislador

---

[10]   Esta puede decirse que constituye en la actualidad la posición dominante en la doctrina jurídico-penal. En este sentido, se han pronunciado, entre otros, ALCÁCER GUIRAO, LLP (10) noviembre 2004, p. 2; MOLINA FERNÁNDEZ, en *Compendio de Derecho Penal, (Parte Especial)*, volumen II, (Bajo Fernández dir.), Madrid 1998, p. 709; SILVA SÁNCHEZ, "Consideraciones sobre el delito del art. 340 bis a) 1ª del Código Penal (Conducción bajo la influencia de bebidas alcohólicas, drogas tóxicas, estupefacientes o sustancias psicotrópicas)", en AA.VV, *Derecho de la Circulación (aspectos civiles y penales)*, Madrid 1993, p. 150.

[11]   En contra de la diferenciación entre delitos de peligro y de lesión se ha pronunciado CORCOY BIDASOLO, *Delitos de peligro...*, op.cit. p. 142 ss, quien, atendiendo al bien jurídico-penal protegido, ha propuesto en su lugar la distinción entre los delitos en los que se tutelan bienes jurídico-penales individuales y los delitos en los que se protegen bienes jurídico-penales supraindividuales, diferenciando en el seno de estos últimos, los delitos en los que, junto a la protección del bien jurídico-penal supraindividual, se requiere la concurrencia de un resultado concreto para con algún bien jurídico-penal individual (los llamados delitos de peligro concreto) y aquellos otros delitos en los que únicamente se protege un bien jurídico-penal supraindividual (los denominados delitos de peligro abstracto). Planteamiento al que me he adherido HORTAL IBARRA, *Protección penal de la seguridad en el trabajo*, Barcelona 2005, p. 43 ss.

haciendo caso omiso de las reglas concursales generales, tradicionalmente se ha decantado en este concreto ámbito por la solución del concurso de leyes (art. 383 ACP), castigando en estos casos únicamente el delito más grave (que normalmente será el delito de homicidio y/o lesiones por imprudencia grave, previstos y penados en los arts. 142 y 152 CP) en aplicación del principio de alternatividad (art. 8.4ª CP), restando, de esta forma, autonomía al bien jurídico-penal supraindividual "seguridad en el tráfico viario"[12].

6. Esta solución sólo formalmente ha sido mantenida por nuestro legislador en la LO 15/2007, donde materialmente se ha acogido la solución del concurso de delitos propuesta por un importante sector doctrinal mediante la inclusión en el nuevo art. 382 CP[13] de la determinación de la pena propia del concurso ideal-medial (art. 77.2 primer inciso[14]). A mi entender, la solución adoptada en el vigente art. 382 resulta más acertada que la contenida en el derogado art. 383, en la medida en que la imposición de la pena más grave en su mitad superior permite tomar en consideración el desvalor derivado de la puesta en peligro concreta de la vida y/o integridad física de la personas y/o personas que, no habiendo resultado efectivamente "lesionadas", se encontraban en el radio de acción de la temeraria conducción desarrollada por el sujeto activo. En este punto, cabe destacar igualmente la eliminación en el vigente art. 382 de la mención relativa a la no aplicación a los delitos contra la seguridad vial del régimen general de individualización de la pena establecido en el art. 66 CP, tal y como expresamente se preveía en el párrafo segundo del derogado art. 383.

---

[12]   En este sentido, se mostraron críticos con la solución del concurso de leyes establecida por el legislador en el art. 383 ACP, entre otros, CORCOY BIDASOLO, Delitos de peligro..., op.cit. p. 361; MAGALDI PATERNOSTRO, Comentarios..., op.cit., p. 1726.

[13]   "Cuando con los actos sancionados en los artículos 379, 380 y 381 se ocasionare, además del riesgo prevenido, un resultado lesivo constitutivo de delito, cualquiera que sea su gravedad, los Jueces o Tribunales apreciarán tan sólo la infracción más gravemente penada, aplicando la pena en su mitad superior y condenando, en todo caso, al resarcimiento de la responsabilidad civil que se hubiera originado".

[14]   En parecidos términos se expresa MUÑOZ CONDE, Derecho Penal..., op.cit. p. 678.

II. TIPO OBJETIVO: DELIMITACIÓN DE LOS CONCEPTOS *"TEMERIDAD"* Y *"MANIFIESTA"*

1. Como ya he apuntado, los conceptos *"temeridad"* y *"manifiesta"* constituyen el núcleo esencial del tipo objetivo del delito de conducción temeraria. Se entiende que concurre una conducción temeraria no cuando se infringe cualquier norma reguladora del tráfico viario, sino únicamente cuando se incumplen aquellas que pueden considerarse básicas o elementales, esto es, las normas que incluso observaría el menos diligente de los hombres. Ello explica por qué, seguidamente, la doctrina, de forma unánime, vincula dicho concepto con la denominada *"imprudencia grave"* equivalente a la derogada *"imprudencia temeraria"*[15].

La *jurisprudencia* ha calificado como *"temeraria"*, entre otras, las siguientes conductas: **a)** conducción a gran velocidad por las calles de una gran ciudad (careciendo del preceptivo permiso de conducir) introduciéndose en una calle peatonal con marcha rápida (STS 877/1999, 2-06); **b)** conducción por una vía con una intensa densidad de tráfico (ronda litoral) a 130 Km/hora circulando por el arcén y zigzagueando entre los automóviles (STS 2251/2001, 29-11); **c)** conducción a gran velocidad de un conductor novel realizando maniobras de emergencia a fin de evitar la colisión con varios vehículos (STS 561/2002, 1-04); **d)** conducción por casco urbano a velocidad superior a la permitida sin las luces reglamentarias y superando varios semáforos en fase roja (SAP Asturias 2ª, 41/2005, 3-02); **e)** conducción por el centro de un pueblo a velocidad excesiva y realizando trompos y derrapajes (SAP Toledo 2ª, 81/2004, 2-11); **f)** conducción por la acera a velocidad elevada y esquivando a los peatones haciendo zig zag (SAP Barcelona 10ª, 899/2004, 17-09); **g)** conducción a gran velocidad por población realizando "caballitos" con el ciclomotor obligando a otros usuarios a frenar ante el peligro de colisión (SAP Albacete 2ª, 31/2005, 6-04); y **h)** adelantamiento de varios vehículos que circulaban en caravana en un tramo de vía próximo a una curva de escasa visibilidad obligando al vehículo policial que venía de frente a esquivarle (SAP Pontevedra 5ª, 32/2006, 21-03).

2. En relación a las normas que disciplinan la seguridad vial cabe realizar una doble precisión: **a)** en primer lugar, debe puntualizarse

---

[15]   En este sentido, entre otros, Mir Puig, "Conducción temeraria...", op.cit. p. 186; Molina Fernández, *Compendio...*, op.cit, p. 728; Muñoz Conde, *Derecho Penal...*, op.cit, p. 683; Orts Berenguer, *Derecho Penal...*, op.cit, p. 827; Tamarit Sumalla, *Comentario...*, op.cit, p. 1961. En la misma línea, se ha pronunciado la jurisprudencia, entre otras, SAP Guipúzcoa (1ª) 126/2005, 2-06-05 FJ 6º.

que constituyen un mero indicio y no el fundamento a la hora de proceder a calificar como "temeraria" una conducción[16]; y **b)** en segundo lugar, ha de matizarse que junto a las mismas es necesario tomar en consideración las circunstancias concretas en que tiene lugar la conducción, por cuanto es posible que no se haya incumplido norma alguna de tráfico y sin embargo la conducta pueda ser calificada como "temeraria" atendiendo al contexto en que se desarrolla (densidad del tráfico, estado del pavimento, meteorología, estado del automóvil...)[17]. Esta cuestión puede ilustrarse por medio del siguiente ejemplo:

> Z conduce su vehículo por una autovía respetando la velocidad máxima permitida (110 Km/hora), sin embargo, llueve copiosamente y una espesa niebla dificulta notablemente la visibilidad. A pesar de que no ha incumplido el límite máximo de velocidad (120 Km/hora), la conducción podría ser calificada de temeraria atendidas las adversas condiciones climatológicas en que se desarrolla, condiciones que aconsejan una aminoración de la velocidad a fin de acomodarla al estado de la vía.

3. Ahora bien, la temeridad en la conducción ha de ser *"manifiesta"*, concepto que la doctrina, unánimemente, ha identificado con la necesidad de que adquiera un carácter ostensible, notorio o evidente para un ciudadano medio[18]. En este punto, la cuestión que ha des-

---

[16] Dicho esto, cabe decir igualmente que en la práctica la infracción de las distintas normas que disciplinan el tráfico rodado servirán de base para fundamentar dicha temeridad. Ello es así porque se trata de un sector (como sucede con la prevención de riesgos laborales) donde la naturaleza de la actividad y la experiencia acumulada han permitido una "tipificación" exhaustiva de la norma de cuidado.

[17] En este sentido, han puesto de relieve la importancia del contexto concreto en el que se desarrolla la conducción, entre otros, ALCÁCER GUIRAO, LLP (10) noviembre 2004, op.cit. p. 3; TAMARIT SUMALLA, *Comentarios...*, op.cit, p. 1961. La jurisprudencia también ha destacado la necesidad de tomar en consideración los factores externos en el momento de valorar la "temeridad" realizada por el conductor en cuestión, entre otras, la SAP GUIPÚZCOA (1ª) 126/2005, 2-06, FJ 6º y el AAP VIZCAYA (2ª) 444/2005, 27-07, FJ 3º.

[18] En este sentido, entre otros, ALCÁCER GUIRAO, LLP (10) noviembre 2004, p. 3; MAGALDI PATERNOSTRO, *Comentarios...*, op.cit., p.1717; MOLINA FERNÁNDEZ, *Compendio...*, op.cit, p. 728; MUÑOZ CONDE, *Derecho Penal...*, op.cit, p. 683; ORTS BERENGUER, *Derecho Penal...*, op.cit., p. 827. En la misma línea se expresa la jurisprudencia, entre otras, STS 2251/2001, 29-11, en la que se define dicho concepto como *"notoria desatención de las normas reguladoras del tráfico, de forma valorable con claridad por un ciudadano medio"* (FJ 2º).

pertado un mayor interés en el seno de la doctrina es la relativa al criterio que ha de tomarse en consideración para evaluar la concurrencia de este elemento. Al respecto, algunos autores abogan por la objetivización y/o normativización de la acreditación de esta "notoria" temeridad en la conducción, precisando que no ha de tomarse como referencia el criterio subjetivo del Juez o del conductor, sino la perspectiva del espectador objetivo situado en el momento en que el autor procedió a realizar la maniobra temeraria y con pleno conocimiento de los hechos. La asunción de esta perspectiva claramente objetiva adquiere, en opinión de este sector doctrinal, una notable relevancia en el momento de probar este elemento en el proceso penal, por cuanto si adoptamos como único criterio de evaluación la percepción que de dicha conducción ha tenido el espectador real de los hechos, no podrían tomarse en consideración los datos de los que sólo se tiene conocimiento una vez acaecido el hecho[19]. Dicha cuestión puede ilustrarse a través del siguiente ejemplo[20]:

> Z conduce a 60 Km/hora por una céntrica avenida superando los semáforos en verde. Dicha conducción en modo alguno podría ser calificada como manifiestamente temeraria por los numerosos testigos que la presenciaron. Sin embargo, sí podría ser calificada como tal si se condujera a la misma velocidad y por la misma concurrida avenida pero careciendo de frenos, dato este último que si bien no pudo ser percibido por los espectadores reales del mismo, sí habría de ser tomado en consideración en el momento de llevar a cabo el juicio realizado por ese "espectador ideal" al que hemos hecho referencia.

---

[19]   Cfr. ALCÁCER GUIRAO, LLP (10) noviembre 2004, op. cit. p. 4. De ahí que no le falte razón a este último autor al criticar la inferencia realizada en la STS 561/2002, 1-04, cuando en relación al carácter manifiesto de la conducción señala que ".... es indiscutible, por último, que el comportamiento del acusado fue temerario para todos los que lo presenciaron, como elocuentemente lo pone de manifiesto la indignación expresada por cuantos conductores hubieron de detenerse, después de haber sido adelantados, a consecuencia del siniestro...". (FJ 3º).

[20]   Ejemplo propuesto por MORENO ALCÁZAR, Los delitos de conducción temeraria (criterios para la coordinación de los artículos 381 y 384 del Código Penal), Valencia 2003, p. 86.

III. RESULTADO TÍPICO: *"PUSIERA EN CONCRETO PELIGRO LA VIDA O LA INTEGRIDAD DE LAS PERSONAS"*

1. Al igual que en el derogado art. 381, en el vigente art. 380 se exige que, como consecuencia de la conducción manifiestamente temeraria, se ponga en concreto peligro la vida o integridad física de las personas que participan en el tráfico viario[21]. La concurrencia de este resultado de peligro concreto es especialmente relevante por dos razones: **a)** porque dota al delito de conducción temeraria de un contenido de antijuricidad material que legitima en mayor medida la intervención del Derecho penal en este ámbito del ordenamiento jurídico; y **b)** porque se erige en el elemento determinante para deslindarlo del correspondiente ilícito administrativo recogido en el art. 65.5 d) del RDL 339/1990, de 2 de marzo, Ley sobre tráfico, circulación de vehículos a motor y seguridad vial[22], donde se califica como infracción muy grave *"la conducción manifiestamente temeraria"*. De ahí que en la actualidad no pueda sostenerse, tal y como había manifestado un sector doctrinal[23] y jurisprudencial[24], que son dos los elementos sobre los que se construye la delimitación entre el delito de conducción temeraria y el ilícito administrativo, esto es, la puesta en peligro concreto de la vida o integridad física de las personas imputable a la conducta típica y el carácter *"manifiesto"* de la temeridad exigido en el plano jurídico-penal.

2. La concurrencia del resultado típico en el delito de conducción temeraria plantea varias cuestiones de corte dogmático y práctico: **a)** resulta imprescindible determinar cuándo jurídico-penalmente

---

[21] En este sentido, se ha señalado, entre otras, SSAP LUGO (1ª) 313/2003, 10-12, FJ 1º; BARCELONA (8ª) 175/2005, 7-02, FJ 1º; CÁDIZ (3ª) 61/2005, 6-04, FJ 3º y BARCELONA (10ª) 894/2005, 13-10, FJ 1º, en la que correctamente se concluye que la realización de un adelantamiento a gran velocidad en una autopista no constituye delito de conducción temeraria cuando, simultáneamente, no se acredita la puesta en peligro concreto de persona alguna.

[22] Según la redacción dada por la Ley 17/2005, de 19 de julio, por la que se regula el permiso y la licencia de conducción por puntos y se modifica el texto articulado de la ley sobre tráfico, circulación de vehículos a motor y seguridad vial, aprobado por el RDL 339/1990, de 2 de marzo.

[23] En este sentido, entre otros, ALCÁCER GUIRAO, LLP (10) noviembre 2004, op. cit. p. 3.

[24] En este sentido, entre otras, la STS 561/2002, 1-04, FJ 3º.

se considera que se ha puesto en concreto peligro la vida o integridad física de las personas que intervienen en el tráfico viario; **b)** una vez determinada la existencia de este peligro concreto para la vida o la integridad de las personas, en segundo lugar, debemos plantearnos si este resultado es o no imputable a la previa conducción temeraria desarrollada por el sujeto en cuestión; **c)** la doctrina científica "discute" si la concurrencia de este resultado típico exige la puesta en peligro de más de una persona o bien resulta suficiente la puesta en peligro de una sola; **d)** en el seno de la doctrina se ha suscitado la cuestión de si es necesario partir de un concepto restrictivo o bien extensivo del término "vía pública" a los efectos de incluir o no a las personas que transitan por zonas exclusivamente peatonales, esto es, no destinadas al tráfico de vehículos; y **e)** la doctrina se encuentra dividida en relación a la calificación o no del acompañante del conductor como posible sujeto pasivo del delito de conducción temeraria. Problemas todos ellos que, siquiera brevemente, serán analizados a continuación.

3. La determinación de cuándo se ha creado un peligro concreto para un bien jurídico-penal de carácter individual como es la vida o la integridad física constituye una de las cuestiones más difíciles de responder tanto en el plano teórico como práctico. En el plano doctrinal dicha dificultad se ha traducido en la elaboración de una multiplicidad de teorías con las que se ha intentado dar una respuesta a este arduo problema[25]. En el plano práctico, ello se ha traducido en un problema a la hora de probar la concurrencia de un elemento que, como he apuntado, no sólo resulta crucial para imputar el delito de conducción temeraria, sino también para diferenciarlo del correspondiente ilícito administrativo (art. 65.5 d RD 339/1990). Concurre este peligro concreto cuando, habiendo perdido el autor del riesgo el control o dominio sobre el mismo, no se menoscaba la vida y/o integridad física de quienes participan en el tráfico gracias a la actuación *in extremis* de la propia víctima o de un tercero[26]. Ciertamente, en

---

25　Para una descripción de las diferentes teorías desarrolladas pueden consultarse, entre otros, los trabajos realizados con carácter general por CORCOY BIDASOLO, *Delitos de peligro...*, op.cit. p. 158 ss; y en el concreto ámbito de los delitos contra la seguridad en el tráfico por FEIJOO SÁNCHEZ, LL 1999-6, op.cit. p. 1883 ss.

26　En este sentido, entre otros, ALCÁCER GUIRAO, LLP (10) noviembre 2004, op.cit. p. 4; CORCOY BIDASOLO, *Delitos de peligro...*, op.cit. p. 162 ss; FEIJOO

los casos en que el autor del riesgo no pierde el control sobre la conducción de su vehículo a motor no podemos afirmar que se ha creado dicho peligro concreto y, consiguientemente, no se le puede imputar el delito de conducción temeraria, pudiendo responder en todo caso del ilícito administrativo previsto en el art. 65.5 d) RDL 339/1990. Todo ello puede ilustrarse a través de los siguientes ejemplos:

A) Con el fin de gastarle una broma a sus compañeros de pandilla, Juan se dirige a toda velocidad con su ciclomotor hacia ellos, frenando enérgicamente cuando se encontraba a una distancia de unos 5 metros, tal y como había planeado desde el principio[27]. En este caso Juan no ha puesto en peligro concreto a dichas personas, por cuanto en todo momento ha mantenido el control y el dominio sobre la situación.

B) Javier, que carece del preceptivo carné de conducir, decide darse una vuelta con el nuevo todo terreno de su madre a fin de experimentar las sensaciones de la conducción. Debido a su falta de pericia al volante pierde el control del vehículo accediendo a una calle peatonal a alta velocidad. Tomás, que ha observado la maniobra realizada por Javier coge rápidamente a su nieto en brazos evitando así que sea arrollado junto con el cochecito[28]. En este supuesto Javier ha puesto en concreto peligro la vida del niño, quien no ha sido efectivamente lesionado gracias a la rápida y diligente intervención de su abuelo, intervención con la que ya no podía contar el conductor del vehículo que ya había perdido el control sobre la dirección del automóvil que pilotaba[29].

C) Jesús, que acaba de comprarse un rápido deportivo, decide junto a dos amigos darse una vuelta por su populoso barrio a fin de probar las prestaciones de su nueva adquisición. En una de las intersecciones que se encuentra a su paso, Jesús decide pasarse a gran velocidad el semáforo en rojo sin observar que, en ese momento, cruza por el preceptivo paso de peatones José, quien, gracias a su destreza y buena forma física, consigue esquivar el vehículo dando un fuerte salto hacia la acera. Jesús con su temeraria conducción ha puesto en concreto peligro la vida o integridad física de José, quien, de forma inesperada, ha evitado el seguro impacto con el automóvil.

SÁNCHEZ, LL 1999-6, op.cit. p. 1883 ss; LASCURAÍN SÁNCHEZ, "De los delitos contra la seguridad del tráfico", en *Comentarios al Código Penal*, (Rodríguez Mourullo dir.), Madrid 1997, p. 1047 ss; MIR PUIG, "Conducción temeraria…", op.cit. p.185, quien, muy expresivamente, concluye "*la lesión personal no se ha producido porque ha habido suerte, pero podría haberse producido, debido a la imposibilidad por parte del conductor de controlar adecuadamente la situación*". Dicha caracterización del peligro concreto ha sido acogida en la SAP BARCELONA (6ª) 20-07-2006 (JUR. 2007\66002, FJ 3º).

[27]   Ejemplo muy parecido al propuesto por FEIJOO SÁNCHEZ, LL 1999-6, op.cit. p. 1886.

[28]   Supuesto muy similar al enjuiciado en la ya citada STS 877/1999, 2-06.

[29]   En la misma línea, FEIJOO SÁNCHEZ, LL 1999-6, op.cit. p. 1886.

4. Debido a la configuración del ilícito penal previsto en el art. 380 CP como un delito de peligro concreto, es necesario probar la concurrencia de la relación de imputación objetiva entre la conducta típica (la conducción notoriamente temeraria) y la puesta en peligro de los bienes jurídico-penales vida o integridad física de los participantes en dicho sector de actividad[30]. En efecto, una vez se ha constatado la creación de una situación de peligro concreto para la vida o integridad física de quienes intervienen en el tráfico viario, deberá determinarse si esta puesta en peligro concreto es imputable a la previa conducción "temeraria", o bien a la propia conducta imprudente de la víctima (por ejemplo el peatón) al incumplir las obligaciones que, en el marco de la seguridad vial, le impone el ordenamiento jurídico-administrativo[31]. Pensemos en el siguiente ejemplo:

---

[30]   Ciertamente, de la misma manera que en los delitos de lesión es necesario probar la relación de riesgo entre el resultado y la creación del riesgo típico, en los delitos de peligro concreto, junto a la lesión del bien jurídico-penal supraindividual (la seguridad en el tráfico viario), es preciso determinar la relación de riesgo entre la conducta típica (conducción de un vehículo a motor con temeridad manifiesta) y el resultado de peligro concreto para determinados bienes jurídico-penales individuales (vida o integridad física de las personas que participan en dicho ámbito). En este sentido, se han pronunciado, entre otros, CORCOY BIDASOLO, *Delitos de peligro...*, op. cit. p. 148 ss; FEIJOO SÁNCHEZ, LL 1999-6, op. cit. p. 1886 ss; y en el marco del delito de conducción temeraria en particular, entre otros, MAGALDI PATERNOSTRO, *Comentarios...*, op. cit., p. 1717.

[31]   En principio, la reglamentación en materia de seguridad en el tráfico se dirige especialmente a los conductores de vehículos a motor y ciclomotores. Y digo, "en principio", porque en la misma se imponen igualmente obligaciones a otras personas que también hacen uso de las vías públicas (art. 2 RDL 339/1990), por ejemplo, los peatones o los ciclistas, quienes también pueden constituir y, de hecho constituyen, una "fuente de peligros" para el resto de los participantes en el tráfico viario. Ciertamente, a menudo, son los peatones y los ciclistas quienes con su comportamiento negligente ponen en peligro la vida o integridad física de los conductores o de otros peatones e, incluso, les causan efectivas lesiones. A mi juicio, son dos las razones que explican por qué en los casos de atropello de peatones y ciclistas en que su muerte y/o lesión es imputable a su exclusiva conducta imprudente (entre otras muchas, las SSAP NAVARRA (3ª) 89/2004, 16-07 y LEÓN (1ª) 115/2004, 21-07) no se suscita su posible responsabilidad penal con respecto a la puesta en peligro concreto y/o lesión de la vida o integridad física de otros intervinientes en el tráfico rodado: **a)** en primer lugar, porque el delito previsto

Varios adolescentes juegan a esquivar a los vehículos que circulan por una amplia avenida situada a la salida de su población. En un momento determinado, Tomás, que circula por encima de la velocidad permitida (70 Km/hora) y cambiando la frecuencia de la radio, está a punto de arrollar a Javier que, inopinadamente, se ha situado frente a su vehículo con el fin de esquivarlo. En este caso, pese a que Tomás conducía a una velocidad superior a la permitida y se distrajo durante unos segundos, la puesta en peligro concreto de la vida o integridad física de Javier le es imputable a la imprudente conducta realizada por este último y no a la antirreglamentaria conducción efectuada por el primero.

5. Pese a que en la descripción típica contenida en el art. 380 se utiliza el plural para referirse al resultado típico *"personas"*, la doctrina, de forma unánime, considera que para imputar el delito de conducción temeraria es suficiente la puesta en peligro concreto de una sola[32]. La exigencia de una plural puesta en peligro de personas dotaría al precepto de un mayor contenido de antijuricidad material, restringiendo su aplicación a unos supuestos más graves[33]. Sin embargo, ello dificultaría la aplicación del mismo[34], restando eficacia a la intervención penal en este sector de actividad[35]. Ciertamente, la auténtica lesividad del delito de conducción temeraria viene determinada por el hecho de que con esta peligrosa conducta no sólo se crea un riesgo en abstracto para todos aquellos que participan en el tráfico viario (lesión del bien jurídico-penal supraindividual "seguridad en el tráfico"), sino porque además se pone en concreto peligro

---

en el vigente art. 380 CP limita la esfera de posibles autores a aquellos que conducen vehículos a motor o ciclomotores; y **b)** en segundo lugar, porque en los casos en que se produce la muerte y/o lesión del peatón o ciclista que ha actuado imprudentemente, la acción penal se dirige contra el conductor que lo hacía adecuadamente y no contra quien ha originado el luctuoso "accidente".

[32]   En este sentido, se han pronunciado, entre otros, ALCÁCER GUIRAO, LLP (10) noviembre 2004, op.cit. p. 4; MAGALDI PATERNOSTRO, *Comentarios...*, op.cit, p. 1717; TAMARIT SUMALLA, *Comentarios...*, op.cit., p. 1961. En la misma línea, se sitúa la jurisprudencia, entre otras, SAP GUIPÚZCOA (1ª) 126/2005, 2-06, FJ 6º y AAP VIZCAYA (2ª) 444/2005, 27-07, FJ 3º.

[33]   Cuantitativa y cualitativamente resulta más grave poner en peligro a una pluralidad de personas que a una sola.

[34]   A las complicaciones propias de probar la puesta en peligro concreto de una sola persona, se sumará la dificultad de extender esta prueba a la creación de un peligro concreto a una pluralidad de ellas.

[35]   Así lo ha puesto de manifiesto muy correctamente CORCOY BIDASOLO, *Delitos de peligro...*, op. cit. p. 145 ss.

la vida o integridad física de determinadas personas que interactúan en este sector de actividad (tentativa imprudente de lesión). Para considerar probado la concurrencia de este resultado típico, la jurisprudencia mayoritaria no exige ni el testimonio ni la individualización de la persona o personas puesta/s en peligro, sino que se conforma con que los testigos presenciales de la conducción temeraria declaren en el plenario que, a resultas de la misma, las personas que se encontraban en su radio de acción tuvieron que reaccionar rápidamente para evitar ser atropelladas[36].

6. Otra de las cuestiones que ha suscitado una cierta discusión doctrinal es la relativa a la amplitud que cabe otorgar al concepto "vía pública" a los efectos de incluir o no las puestas en peligro concreta de personas que transitan por zonas no destinadas al tráfico de vehículos (por ejemplo, parques, jardines, plazas, inmuebles...). En este punto, la doctrina se encuentra dividida entre los autores que defienden la necesidad de interpretar restrictivamente dicho concepto, exigiendo que la creación de este resultado típico tenga lugar dentro del tráfico rodado[37], y aquellos otros que, contrariamente, mantienen que es preciso interpretarlo ampliamente a fin de castigar toda puesta en peligro concreto de personas imputable a la conducción temeraria, aunque en puridad no se encuentren en una vía destinada al tráfico rodado (por ejemplo, la persona que se encuentra en el interior de un inmueble o un establecimiento público)[38]. Al respecto, y con una finalidad meramente expositiva podrían distinguirse tres grupos de casos: **a)** los supuestos en que la persona puesta en peligro concreto transita por una vía pública en sentido estricto (por ejemplo, se dispone a cruzar la calle respetando la luz de su semáforo y casi es atropellada por un conductor que, a gran velocidad, se lo salta en fase roja); **b)** los supuestos en que si bien, formalmente, dicha persona no transita por una vía destinada al tráfico de vehículos (vías urbanas e interurbanas y terrenos privados utili-

---

36 En este sentido, entre otras, SSAP Barcelona (3ª) 2-12-2002 (Jur. 2003\120916, FJ 2º); Barcelona (7ª) 885/2002, 5-12, FJ 1º y Guipúzcoa (1ª) 126/2005, 2-06, FJ 6º.

37 En este sentido, entre otros, Molina Fernández, Compendio..., op.cit., p. 711.

38 En este sentido, entre otros, Alcácer Guirao, LLP (10) noviembre 2004, op.cit. p. 4; Magaldi Paternostro, Comentarios..., p. 1717; Tamarit Sumalla, Comentarios..., op.cit, p. 1961.

zados por una colectividad indeterminada de usuarios), físicamente se encuentra en una zona de uso común limítrofe con la primera (por ejemplo, peatón que pasea por una plaza en la que confluyen varias travesías); y **c)** los supuestos en que la persona o personas puestas en peligro concreto por la conducción temeraria, físicamente no se encuentran ni en una vía destinada al tráfico rodado ni en una zona abierta próxima a la misma (por ejemplo, las personas que toman el aperitivo en el interior de un bar o las personas que habitan en el interior de un inmueble).

7. Pues bien, entiendo que en los tres supuestos se ha creado una puesta en peligro concreto de la vida o integridad física de las personas relevante a los efectos de la imputación del delito de conducción temeraria. En efecto, en los supuestos incluidos en los apartados a) y b) porque resulta evidente que el legislador quiere castigar todas y cada una de las puestas en peligro que tienen su origen en la conducción temeraria de vehículos a motor o ciclomotores en las vías destinadas al tráfico rodado (esto es, a la circulación de vehículos) o en las zonas limítrofes utilizadas por aquellos que también intervienen en el mismo pero como peatones o transeúntes (aceras, parques, jardines, plazas…)[39]. Nada impide tampoco la adopción de un concepto amplio de "*vía pública*" que garantice la relevancia jurídico-penal de las puestas en peligro concreto de las personas que se hallan en el interior de un inmueble o establecimiento mercantil, si partimos de la premisa de que la lesión del bien jurídico-penal supraindividual "seguridad en el tráfico" tiene lugar desde el momento en que se

---

[39]   Es más, cualitativamente resultan más peligrosas para la vida o integridad física de las personas las conducciones que se desarrollan fuera de las vías destinadas al tráfico rodado (por ejemplo la que tiene lugar en una vía peatonal o en una plaza que circunda varias calles) que las realizadas en las vías destinadas al efecto. Ciertamente, quien se dispone a cruzar una calle con un denso tráfico rodado, hasta cierto punto puede prever, y por tanto adoptar alguna medida "autoprotectora" (por ejemplo, cruzar extremando las precauciones), que los conductores que circulan por la misma no siempre respetarán el paso de peatones regulado por semáforo, porque así se lo dice su experiencia diaria, donde ha comprobado que, a menudo, circulan haciendo caso omiso a la señalización que reglamenta la prioridad de paso entre los conductores y los peatones. Sin embargo, quien tranquilamente pasea por una plaza en la que confluyen varias travesías, en modo alguno se plantea que, en un momento determinado, irrumpirá un vehículo en su interior y casi lo atropellará.

conduce temerariamente y el resultado típico se vincula a la puesta en peligro concreto de dos bienes jurídico-penales individuales como la vida y la integridad física.

8. Por último, la doctrina se ha planteado en qué medida también el acompañante del conductor puede ser considerado sujeto pasivo del delito de conducción temeraria, y consiguientemente, puede ser objeto de protección por el mismo. En este punto, algunos autores, acertadamente, distinguen dos grupos de casos: **a)** los supuestos en que el/los acompañante/s ha/n consentido libremente la creación de este peligro concreto para su/s vida/s, en los que se aboga por la atipicidad, argumentando que nos encontramos ante un caso de autopuesta en peligro jurídico-penalmente relevante[40]; y **b)** los supuestos en que no ha consentido dicha puesta en peligro concreto, en los que la doctrina se encuentra dividida entre los autores que se decantan por su relevancia penal[41] y aquellos otros que, contrariamente, se inclinan por la atipicidad[42]. En relación a esta controvertida cuestión, considero que nada impide la inclusión del acompañante como sujeto pasivo del tipo previsto en el art. 381 CP en los casos en que no ha consentido el riesgo al tratarse de un supuesto de autopuesta en peligro jurídico-penalmente irrelevante[43].

---

[40]   Cfr. ALCÁCER GUIRAO, LLP (10) noviembre 2004, op.cit. p. 4.

[41]   En este sentido, entre otros, ALCÁCER GUIRAO, LLP (10) noviembre 2004, op.cit. p. 4; MAGALDI PATERNOSTRO, *Comentarios...*, op.cit. p. 1718; MOLINA FERNÁNDEZ, *Compendio...*, op.cit., p. 728; MUÑOZ CONDE, *Derecho Penal...*, op.cit. p. 684; TAMARIT SUMALLA, *Comentarios...*, op.cit, p. 1961.

[42]   En este sentido, se ha pronunciado ORTS BERENGUER, *Derecho Penal...*, op.cit, p. 827 ss, quien defiende la exclusión del acompañante como sujeto pasivo del delito de conducción temeraria en todos los casos, por cuando, en su opinión, dicho ilícito penal *"está pensado para el peligro creado para los demás"*.

[43]   Así lo ha entendido nuestra jurisprudencia en la única Sentencia en la que, según alcanzo a ver, se ha planteado dicha cuestión, la SAP SORIA 65/2003, 14-11, en la que se condenó a quien circulaba a las 9 de la mañana por el interior del casco histórico de una pequeña ciudad a una velocidad próxima a los 100 km/hora, sin atender los requerimientos de los ocupantes del vehículo que insistentemente le rogaban que condujera con cuidado y redujera la velocidad.

IV. TIPO SUBJETIVO: EL DENOMINADO "DOLO DE PELIGRO"

1. La imputación del delito de conducción temeraria pasa necesariamente por la prueba del tipo subjetivo, que en este ilícito penal se vincula a la acreditación del denominado "dolo de peligro". Ciertamente, para poder imputarlo subjetivamente es preciso que el sujeto tenga conocimiento de que está conduciendo un vehículo a motor infringiendo las normas básicas de la circulación, y que con esta peligrosa conducción está creando un peligro concreto para la vida o integridad física de las personas que intervienen en el tráfico viario[44]. Resulta indiferente a tales efectos que el sujeto confíe o no en la producción de un resultado lesivo para con dichos bienes jurídico-penales individuales[45]. Serán atípicas aquellas conducciones cuya temeridad tenga su origen en un error jurídico-penalmente relevante del sujeto, por cuanto en el delito de conducción temeraria sólo se castigan las conductas imputables a título doloso[46].

---

[44]   En este punto resulta especialmente interesante traer a colación la SAP BARCELONA (6ª) 435/2005, 12-05, en la que se realiza una correcta delimitación del tipo subjetivo en el delito de conducción temeraria *"En relación con el dolo, nadie está afirmando que el acusado quisiera atropellar a nadie puesto que el dolo que requiere el art. 381 del Código Penal requiere exclusivamente que el acusado conociera que su conducta era peligrosa y es indudable que el recurrente decidió pasar un semáforo en rojo cuando un peatón cruzaba y la realización de esta conducta peligrosa para la seguridad en el tráfico viario, de forma consciente y voluntaria, es, precisamente, el contenido del tipo subjetivo doloso del art. 381 del Código Penal"* (FJ 2º).

[45]   En este sentido, se ha pronunciado CORCOY BIDASOLO, *Delitos de peligro...*, op.cit. p. 301 ss; LA MISMA, RTSJyAP (7) julio 1998, op.cit. p. 25 ss.

[46]   Así, por ejemplo, no será constitutivo de un delito de conducción temeraria la puesta en peligro concreto del peatón que casi es atropellado al perder el sujeto el control de su vehículo como consecuencia de un fallo en el sistema de frenado por él desconocido. De producirse la efectiva lesión de la vida o integridad física del mencionado peatón, la conducta podría ser calificada como un delito y/o falta de homicidio y/o lesiones por imprudencia, en atención a la gravedad de la infracción de la norma de cuidado incumplida por el conductor (por ejemplo, si se demuestra que hace 2 años que no realiza ninguna revisión "voluntaria" de su vehículo o ha omitido la obligatoria inspección administrativa a través de las empresas concesionarias de la ITV).

2. Por su parte, en los supuestos en que el sujeto tiene un conocimiento siquiera eventual de que con su temeraria conducción lesionará la vida o integridad física de alguna de las personas puestas en peligro concreto ya no se planteará la aplicación del delito contenido en el art. 380 CP, sino que los hechos podrán ser constitutivos de un delito de conducción temeraria con manifiesto desprecio por la vida de los demás (art. 381 CP) o un delito de homicidio en grado de tentativa[47].

V. REFORMA OPERADA EN LA LO 15/2003

1. Sin lugar a dudas, la reforma más importante que tuvo lugar en el marco de los delitos contra la seguridad en el tráfico a raíz de la aprobación de la LO 15/2003, fue la inclusión de una doble presunción legal en relación a la concurrencia de los dos elementos típicos esenciales del delito de conducción temeraria ("*temeridad manifiesta*" y "*concreto peligro para la vida o la integridad de las personas*"). Así, el legislador añadió un segundo párrafo al art. 381 ACP del tenor siguiente: "*en todo caso, se considerará que existe temeridad manifiesta y concreto peligro para la vida o la integridad física de las personas en los casos de conducción bajo los efectos de bebidas alcohólicas con altas tasas de alcohol en sangre y con un exceso desproporcionado de velocidad respecto a los límites establecidos*". Como ya he señalado, esta modificación fue especialmente criticada por los autores que se ocuparon de su análisis, quienes denunciaron, entre otras cosas, su falta de rigor dogmático, llegando a calificarla de "adefesio jurídico"[48] y cuestionando, incluso, su posible constitucionalidad[49].

---

[47] En este sentido, entre otros, ALCÁCER GUIRAO, LLP (10) noviembre 2004, op.cit. p. 3; MOLINA FERNÁNDEZ, *Compendio...*, op.cit., p. 729.

[48] En este sentido, entre otros, MAGALDI PATERNOSTRO, *Comentarios...*, op.cit., p. 1716; ALCÁCER GUIRAO, LLP (10) noviembre 2004, op.cit. p. 13; FEIJOO SÁNCHEZ, "Seguridad colectiva y peligro abstracto. Sobre la normativización del peligro", LH-Rodríguez Mourullo, Madrid 2005, p. 319, nota 28 *in fine*, quien expresamente acoge el calificativo propuesto por el anterior autor; MORILLAS CUEVA/SUÁREZ LÓPEZ, "Tratamiento penal de la conducción temeraria", en *Delincuencia en materia de tráfico y seguridad vial. Aspectos penales, civiles y procesales*, (Morillas Cueva coord.), Madrid 2007, p. 319

2. En este punto, una de las objeciones más recurrentes fue el alto grado de indeterminación detectado en la formulación de los criterios utilizados para determinar la concurrencia de ambos elementos típicos: *"altas tasas de alcohol en sangre"* y *"exceso desproporcionado de velocidad"*[50]. A buen seguro estas críticas están en el origen de la reforma operada en la LO 15/2007, donde el legislador ha eliminado ambas expresiones y, en su lugar, ha concretado, tomando en cierta medida los criterios formulados por la doctrina, los supuestos en que la conducción ha de ser calificada como temeraria a los efectos de la aplicación del nuevo art. 380 CP. De ahí que, de cara a valorar dicha reforma, resulte todavía más imprescindible si cabe la exposición de las interpretación que de ambas presunciones realizó la doctrina a raíz de su inclusión en la LO 15/2003.

---

ss. Por su parte, en la única resolución judicial, según alcanzo a ver, en que se ha realizado una mínima valoración de la presunción legal sobre la concurrencia del peligro concreto, la SAP BARCELONA (2ª), 224/2007, 15-03, FJ 2º, se afirma acertadamente *"... En la actualidad, la discusión doctrinal y jurisprudencial relativa a este precepto se encuentra centrada en cómo deber ser interpretado el muy controvertido segundo párrafo del precepto, introducido por la LO 15/2003, de 25 de noviembre, en vigor desde 1 de octubre de 2004, que estableció una presunción iuris et de iure de peligro concreto, confundiéndose de forma lamentable el plano del peligro abstracto (párrafo segundo) con el del peligro concreto (párrafo primero)"*.

[49] Así lo han manifestado expresamente, ALCÁCER GUIRAO, LLP (10) noviembre 2004, op. cit. p. 13; FEIJOO SÁNCHEZ, LH-RODRÍGUEZ MOURULLO, op. cit. p. 319, nota 28 *in fine*, para quien la presunción *iuris et de iure* del peligro concreto además de resultar contraria al principio de legalidad podría fundamentar fácilmente una cuestión de inconstitucional al vulnerar claramente el principio de presunción de inocencia; GUÉREZ TRICARICO, DLL (6338) octubre 2005, op. cit., p. 13; RODRÍGUEZ FERNÁNDEZ, "La ilegítima equiparación de peligros- concreto y abstracto- en los delitos contra la seguridad del tráfico. La interpretación del nuevo subtipo de conducción temeraria", DLL (6469) abril 2006, p. 9 ss, quien pone de relieve las causas que cuestionarían la constitucionalidad de la reforma operada en el 2003: posible vulneración de los principios de legalidad (taxatividad), igualdad ante la ley, presunción de inocencia y proporcionalidad.

[50] En este sentido, entre otros, ALCÁCER GUIRAO, LLP (10) noviembre 2004, op.cit. p. 2, 5 y 13; GUÉREZ TRICARICO, DLL (6338) octubre 2005, p. 13,16 y 17; ORTS BERENGUER, *Derecho Penal...*, op.cit., p. 828; ORTS BERENGUER/ ALONSO RIMO, "El nuevo párrafo segundo del artículo 381 del Código Penal: una propuesta de interpretación restrictiva", RGDP (4) 2005, p. 4; TAMARIT SUMALLA, *Comentarios...*, op.cit., p. 1962.

a) Concreción de los conceptos *"altas tasas de alcohol en sangre"* y *"exceso desproporcionado de velocidad"*

1. Ante la ausencia de resolución judicial alguna en la que se suscitara la delimitación de ambos conceptos, adquirieron, necesariamente, una especial significación los criterios formulados por los pocos autores que, hasta entonces, se ocuparon de la nueva configuración dada al delito de conducción temeraria en la LO 15/2003. De los distintos criterios propuestos la remisión a la normativa extrapenal en esta materia, se erigió en la primera vía de concreción de estas ambiguas expresiones[51].

2. Desde el momento en que nuestro legislador decidió incluir en la descripción típica dos conceptos propios de una regulación tan formalizada como la administrativa, de algún modo, "invitó" al intérprete a remitirse a la misma para delimitar, siquiera indiciariamente, su significado jurídico-penal. De hecho, en el caso del concepto *"exceso desproporcionado de velocidad"*, esta "invitación" se realizó expresamente, por cuanto, no en vano, el propio legislador penal lo vinculó a los *"límites establecidos"*, límites que, como no podría ser de otra manera, se fijan, precisamente, en la citada normativa extrapenal. En la concreción de este último concepto, se tomaron como referencia las velocidades cuya superación determinaban la comisión del ilícito administrativo previsto en el art. 65.5 c) RDL 339/1990, en que se considera infracción muy grave *"sobrepasar en más de un 50 % la velocidad máxima autorizada, siempre que ello suponga superar, al menos, en 30 km por hora dicho límite máximo"*[52].

3. En mi opinión, no existía obstáculo alguno para que dicho criterio constituyera el límite mínimo a partir del que concluir que se conducía a una velocidad en exceso desproporcionada a los efectos de la imputación del delito de conducción temeraria. Y digo "en principio" porque en Derecho penal deben rechazarse las interpretaciones "automatizadas", como lo sería aquella que sostuviera, siempre y

---

51 Así lo propuso ALCÁCER GUIRAO, LLP (10) noviembre 2004, op.cit. p. 5 en su excelente trabajo sobre la nueva configuración del delito de conducción temeraria tras la entrada en vigor de la LO 15/2003.

52 Cfr. ALCÁCER GUIRAO, LLP (10) noviembre 2004, op.cit., p. 5, quien, muy atinadamente, matiza como esta remisión en el caso del concepto *"altas tasas de alcohol"* se realiza tácitamente.

en todo caso, que las velocidades por debajo de la cifra prevista en el art. 65.5 c) del RD 339/1990 deben necesariamente considerarse proporcionadas, y consiguientemente, no pueden calificarse como manifiestamente temerarias. Estas formalizadas interpretaciones deben ser categóricamente rechazadas por el Derecho penal, no sólo porque con ella se ignora por completo los factores externos en que se lleva a cabo la conducción[53], sino, especialmente, porque acogiéndolas se "olvida" que la normativa extra-penal no puede erigirse en el fundamento de este elemento del tipo, sino únicamente en uno de los criterios, si se quiere importante, a tomar en consideración a la hora de definir su alcance jurídico-penal. La asunción de una interpretación tan formalista como la propuesta podría acarrear graves consecuencias, tal y como se pone de manifiesto en el siguiente ejemplo:

> Z conduce su vehículo a 145 Km/hora por una autovía en la que una espesa niebla y una copiosa lluvia han reducido ostensiblemente la visibilidad. Como el conductor no ha superado el límite mínimo fijado en el ilícito administrativo que sanciona el exceso de velocidad, la conducta no podría ser considerada "*en exceso desproporcionada*", y consiguientemente, no podría ser calificada como temeraria a los efectos de la aplicación de la presunción legal incluida por obra de la LO 15/2003 en el párrafo segundo del art. 381 ACP.

4. Esta reflexión y el ejemplo propuesto adquieren más importancia si cabe de acuerdo con lo dispuesto en la LO 15/2007, en la que el legislador ha acogido sustancialmente la solución interpretativa propuesta doctrinalmente para delimitar el concepto "*exceso desproporcionado de velocidad*", calificando como "temeraria" la conducción de un vehículo a motor o ciclomotor a una velocidad superior en 60 km/h en vía urbana y en 80 Km/h en vía interurbana a la establecida reglamentariamente (art. 379.1 CP)[54]. En efecto, al establecerse

---

[53]   Factores que, como ya apunté, resultan fundamentales en la delimitación del concepto general de "temeridad manifiesta" sobre el que se construye el tipo objetivo del ilícito penal aquí analizado.

[54]   Art. 379.1. *El que condujere un vehículo de motor o un ciclomotor a velocidad superior a sesenta kilómetros por hora en vía urbana o en ochenta kilómetros por hora en vía interurbana a la permitida reglamentariamente, será castigado con la pena de prisión de tres a seis meses o a la multa de seis a doce meses y trabajos en beneficio de la comunidad de treinta y uno a noventa días, y, en cualquier caso, a la de privación del derecho a conducir vehículos a motor y ciclomotores por tiempo superior a uno y hasta cuatro años*". Se ha elevado en 10 km/h las cifras contenidas en el Proyecto de Re-

unos límites de velocidad en la práctica cabe la posibilidad de que no se aplique el delito de conducción temeraria cuando se circule a una velocidad inferior pese a que, como se ha puesto de relieve en el ejemplo expuesto, estemos ante una conducción manifiestamente temeraria.

5. Por su parte, la remisión a la normativa extra-penal ni siquiera podía servir como indicio para delimitar el concepto *"altas tasas de alcohol en sangre"* y ello por dos razones: **a)** en primer lugar, porque la LSV sancionaba y sanciona como infracción muy grave la mera superación de las tasas de alcoholemia reglamentariamente establecidas (art. 65.5 a), tasas que además con el paso del tiempo se han ido reduciendo progresivamente[55]; y **b)** en segundo lugar, fundamentalmente, porque en sintonía con lo dispuesto en el derogado art. 379 y el nuevo art. 379.2 primer inciso, lo importante no es el porcentaje de alcohol detectado, sino el hecho de que esta previa ingesta de alcohol influya negativamente sobre la conducción. En efecto, la superación de los índices de alcoholemia reglamentariamente establecidos es suficiente para incurrir en el correspondiente ilícito administrativo de tráfico (art. 65.5 a LSV), pero insuficiente para imputar el delito de conducción bajo la influencia de bebidas según la redacción dada en el CP del 95, cuya interpretación en este punto adquiría una especial relevancia. De ahí que, a mi juicio, el concepto *"altas tasas de alcohol"* no debe vincularse con la detección de un determinado porcentaje numérico, sino con la influencia que la previa ingesta de esta sustancia tenga sobre la conducción del sujeto. Dicha influencia ha de evidenciarse no sólo a través de la comprobación de determinados síntomas externos (fuerte olor a alcohol, caminar vacilante, pupilas dilatadas, habla pastosa...) por terceras personas (por ejemplo los agentes que proceden a realizar la prueba

---

forma del Código Penal del que, como ya he adelantado, se acabaron desgajando, por motivos de urgencia y consenso, las modificaciones operadas en materia de delitos contra la seguridad en el tráfico con el fin de que, como así ha sido, entraran en vigor antes de la finalización del 2007.

55　En la actualidad, la tasa máxima de alcohol permitida es con carácter general 0,5 gramos por litro de sangre o 0,25 miligramos por litro de aire en el caso que se verifique mediante etilómetro. Esta tasa se reduce, respectivamente, hasta 0,3 gramos por litro y 0,15 miligramos por litro en relación a los conductores de vehículos pesados (más de 3.500 Kg), vehículos destinados al transporte público o escolar o al transporte de mercancías peligrosas o de emergencia (art. 20 RD 1428/2003, de 21 de noviembre).

de alcoholemia o las personas que la presencian), sino que, en mi opinión, debía traducirse en una incorrecta y/o antirreglamentaria conducción[56].

6. Dicho esto, entiendo igualmente que no podía ni puede obviarse el hecho de que en algunos casos la mera detección de unos determinados niveles de alcohol pueden resultar por sí suficientes para inferir la influencia de dicha sustancia sobre la conducción, en la medida en que, objetivamente, impiden o dificultan sobremanera la realización de cualquier actividad que requiera de un mínimo de atención. La jurisprudencia y la doctrina, tomando como punto de referencia los estudios realizados sobre la materia, la situaron alrededor de los 2 gramos de alcohol por litro de sangre, lo que equivale a 1 miligramo de alcohol por aire espirado, siendo precisamente esta cifra la acogida por un sector doctrinal para concretar el concepto *"altas tasas de alcohol"* introducido en la reforma del 2003, concluyendo, consecuentemente, que conducía con una *"alta tasa de alcohol"* quien lo hacía con una tasa igual o superior a 2 gramos

---

[56] Así lo ha puesto de relieve, MAGALDI PATERNOSTRO, *Comentarios...*, op.cit., p. 1701 ss. Evidentemente, soy consciente de que en la descripción típica no se exige la concurrencia de una anómala y/o antirreglamentaria conducción, de la misma manera que tampoco se exige la constancia de una determinada sintomatología por los agentes actuantes o por los posibles testigos presenciales. Dicho esto, considero, sin embargo, que la acreditación de esta infractora conducción, constituye el indicio más consistente para probar la negativa influencia y, consiguientemente, la lesión del bien jurídico-penal protegido en el marco de los delitos contra la seguridad en el tráfico viario y ello por dos razones: **a)** en primer lugar, porque garantiza una mejor "visualización" del negativo efecto que la previa ingesta alcohólica tuvo sobre la efectiva conducción (pensemos por ejemplo en el caso, por otra parte no infrecuente en la práctica, del conductor que mermado por la ingestión de bebidas alcohólicas y/o drogas tóxicas se sale sin motivo que lo justifique de la vía por la que circula); y **b)** en segundo lugar, porque en ocasiones, se detecta en la práctica una excesiva y, por tanto, reprochable automatización en la constatación por los agentes policiales de la sintomatología alcohólica percibida a raíz de su actuación, lo cual, sumado al hecho de que pese a la posible experiencia que puedan tener en tales comprobaciones no son peritos, sirve, al menos, para cuestionar la desmedida importancia que, en ocasiones, otorgan en general nuestros Jueces y Tribunales al acta de sintomatología recogida en el atestado.

de alcohol por litro de sangre[57]. Esta "cifra" ha sida rebajada por el legislador en la LO 15/2007, quien ha fijado en 0,60 mg en aire espirado o 1,2 gr por litro de sangre el "umbral etílico" cuya superación, determinará, siempre y en todo caso, la comisión de un delito de conducción bajo la influencia de bebidas alcohólicas (art. 379.2 *in fine*)[58]. En última instancia, con esta objetivización de las tasas de alcoholemia se quieren erradicar los pronunciamientos judiciales en que se decretaba la absolución de algunos conductores que, habiendo ingerido elevadas cantidades de alcohol, no se había acreditado en el plenario que lo hicieran con sus facultades psicofísicas mermadas (negativamente "influenciado") y, por tanto, que lesionaran el bien jurídico-penal seguridad en el tráfico viario[59].

7. Ahora bien, el hecho de que asuma esta "máxima científica" no significa, necesariamente, que esté de acuerdo con la opción legislativa acogida en la LO 15/2005 de establecer dicha presunción *iuris et de iure* y ello por dos motivos: **a)** en primer lugar, porque, a mi juicio, constituye una manifestación más de la galopante y reprochable administrativización de la que está siendo objeto la legislación penal[60]; y **b)** en segundo lugar, y fundamentalmente, porque, en mi opinión, la introducción de toda presunción legal en Derecho penal

---

[57]   En este sentido, se han pronunciado ALCÁCER GUIRAO, LLP (10) noviembre 2004, op.cit. p. 6; MAGALDI PATERNOSTRO, *Comentarios...*, op.cit., p. 1719; GUÉREZ TRICARICO, DLL (6338) octubre 2005, op.cit. p. 16, quien la ha elevado hasta 2,5 o 3 gramos por litro de sangre.

[58]   *Con las mismas penas será castigado el que condujere un vehículo de motor o ciclomotor bajo la influencia de drogas tóxicas, estupefacientes, sustancias psicotrópicas o de bebidas alcohólicas. En todo caso será condenado con dichas penas el que condujere con una tasa de alcohol en aire espirado superior a 0,60 mg por litro de sangre o una tasa de alcohol en sangre superior a 1,2 gramos por litro.*

[59]   Sirva como ejemplo lo dispuesto en la STC 319/2006, en que se declaró la nulidad de la SAP Madrid (7ª) 662/2004, 22-09 (a quien se le detectaron elevadas cantidades de alcohol en las dos pruebas practicadas, concretamente 1'16 mg en la primera y 1'17 en la segunda) argumentando que no se acreditó en el plenario la negativa influencia que dicha ingesta tuvo en la conducción desarrollada por el acusado.

[60]   En parecidos términos se ha expresado, DE VICENTE MARTÍNEZ, "La reforma penal en curso en materia de siniestralidad vial", en *Derecho penal y seguridad vial*, EDJ (114) Madrid, 2007, p. 345, quien señala como la introducción de límites tasados en la redacción típica constituye una técnica más propia del Derecho administrativo sancionador.

no casa en demasía con los principios que definen a esta rama del ordenamiento jurídico. Sin lugar a dudas, su incorporación facilitará la tarea de nuestros Jueces y Tribunales a los que se "liberará" de la, a menudo, "ardua" tarea de valorar y, consecuentemente, fundamentar la negativa incidencia que la previa ingesta alcohólica tuvo en la efectiva conducción desarrollada por el acusado. Por ello "garantizará" el castigo de todas las personas que conduzcan con tales índices alcoholométricos, pero, insisto, quizás con el alto precio de acabar vulnerando un pilar básico de nuestro Derecho Procesal Penal como es el principio de presunción de inocencia, derecho fundamental del que goza todo acusado por el mero hecho de serlo[61].

8. Por el contrario, no se ha aprovechado la ocasión para subsanar una de las cuestiones más criticadas por la doctrina: la vinculación del concepto conducción temeraria sólo a la efectuada bajo los efectos de elevados índices de alcohol. Nuevamente se ha "optado" por la exclusión de otras sustancias cuya ingesta pueden incidir y de hecho inciden muy negativamente en los conductores como sucede en el caso de las drogas[62]. Quizás esta omisión legislativa tiene su origen en el hecho de que en la actualidad no se han desarrollado todavía sistemas de detección de la ingesta de drogas lo suficientemente fiables como para incluirlos junto a una sustancia tan arraigada y tolerada en nuestra sociedad como el alcohol[63].

---

[61]   Como muy acertadamente ha puesto de manifiesto DE VICENTE MARTÍNEZ, "El delito de conducción bajo la influencia de drogas tóxicas, estupefacientes, sustancias psicotrópicas o bebidas alcohólicas y su propuesta de reforma", DLL (6653) febrero 2007, pp. 9 ss, toda presunción sea *iuris tantum* o *iuris et de iure* resulta contraria a la presunción de inocencia. La primera porque trae consigo una inversión de la carga de prueba, siendo el acusado y no el acusador quien demuestre su concurrencia o no en el caso. Y la segunda porque por definición prohíben la prueba en contrario de lo presumido, descargando a quien acusa en detrimento del acusado al que se le impide toda posible oposición. En la misma línea se ha pronunciado muy recientemente, QUERALT JIMÉNEZ, *Derecho Penal...*, para quien dicha presunción resulta contraria a la presunción de inocencia y *"por ende, susceptible de ser considerado inconstitucional"*, p. 926.

[62]   ALCÁCER GUIRAO, LLP (10) noviembre 2004, op.cit. p. 2; ORTS BERENGUER/ ALONSO RIMO, RGDP (4) 2005, op.cit. p. 4; TAMARIT SUMALLA, *Comentarios...*, op. cit., p. 1962; MAGALDI PATERNOSTRO, *Comentarios...*, op. cit., p. 1719.

[63]   En este sentido se ha manifestado expresamente, MAGALDI PATERNOSTRO, *Comentarios...*, op.cit., p. 1719, quien destaca los problemas probatorios

b) Valoración político-criminal de las presunciones legales sobre la temeridad manifiesta y el peligro concreto introducidas en la LO 15/2003

1. Llegados a este punto, hemos de dar una respuesta a los siguientes interrogantes: ¿qué valoración merece, desde una perspectiva político-criminal, la introducción de estos conceptos en la reforma operada en el 2003 para determinar la concurrencia de los dos elementos fundamentales del delito de conducción temeraria?; ¿puede afirmarse, sin riesgo a equivocarse, que en todos los supuestos en que se conduce con una elevada tasa de alcohol en sangre y con un exceso desproporcionado de velocidad estamos en presencia de una conducción notoriamente temeraria? y ¿dogmáticamente, puede concluirse que en todos los casos en que se conduce en dichas circunstancias se pone en concreto peligro la vida o integridad física de las personas que participan en el tráfico viario?

2. Entiendo que a la primera de las preguntas formuladas debe responderse afirmativamente, por cuanto, en la práctica, el binomio alcohol-velocidad está en el origen de la mayoría de los "accidentes" que tienen lugar en la red viaria[64]. Ciertamente, como se ha constatado en algunos estudios especializados, el alcohol y el exceso de velocidad constituyen los dos factores de siniestralidad vial más importantes. Así en la memoria realizada por el Instituto Nacional de Toxicología bajo el título "Análisis toxicológico. Muertos en accidentes de tráfico. Año 2001"[65], se señala que un 48% de los conductores fallecidos (sobre una muestra total de 1447) dio positivo de alcohol etílico, drogas o fármacos (693), positivos de los que el 44% lo fueron por la previa ingesta de alcohol, predominando tasas superiores al 1,5 gramos por litro de sangre. Por su parte, en el "Estudio de los accidentes de tráfico en España en el período 1999-2003 en función de la velocidad"[66] realizado por el Instituto de Tráfico y Seguridad

---

que comporta la constatación de dichas sustancias en sangre a la hora de imputar la conducta prevista en el art. 379 CP.

[64] Así lo ha puesto de manifiesto, ALCÁCER GUIRAO, LLP (10) noviembre 2004, op.cit., p. 2 y 13.

[65] Documento que puede consultarse en la siguiente página web: www.mju. es/toxicologia/pdf/At01.pdf

[66] Este informe puede consultarse en la siguiente dirección: www. dgt.es/dgt_ informes/investigaciones/documentos/funcion_velocidad_atreve.pdf.

Vial de la Universitat de Valencia, se apunta como en el 20% de los "accidentes" de tráfico que se vienen produciendo en España en los últimos años tuvieron su origen en una infracción de velocidad, destacando como más del 35% de los fallecidos en los accidentes mortales registrados se produjeron como consecuencia de un exceso de velocidad.

3. De hecho, la notable incidencia que estos dos factores tienen en los elevados índices de siniestralidad que, año tras año, se registran en nuestras carreteras, es la que explica y, hasta cierto punto, justifica el que se tomaran y se sigan tomando en la LO 15/2007 como base para calificar de manifiestamente temeraria la conducción realizada en tales circunstancias. Ciertamente, si por un lado, el concepto temeridad se vincula a la infracción de las normas básicas que regulan la seguridad vial, y por el otro, la conducción bajo la influencia de una alta tasa de alcohol y a una velocidad excesiva en atención a las características y condiciones de la vía se erigen en las dos conculcaciones más flagrantes de la misma, la conclusión no podía ser otra que la corrección, en el plano político-criminal, de la primera de las presunciones previstas en el párrafo segundo del derogado art. 381 CP. Conclusión, sin embargo, que no podía extenderse a la segunda de las presunciones incluidas en la LO 15/2003, en la medida en que no puede presumirse *iuris et de iure* que en todos los supuestos en que se conduce bajo los efectos de altas tasas de alcohol y con un exceso desproporcionado de velocidad se pone en concreto peligro la vida e integridad física de quienes intervienen en ese momento en el tráfico viario.

4. El que estadísticamente se haya demostrado que el alcohol unido al exceso de velocidad constituyen las principales causas de siniestralidad en el tráfico rodado, no significa necesariamente que la confluencia de ambos factores cree efectivamente un peligro concreto para los mencionados bienes jurídico-penales individuales. Sin lugar a dudas, la conducción en tales circunstancias eleva las posibilidades de que se genere una situación de peligro concreto para aquellas personas que se encuentran en su radio de acción, pero en modo alguno puede afirmarse, siempre y en todo caso, que se pondrá en concreto peligro la vida o integridad física de las personas que interactúan en dicho ámbito. Esta aseveración puede ilustrarse a través del siguiente ejemplo:

Z, que ha bebido elevadas cantidades de alcohol durante la celebración de una fiesta, circula a las 4:00 de la madrugada a 140 Km/hora por una vía cuya velocidad máxima es de 100 Km/hora. En un momento determinado pierde el control de su vehículo y se sale de la calzada, chocando finalmente contra un árbol. Durante el trayecto realizado desde la discoteca en que se celebraba la citada fiesta hasta el lugar del impacto, se ha acreditado que no se cruzó con vehículo o peatón alguno. La aplicación "automática" de la presunción comentada determinaría la calificación de la conducta como constitutiva de un delito de conducción temeraria, pese a que, en puridad, *ex post* no se ha probado la concurrencia del resultado típico exigido: la puesta en peligro concreto de la vida o integridad física de las personas.

5. La inclusión de esta presunción además de dificultar, en el plano teórico, la ya de por sí conflictiva delimitación entre los delitos de peligro abstracto y los delitos de peligro concreto, pudo acabar propiciando en la práctica (cosa que no ocurrió), una aplicación desmedida del delito de conducción temeraria por parte de nuestros Jueces y Tribunales, quienes ante las dificultades que, desde siempre, ha planteado la prueba de la concurrencia del peligro concreto para la vida o integridad física de la personas, podrían haber encontrado una "fácil", aunque errónea, vía para su aplicación. Ello explica por qué un destacado sector doctrinal abogó por su expresa derogación o bien por su interpretación con arreglo a lo descrito en el párrafo primero, donde la concurrencia de una efectiva puesta en peligro de la vida o integridad deviene un requisito cuya ausencia determina la irrelevancia jurídico-penal de la conducta, pero no así su sanción administrativa (art. 65.5 d. RDL 339/1990)[67]. Las numerosas críticas que despertó la introducción de esta presunción en la reforma operada en la LO 15/2003, quizás han hecho "reflexionar" a nuestro legislador, quien, a mi juicio, correctamente, ha eliminado la presunción sobre el peligro concreto en la reforma operada en la LO 15/2007.

---

[67] En este sentido, entre otros, ORTS BERENGUER/ALONSO RIMO, RGDP (4) 2005, op.cit., p. 7 ss.

VI. VALORACIÓN DE LOS ARTS. 379.1 Y 2 *IN FINE* Y 380 CP, TRAS LA REFORMA OPERADA EN LA LO 15/2007

1. Ya situados en la concreta valoración que me merece la última reforma en relación al delito de conducción temeraria, he de empezar diciendo que la eliminación de la presunción sobre el peligro concreto constituye la decisión más acertada que ha tomado nuestro legislador, por cuanto, como ya he señalado, es manifiestamente incorrecta desde un punto de vista dogmático, y político-criminalmente tampoco se ha traducido en una mayor aplicación del dicho ilícito penal, tal y como demuestra la poca incidencia que ha tenido en la jurisprudencia. Sin embargo, dicho esto, entiendo que el legislador ha perdido una nueva ocasión para mejorar la configuración del delito de conducción temeraria y en su lugar ha introducido algunos cambios que, sin duda, facilitarán su aplicación, pero quizás a costa de poner en serio "peligro concreto" los principios político-criminales que caracterizan al Derecho penal frente al resto de ramas que conforman nuestro ordenamiento.

2. En relación a las modificaciones operadas en la LO 15/2007, he de mostrar mi disconformidad con la inclusión del nuevo delito de conducción a velocidad excesiva. Puedo compartir la finalidad político-criminal que ha motivado su introducción, esto es, la reducción de las altas de siniestralidad en el tráfico vinculadas a los excesos de velocidad[68]. Pero no comparto el que se construya una infracción

---

[68] O más concretamente, con la introducción del apartado 1 del art. 379 CP lo que se pretende es castigar las conductas de aquellos conductores que, con potentes vehículos, alcanzan altísimas velocidades (por encima de los 200 km/h) en las distintas vías rápidas de nuestro territorio. Estas conductas, de acuerdo con lo previsto en el derogado art. 381, sólo podían determinar la imposición de una "mera" sanción administrativa (arts. 65.5. c y 67.1 RDL 339/1990), por cuanto su relevancia jurídico-penal exigía y sigue exigiendo (de acuerdo a la nueva redacción dada al art. 380) la puesta en peligro concreto del resto de personas que intervienen en el tráfico. Así lo puso de relieve la doctrina, entre otros, DE VICENTE MARTÍNEZ, DLL (6653) febrero 2007, p. 14; la jurisprudencia, entre otras, en la SAP BARCELONA (10ª) 894/2005, 13-10, FJ 1º, y la Fiscalía General del Estado en la Consulta 1/2006, sobre la calificación jurídico-penal de la conducción de vehículos de motor a velocidad extremadamente elevada, en la que se concluye que si bien la conducción a más de 200 Km/h puede ser calificada de manifies-

penal sobre la mera base de la superación de los índices de velocidad legalmente establecidos, no sólo porque con ello se dificulta sobremanera la necesaria diferenciación con el correspondiente ilícito administrativo (que de mantenerse se fundamenta sobre un criterio meramente cuantitativo), sino, especialmente, porque carece del mínimo contenido de lesividad imprescindible para justificar la imposición de una consecuencia jurídica limitadora de derechos fundamentales como es la pena de prisión[69].

3. No considero que sea el Derecho penal el instrumento más adecuado para prevenir el conjunto de comportamientos antirreglamentarios que tienen lugar en este sector de actividad. Evidentemente, el Derecho penal puede coadyuvar a sancionar los comportamientos más graves y que están en el origen de las numerosas muertes y lesiones graves derivadas de los mal llamados "accidentes" de tráfico. Ahora bien, lo que no puede pretenderse, tal y como con demasiada frecuencia de un tiempo a esta parte hace el legislador, es que se convierta en la solución mágica que todo lo puede, fundamentalmente porque en este ámbito en el que inciden varias ramas del ordenamiento, el Derecho penal sólo puede, o más correctamente, debe cumplir una función complementaria y/o subsidiaria. En efecto, antes de acudir al instrumento más contundente y limitador de derechos con el que cuenta el Estado, deben agotarse las políticas públicas en materia de seguridad vial e intensificarse la labor fisca-

---

tamente temeraria y determinar, en general, la concurrencia del resultado de peligro concreto exigido en el tipo, lo cierto es que no puede descartarse la posibilidad contraria, en los supuestos en que se pruebe la inexistencia de persona o conductor para los que dicha conducción pueda significar un peligro.

[69]   En parecidos términos se ha expresado la profesora DE VICENTE MARTÍNEZ, DLL (6653) febrero 2007, op.cit. p. 9, para quien la criminalización del denominado delito de conducción a velocidad excesiva comporta un mayor adelantamiento de la intervención punitiva, lo cual en última instancia se traduce en un *desgaste* de los principios de ofensividad e intervención mínima del Derecho penal y en una mayor dificultad de *deslinde* con el orden administrativo. Salvando las distancias, es como si en el marco del delito ecológico, la relevancia jurídico-penal del vertido o emisión en cuestión se condicionara, única y exclusivamente, a la superación de unos índices previamente establecidos en la normativa extra-penal, restando así toda importancia a la posible incidencia que dicho vertido o emisión tuviera en el equilibrio del ecosistema o en las personas que forman parte del mismo.

lizadora y sancionadora propia del Derecho Administrativo. Con ello se evitaría caer en la tentación de acallar las voces que reclaman "mano dura con el delincuente vial" utilizando el recurso del Derecho penal que, pudiendo ser "teóricamente" más barato[70] que los anteriores, comporta tan graves consecuencias para quien lo sufre.

4. Así entre las primeras podríamos destacar, entre otras, las siguientes: **a)** el mantenimiento de las campañas publicitarias destinadas a sensibilizar a la población sobre el alto coste humano y económico que comportan los "accidentes" de tráfico; **b)** la introducción en los planes de estudios de nuestras escuelas e institutos de una asignatura obligatoria de "educación vial" con el fin de que los ciudadanos desde la infancia interioricen la necesidad de respetar las normas de circulación y las perjudiciales consecuencias que conlleva su inobservancia; **c)** la mejora de los sistemas de obtención del carné de conducir elevando los conocimientos teóricos y prácticos necesarios y, por supuesto, el número de reconocimientos médicos realizados antes y después de su consecución para impedir o dificultar que personas con dolencias físicas y psíquicas puedan circular por nuestras carreteras (pensemos, por ejemplo, en personas con graves dolencias cardíacas, pérdidas severas de audición o visión, con trastornos de la personalidad o que padecen episodios epilépticos)[71]; **d)** eliminación o, cuanto menos, la reducción de los numerosos "puntos negros" existentes en la red viaria, lo cual pasa por la mejora de los sistemas de señalización, la erradicación de los pasos a nivel sin barreras y la realización de una adecuada planificación de los trazados por parte de técnicos especializados; y **e)** imposición sobre los fabricantes

---

[70] "Teóricamente" porque la puesta en marcha de una política criminal especialmente dura en materia de seguridad en el tráfico, excepto en el caso de que no se tenga la intención de aplicarla, en última instancia podría derivar en la imposición de penas privativas de libertad, cuya ejecución, dada la elevada población reclusa existente, requiere de importantes inversiones en infraestructuras carcelarias y en recursos humanos, cuyo coste a la larga podría ser no muy inferior al que conllevaría la existencia de una auténtica política social y administrativa en dicho ámbito.

[71] Dolencias todas ellas que, en ocasiones, con el deficiente sistema de reconocimientos médicos al que se somete actualmente a los futuros conductores y a quienes ya estando en posesión del carné solicitan su renovación, resultan insuficientes para detectarlas, permitiendo así que dichas personas se pongan al mando de un vehículo que no siempre estarán en condiciones de controlar adecuadamente.

de automóviles de la obligación de colocar dispositivos de limitación de la velocidad, técnicamente ya posibles, cuyo coste podría ser soportado en parte por el Estado mediante una adecuada política de exenciones y beneficios fiscales y en parte por el propio comprador en el precio final del producto. Dispositivos mediante los que se impediría, efectivamente, al conductor superar los índices de velocidad establecidos especialmente en las denominadas vías rápidas[72].

5. Entre las medidas a adoptar en el ámbito del Derecho administrativo sancionador, son especialmente eficaces las siguientes: **a)** la introducción en nuestro ordenamiento jurídico del denominado carné por puntos, sistema recientemente acogido en España, y que en otros países de nuestro entorno (Francia e Italia) se ha erigido en sistema especialmente eficaz para rebajar las cifras de siniestralidad vial; **b)** dicha medida debería completarse necesariamente con una agilización de los procedimientos administrativos regulados para normalizar su pérdida[73], así como su recuperación y por una ponderada persecución por los agentes de la Autoridad, evitando caer en interpretaciones nominalistas y/o formalistas de la ley donde se pueda acabar primando, únicamente, la faceta recaudatoria; **c)** el aumento de los recursos destinados a las dotaciones policiales de tráfico y la mejora de los sistemas de detección de la velocidad (los tan denostados radares); y **d)** la inclusión en el sistema de sanciones de una "medida cautelar", especialmente útil, como es la paralización inmediata y el bloqueo del vehículo implicado durante un espacio de tiempo. Medida que, como muy acertadamente ha señalado DE VICENTE MARTÍNEZ, es más grave que la inmovilización administrativa del automóvil pero menos que el comiso[74].

6. Una vez el legislador haya adoptado todas estas medidas y se demuestre que la velocidad sigue constituyendo uno de los principales factores de incidencia en la siniestralidad vial, es cuándo debe

---

[72]   Simultáneamente sería necesario instar a los conductores a colocar dichos dispositivos de limitación en los coches ya matriculados, cuya colocación podría incentivarse a través de reducciones en el impuesto de circulación o financiándola por medio de créditos públicos a bajo interés.

[73]   Así lo ha puesto de relieve acertadamente DE VICENTE MARTÍNEZ, DLL (6653) 2007, op.cit. p. 12.

[74]   Cfr. DE VICENTE MARTÍNEZ, DLL (6653) 2007, op.cit. p. 12, quien destaca el hecho de que únicamente se ha previsto su imposición en relación al denominado delito de conducción suicida (art. 384 ACP).

reflexionar sobre la necesidad de la introducción de un nuevo ilícito penal en que se castiguen los excesos de velocidad en la conducción, momento en que el legislador ha de ponderar adecuadamente los intereses en conflicto, respetar los principios político-criminales consustanciales al Derecho penal y, en definitiva, tomar conciencia de la necesidad de que este instrumento jurídico ha de ser utilizado poco y bien[75]. Reflexión que desde luego, en mi opinión, no ha realizado en toda su extensión el legislador en la última reforma operada[76].

7. Tampoco estoy de acuerdo con el mantenimiento en la LO 15/2007 de la presunción sobre la temeridad incorporada en la reforma operada en el 2003 y ello por tres motivos: **a)** en primer lugar, porque siendo cierto que el exceso de velocidad y la conducción habiendo ingerido elevadas cantidades de alcohol constituyen dos de los factores que más incidencia tienen en la "accidentalidad vial", no es menos cierto que también la tienen la conducción prolongada sin respetar las horas de sueño, la conducción habiendo ingerido medicamentos susceptibles de provocar somnolencia o la conducción hablando simultáneamente por el móvil, y no por ello se han previsto expresamente en el tipo en cuestión; **b)** en segundo lugar, porque al establecer unos determinados límites kilométricos o de alcohol se corre el riesgo de que en la práctica nuestros Jueces y Tribunales no aprecien la concurrencia del delito aquí examinado cuando sean inferiores pese a que la conducción pueda ser calificada de temeraria[77];

---

[75] Tal y como, recientemente, ha reclamado Lascuraín Sánchez, "Los delitos contra los derechos de los trabajadores: lo que sobra y lo que falta", ADPCP LVII 2004, p. 21, en el marco de los delitos contra los derechos de los trabajadores.

[76] Opinión compartida por la profesora de Vicente Martínez, "La reforma...", p. 342, para quien una adecuada interpretación de los tipos vigentes antes de la reforma operada habría sido suficiente para combatir eficazmente el problema de la siniestralidad vial y garantizar simultáneamente la observancia del principio de intervención mínima y la necesaria diferenciación con el Derecho administrativo sancionador.

[77] Ya tenemos el primer ejemplo, el Auto dictado por el Juzgado de Instrucción nº 4 de Barcelona en fecha 13 de enero de 2008, en que el Magistrado califica como no manifiestamente temeraria la conducción de quien, a gran velocidad, colisiona con dos vehículos y circula por la acera obligando a tres peatones a saltar hacia la calzada para evitar su atropello, argumentando lo siguiente: "*Tampoco concurre el supuesto típico del artículo 380 del Código Penal, toda vez que para cumplir o ejecutar los elementos típicos de dicho artículos, se requiere «temeridad manifiesta», concepto éste, que la reforma*

y **c)** en tercer lugar, fundamentalmente, porque siendo cierto que la conducción habiendo ingerido importantes cantidades de alcohol y superando ampliamente los límites de velocidad legalmente establecidos ha de ser calificada como manifiestamente temeraria, también lo es, a mi juicio, el hecho de que la introducción de cualquier presunción (sea *iuris tantum* o *iuris et de iure*) en Derecho penal, podría resultar contraria al principio de presunción de inocencia al traer consigo, de facto, una inversión de la carga de la prueba en contra de reo[78].

---

del Código Penal dada por la Ley Orgánica 15/2007... normativiza, estableciendo que «se reputará manifiestamente temeraria la conducción en la que concurrieren las circunstancias previstas en el apartado primero y en el inciso segundo del apartado segundo del artículo anterior» (no además, o en todo caso), es decir, aquella conducción a una velocidad superior a 60 Km/hora a la permitida por vía urbana y además, con una tasa de alcohol en aire expirado superior a 0,60 miligramos por litro, circunstancias éstas, que como se ha examinado... no han concurrido en el conductor citado, considerando por lo tanto la conducta descrita como atípica por falta de alguno de sus elementos...". Es de esperar que la Audiencia Provincial de Barcelona revoque el citado Auto. El hecho de que el legislador haya decidido calificar, en todo caso, como manifiestamente temerarias las conductas en que cumulativamente concurren las circunstancias previstas en los arts. 379.1 y 379.2 (art. 380.1), no impide, calificar como *"manifiestamente temerarias"* conductas como las descritas en este supuesto, de acuerdo con lo establecido en el art. 380.1. No estamos, tal y como se entiende en el Auto, ante una interpretación auténtica del concepto *"temeridad manifiesta"*, sino, más bien, ante una especificación del mismo —atendida la importancia estadística que los excesos de velocidad y la ingesta de alcohol tienen en la siniestralidad vial— que no excluye la posibilidad de calificar como temerarias las conducciones en que no se superan dichos límites, tal y como, por otra parte, ha venido haciendo nuestra jurisprudencia en casos similares.

[78]   En parecidos términos se ha expresado recientemente CORCOY BIDASOLO, "Límites objetivos y subjetivos a la intervención penal en el control de riesgos", en *Política criminal y reforma penal*, (Mir Puig/Corcoy Bidasolo dirs.), Madrid 2007, p. 53 nota 27, quien califica en general de ilegítimas las presunciones *iuris et de iure* de que una determinada infracción administrativa *per se* constituya delito, poniendo, precisamente, como ejemplo, la presunción legal sobre la *"temeridad manifiesta"* introducida en la LO 15/2003 y el Proyecto de Reforma del Código Penal en el que se han concretado los límites de velocidad y de alcohol que se *presumirán* delictivos. Así lo ha puesto de relieve DE VICENTE MARTÍNEZ, DLL (6653) 2007, op.cit. pp. 9 ss, en concreto respecto a la objetivización de la tasa de alcoholemia prevista en el Proyecto de Reforma del Código Penal.

8. Es por todo ello que en su lugar, abogo por conservar la descripción típica contenida antes de la aprobación de la LO 15/2003 eso sí, elevando la pena de prisión de 6 meses a 3 años y por la inclusión de dos nuevos apartados en que se castiguen, respectivamente, la conducción temeraria sin peligro concreto para la vida y/o salud de las personas (imponiendo la pena en su mitad inferior) y un tipo cualificado para los casos de temeridad extraordinaria con peligro concreto para la vida y/o salud de las personas (imponiendo la pena en su mitad superior), cuya aplicación podría comportar la efectiva ejecución de la pena privativa impuesta, evitando así la más que discutible práctica jurisprudencial que, de forma casi automática, se decanta por la concesión de la suspensión condicional de la misma. Evidentemente, todo ello debería complementarse con la supresión, respectivamente, del correspondiente ilícito administrativo y del actual delito de conducción suicida previsto en el art. 381 CP, cuyos hechos podrían calificarse como constitutivos de un delito de homicidio o lesiones dolosos consumados o intentados, castigándose los supuestos límites, esto es, aquellos en los que la existencia de dolo respecto de los resultados lesivos resulta dudosa, acudiendo a los dos apartados cuya introducción he propuesto en el marco del delito de conducción temeraria.

EL NUEVO DELITO DE CONDUCCIÓN BAJO LOS EFECTOS DEL ALCOHOL Y LAS DROGAS (art. 379.2 CP)

JOSÉ-IGNACIO GALLEGO SOLER
Profesor Titular de Derecho Penal
Universitat de Barcelona

Sumario: I. Planteamiento general. II. Análisis del anterior art. 379 CP. A) Conducción de un vehículo de motor o ciclomotor. B) Conducción "bajo la influencia" de drogas tóxicas (estupefacientes, psicotrópicos) o bebidas alcohólicas. III. El actual art. 379.2: objeciones al nuevo modelo.

I. PLANTEAMIENTO GENERAL

El pasado 1 de diciembre de 2007, finalmente se publicaba en el BOE la LO 15/2007, de 30 de noviembre, por la que se modifica el Código Penal en materia de seguridad vial. El art. 379 del Código Penal, en la versión ofrecida por LO 15/2003, castigaba con la pena de arresto de ocho a doce fines de semana o multa de tres a ocho meses, así como la privación del derecho a conducir vehículos a motor y ciclomotores por tiempo de hasta cuatro años, la conducta consistente en conducir un vehículo a motor o un ciclomotor bajo la influencia de drogas tóxicas, estupefacientes, sustancias psicotrópicas o de bebidas alcohólicas.

En la redacción actual, en vigor desde el día 2 de diciembre de 2007, el contenido del que fuera art. 379 ha pasado a ubicarse en el art. 379.2 CP, castigando ahora a "el que condujere un vehículo de motor o ciclomotor bajo la influencia de drogas tóxicas, estupefacientes, sustancias psicotrópicas o de bebidas alcohólicas. En todo caso será condenado con dichas penas el que condujere con una tasa de alcohol en aire espirado superior a 0,60 miligramos por litro o con una tasa de alcohol en sangre superior a 1,2 gramos por litro".

Las penas que se impondrán en estos supuestos son la pena de prisión de tres a seis meses o, alternativamente, la pena de multa de seis a doce meses y trabajos en beneficio de la comunidad de treinta y uno a noventa días, y en todo caso con la privación del derecho a conducir vehículos a motor y ciclomotores por tiempo superior a uno y hasta cuatro años[1].

Tal y como consta en el propio Preámbulo de la LO 15/2007, el contenido básico de la reforma penal persigue "de una parte, incrementar el control sobre el riesgo tolerable por la vía de la expresa previsión de excesos de velocidad que se han de tener por peligrosos o de niveles de ingesta alcohólica que hayan de merecer la misma consideración. A partir de esta estimación de fuente de peligro se regulan diferentes grados de conducta injusta, trazando un arco que va desde el peligro abstracto hasta el perceptible desprecio por la vida los demás, como ya venía haciendo el Código". De este modo, *expressis verbis,* el Legislador ha optado por un modelo que ha venido a denominar de "control del riesgo tolerable" a partir de la consideración de que, en todo caso, tanto la superación de una determinada velocidad como la superación de un determinado grado de alcohol, de suyo, implican un peligro inaceptable para la seguridad en el tráfico. Es por tanto un modelo que acoge el criticable sistema de los denominados delitos de "peligro presunto"[2].

El presente trabajo tiene por objeto, en primer lugar, exponer los principales hitos doctrinales y jurisprudenciales en lo que respecta al ámbito de aplicación *tradicional* de este delito, es decir, el anterior a la actual reforma. Con posterioridad se analizará críticamente el contenido y alcance de la reforma legal, tratando de ofrecer criterios interpretativos del delito, acordes con un modelo penal que preste atención a la protección material de bienes jurídico-penales.

II. ANÁLISIS DEL ANTERIOR ART. 379 CP

Dejando ahora al margen las cuestiones generales de cuál sea el alcance que deba tener la seguridad en el tráfico como bien jurídico-penal en el contexto de nuestra sociedad, en el concreto ámbito de la

---

[1]   En el *iter* parlamentario esta figura no ha sufrido ninguna modificación desde que fuese Proyecto de Ley Orgánica 121/000119 (publicado en el Boletín Oficial de las Cortes Generales, Congreso de los Diputados, 15 enero 2007, núm. 119-1), hasta la actual versión definitiva.

[2]   Más rotundo es Queralt Jiménez, Derecho penal español, Parte Especial, 5.ª ed., Barcelona 2007, p. 919, al hablar de "ilegítimos delitos formales".

presente figura delictiva *la discusión sobre el bien jurídico* tradicionalmente ha transitado entre las mayoritarias tesis que consideran que nos encontramos ante un delito que protege de forma mediata la vida o salud de las personas vinculadas con el tráfico viario (bien jurídico individual en última instancia), y las que estiman que se trata de proteger la seguridad del tráfico como bien jurídico supraindividual con entidad suficiente para colmar el contenido de injusto de un delito de peligro[3]. Obviamente detrás de estas tesis late la tan discutida problemática de cómo configurar los bienes jurídico-penales supraindividuales, de su contenido, alcance y límites.

Ahora bien, lo curioso es comprobar cómo la práctica totalidad de la doctrina coincidía en señalar que estamos ante un delito que presenta la estructura de los delitos de *peligro abstracto* que, como es sabido, se caracterizan precisamente por la lesividad para con bienes jurídico-penales de corte supraindividual. Conforme a tal comprensión como delito abstracto, la consumación delictiva no precisaba de resultado lesivo adicional a la mera constatación de la concurrencia de la conducta típica peligrosa, en los términos que se dirá más adelante.

Lo cierto es que, discusiones científicas al margen, la STC 2/2003 declaró que este delito se concebía como una suerte de *mixtura entre un delito contra bienes jurídicos-penales individuales y supraindividuales* cuando afirma que, junto a la seguridad del tráfico como valor intermedio referencial, en este delito también se protege el riesgo para los bienes jurídicos *vida e integridad física*, inherente a la conducción realizada por una persona con sus facultades psicofísicas disminuidas, debido a la efectiva influencia del alcohol ingerido.

A partir de esta configuración, se hace difícil configurar esta figura materialmente como delito de peligro abstracto, ya que la idea del riesgo para bienes jurídico individuales es estructuralmente propia de los delitos de peligro concreto. Por otra parte, si en este delito

---

[3] Sobre el bien jurídico, sin ánimo de exhaustividad vid. Morillas Cueva, "Conducción bajo la influencia de bebidas alcohólicas, drogas tóxicas, estupefacientes o sustancias psicotrópicas y conducción temeraria (art. 340 bis a)", Cobo/Bajo, Comentarios a la Legislación Penal, tomo XIV, vol. 1, 1992, p. 105 ss.; Orts Berenguer en Vives Antón y otros, Derecho Penal Parte Especial, p. 818; de Vicente Martínez, Derecho penal de la circulación, p. 183 ss.

se protegen tanto bienes individuales como supraindividuales, no parece lógico que baste para comprender totalmente su contenido de injusto una penalidad relativamente baja si se toma en consideración cualquier tentativa de un delito contra la vida y contra la integridad física. Una posible explicación de ello sería entender que el Tribunal Constitucional trata indistintamente, del mismo modo, cuestiones diferenciadas, a saber, el alcance del bien jurídico-penal con el de los motivos que subyacen a la decisión (política) de incriminación. Ciertamente se puede sostener sin problema alguno que el Legislador penal cuando incrimina delitos contra la seguridad en el tráfico, con ello pretende proteger en última instancia situaciones de peligro para la vida y la integridad física. Pero cuestión distinta es que precisamente ese sea el contenido del bien jurídico-penal.

En estos casos se pone de manifiesto con toda nitidez lo expuesto por CORCOY BIDASOLO cuando afirma que el pretendido "bien jurídico intermedio" realmente es un elemento típico del delito —comúnmente el objeto material— pero no un bien jurídico-penal en sentido estricto[4]. Más coherente dogmática y político-criminalmente es entender que se protege la situación de grave desamparo de la seguridad en el tráfico viario, por colocarse el sujeto activo en condiciones que no le permitían la conducción de vehículos de motor sin riesgo, por determinarse una disminución peligrosa para su autodominio físico o psíquico.

Entre los *principales problemas dogmáticos y prácticos suscitados en la aplicación del tradicional art. 379 CP*, se pueden destacar los siguientes:

A) *Conducción de un vehículo de motor o ciclomotor*

No reviste este elemento típico diferentes problemas que los suscitados a propósito del resto de delitos contra la seguridad en el tráfico, construidos a partir del elemento de "conducción". Es por ello que el delito sólo surgirá cuando el sujeto activo se sirva de las prestaciones del motor del vehículo[5], habiendo destacado la doctrina

---

[4]   Corcoy Bidasolo, *Delitos de peligro y protección de bienes jurídico-penales supraindividuales;* Valencia, 1999, p. 260 ss.
[5]   Silva Sánchez, "Consideraciones sobre el delito del art. 340 bis a) 1.ª del Código Penal (conducción bajo la influencia de bebidas alcohólicas, drogas

mayoritaria[6], que ello requiere el desplazamiento espacial del vehículo que se produce cuando se da el manejo de los mecanismos de dirección[7].

En algún caso concreto, por bien que no limitado al ámbito del presente delito, se ha afirmado que la legislación de tráfico no rige en los garajes privados sustraídos al uso público[8], pero sí en cambio en el caso de los aparcamientos restringidos de centros públicos, y de las maniobras de aparcamiento y/o salida del aparcamiento[9]. Y ello es así porque el art. 2 del RDLeg 339/1990, de 2 marzo, por el que se aprueba el Texto Articulado de la Ley sobre Tráfico, Circulación de Vehículos a Motor y Seguridad Vial, establece que el ámbito de aplicación de dicho texto normativo alcanza a las "vías y terrenos públicos aptos para la circulación, tanto urbanos como interurbanos, a los de las vías y terrenos que, sin tener tal aptitud sean de uso común".

B) Conducción "bajo la influencia" de drogas tóxicas (estupefacientes, psicotrópicos) o bebidas alcohólicas

La configuración típica no sigue un modelo de accesoriedad administrativa estricta porque una vez superados planteamientos for-

---

tóxicas, estupefacientes o sustancias psicotrópicas)", en Derecho de la Circulación, Cursos Centro Estudios Judiciales, 11, 1993, p. 151

6 Vid. por ejemplo Muñoz Conde, Derecho Penal Parte Especial, 14.ª ed., p. 678 s.; Orts Berenguer, en Vives Antón y otros, p. 819; de Vicente Martínez, Derecho penal de la circulación, p. 52 s.

7 De hecho dicha exégesis es aplicación directa de lo contemplado en el apartado primero del anexo del RDLeg 339/1990, de 2 marzo, por el que se aprueba el Texto Articulado de la Ley sobre Tráfico, Circulación de Vehículos a Motor y Seguridad Vial, que define el conductor como toda persona "que maneja el mecanismo de dirección o va al mando de un vehículo, a cuyo cargo está un animal o animales. En vehículos que circulen en función de aprendizaje de la conducción, es conductor la persona que está a cargo de los mandos adicionales".

8 SAP Madrid, sec. 15.ª, n.º 475/2005, 27-10: caso de colisión dentro de un garaje contra otro vehículo y contra una pared. En similar sentido SAP La Coruña 9-10-2000.

9 SAP Burgos 11-10-202 en relación con aparcamiento restringido a usuarios de Centro Hospitalario.

males de este delito —que tienen como principales hitos la Circular 2/1986 Fiscalía General del Estado y alguna jurisprudencia del Tribunal Supremo[10]—, hay que aceptar que el delito podía existir sin que se superen los índices administrativos de alcoholemia, a pesar de las indicaciones de Fiscalía y de los protocolos de actuación policial de sólo tramitar expedientes o denuncias cuando se superan las tasas máximas admitidas administrativamente. Del mismo modo, la existencia del delito no requería la superación de los índices administrativos de alcoholemia como un elemento esencial del tipo siempre que, por muy pequeña que fuese la ingesta, se evidenciara una real y efectiva influencia en la conducción de esas sustancias[11].

Hay que destacar que el *concepto de drogas* para este delito no se corresponde en su totalidad con el del art. 368 CP. Entre los delitos contra la salud pública se acoge indiscutiblemente un "concepto internacional" que hace que, para reputar a una sustancia como objeto material de estos delitos, deba tratarse de una sustancia incluida entre las listas anexas a los Convenios internacionales en esta materia suscritos por España. Por el contrario, lo realmente determinante a efectos de los delitos contra la seguridad en el tráfico es que se trate de una sustancia que, al margen de su calificación jurídica, su ingesta por el conductor provoque cualquier efecto que afecte al control psicofísico del vehículo de motor o ciclomotor[12]. Por ello, además de las sustancias que son "droga" en el marco del art. 368 CP, en el art. 379 CP se incluyen bastantes más sustancias que poseen dicho potencial de afectación[13].

---

[10]   Cfr. por ejemplo la que se encuentra en Rodríguez Fernández, La conducción bajo la influencia de bebidas alcohólicas, drogas tóxicas, estupefacientes y sustancias psicotrópicas, Granada 2003, p. 54 ss.

[11]   Olmedo Cardenete, "Aspectos prácticos de los delitos contra la seguridad del tráfico tipificados en los arts. 379 y 380 del Código Penal", RECPC 04-02 (2002), p. 4.

[12]   Vid. Rodríguez Fernández, op. cit., p. 53.

[13]   Podría ser el caso de la Ketamina, por ejemplo, no considerada estupefaciente por la Jurisprudencia penal a efectos del art. 368. Vid. STS 1989/02, 29-11; SSAP Navarra 2ª 93/05, 14-4; Barcelona 2ª 2-3-05. Podría ser, ejemplificativamente, el caso del consumo de alguna de las plantas contenidas en la Orden del Ministerio de Sanidad y Consumo O SCO/190/2004, de 28 de enero, por la que se establece la lista de plantas cuya venta al público queda prohibida o restringida por razón de su toxicidad. No todas estas

El núcleo esencial de la antijuricidad penal lo configuraba el hecho de conducir *bajo la real y efectiva influencia* del alcohol o estupefacientes, o como declaró la STC 2/2003, que se acredite que la ingesta de alcohol (o de drogas) ha afectado a la capacidad psicofísica del conductor y, consecuencia de ello, a la seguridad en el tráfico. Sólo de este modo se efectuaba una comprensión de esta figura delictiva que no fuese formal, destacando esta última Sentencia citada que "para imponer la pena no basta con comprobar a través de la pertinente prueba de alcoholemia que el conductor ha ingerido alcohol o alguna otra de las sustancias mencionadas". Ello obligaba, procesalmente, a que se acreditase por parte de la acusación la real influencia de la ingesta en la conducción. Y ello porque, como ya dijeran las SSTC 145/1985, 148/1985 y 222/1991, la prueba de la real influencia en la conducción deberá valorarse por el juzgador ponderando todos los medios de prueba válidos en nuestro sistema procesal.

Nos queda por ver, ahora, los elementos de prueba aceptados generalmente por nuestra Jurisprudencia para considerar probada la real y efectiva influencia de la ingesta en la conducción:

1. Para una nutrida jurisprudencia, la real y efectiva incidencia se puede dar por probada cuando se superan ciertos niveles de concentración de alcohol en aire o sangre: desde la STS 9 diciembre 1994 (resolución que se cita en un sinfín de Sentencias de Audiencias[14]) se sostiene que *a partir del 1,5 la influencia del alcohol en la conducción es probable,* debiendo estimarse acreditada la misma *como cierta con más de 2 gramos de alcohol por litro cúbico* de sangre, *salvo que el acusado acredite que dicha tasa de alcohol a él en particular no le afecta en modo alguno.* Siguiendo estas premisas, para un considerable sector jurisprudencial de la denominada "jurisprudencia de Audiencias", a partir de los *0,75 mg. en aire, y respectivamente de los 1,5 gr. en sangre* podemos estar ante delito, operando dicha cifra como un elemento indiciario de la real influencia de la ingesta que puede operar como *único* elemento para obtener Sentencia condenatoria[15]. A menor tasa, donde la influencia del alcohol

---

plantas se reputan jurídicamente como droga, como podría ser el caso de la Ayahuasca (*Banisteriopsis caapi*).

14   De modo no exhaustivo vid. SSAP Barcelona 11-2-05, 4-2-05; Ávila 30-1-04,

15   STS 1133/2001, 11-6, con cita expresa de la STS 9-12-94 destaca que "a partir de determinada impregnación alcohólica en la sangre queda superado el

se estima probable pero no cierta, deberá acreditarse la influencia con otras pruebas entre las que ocupa especial relevancia la prueba de indicios. La Jurisprudencia del Tribunal Supremo expuesta no es doctrina pacífica en la propia Sala Segunda, puesto que también se pueden encontrar resoluciones que estiman que se considera probada la influencia del alcohol, sin necesidad de comprobaciones adicionales a partir de 1,20 g/l de alcohol en sangre, esto es, 0,60 mg/l en aire espirado (STS 11 junio 2001)[16].

Esta Jurisprudencia se funda, en gran medida, en la Resolución B (73) 26, del 18 abril 1973 del Consejo de Europa, que adoptó unas normas uniformes para la "represión de las infracciones cometidas con ocasión de conducir un vehículo de motor bajo la influencia del alcohol". En dichas normas se *recomendaba* a los entonces Estados miembros a que se impusieran sanciones penales al que condujera un vehículo de motor por la vía pública bajo la influencia del alcohol, siempre que se demostrara su inaptitud para conducir, o si su tasa de alcoholemia fuese al menos de 80 mg. por 100 ml.[17].

Ahora bien, a pesar de la doctrina expuesta del Tribunal Supremo, lo cierto es que en la práctica forense se pueden encontrar resoluciones referidas a cantidades similares, todas ellas comprendidas en el rango de los 0,70 mg y 0,90 mg de alcohol en aire espirado, con

---

límite penalmente permisible en cuanto cualquier persona vería disminuida su capacidad de percepción, reflejos y en definitiva sus facultades para la conducción, y así se han pronunciado cuando se superan 1,20 gramos de alcohol por 1.000 c.c. de sangre. Distintas son las cifras cuando se trata de aparatos que miden la concentración de alcohol en el aire espirado —etilómetros— considerándose suficiente la mitad de la mencionada, es decir cuando se superan 0,60 miligramos por litro". Cfr. también la SAP Madrid 7-11-00, dejando claro que entre 1 y 2 gramos por 1000 (que se correspondería con 0,5 y 1 mg de alcohol en sangre) no hay seguridad de cuál sea el estado del sujeto.

[16]   Lo cierto es que en esta Sentecia se condena a quien arroja un primer resultado de 0,57 y un segundo de 0,61 pero tiene un accidente que hizo perder la vida a un motorista y causó heridas graves a otra persona, por lo que realmente no se aplicó únicamente el criterio del dato objetivo de la cuantía.

[17]   Cfr. sobre esta situación Rodríguez Devesa, Derecho Penal Español (10.ª ed., revisada por Serrano Gómez), Madrid, 1987, p. 1048.

resultado de diverso signo: en unos casos condenatorio y en otros absolutorio[18].

2. Haber tenido un accidente, o la realización de determinadas maniobras que a su vez supongan una infracción de tráfico: conducción no rectilínea, hacer caso omiso a la señalización de la vía, invasión de carriles contrarios, realización de maniobras antirreglamentarias, conducción a velocidad anormalmente aminorada, conducción a velocidad excesiva, colisión con objetos fijos (parterres, glorietas, señales), no atender a las indicaciones de agentes actuantes...[19]. Pero es cuestionable que el mero hecho de tener un accidente deba ser, en todo caso, un indicio acreditativo de la influencia, puesto que el siniestro puede obedecer a otras causas que no justifican la real y efectiva influencia de la conducción (estado de la vía o mera imprudencia en la que podía haber incurrido cualquier otro conductor que no hubiera bebido o tomado drogas). Estimo que los elementos que deberían tomarse como acreditativos de la efectiva influencia sólo pueden ser los que puedan considerarse, conforme a la doctrina de nuestro Tribunal Constitucional como un "indicio delictivo" en sentido estricto, esto es, aquellos que tengan un particular valor acreditativo de la inferencia: sólo cuando entre el hecho-base (existencia de accidente) y la inferencia (porque condujo bajo la efectiva influencia del alcohol) exista una relación de razonabilidad que responda a las reglas de la lógica y de la experiencia. E incluso se podría exigir que no exista algún otro contraindicio que permita llegar a otra inducción o inferencia igualmente válida y razonable, plenamente acorde con las reglas de la experiencia (a pesar de que bebió, tuvo un accidente porque otro conductor llevó a cabo una maniobra anómala o indebida, por ejemplo).

3. Datos acreditados por los agentes policiales actuantes en el atestado, en el acta de sintomatología, limitándose las más de las veces a la cumplimentación de una plantilla en la que se hace constar que el conductor tenía midriasis, que tenía olor a alcohol, congestión facial, habla pastosa, y fórmulas similares. En mi opinión es discutible que el atestado policial ratificado genéricamente en el

---

[18]   Cfr. los datos contenidos en de Vicente Martínez, Derecho penal de la circulación, Barcelona, 2006, p. 229 s.

[19]   Cfr. STS 5-03-03; 1755/02, 22-10; 1140/99, 6-7 SAP Barcelona 10ª 358/2005, 20-4.

plenario por los agentes actuantes, y particularmente la diligencia de sintomatología, pueda tener alguna virtualidad probatoria para acreditar la efectiva y real influencia de la ingesta en la conducción. La mayoría de elementos de la sintomatología no afecta al hecho de la conducción (se puede tener midriasis con pleno control psicofísico, se puede tener sudoración o comportamiento nervioso en idénticas condiciones, ...) sino al de la ingesta de alcohol. Muy particularmente, cualquier persona que haya tomado una pequeña cantidad de alcohol va a presentar halitosis enólica, y en cambio hay evidencias empíricas de que la ingesta moderada de alcohol no tiene una influencia directa en la conducción[20].

Las comprobaciones de los agentes policiales que se contienen en todos los atestados a modo de plantilla, en el fondo, no vienen a significar más que un elemento probatorio que puede tener virtualidad práctica en los casos en que por diversas consideraciones no sea posible otorgar valor a las pruebas de detección de alcohol en aire espirado, puesto que por sí mismas esas comprobaciones sólo indican que se ha bebido y, todo lo más, la existencia de una mínima afectación física apreciada por un testigo y no por un perito. A estos efectos sería mucho más efectivo, en aras a la efectiva protección de la seguridad en el tráfico, que en el informe pericial de alcoholemia se indicase pormenorizadamente el modo en que se circulaba antes de la detención y práctica de las pruebas. La testifical de los agentes policiales sólo debería tener algún valor probatorio cuando se haya comprobado la conducción o cuando, a pesar de que no se haya podido percibir directamente la misma, el comportamiento del conductor demuestre sin margen alguno de duda su imposibilidad de control psicofísico del vehículo[21]. Pero estos datos se deberían hacer constar en el atestado como observaciones, porque realmente son mucho

---

[20]   Vid. Barquín Sanz / Luna del Castillo, "Ingesta moderada de alcohol y prueba del etilómetro (Evolución de la concentración de etanol en aire espirado tras consumo moderado de alcohol siguiendo el rito social; factores asociados con esta evolución y con la percepción de mareo y de incapacidad de conducción tras dicho consumo)", RECP 07-15 (2005), consultable en línea en http://criminet.ugr.es/recpc.

[21]   Podría ser el caso en que el conductor se queda dormido en el propio vehículo mientras se persona una dotación policial, por haber sido reclamada por otros ciudadanos al contemplar un accidente o una maniobra anómala.

más reveladores a efectos de tipicidad que los meros elementos que demuestran objetivamente que se ha bebido.

En muchos atestados se confunden los conceptos de ingesta de alcohol y embriaguez. Y ello porque la sintomatología utilizada sólo es significativa de la ingesta pero no de la embriaguez. Así, el manual diagnóstico y estadístico de trastornos mentales de la Sociedad Norteamericana de Psiquiatría (DSM-IV) señala como criterios de diagnóstico de intoxicación por el alcohol los siguientes: lenguaje farfullante (1), incoordinación (2), marcha inestable (3), nistagmo —movimiento involuntario del ojo— (4), deterioro de la atención o de la memoria (5) y estupor o estado de coma (6), pero sin tomar como criterios de diagnóstico el olor a alcohol o los ojos enrojecidos, brillantes o lacrimosos. No obstante, ni el DSM-IV, ni el manual de descripciones clínicas y pautas para el diagnóstico de trastornos mentales y del comportamiento (CIE 10) de la Organización Mundial de la Salud indican el grado en embriaguez e influencia en el comportamiento que pueden significar la apreciación de dichos criterios de diagnóstico.

Lo anterior supone que, lo verdaderamente determinante a efectos de comprobar la acreditación de la existencia del delito no pueden ser tanto los signos somáticos externos que acreditan que se ha bebido (halitosis alcohólica; ojos brillantes o lacrimosos, midriasis; habla pastosa o titubeante o repetitiva...), como las concretas características de la conducción[22]. Puede cuestionarse que sean particularmente reveladoras de la existencia de la influencia del alcohol situaciones que podrían darse en cualquier conducción en la que no intervenga la ingesta previa de alcohol, como: circulación no rectilínea (siempre que sea una situación aislada y puntual, fruto, por ejemplo de un despiste, no en cambio cuando obedece a una imposibilidad de mantener la dirección del vehículo estable); velocidad inadecuada en atención a las características de la vía; invasión del carril contrario (también cuando sea una situación aislada y puntual); elusión de señales de tráfico (tanto verticales como horizontales); conducción sin iluminación adecuada...

---

[22] STS 1/2002, 22-3 destaca la necesidad de conocer las incidencias determinantes de la salida fuera de la calzada del vehículo para la aplicación del delito.

Por el contrario sí que pueden tener un reforzado papel probatorio conducciones en las que existan colisiones cuya dinámica no sea explicable (principalmente con obstáculos fijos como señales de tráfico, semáforos, parterres...), circulación en sentido contrario, realización de maniobras bruscas sin previa indicación al resto de conductores, hacer caso omiso a las señales luminosas o acústicas de los agentes para la detención del vehículo.

Particular atención se había mostrado por nuestra doctrina a los casos de controles rutinarios, de muestreo, preventivos o previos a la conducción en la vía pública. Se afirmaba que si el control es previo al acto de la conducción no hay posibilidad de comisión delictiva, mientras que en el resto de casos, es decir, cuando se efectuaba un control rutinario aleatorio, pero sin que los agentes hubiesen advertido ninguna irregularidad en la conducción que motive el sometimiento a la práctica de las pruebas de alcalimetría, se discutía la posibilidad de comisión del delito ante la ausencia de la "influencia" en la conducción de la ingesta[23].

III. EL ACTUAL ART. 379.2: OBJECIONES AL NUEVO MODELO

La actual reforma legal parte de una activa labor llevada a cabo por la Dirección General de Tráfico a partir de una determinada visión de la prevención. En la comparecencia del Director General de Tráfico, Sr. Navarro Olivella, del 22 febrero 2006 ante la Comisión no permanente sobre seguridad vial y prevención de accidentes de tráfico pueden leerse las siguientes afirmaciones que motivarían esta reforma legal: *"Nos da la impresión de que la sociedad está madura y de que hay una demanda social"* (...) *"pedimos que el sistema penal tenga también una función preventiva, no que intervenga sólo después de, una vez que ha ocurrido el accidente con las lesiones para intentar repararlo. No. Debe tener también un enfoque más preventivo. En la demanda social hay la impresión de mucho daño y poco castigo, hay la imagen de una cierta impunidad"*[24].

---

[23] SAP Barcelona 7-10-04.
[24] Publicada en el Diario de Sesiones del Congreso de los Diputados n.º 489, p. 3.

Como se puede apreciar claramente de la lectura de esta comparecencia, la finalidad de la reforma en lo que a este delito respecta, aparentemente es muy sencilla: el conductor tiene que saber con total claridad desde qué momento su comportamiento es constitutivo de delito pues sólo de este modo el Código Penal tendrá efecto preventivo. Para ello se recurre a una cifra, de tal modo que todo conductor podrá saber cuándo habrá delito. En esta tesitura se coloca al sistema judicial como obstáculo para la prevención de delitos[25].

Pero la principal novedad *de lege lata* de esta reforma tiene que ver con la introducción de una presunción legal: en todo caso existe el delito si se conduce con una determinada tasa de alcohol (en sangre o aire espirado), en todo caso el delito existirá si se conduce con una tasa superior a 1,20 gramos de alcohol en sangre o de 0,60 miligramos de alcohol en aire espirado.

Como es sabido, en el RD 1428/2003, por el que se aprueba el Reglamento General de Circulación, en su art. 20 se recogen las tasas de alcohol en sangre y en aire a partir de las que se considera que existe conducta sancionable administrativamente.

	Tasa alcohol en sangre (gramos por litro)	Tasa alcohol en aire espirado (miligramos por litro)
Situación general	0,5	0,25
Conducción de determinados vehículos[26]	0,3	0,15
Conductores noveles	0,3	0,15

Como hemos visto, el nuevo artículo 379 alude a las tasas de 0,6 miligramos por litro en aire y 1,2 gramos por litro en aire para la existencia del delito, sin diferenciar entre las clases diferenciadas de conductor que, como hemos visto, tienen un régimen administrativo diferenciado. De este modo, de las dos alternativas de técnica legislativa que en su momento planteó la Dirección General de Trá-

---

25 Ibidem p. 4: "Tenemos la impresión de que el sistema judicial se ha encerrado demasiado en sí mismo con tecnicismos procesales y argumentos abstractos, y que puede no estar sirviendo a los objetivos pretendidos".

26 Vehículos destinados al transporte de mercancías con masa máxima autorizada > 3.500 kg., vehículos destinados a transporte viajeros de más de nueve plazas, o de servicio público, al transporte escolar y de menores, al de mercancías peligrosas o de servicio de urgencia o transportes especiales.

fico (establecer una tasa única para todos los conductores, o acuñar una fórmula genérica que castigase a todo conductor que superara el doble de la tasa que le fuese administrativamente permitida[27]), finalmente se acoge un modelo único para todos los conductores.

La presente situación legal permite sostener que ahora nos encontraremos con dos formas de aplicar el delito contenido en el art. 379.2 CP: a) cuando se superen las tasas de alcohol de 0,6 y 1,2 respectivamente, en todo caso existirá delito, sin que se deba acreditar ningún elemento típico más que la mera superación de las tasas; b) en el resto de los casos, tendremos que seguir exigiendo la prueba de la ingesta de alcohol y de la efectiva y real influencia en la conducción. Este modelo comporta que, en el primer supuesto, el Legislador pretende dar por probada la lesividad material, la efectiva influencia a partir de un dato estadístico, a partir de la configuración de un delito presunto.

Este modelo es harto cuestionable, tanto dogmática como político-criminalmente: ¿en base a qué razones se va a efectuar un trato discriminatorio con respecto al consumo de drogas[28]?, cualquier persona que haya consumido la cantidad que sea de la sustancia tóxica que sea, ¿siempre conduce bajo su influencia en términos de afectación al bien jurídico-penal? No se pretende aquí plantear ejemplos demagógicos, pero cuesta afirmar rotundamente que supone un mayor peligro para la seguridad del tráfico el conductor que ha bebido bastantes copas de alcohol que el conductor que ha consumido una dosis de cannabis[29]. Ante esta situación paradójica, puede resultar que, al no existir un baremo legal en materia de drogas, lo decisivo en este caso siga siendo la conducción incorrecta derivada de la in-

---

[27]   Cfr. la indicada comparecencia publicada en el Diario de Sesiones del Congreso de los Diputados n.º 489, p.4.

[28]   Sobre este argumento se pronunciaba hace años y para la anterior regulación Silva Sánchez, "Consideraciones sobre el delito del art. 340 bis a) 1.ª del Código Penal (conducción bajo la influencia de bebidas alcohólicas, drogas tóxicas, estupefacientes o sustancias psicotrópicas)", en Derecho de la Circulación, Cursos Centro Estudios Judiciales, 11, 1993, p. 153 s. Para la actual regulación Queralt Jiménez, Derecho penal español, Parte Especial, 5.ª ed., Barcelona 2007, p. 928.

[29]   En el art. 27 del Reglamento General de Circulación, aprobado por el RD 1428/2003, no se condiciona la infracción administrativa a la superación de ninguna tasa en relación con los estupefacientes, psicotrópicos, estimulantes u otras sustancias análogas.

gesta, y no la superación de un determinado nivel como en el caso del alcohol, lo que sería un trato desigual injustificado[30].

Por otra parte, la reciente Jurisprudencia en materia de tráfico de drogas, ha evidenciado que el consumo de drogas tóxicas en cantidad que no supere la dosis mínima psicoactiva no tiene efecto nocivo alguno en el organismo[31], de tal modo que no tendría sentido la condena por conducir con drogas sin saber realmente si podía afectar en el caso concreto en el sistema nervioso central del consumidor, y por ende en la seguridad en el tráfico.

Otra seria objeción de este modelo legal tiene que ver con la creación de una errónea percepción social (y posiblemente de operadores jurídicos en algunos casos), que entienda que hasta la superación de esos umbrales la conducta no tendrá relevancia penal, lo cual no puede ser aceptado. Tiene que seguir existiendo el delito cuando una persona conduzca real y efectivamente bajo la influencia del alcohol, por mucho que su tasa sea bastante inferior a la permitida en el CP.

Por idénticas razones, si la percepción social que se transmite es que el delito requiere de la superación de una tasa de alcohol, habrá quien para no cometer este delito se niegue al sometimiento a las pruebas de alcolimetría, cometiendo por ello otro delito, castigado incluso con mayor penalidad que el que se pretende evitar.

Pero también considero que hay objeciones de corte procesal que presenta este modelo legal. Creo que se dificultará, en gran medida, el ejercicio del derecho de defensa si se conciben estas tasas como presunción legal de culpabilidad: si es una presunción que no admite prueba en contra ¿qué prueba de descargo podrá articularse? Ciertamente existen en países cercanos a nuestra cultura jurídico-penal, como podría ser el caso más emblemático el de Alemania, modelos en los que la superación de ciertas tasas implica la existencia del delito. Pero estos modelos son "jurisprudenciales" y no legales, es decir, no es la Ley la que determina que en todo caso la superación del límite comporta, *ope legis,* la comisión del delito, sino que los Tribunales estiman que generalmente la superación de las tasas comporta

---

30   Sobre este argumento, más detallado, vid. Queralt Jiménez, Derecho penal español, Parte Especial, 5.ª ed., Barcelona 2007, p. 928.

31   Vid. Únicamente STS 1214/05, 6-10, y acuerdos del pleno no jurisdiccional de la Sala Segunda del Tribunal Supremo de 24-1-03 y, de 3-2-05.

la existencia del delito[32]. Pero precisamente por esa configuración jurisprudencial no puede descartarse que se puedan articular mecanismos de defensa, articular prueba de descargo, que permitan acreditar en el caso concreto la no afectación para el bien jurídico-penal. De otro modo, el proceso penal se hará innecesario, administrativizándose esta materia de modo injustificado, y fomentándose todavía más las situaciones procesales actuales de rebaja de la pena si existe una conformidad en la fase de instrucción.

No tengo claro en qué medida un sistema de presunción legal como el presente puede vulnerar el principio probatorio instaurado en nuestro modelo constitucional-procesal de libre valoración de la prueba, haciendo innecesario el proceso y más concretamente la subsunción típica por el Juzgador a la vista de los hechos, y en relación con la concreta lesividad material: nuestro modelo procesal se configura (y consagra constitucionalmente) como sistema de libertad en los medios de prueba y libertad en la valoración de la prueba[33].

Entiendo que las presunciones legales, en sentido estricto, no pueden ser concebidas como medio probatorio, sino que sólo pueden ser concebidas: a) como normas de *onus probandi* que alteran las reglas generales sobre carga de la prueba, o b) como normas sobre *valoración de la prueba*. Si se acepta que se estamos ante reglas so-

---

[32]   El § 316 StGB castiga a quien conduzca un vehículo cuando esté bajo la influencia de bebidas alcohólicas o de otros medios tóxicos, de tal modo que no esté en condiciones de hacerlo con seguridad. La jurisprudencia distingue entre "absoluta inseguridad para la conducción" y "relativa inseguridad para la conducción". La absoluta inseguridad se aprecia en la práctica cuando se superan ciertas tasas de concentración de alcohol en sangre: desde la BGH 37 89 la tasa es de 1,1, pero a la que se aplica una tasa de corrección del 0,2, por lo que la tasa global es de 1,3. Por debajo de estas tasas estaríamos ante los casos de relativa inseguridad, teniendo que probarse en el caso concreto las circunstancias. Sobre ello vid. Cramer en Schönke/SChröder, StGB-Kommentar, § 316, NM 8 ss. Cfr. también de Vicente Martínez, Derecho penal de la circulación, op. cit., p. 227, donde además de exponer el sistema alemán, indica cómo un estudio comparativo de los países europeos muestra cómo no existe una tasa de alcoholemia unificada para todos los países

[33]   Sobre el derecho a la utilización de los medios de prueba y su relación con el derecho fundamental a la defensa vid. entre otras muchas STC 23/2006. En general sobre la valoración de la prueba y su relación constitucional vid. Igartua Salaverría, *Valoración de la prueba, motivación y control en el proceso penal*, Valencia, 1995.

bre carga de la prueba, ello debería entenderse indefectiblemente en el sentido de que, acreditada por prueba directa la superación de la tasa de alcohol que se determine legalmente, ello supone que, salvo prueba en contrario que aporte el inculpado, se ha producido una situación de peligro real y efectivo para el bien jurídico-penal. Esta comprensión de la presunción legal supone aceptar que el modelo acusatorio no existe, y que deja paso expedito al modelo inquisitorio.

Si, por el contrario, se acepta que estamos ante reglas de valoración de la prueba, ello supone que el Tribunal, constatado el presupuesto fáctico (superación de la tasa que se determine) deberá considerar probada la conducta típica sin necesidad de ulteriores argumentaciones, de tal modo que el principio de libre valoración probatoria queda en entredicho, como ya he apuntado.

Queda por ver si este modelo se considerará por nuestros Tribunales contrario a toda la doctrina constitucional existente acerca del alcance de la presunción de inocencia cuando afirma que la única prueba válida para su desvirtuación es, con las excepciones de la prueba preconstituida, la prueba practicada en el acto del juicio oral, sujeta a todas las garantías que rodean su práctica, tales como contradicción, inmediación, publicidad y oralidad. Si la formación del Tribunal debe formarse en el juicio oral, es bastante dudoso que la convicción de culpabilidad se pueda fundar en presunciones legales, que son el campo abonado para que el juicio se acomode en los trámites de la fase de instrucción. Por otra parte, la actual doctrina de nuestro Tribunal Constitucional ha declarado que se vulneraría el derecho fundamental a la presunción de inocencia si por la acreditación de solamente uno de los elementos del delito (el de que el conductor haya ingerido bebidas alcohólicas) se presumieran realizados los restantes elementos del mismo[34].

Del mismo modo, en mi opinión la actual redacción del art. 379.2 CP tiene que obligar a nuestro Tribunal Constitucional a que manifieste en qué medida sigue vigente la doctrina que estableció en su STC 111/1999 a propósito del antecedente del delito ahora estudiado, cuando estableció que "comoquiera que se califique a este tipo delictivo, bien de peligro simplemente bien de peligro abstracto o remoto, en ningún caso el derecho a la presunción de inocencia tole-

---

[34]   Por todas STC 200/2004

ra que alguno de los elementos constitutivos del delito se presuma en contra del acusado, sea con una presunción *iuris tantum* sea con una presunción *iuris et de iure*. La primera modalidad de presunción *iuris tantum* no es admisible constitucionalmente ya que, como declaró la STC 105/1988, produce una traslación o inversión de la carga de la prueba, de suerte que la destrucción o desvirtuación de tal presunción corresponde al acusado a través del descargo, lo que no resulta conciliable con el art. 24.2 C.E. Y la segunda modalidad, la presunción *iuris et de iure*, tampoco es lícita en el ámbito penal desde la perspectiva constitucional, puesto que prohíbe la prueba en contrario de lo presumido, con los efectos, por un lado, de descargar de la prueba a quien acusa y, por otro, de impedir probar la tesis opuesta a quien se defiende, si es que opta por la posibilidad de probar su inocencia, efectos ambos que vulneran el derecho fundamental a la presunción de inocencia"[35]. Sólo el tiempo dirá en qué medida debe modularse esta jurisprudencia ante la presente reforma legal[36].

A pesar de la lectura crítica sobre este precepto, ante la inevitable necesidad de delimitar su ámbito de aplicación, en todo caso estimo que no podemos entenderlo como un mero delito de peligro presunto. Por ello la existencia del delito debe requerir de la constatación de la verdadera lesividad material, de la *puesta en peligro real* del bien jurídico-penal[37]. A estos efectos, no podemos dejar de olvidar que son circunstancias atenuantes en el ámbito administrativo, a efectos de la imposición de la preceptiva sanción administrativa, la ausencia evidente de riesgo coincidente en la comisión de la infracción, dadas

---

[35]   Esta doctrina se reitera, entre otras muchas, en la STC 87/2001, precisando que del derecho fundamental a la presunción de inocencia "se deriva la interdicción de las presunciones *iuris tantum* e *iuris et de iure* respecto de los hechos. Es doctrina de este Tribunal que, con independencia del tipo de delito de que se trate, en ningún caso el derecho a la presunción de inocencia tolera que alguno de los elementos constitutivos del delito se presuma en contra del acusado, sea con una presunción *iuris tantum* sea con una presunción *iuris et de iure*".

[36]   Por su parte, Queralt Jiménez, Derecho penal español, Parte Especial, 5.ª ed., Barcelona 2007, p. 926, ya se ha pronunciado a favor de la inconstitucionalidad del precepto.

[37]   STS 1133/2001, 11-6: debe existir, dado el bien jurídico protegido por estas figuras, una situación de riesgo abstracto o genérico para la circulación aunque no se haya creado un peligro concreto para bienes individuales.

las circunstancias de tiempo, momento, intensidad de la circulación o incidencia en la misma, como establece la propia Instrucción 02/S-61 de la Dirección General de Tráfico, de tal modo que no se entiende que pueda existir un delito ante ausencia evidente de riesgo para la conducción. Esta situación hace que no pueda apreciarse el delito sin tener en cuenta las circunstancias del caso concreto (circunstancias del tráfico, hora del día...), para comprobar que existe un riesgo mínimo, real, para el bien jurídico-penal[38].

Según ha evidenciado un sector doctrinal[39], tanto en la legislación como en la práctica procesal-policial existen dos situaciones que generan "fuentes de tolerancia" en la real vigencia de las tasas administrativas de alcoholemia de 0,5 y 0,3 gr./L, que son: a) El error técnico admisible en los aparatos de medida actualmente utilizados en la práctica (etilómetro digital Dräger Alcotest 7410 y etilómetro evidencial Dräger Alcotest 7110). De hecho se afirma que la propia Instrucción 02/S-61 de la Dirección General de Tráfico, de 15 abril, reconoce que los etilómetros, incluso los perfectamente calibrados, tienen un margen de error de 0,032 mg/L en concentraciones de alcohol menores de 0,400 mg/L, aumentando hasta un 8% para valores mayores de 0,400 mg/L y de un 30% para valores mayores a 2,000 mg/L. b) El módulo de conversión de etanol en aire espirado a etanol en sangre: a pesar de que nuestra legislación administrativa equipara 0,25 miligramos de etanol por litro de aire espirado con 0,5 gramos de etanol por litro de sangre, y actualmente la penal, los 0,60 miligramos en aire con los 1,2 gramos en sangre.

Pues bien, a la vista de lo anterior, ¿cómo se concretará este margen de error en el ámbito del delito? Parece indudable que, si estos márgenes se venían aplicando en la práctica de la policía administrativa para no sancionar sino cuando se rebasaran las cifras máximas admitidas administrativamente más el margen de error técnico, *a fortiori* deberán ser de aplicación en el ámbito penal, de tal modo que *a la cifra de 0,60 miligramos de alcohol por litro de*

---

[38]   En este sentido De Vicente Martínez, "El delito de conducción bajo la influencia de drogas tóxicas, estupefacientes, sustancias psicotrópicas o bebidas alcohólicas y su propuesta de reforma. La cuestionable necesidad de modificar del artículo 379 del Código Penal", La Ley n.º 6653, 2007.

[39]   Barquín Sanz / Luna del Castillo, op. cit., p. 10.

sangre en aire espirado, en todo caso, habría que añadirle el margen de error técnico que presente cada etilómetro.

Se había destacado, a propósito de la anterior regulación, que estimar cometido el delito tan pronto se detectara un cierto grado de impregnación alcohólica, sería tanto como convertirlo en una especie de ley penal en blanco pero sin cumplir los requisitos que son exigibles a esta técnica legislativa[40]. Es por ello que no es un mero prurito que todo delito contenga un ámbito de lesividad material, no bastando un contenido de injusto meramente formal. A este respecto la STC 68/2004 declaró (en relación con el art. 340 bis a. 1 del anterior CP de 1973, pero afirmando aplicable esta doctrina a regulación inmediatamente anterior a la reforma que ahora comentamos) que el antecedente del delito que ahora se comenta, requiere, no sólo la presencia de una determinada concentración alcohólica, sino que *además esta circunstancia influya o se proyecte en la conducción.* En esta misma resolución expresamente que declara que mientras que la infracción administrativa es meramente formal y se aplica de forma mecánica al superar las tasas fijadas de forma reglamentaria, el delito se caracteriza *por la exigencia de un peligro real para la seguridad del tráfico*, debiendo acreditarse en el caso concreto que la ingesta haya tenido influencia en la capacidad psicofísica del conductor[41]. El legislador parece haber querido expresamente que no

---

[40]   Silva Sánchez, "Consideraciones sobre el delito del art. 340 bis a) 1.ª del Código Penal (conducción bajo la influencia de bebidas alcohólicas, drogas tóxicas, estupefacientes o sustancias psicotrópicas)", op. cit. p. 153.

[41]   Esta resolución es particularmente importante desde el momento en que, habiendo condenado la Audiencia Provincial por considerar una "presunción científicamente avalada" que a partir de determinado índice de impregnación alcohólica devienen seriamente mermadas las facultades para la conducción de un vehículo a motor, el TC se pronunció en los términos siguientes: "no le corresponde en el ejercicio de su función jurisdiccional de amparo pronunciarse sobre si a partir de una determinada tasa de impregnación alcohólica, como se sostiene en las Sentencias impugnadas, con base, según se afirma en la de la Audiencia Provincial, en una "presunción científicamente avalada", resultan objetivamente mermadas las facultades psicofísicas para la conducción de un vehículo a motor, con el consiguiente riesgo para la seguridad del tráfico, que es el bien jurídico protegido por el delito del art. 379 CP, ni, en concreto, si a partir de la tasa de impregnación alcohólica que se señala en las Sentencias recurridas, y que el demandante de amparo ha superado según los resultados de las pruebas de alcoholemia que le fueron practicadas, se corresponden una serie de síntomas, que el

haya que probar la influencia del alcohol en la capacidad psicofísica del conductor, pero lo que no puede pretender, en modo alguno, es que se obvie la prueba del peligro real, elemento esencial del delito. No podemos ocultar que, además del consenso político que ha motivado la presente reforma, el voto particular que formula el Magistrado don Guillermo Jiménez Sánchez a la STC 319/2006 puede servir como base del presente modelo. Este voto particular destaca la posible suficiencia del índice de alcoholemia para constituir prueba de la afectación del conductor de un vehículo de motor por el alcohol consumido. Se afirma que estamos ante una cuestión que se tiene que regular conforme a criterios científicos o de experiencia, y que la jurisdicción ordinaria podría asumir unos criterios aceptados por la comunidad científica acerca de cuáles son los índices de alcoholemia que permiten aseverar la afectación generalizada de quienes los alcanzan (salvo casos concretos singulares que operen con otros criterios).

Aun cuando mostramos nuestras objeciones a esta reforma que parece ahondar en la línea de la administrativización del Derecho

---

Ministerio Fiscal describe en su escrito de alegaciones, que merman y limitan considerablemente las facultades de conducción. Desde nuestra labor de enjuiciamiento, y a los efectos de la resolución del presente recurso de amparo, lo que nos corresponde únicamente es constatar que en el proceso penal no se intentó ni se practicó prueba alguna sobre la afirmación en la que se sustenta en este caso la acreditación de la influencia de la ingesta de alcohol en las facultades de conducción del demandante de amparo; esto es, ni se intentó ni se practicó prueba alguna en relación con la circunstancia, afirmada en ambas Sentencias, de que a partir de la tasa de alcohol que en ellas se indica —0,75 miligramos por litro en aire espirado (1,50 gramos por litro en sangre)—, que había superado el demandante de amparo, los reflejos se encuentran objetiva y seriamente afectados para la conducción, ni sobre los posibles síntomas asociados a un grado de impregnación alcohólica como el que se apreció en este caso al recurrente en amparo. La constatación de tal vacío probatorio, cuya carga corresponde obviamente a la acusación, es suficiente por sí misma, sin necesidad de entrar en cualquier otra consideración que pudieran suscitar las Sentencias recurridas, para concluir que en este caso, de acuerdo con la doctrina constitucional de la que se ha dejado constancia en el precedente fundamento jurídico, ha resultado vulnerado el derecho a la presunción de inocencia del recurrente en amparo, al no haberse practicado en el proceso prueba alguna que acredite la influencia de la ingesta de alcohol en sus facultades para la conducción del vehículo a motor".

Penal que hace tiempo se ha instaurado en esta materia[42], no se comprende por qué no ha ido acompañada de otra reforma en lo que respecta al tema de la defensa letrada. Como es sabido, el art. 520.5 LECRIM establece el derecho del detenido o preso, que lo sea por hechos que se puedan calificar exclusivamente por delitos contra la seguridad en el tráfico, a renunciar a la preceptiva asistencia de Letrado. Obviamente que la validez de esa renuncia se condiciona a que tenga carácter expreso, firmando la respectiva acta de renuncia. Cuando la Ley recoge presunciones legales, lo menos que se puede hacer es volver a configurar el derecho a la defensa letrada, como sucede para el resto de delitos, como incondicional e irrenunciable.

Al igual que sucediera con la reforma anterior de nuestro Código penal en los delitos de conducción con temeridad, también aquí nos encontramos ante una reforma con una loable intención, pero con una discutible opción legislativa.

---

[42] *Passim* Alcácer Guirao, "Embriaguez, temeridad y peligro para la seguridad del tráfico. Consideraciones en torno a la reforma del delito de conducción temeraria", La Ley 2004. En esta línea, De Vicente Martínez, "El delito de conducción bajo la influencia de drogas tóxicas, estupefacientes, sustancias psicotrópicas o bebidas alcohólicas y su propuesta de reforma. La cuestionable necesidad de modificar el artículo 379 del Código Penal", La Ley n.º 6653, 2007, habla del recurso al Derecho penal "como medio para acallar la protesta y la presión social ante el elevado número de accidentes de tráfico que se producen en nuestro país ... El silencio al alboroto social se gradúa al ritmo de la aparición de grandes titulares en los medios de comunicación que vinculan a los 'malos' conductores con la cárcel ...".

EL DELITO DE NEGATIVA A LA REALIZACIÓN DE LAS PRUEBAS DE ALCOHOLEMIA (art. 383 CP)

Silvia Fernández Bautista
Profesora de Derecho Penal
Universidad de Barcelona

I. LA NEGATIVA A LA REALIZACIÓN DE LAS PRUEBAS DE ALCOHOLEMIA COMO DELITO COMPLEJO. LA DUDOSA CONSTITUCIONALIDAD DEL ART. 380 ACP

La tipificación en el CP de 1995 de la negativa a la realización de las pruebas de alcoholemia como delito contra la seguridad en el tráfico (art. 380 ACP) suscitó en la doctrina abundantes críticas basadas, principalmente, en su posible inconstitucionalidad. En efecto, la conculcación de los derechos a no declarar, a no confesarse culpable, el derecho a la defensa y el derecho a la presunción de inocencia contemplados en los arts. 17 y 24. 2 de la CE, así como la vulneración del principio de proporcionalidad (art. 25. 1 CE), han sido algunos de los motivos que, desde la aprobación del CP de 1995, se han esgrimido en contra de este tipo penal convirtiéndolo en un precepto polémico. Cabe destacar, no obstante, que las dudas en cuanto a la constitucionalidad del art. 380 ACP no ha sido una cuestión exclusiva de la doctrina, sino que también los Jueces y Tribunales se han manifestado en idéntico sentido. Así lo demuestran las diversas cuestiones de inconstitucionalidad de las que fue objeto este precepto[1].

Sin embargo, lo cierto es que el Tribunal Constitucional zanjó la polémica acerca de la cuestionada constitucionalidad del art. 380 ACP concluyendo en la adecuación del mismo a nuestra Carta Magna con las Sentencias del Pleno del Tribunal Constitucional de 161/1997 de 2 de octubre y 234/1997 de 18 de diciembre, en las que dio respuesta a las diversas cuestiones de inconstitucionalidad presentadas contra el art. 380 ACP[2]. Excede a la intención de estas líneas volver al debate sobre constitucionalidad de este precepto, puesto que, con independencia de la opinión que nos mereciese este delito, lo cierto es que en la actualidad debe seguir interpretándose y aplicándose por los Jueces y Tribunales pues, en virtud de la reforma operada por la LO 15/2007 sigue siendo, aunque con alguna modificación, derecho positivo. Por este motivo, en mi opinión, resulta mucho más fructífero operar bajo la evidencia de su existencia e intentar, en la medida de lo posible, otorgarle sentido y operatividad. No obstante ello puede hacerse una escueta mención a los principales argumentos esgrimidos por el Alto Tribunal en defensa del art. 380 ACP.

Sintetizando, en relación al primer grupo de derechos presuntamente vulnerados por el delito de negativa a someterse a las pruebas de alcoholemia el TC establece (STC 161/1997 FJ 7) que las pruebas para la comprobación de la conducción bajo la influencia del alco-

---

[1]   Entre los años 1996 y 1997 pueden contabilizarse hasta veinte cuestiones de inconstitucionalidad de las cuales dos fueron inadmitidas por defectos de forma y las restantes fueron desestimadas. Vid. el detallado análisis ofrecido por MARTÍNEZ RUIZ, "El delito de desobediencia a los agentes de la autoridad en el ámbito de la seguridad vial", en (MORILLAS CUEVAS Coord.) *Delincuencia en materia de tráfico y seguridad vial (Aspectos penales, civiles y procesales)*, Madrid 2007, p. 217 a 241.

[2]   Cabe destacar que tampoco las decisiones del Tribunal Constitucional han sido pacíficas en el seno del propio Tribunal, pues en ambas sentencias se incluye un voto particular emitido por el Magistrado don Pablo García Manzano al que se adhiere el Magistrado don Vicente Gimeno Sendra, mostrando así el desacuerdo con las mismas.

hol o de drogas tóxicas, estupefacientes o sustancias psicotrópicas y, entre ellas, la de espiración de aire a través de un alcoholímetro, no constituyen en rigor una declaración o testimonio, por lo que no pueden suponer vulneración alguna de los derechos a no declarar, a no declarar contra uno mismo y a no confesarse culpable. Tampoco menoscaban *per se* el derecho a la presunción de inocencia por inversión de la carga material de la prueba[3].

El Tribunal Constitucional afirma, por otra parte, que el art. 380 ACP se configura como un *delito complejo*. Ello se debe a que —siempre según el TC— los fines esenciales de este precepto son: **a)** la protección de la seguridad del tráfico rodado persiguiendo evitar riesgos para la vida y la salud de las personas que puedan derivarse del uso de vehículos a motor o ciclomotores; en consecuencia, la vida y la salud son también bienes jurídicos protegidos por dicha norma; y **b)** la punición de la desobediencia con la que se trata de proteger el principio de autoridad[4]. En definitiva, se trataría de un delito de desobediencia a través del cual se protege, a su vez, la seguridad en el tráfico. Pues bien, la configuración como delito complejo es uno de los principales argumentos[5] que permite al Tribunal Constitu-

---

[3]   Sobre esta cuestión vid. entre otros SÁNCHEZ MORENO, *Negativa a someterse a las pruebas de alcoholemia y otros delitos relacionados con la conducción,* Barcelona 2001, p. 12. Claramente en desacuerdo con la decisión del Tribunal Constitucional vid. CARMONA SALGADO/ MARTÍNEZ RUIZ, "De nuevo sobre la "inconstitucionalidad" del art. 380 del CP, al hilo de la STC 161/1997 de 2 de octubre", DLL 1998, p. 1522 y 1523; MAGALDI PATERNOSTRO en CÓRDOBA RODA/ GARCÍA ARÁN (dirs.), *Comentarios al Código Penal. Parte Especial. Tomo II,* Madrid-Barcelona 2004, p. 1709 y 1710; MORENO Y BRAVO, "El art. 380 CP: su configuración jurídica (negativa a la prueba de alcoholemia), AJA 23-12-1999, p. 2; QUERALT JIMÉNEZ, *Derecho Penal español. Parte Especial,* 4ª ed. Barcelona 2002, p. 668 y 667; Se muestran conformes con la decisión del Tribunal Constitucional, entre otros, GÓMEZ PAVÓN, "Comentario a la STC de 2 de octubre de 1997, sobre la cuestión de constitucionalidad en relación con el art. 380 CP", CPC (64) 1998, p. 105 ss. y JUANATEY DORADO, "Sobre el control de alcoholemia. Comentario a la STC 161/1997 de 2 de octubre" AP 2000, p. 524 ss.

[4]   Así lo afirma el TC en STC 161/1997 de 2 de octubre FJ 4. De acuerdo con esta idea de protección de diversos bienes jurídicos vid. JUANATEY DORADO, "Sobre el control de alcoholemia", op. cit. p. 510 ss. En contra vid. entre otros MARTÍNEZ RUIZ "Consideraciones en torno a la negativa a someterse a la prueba de alcoholemia" CJ (44) 1996, p.57 ss.

[5]   Vid. también STC 161/1997 de 2 de octubre FJ 10, 12 y 13.

cional defender la *proporcionalidad* de la pena asignada para el art. 380 ACP. Recuérdese que la pena era —y sigue siendo— más grave que la contemplada para el delito que pretende comprobarse (art. 379 ACP y art. 379.2 CP de conducción bajo la influencia de bebidas alcohólicas y sustancias estupefacientes) con la realización de la prueba de alcoholemia[6]. Precisamente la protección de diversos bienes jurídicos, esenciales en todo caso, en el art. 380 ACP justificaría —en opinión del TC— la asignación de una pena más elevada a este precepto[7].

II. LA NEGATIVA A LA REALIZACIÓN DE LAS PRUEBAS DE ALCOHOLEMIA COMO DELITO CONTRA LA SEGURIDAD EN EL TRÁFICO

La protección de un bien jurídico supraindividual como es la seguridad en el tráfico en el delito de negativa a la realización de las pruebas de alcoholemia puede deducirse —exclusivamente, en mi opinión— por la ubicación de dicho precepto en el Capítulo IV "De los delitos contra la seguridad en el tráfico" con el art. 380 ACP y en

---

[6]   El art. 379 ACP se castigaba con la pena de prisión de tres a seis meses o multa de seis a doce meses y, en su caso, trabajos en beneficio de la comunidad de treinta y uno a noventa días y, en cualquier caso, privación del derecho a conducir vehículos a motor y ciclomotores por tiempo superior a uno y hasta cuatro años. En cambio, el art. 380 ACP castigaba conforme a lo previsto en el art. 556 CP para el que está previsto una pena de prisión de 6 meses a un año. La misma situación de desigualdad de penas se mantiene en la LO 15/2007 de reforma del Código Penal que aunque modifica la redacción de estos preceptos conserva una pena superior para el delito de negativa a someterse a las pruebas de alcoholemia, esto es, las del art. 379.2 CP en su mitad superior.

[7]   De la misma opinión vid. GÓMEZ PAVÓN, "Comentario a la STC de 2 de octubre de 1997", op. cit. 108 y 109; JUANATEY DORADO, "Sobre el control de alcoholemia", op. cit. p. 529 y 530. Siguen defendiendo la desproporcionalidad de la pena asignada al art. 380 CP entre otros MAGALDI PATERNOSTRO en *Comentarios al Código Penal,* op. cit. p. 1710; QUERALT JIMÉNEZ, *Derecho Penal español*, op. cit. p. 667; TAMARIT SUMALLA en QUINTERO OLIVARES (dir.)/ MORALES PRATS (coord.): *Comentarios al Nuevo Código Penal,* Pamplona 2005, p. 1958; DE VICENTE MARTÍNEZ, *Derecho Penal de la circulación,* Barcelona 2006, p. 331.

el de "Delitos contra la seguridad vial" actualmente. Resulta, cuanto menos dudosa, la protección de tal bien jurídico con la existencia y aplicación de dicho delito, pues la negativa a someterse a una prueba de alcoholemia no puede —bajo mi punto de vista— procurar a la sociedad más protección en el tráfico rodado de la que se deriva de la prohibición de conducir bajo la influencia de bebidas alcohólicas o sustancias estupefacientes[8]. No alcanzo a entender cómo el hecho de que un sujeto se niegue a facilitar la prueba de su ingesta de alcohol puede aumentar el riesgo que para la vida y la salud de las personas puedan derivarse del uso de vehículos a motor o ciclomotores. A mi entender, la conducta descrita en el art. 383 CP (art. 380 ACP) no recoge más que una desobediencia específica, esto es, una lesión del principio de autoridad[9] con ocasión de la *posible* comisión de un delito contra la seguridad en el tráfico: la conducción bajo la influencia de bebidas alcohólicas o sustancias estupefacientes (art. 379.2 CP)[10].

---

[8]   En sentido similar vid. por todos CUESTA PASTOR, "Comentario a la STS 3/1999, acerca de la criminalización de la negativa a someterse al test de alcoholemia. Repercusiones en cuanto al principio de seguridad jurídica", DLL 2000, p. 1506, QUERALT JIMÉNEZ, *Derecho Penal español,* op. cit. p. 671; TAMARIT SUMALLA en *Comentarios,* op. cit. p. 1958, afirmando que la remisión al tipo de desobediencia por el art. 380 CP evidencia la ausencia de injusto autónomo del mismo y que constituye un acto de autoencubrimiento impune que pugna con el derecho a no declarar contra uno mismo.

[9]   Matizar sobre este aspecto no obstante, que la jurisprudencia más actual entiende protegido el principio de autoridad no en sí mismo, sino en un sentido funcional, en tanto que garantía del buen funcionamiento de los servicios y las funciones públicas. Vid. CORCOY BIDASOLO (dir.)/ CARDENAL MONTRAVETA/ FERNÁNDEZ BAUTISTA/ GALLEGO SOLER/ GÓMEZ MARTÍN/ HORTAL IBARRA: *Manual práctico de Derecho Penal Parte Especial,* 2ª ed. Valencia 2004, p. 1182.

[10]   En este sentido afirma MAGALDI PATERNOSTRO en *Comentarios al Código Penal,* op. cit. p. 1709 y 1710, que la tipificación de tal acto de desobediencia resulta innecesaria y que la única razón legislativa plausible es, por un lado la de asegurar la punición de dicha conducta evitando cualquier consideración judicial sobre si la negativa del sujeto pudiera hallarse amparada por el derecho fundamental de defensa y, por otro, evitar la calificación de la negativa al sometimiento de las pruebas de alcoholemia como constitutiva de falta, pues la remisión del art. 380 CP lo es a un delito de desobediencia (art. 556 CP).

Sin embargo, lo cierto es que dicho precepto ha estado, y sigue estando ubicado en el marco de los delitos contra la seguridad del tráfico, *rectior* "delitos contra la seguridad vial", y que su expresa alusión al precepto anterior también es algo que de momento parece invariable. Pues bien, precisamente estos argumentos —amén de lo establecido por el TC, que recuérdese lo califica como delito complejo— obligan a tratar el art. 383 (art. 380 ACP) como delito contra la seguridad en el tráfico, lo que, por otra parte, otorga al intérprete las herramientas necesarias para restringir, en virtud de una interpretación material y teleológica, su ámbito de aplicación.

1. La necesaria concurrencia de los requisitos del art. 379.2 CP

1.1. El estado de la cuestión con anterioridad a la LO 15/2007 de reforma del Código Penal

La redacción del art. 380 ACP establecía *"El conductor que, requerido por el agente de la autoridad, se negare a someterse a las pruebas legalmente establecidas para la comprobación de los hechos descritos en el artículo anterior será castigado como autor de un delito de desobediencia grave, previsto en el artículo 556 de este Código".* Por tanto, parece innegable que la amenaza legal de pena lo era sólo para aquellos sujetos que se negaran al sometimiento de tales pruebas en la medida en que debían comprobarse los *hechos típicos* contenidos en el art. 379 ACP[11] (art. 379.2 CP).

Como es sabido el art. 379 ACP exigía, para que la conducta fuese jurídico-penalmente relevante, la conducción de un vehículo a motor o un ciclomotor bajo la *influencia* de drogas tóxicas, estupefacientes, sustancias psicotrópicas o bebidas alcohólicas. De este modo, la previa *ingesta* de las sustancias señaladas en este precepto se convertía en una *condición necesaria pero no suficiente* para la comisión de este delito. Así, debía acreditarse, no sólo el hecho objetivo de la in-

---

[11]   En este sentido MAGALDI PATERNOSTRO en *Comentarios al Código Penal,* op. cit. p. 1712 afirmando que la referencia a *"los hechos descritos en el artículo anterior"* lo es a los hechos típicos y no al hecho naturalísticamente contemplado de conducir habiendo ingerido bebidas alcohólicas; MARTÍNEZ RUIZ, "El delito de desobediencia a los agentes de la autoridad en el ámbito de la seguridad vial", op. cit. p. 241.

gesta, sino también que dichas sustancias habían causado una *efectiva y real influencia* en la conducción que llevaba a cabo el sujeto activo. Es decir, se debía verificar, en todo caso, la existencia de una *afectación* de las facultades psíquicas y/o físicas que provocaban una alteración en la correcta conducción del vehículo a motor o ciclomotor[12]. La influencia de la ingesta de las sustancias enumeradas debía provocar, cuanto menos, un pilotaje anómalo y de negativa repercusión en la seguridad vial[13].

En este punto debe recordarse que, por bien que reglamentariamente se recogían —y se recogen— las tasas por encima de las cuales se consideraba que la conducción debía ser sancionada administrativamente[14], dichas tasas debían operar en sede penal, a lo sumo,

---

[12] En este sentido vid. entre otras SSTS 5-03-2003; 22-10-2002; 15-04-2002; 22-03-2002.

[13] Así se manifiesta un sector de la doctrina. Vid. entre otros DOMÍNGUEZ IZQUIERDO, "La conducción bajo la influencia de drogas tóxicas o de bebidas alcohólicas y la negativa a someterse a las pruebas dirigidas a la comprobación de tales hechos: la vinculación material de los arts. 379 y 380 del Código Penal", en (MORILLAS CUEVAS Coord.) *Delincuencia en materia de tráfico y seguridad vial (Aspectos penales, civiles y procesales)*, Madrid 2007, p. 273; MAGALDI PATERNOSTRO en *Comentarios al Código Penal*, op. cit. p. 1713; QUERALT JIMÉNEZ, *Derecho Penal español*, op. cit. p. 669; VARONA GÓMEZ, "La negativa a la práctica de las pruebas de alcoholemia (art. 380 CP): interpretación y límites" AP 1996, p. 972.

[14] En el Real Decreto 1428/2003 de 21 de noviembre, por el que se aprueba el RGCirc para la aplicación y desarrollo del texto articulado de la Ley sobre tráfico, circulación de vehículos a motor y seguridad vial, aprobado por el Real Decreto legislativo 339/1990 de 2 de marzo, se recogen en el art. 20 las tasas reglamentarias por encima de las cuales se considera que la conducción debe ser sancionada administrativamente: alcohol en sangre superior a *0,5 gramos por litro, o de alcohol en aire espirado superior a 0,25 miligramos por litro.* Cuando se trate de vehículos destinados al transporte de mercancías con una masa máxima autorizada superior a 3.500 kilogramos, vehículos destinados al transporte de viajeros de más de nueve plazas, o de servicio público, al transporte escolar y de menores, al de mercancías peligrosas o de servicio de urgencia o transportes especiales, los conductores no podrán hacerlo con una tasa de alcohol en sangre superior a *0,3 gramos por litro, o de alcohol en aire espirado superior a 0,15 miligramos por litro.* Los conductores de cualquier vehículo no podrán superar la tasa de alcohol en sangre de 0,3 gramos por litro ni de alcohol en aire espirado de 0,15 miligramos por litro durante los dos años siguientes a la obtención del permiso o licencia que les habilita para conducir. Por otra parte el art. 27 del mismo texto legal establece, en cuanto a los estupefacientes, psico-

como un *mero indicio*. Todo ello puesto que el tipo penal establecía la necesaria concurrencia de una conducción bajo la *influencia* de drogas tóxicas, estupefacientes, sustancias psicotrópicas o bebidas alcohólicas, sin hacer referencia a tasa alguna. Por esta razón, la existencia de este delito podía acreditarse a pesar de que el sujeto en cuestión no superase las tasas establecidas administrativamente y, por el contrario, también sería factible que, aún superando dichas tasas, el sujeto no manifestase influencia alguna de la ingesta en su conducción deviniendo atípica, por tanto, su conducta.

En relación a la posibilidad de acreditar la influencia del alcohol o estupefacientes en el conductor es necesario recordar que ésta puede evidenciarse *por cualquier otro medio* distinto de la tradicional prueba de alcoholemia (arts. 20 ss. RGCir)[15] o los análisis o reconocimientos médicos en el caso de la ingesta de sustancias estupefacientes[16], por ejemplo a través de las propias declaraciones del acusado

---

trópicos, estimulantes u otras sustancias análogas, que no podrán circular por las vías objeto de la legislación sobre tráfico, circulación de vehículos a motor y seguridad vial los conductores de vehículos o bicicletas que hayan ingerido o incorporado a su organismo psicotrópicos, estimulantes u otras sustancias análogas, entre las que se incluirán, en cualquier caso, los medicamentos u otras sustancias bajo cuyo efecto se altere el estado físico o mental apropiado para circular sin peligro.

[15]　En este sentido debe atenderse al art. 21 RGCir donde se establece que los agentes de la autoridad encargados de la vigilancia del tráfico podrán someter a dichas pruebas: *a) A cualquier usuario de la vía o conductor de vehículo implicado directamente como posible responsable en un accidente de circulación; b) a quienes conduzcan cualquier vehículo con síntomas evidentes, manifestaciones que denoten o hechos que permitan razonablemente presumir que lo hacen bajo la influencia de bebidas alcohólicas; c) a los conductores que sean denunciados por la comisión de alguna de las infracciones a las normas contenidas en este reglamento; d) a los que, con ocasión de conducir un vehículo, sean requeridos al efecto por la autoridad o sus agentes dentro de los programas de controles preventivos de alcoholemia ordenados por dicha autoridad.*

[16]　Debe tenerse en cuenta que dichas pruebas deben realizarse, como es lógico, atendiendo todas las garantías y exigencias legales. A este respecto vid. por todas, STS 15-04-2002 y SAP Barcelona 7-10-2004 "......*de modo que constatado tal índice en virtud de una prueba de alcoholemia necesariamente practicada con todas las exigencias legales, el delito deba ser apreciado (STC 100/1985, 103/1985, 145/1985, 145/1987, 22/1988, 3/1990 de 15 de enero, etc.) esto es cuando aquélla se efectúe con las garantía formales establecidas al objeto de preservar el derecho de defensa, especialmente el*

o por la declaración testifical de los agentes, o incluso por la de otros testigos presenciales[17]. Por este motivo, dichas pruebas no podían ser consideradas ni necesarias, ni imprescindibles por sí mismas, pues su resultado no opera como límite objetivo por encima del cual determinar automáticamente la comisión de un delito de estas características (art. 379.2 CP)[18].

1.2. La negativa a la realización de las pruebas de alcoholemia en la LO 15/2007 de reforma del Código Penal

La LO 15/2007 en relación con el delito de negativa a la realización de las pruebas de alcoholemia, supone un cambio sustancial con respecto al tema que ahora nos ocupa. En el art. 383 la conducta típica queda fijada como sigue *"El conductor que, requerido por un agente de la autoridad, se negare a someterse a las pruebas legalmente establecidas para la comprobación de las tasas de alcoholemia y la presencia de las drogas tóxicas, estupefacientes y sustancias psicotrópicas a que se refieren los artículos anteriores, será castigado con la penas de prisión de seis meses a un año y privación del derecho a conducir vehículos a motor y ciclomotores por tiempo superior a uno y hasta cuatro años"*.

Se aprecia en esta nueva redacción que la remisión —ahora a los artículos anteriores— lo es, no para comprobar los hechos en ellos descritos, sino para la comprobación de un *dato objetivo* como lo es una determinada *tasa* de alcoholemia. Debe advertirse que en la nueva redacción del delito de conducción bajo la influencia de be-

---

conocimiento del interesado a través de la oportuna información de su derecho a un segundo examen alcoholmétrico y a la práctica médica de, un análisis de sangre, y de otro, que se incorpore al proceso de modo tal que se garanticen los principios de inmediación, publicidad y contradicción, mediante la declaración en el plenario de los agentes que llevaron a efecto tal prueba.....".

[17] Vid. Sánchez Moreno, *Negativa a someterse a las pruebas de alcoholemia*, op. cit. p. 25; Queralt Jiménez, *Derecho Penal español*, op. cit. p. 671.

[18] Así lo corrobora un sector jurisprudencial. Vid. entre otras las significativas SSAP Pontevedra 29-06-2006, Cádiz 27-03-2001, Castellón 21-03-2000.

bidas alcohólicas o sustancias estupefacientes (art. 379. 2 CP)[19] se tipifica no sólo la conducción de un vehículo a motor bajo la efectiva influencia de dichas sustancias, sino que se introduce un límite objetivo en la tasa de alcoholemia por encima del cual se presume *iuris et de iure* que concurre tal influencia negativa en la conducción.

Sin embargo, a pesar de que el art. 379.2 CP siga exigiendo una influencia negativa en la conducción por causa de la ingesta de determinadas sustancias, lo cierto es que, en virtud de la nueva redacción otorgada al delito de negativa al sometimiento de las pruebas de alcoholemia, ya no sería necesario acreditar —atendiendo a una interpretación literal del tipo— la *influencia* de la bebida en el sujeto que se niega a realizar la prueba, sino que el mero hecho de la negativa, con independencia de que concurran todos los requisitos establecidos por el 379. 2, podría ser considerada relevante a efectos penales.

Entiendo que la reforma operada por la LO 15/2007 en lo referente al delito de negativa al sometimiento de las pruebas de alcoholemia podría llegar a instaurar —legalmente esta vez— una *interpretación "formal"* de esta conducta. Si bien con el art. 380 ACP cabía realizar una interpretación "material" del mismo exigiendo no sólo una mera negativa a someterse a tales pruebas, sino que, por el contrario, era necesario algo más como es la acreditación de la *influencia* que esas sustancias tienen en la conducción del individuo[20],

---

[19]   En la LO 15/2007 de reforma del Código Penal se modifica el artículo 379, que queda redactado como sigue: "*1. El que condujere un vehículo de motor o un ciclomotor a velocidad superior en 60 kilómetros por hora en vía urbana o en 80 kilómetros por hora en vía interurbana a la permitida reglamentariamente, será castigado con la pena de prisión de tres a seis meses o a las de multa de seis a doce meses y trabajos en beneficio de la comunidad de 31 a 90 días, y, en cualquier caso, a la de privación del derecho a conducir vehículos a motor y ciclomotores durante un período de uno a cuatro años. 2. Con las mismas penas será condenado el que condujere un vehículo de motor o ciclomotor bajo la influencia de drogas tóxicas, estupefacientes, sustancias psicotrópicas o de bebidas alcohólicas. En todo caso, será condenado con dichas penas el que condujere con una tasa de alcohol en aire espirado superior a 0,60 mg por litro de sangre o una tasa de alcohol en sangre superior a 1,2 gramos por litro.*"

[20]   En este sentido VARONA GÓMEZ, "La negativa a la práctica de las pruebas de alcoholemia", op. cit. p. 971. Este autor diferencia entre una interpretación "formal" y una "material" del delito de negativa a la realización de las prue-

no sucedería lo mismo tras la entrada en vigor de la LO 15/2007 CP. En efecto, con la redacción típica contenida en el art. 383 CP cabría entender —insisto con una interpretación literal del tipo— que *la mera negativa* del sujeto ya será relevante a efectos penales, puesto que no se exige la prueba de alcoholemia para comprobar el delito de conducción bajo la influencia de bebidas alcohólicas o sustancias estupefacientes, sino que lo es para comprobar una determinada tasa de alcoholemia.

En mi opinión, la modificación prevista en la LO 15/2007 para el tipo que nos ocupa supone dar un paso atrás en lo que concierne a un delito que, a estas alturas, había conseguido —aunque con excepciones— un cierto consenso doctrinal y jurisprudencial en cuanto a su interpretación. Con independencia de la opinión que nos mereciese la tipificación de tal conducta, lo cierto es que, tras las resoluciones del Tribunal Constitucional y la repetida aplicación del precepto por parte de los tribunales ordinarios, se había conseguido restringir su aplicación exigiendo la previa comprobación de la influencia negativa en la conducción por efecto de la ingesta de determinadas sustancias.

Además, con ello se ponía de manifiesto que *uno* de los *bienes jurídicos* protegidos por el delito de negativa al sometimiento de la prueba de alcoholemia era la *seguridad en el tráfico*: la conducta cobraba relevancia penal en la medida en que el individuo que se negaba a realizarla *ya* estaba *poniendo en peligro* la seguridad en el tráfico con su conducción anómala. Pues bien, si ahora el presupuesto de este delito no es la influencia negativa de la ingesta de tales sustancias en la conducción sino la mera comprobación de una tasa de alcoholemia ¿se puede seguir afirmando que la tipificación de este delito tiene como finalidad la protección del bien jurídico-penal de la seguridad en el tráfico? En mi opinión la respuesta a esta cuestión

---

bas de alcoholemia. VARONA afirma que esta última interpretación en la que se exigirían otros requisitos que la mera negativa justificaría la desproporción de penas previstas para los arts. 379 y 380 ACP, amén de ilustrar la doble protección que con el delito previsto en el art. 380 ACP se otorga a la seguridad en el tráfico y al principio de autoridad. Cabe destacar que esta interpretación es también acogida por un amplio sector jurisprudencial vid. entre otras SSTS 22-03-2002, 9-12-1999, SSAP Asturias 1-06-2006, Cantabria 24-05-2006, Las Palmas 21-03-2006; Alicante 6-09-2005; Madrid 17-06-2005; Barcelona 3-01-2005; Las Palmas 14-12-2004.

es claramente negativa, es más, resultaría ciertamente difícil poder distinguir entre una mera infracción administrativa y el delito que nos ocupa. De esta cuestión me ocuparé en lo sucesivo.

2. La delimitación entre delito e infracción administrativa

2.1. El estado de la cuestión con anterioridad a la LO 15/2007 de reforma del Código Penal

Teniendo en cuenta la redacción del art. 380 ACP era posible afirmar que la comisión de este delito únicamente era factible en la medida en que podía constatarse la existencia de un delito de conducción bajo la influencia de bebidas alcohólicas o sustancias estupefacientes (art. 379. 2 CP). Dicho de otro modo: la relevancia penal de la negativa a la realización de las pruebas de alcoholemia dependía de la concurrencia de los requisitos típicos del delito que le precedía. Ello ocurría —tal y como se ha expuesto— cuando la ingesta de dichas sustancias *influían negativamente* en la conducción del sujeto, con independencia de la superación o no de las tasas establecidas reglamentariamente[21].

En este punto debe destacarse que dicha influencia podía acreditarse, con anterioridad al requerimiento del agente a realizar las pruebas, a través de diversos *indicios*. Han sido tenidos en cuenta como tales por la jurisprudencia el hecho de haber tenido un accidente, así como la realización de infracciones de tráfico, como pueden ser la conducción no rectilínea, no hacer caso a la señalización de la vía, o realizar maniobras antirreglamentarias, entre otros[22].

Así las cosas, únicamente debiera ser posible la imputación del delito que nos ocupa al sujeto que, previamente, había cometido el tipo contenido en el anterior art. 379 ACP (art. 379. 2 CP), esto es, que conducía su vehículo bajo la influencia real y efectiva de drogas tóxicas, estupefacientes, sustancias psicotrópicas o bebidas alcohóli-

---

[21] En idéntico sentido vid. las SSAP Barcelona 2-07-2004; Asturias 2-04-1998.

[22] Así lo corroboran, entre otras, STS 5-03-2003 *"....saltarse un stop y posteriormente un semáforo en rojo...."*; SSAP Barcelona 11-02-2005 *"..... el vehículo hacía zig-zag...."*; Almería 12-05-2003 *".... invasión del carril contrario y colisión con el vehículo que circulaba correctamente..."*.

cas y ello había sido presenciado por los agentes que se percatan de ello al observar la conducta irregular del conductor (indicios). Así lo corroboraba la redacción del art. 380 ACP, pues la negativa lo era a la prueba que permite la *comprobación* de los hechos descritos en el art. 379 ACP.

De este modo, la negativa a la realización de la prueba de alcoholemia por parte de un conductor que, únicamente por azar, era detenido por los agentes en un control rutinario, preventivo o previo a la conducción en la vía pública, no podía en absoluto ser entendida como típica a los efectos del art. 380 ACP, por bien que efectivamente presentase síntomas de haber ingerido dichas sustancias. Todo ello porque no se darían, por inverificados, los requisitos típicos que establecía dicho precepto, esto es, la constatación de que, *previo* requerimiento por parte de los agentes, se ha llevado a cabo una conducción bajo la influencia de bebidas alcohólicas o sustancias estupefacientes[23]. En estos casos y, atendiendo a una correcta interpretación de los tipos penales, únicamente cabía la posibilidad de imponer una sanción en sede gubernativa[24].

2.2. La modificación recogida en la LO 15/2007 de reforma del Código Penal

La interpretación que en este punto cabe realizar del delito de negativa a la realización de la pruebas de alcoholemia a la luz de la nueva redacción contenida en la LO 15/2007 de reforma del Código Penal, entiendo que es bien distinta. Tal y como se ha apuntado en repetidas ocasiones, el hecho de que el art. 383 CP se refiera a las tasas contenidas en los artículos precedentes impediría, en principio, una interpretación "material" —en palabras de VARONA GÓMEZ— de

---

[23]   En este sentido vid. entre otras las significativas STS 22-03-2002 y SSAP Barcelona 4-11-2005; 3-01-2005.

[24]   De esta opinión vid. por todos VARONA GÓMEZ, "La negativa a la práctica de las pruebas de alcoholemia", op. cit. p. 973, afirmando que una interpretación material del art. 380 CP en este sentido, amén de ser acorde con el principio penal de *ultima ratio*, evitaría la confusión y unificación en sede penal de ambos tipos de sanciones: la administrativa y la penal; EL MISMO, "El delito de negativa a las pruebas de alcoholemia tras las Sentencias 161/1997 y 234/1997 del Tribunal Constitucional y la Sentencia del Tribunal Supremo (Sala 2ª) de 9 de diciembre de 1999", DLL 2000, p. 1588.

dicha conducta. En efecto, atendiendo a la nueva redacción del tipo, la negativa sería relevante en el ámbito jurídico-penal en cualquier caso, pues lo es para comprobar una determinada *tasa* de alcoholemia sin exigir como presupuesto previo la concurrencia de indicios que corroboren la existencia de delito alguno. De este modo, el delito de negativa al sometimiento de las pruebas de alcoholemia se convertiría indefectiblemente en un delito meramente *formal* en el que la tipicidad se limitaría, exclusivamente, a la negativa a realizar las pruebas de alcoholemia, con independencia de si la conducción precedente del sujeto estaba influenciada o no por la ingesta de determinadas sustancias.

En mi opinión dicha interpretación, aunque sería perfectamente posible, no debiera ser aceptada. Entiendo que un análisis del tipo en tal sentido no sólo supondría un gran paso a tras en la interpretación de un delito que en la actualidad goza de bastante consenso en cuanto a su aplicación sino que, y lo más importante, impediría la diferenciación entre la sanción penal y la sanción administrativa prevista para la negativa a la práctica de las pruebas de alcoholemia en la Ley sobre Tráfico, Circulación de Vehículos a Motor y Seguridad Vial (arts. 12, 65, 67 y 70)[25]. Se llegaría, por tanto, a una indeseable infracción de los principios político-criminales de *ultima ratio* y *non bis in idem* puesto que el delito en cuestión recogería exactamente el mismo supuesto de hecho que la infracción administrativa[26]. Así las cosas, sería preferible —bajo mi punto de vista— seguir manteniendo una interpretación de este tipo acorde con los más esenciales principios del Derecho Penal y exigir, amén de la mera negativa por parte del sujeto a realizar la prueba de alcoholemia, la concurrencia

---

[25] Vid. Ley 19/2001 de 19 diciembre de reforma del texto articulado de la Ley sobre tráfico, Circulación de Vehículos a Motor y Seguridad Vial aprobada por Real Decreto Legislativo 339/1990 de 2 marzo. La sanción prevista puede llegar a una multa pecuniaria de hasta 602 euros más las suspensión, en todo caso, del permiso o licencia de conducción por un período de hasta 3 meses (art. 67).

[26] Es precisamente esta posible infracción del principio de *ultima ratio* la que lleva a insistir a VARONA GÓMEZ en una interpretación material del art. 380 CP. Vid. VARONA GÓMEZ, "El delito de negativa a las pruebas de alcoholemia", op. cit. p. 1588.

de los requisitos típicos recogidos en el delito cuya tasa de alcoholemia se pretende comprobar[27].

III. LA NEGATIVA A LA REALIZACIÓN DE LAS PRUEBAS DE ALCOHOLEMIA COMO DELITO DE DESOBEDIENCIA

1. El estado de la cuestión con anterioridad a LO 15/2007 de reforma del Código Penal

El delito de negativa a la realización de las pruebas de alcoholemia estaba configurado, en la redacción del art. 380 ACP, como un *delito de desobediencia* a la autoridad. Así se deducía de la redacción legal del tipo en la que se indicaba expresamente que el sujeto será castigado como *"autor de un delito de desobediencia grave, previsto en el art. 556 CP"*. Sin embargo, en torno a esta cuestión aparentemente innegable, cabe discutir si la remisión que efectuaba el art. 380 ACP al art. 556 era sólo *a efectos de pena* o si, por el contrario, lo era *a efectos de completar la tipicidad objetiva*[28]. Atendiendo a una u otra interpretación los resultados son, como se verá, bien distintos.

En el primero de los supuestos, esto es, que la remisión lo fuere sólo a efectos de pena, se obviarían, por innecesarios, los requisitos típicos que exige el art. 556 CP. En efecto, si se entiende que la remisión del art. 380 ACP al art. 556 CP era *únicamente* para determinar que la pena del primero debía ser idéntica a la del segundo no sería necesario que la negativa al sometimiento de las pruebas del alcoholemia reuniese las características propias de un delito de desobediencia grave (art. 556 CP). Aceptada una interpretación en tal sentido, *toda desobediencia* manifestada en una negativa a someterse a las preceptivas pruebas, incluso la leve —a pesar, insisto, de no reunir los requisitos exigidos por el tipo contenido en el art. 556 CP—, podía ser castigada con la pena contenida en este último

---

[27]   En este sentido vid. Queralt Jiménez, *Derecho Penal español. Parte Especial,* 5º ed. Barcelona 2007, p. 936.

[28]   Se plantean esta cuestión Corcoy Bidasolo (dir.)/ Cardenal Montraveta/ Fernández Bautista/ Gallego Soler/ Gómez Martín/ Hortal Ibarra: *Manual práctico de Derecho Penal,* op. cit. p. 894 y 895.

precepto. De ser así, debiera concluirse que el legislador pretendía elevar a la categoría de delito toda desobediencia a los agentes de la autoridad en el ámbito que nos ocupa, todo ello con independencia de que concurran o no los requisitos necesarios para que dicha conducta sea entendida, en el sentido del art. 556 CP, como una desobediencia grave[29]. En definitiva esta opción supondría aceptar que el art. 380 ACP recogía tanto la falta como el delito de desobediencia en el ámbito de la negativa a la realización de las pruebas de alcoholemia.

Llegados a este punto cabe, no obstante, *cuestionarse* otra alternativa interpretativa. Esta consiste en plantear si en función de la mayor gravedad en la actuación del sujeto que se niega a realizar la prueba de alcoholemia, esto es, si en su negativa concurren efectivamente los requisitos exigidos tradicionalmente en el art. 556 CP, cabría acudir a dicho delito de desobediencia grave, desplazando por tanto al art. 380 ACP[30]. Si se acepta esta interpretación debiera concluirse que la finalidad perseguida por el legislador era la de evitar que la conducta de negativa a las pruebas de alcoholemia fuese sancionada como una mera falta de desobediencia, pero que, si la conducta del sujeto que se niega es lo suficientemente grave podía acudirse al art. 556 CP. Por bien que desde una perspectiva exclusivamente dogmática cupiese una interpretación en este sentido, debe destacarse que la aplicación por parte de la jurisprudencia de estos preceptos —coincidiendo en este extremo con la doctrina— no apunta en tal sentido.

Como señalaba más arriba, cabe entender que la remisión que el art. 380 ACP realizaba al art. 556 CP lo es en otro sentido. Puede

---

[29] Entiende que esta ha sido la intención del legislador, entre otros MAGALDI PATERNOSTRO en *Comentarios al Código Penal,* op. cit. p. 1710 y 1714 donde justifica, basándose en la finalidad de la norma, el hecho de que la negativa a someterse a las pruebas de alcoholemia sea entendida como una desobediencia grave. Dicha finalidad es, según MAGALDI, preservar la indemnidad del bien jurídico concretado en la seguridad del tráfico. TAMARIT SUMALLA en *Comentarios,* op. cit. p. 1958.

[30] Estaríamos ante supuestos en que el sujeto ha cometido previamente un delito de conducción bajo la influencia del alcohol o sustancias estupefacientes y además incurre en una negativa que, por las circunstancias concurrentes, puede tipificarse como un delito de desobediencia grave conforme al art. 556 CP.

interpretarse que dicha remisión de uno a otro precepto lo es a efectos de *completar la tipicidad objetiva*, y no como una mera remisión a lo que debe ser la pena impuesta a la acción descrita en el tipo de negativa al sometimiento de las pruebas de alcoholemia. En caso de aceptar esta posibilidad, deberán tenerse en cuenta *obligatoriamente* todos y cada uno de los elementos que en esta sede conforman el delito de desobediencia grave a la autoridad (art. 556 CP). Siendo ello así, tendrá que existir un previo requerimiento formal, personal y directo del agente policial realizado en el ejercicio de sus funciones y dentro de los límites de sus competencias, y una negativa expresa, terminante, clara y reiterada por parte del sujeto requerido que permita hablar de un delito de desobediencia grave[31].

Esta interpretación no me parece, en absoluto, descabellada, es más me parece la más correcta. Entiendo que una concreta penalidad va siempre referida a una determinada acción compuesta por una serie de elementos típicos que la caracterizan y que, precisamente por el desvalor intrínseco que representa, se le asigna por parte del legislador una u otra pena. Por tanto, si se debía aplicar la pena contenida en el art. 556 CP a la acción típica recogida en el anterior delito de negativa a la realización de las pruebas de alcoholemia es porque se entendía que la conducta reunía, cuanto menos, los requisitos típicos exigidos para cualquier otra desobediencia que no se dé en el ámbito de los delitos contra la seguridad en el tráfico. En síntesis: la equiparación en cuanto a penalidad debiera suponer una equiparación también en el desvalor de ambas conductas. Así las cosas, la acción del sujeto que se niega a someterse a tales pruebas debía ser comparable a una desobediencia grave que, fuera de ese contexto, pudiese ser considerada como un delito tipificado en el art. 556 CP[32].

Atendiendo a esta interpretación cabe *cuestionarse*, no obstante, si se hubiese aceptado la *atipicidad* conforme al art. 380 ACP, de una

---

31 Analizan estos requisitos con abundantes extractos de resoluciones judiciales Ganzenmüller Roig/ Lamo Rubio/ Robledo Villar/ Escudero Moratalla/ Frigola Vallina, *Delitos contra la Seguridad del tráfico. Los delitos cometidos con ocasión de la conducción de vehículos a motor y ciclomotores*, 2ª ed. Barcelona 2005, p. 198 a 205. Vid. también Corcoy Bidasolo (dir.)/ Cardenal Montraveta/ Fernández Bautista/ Gallego Soler/ Gómez Martín/ Hortal Ibarra: *Manual práctico de Derecho Penal,* op. cit. p. 1186.

32 En este sentido vid. la SAP Madrid 7-02-2003.

negativa a la realización de las pruebas de alcoholemia en la que no concurriesen los elementos típicos del art. 556 CP aceptando, en su caso, la calificación como falta de desobediencia. Dicha interpretación por bien que parece plausible desde la perspectiva dogmática ofrecida en las líneas precedentes no ha sido, sin embargo, aceptada por la jurisprudencia, a pesar de que sean esas mismas resoluciones las que exigían la concurrencia de los elementos típicos que configuran el delito de desobediencia grave[33].

2. La modificación recogida en la LO 15/2007 de reforma del Código Penal

Si bien la redacción del art. 380 ACP —habida cuenta de su remisión expresa al art. 556 CP— no dejaba lugar a la duda sobre su necesario tratamiento como delito de desobediencia, la redacción del art. 383 conforme a la LO 15/2007 de reforma del Código Penal, podría cambiar esta interpretación sustancialmente. Con la nueva redacción prevista en dicha LO la remisión al delito de desobediencia brilla por su ausencia manteniendo, no obstante, una pena superior al delito de conducción bajo la influencia del alcohol o sustancias estupefacientes[34]. Concretamente el art. 383 CP establece una pena de prisión de seis meses a un año y privación del derecho a conducir vehículos a motor y ciclomotores por tiempo superior a uno y hasta cuatro años.

Llegados a este punto, la duda que se plantea es la siguiente: ¿sigue siendo el delito de negativa al sometimiento de las pruebas de alcoholemia y sustancias estupefacientes un delito de desobediencia específica por bien que no exista una remisión expresa a dichos tipos? Pues bien, a pesar de que la nueva redacción del delito que nos ocupa obvie toda referencia al tipo de desobediencia, entiendo que

---

[33]　En este sentido vid. entre otras Vid. entre otras las SSAP Teruel 25-10-2006; Soria 3-07-2006; Vizcaya 19-09-2005; Alicante 6-09-2005; Barcelona 10-06-2005; Vizcaya 19-09-2005.

[34]　El art. 379 CP conforme a la nueva redacción prevista en la LO 15/2007 de reforma del Código Penal prevé una pena de prisión de tres meses a seis meses o multa de seis a doce meses y trabajos en beneficio de la comunidad de 31 a 90 días y, en cualquier caso, la pena de privación del derecho a conducir vehículos a motor y ciclomotores por tiempo superior a uno y hasta cuatro años.

puede seguir interpretándose que estamos ante una conducta equiparable a una desobediencia a la autoridad. Ello podría deducirse de la redacción contenida en el art. 383 CP:*"El conductor que, requerido por un agente la autoridad, se negare....",* que en este aspecto no varía de la contenida en el art. 380 ACP. En definitiva se trataría de un requerimiento específico por parte de agentes de la autoridad al que el sujeto en cuestión se niega[35]. Además debe tenerse en cuenta que si la interpretación no es en este sentido, volverían a surgir dudas acerca de la constitucionalidad de este precepto.

En efecto, si retomamos la interpretación que el Tribunal Constitucional establecía respecto del delito previsto en el art. 380 ACP debemos recordar que la proporcionalidad —tantas veces cuestionada— de la pena asignada a este precepto se basaba en que el mismo protegía tanto la seguridad en el tráfico como el principio de autoridad. Esto último podía predicarse del delito de negativa a la realización de las pruebas de alcoholemia en la medida en que se remitía expresamente a la pena contenida en el art. 556 CP, lo que llevaba a la doctrina a tratarlo como tal delito de desobediencia. Sin embargo, si con la nueva redacción se entiende que dicha negativa ya no constituye un delito de desobediencia, la *desproporcionalidad* de la pena volvería a ser una cuestión debatida, pues dicha pena es ostensiblemente superior a la de conducción bajo la influencia del alcohol o sustancias estupefacientes.

Dicho de otro modo, si la nueva redacción prevista para el delito de negativa al sometimiento de las pruebas de alcoholemia o sustancias estupefacientes *impide* su interpretación como *delito complejo* (delito contra la seguridad en el tráfico y delito de desobediencia), uno de los principales argumentos utilizado por el Tribunal Constitucional para defender la proporcionalidad de la pena asignada al mismo ya no sería válido. Así, la cuestión acerca de la constitucionalidad de este precepto, tan discutida en los años 1996 y 1997, sería objeto de debate abierto nuevamente.

---

[35] En este sentido vid. QUERALT JIMÉNEZ, *Derecho Penal,* 5º ed. op. cit. p. 937.

IV. LA REALIZACIÓN EFECTIVA DE LA PRUEBA DE ALCOHOLEMIA. ALGUNOS SUPUESTOS PROBLEMÁTICOS

Tanto la redacción del art. 380 ACP como la actual del art. 383 CP presentan, tal y como ya se ha puesto de manifiesto, algunos extremos de dudosa interpretación. Sin embargo, las dificultades no son algo exclusivo de una lectura puramente dogmática del precepto que nos ocupa, sino que también su aplicación práctica conlleva algunos problemas. En relación a esta cuestión quisiera destacar, muy brevemente y sin ánimo de exhaustividad, algunos supuestos problemáticos de la aplicación forense del actual delito de negativa a la realización de las pruebas de alcoholemia, así como su tratamiento jurisprudencial.

1. Alegación de impedimentos físicos

En primer lugar, cabe cuestionarse si la negativa al sometimiento de la prueba de detección de alcohol mediante etilómetro alegando impedimentos físicos para realizar tal prueba puede ser relevante desde la perspectiva jurídico-penal. A este respecto cabe destacar que el RGCir excusa de la obligación a someterse a las pruebas de alcoholemia a aquellas personas que sufran lesiones, dolencias o enfermedades cuya gravedad impida la práctica de estas pruebas[36]. De este modo, puede concluirse que la negativa a someterse a las pruebas de alcoholemia sólo será relevante desde la perspectiva jurídico-penal en la medida en que la persona obligada reúna las condiciones físicas óptimas para someterse a tal prueba. Las causas físicas que exonerarían al sujeto de la obligación de realizar la prueba del etilómetro se limitan por la jurisprudencia a supuestos de dolencias torácicas y dificultades respiratorias o similares, sin tener en cuenta otras dolencias que, aunque no estén estrechamente ligadas a

---

[36] Art. 22 RGCir. ...... 2. *Cuando las personas obligadas sufrieran lesiones, dolencias o enfermedades cuya gravedad impida la práctica de las pruebas, el personal facultativo del centro médico al que fuesen evacuados decidirá las que se hayan de realizar.*

la función física de "soplar" si pueden dificultar la realización de la prueba al sujeto[37].

2. Solicitud de análisis de sangre

Otro supuesto que podría destacarse en relación a la aplicación práctica del delito contenido en el art. 383 CP es la negativa por parte del sujeto obligado a realizar pruebas de alcohol en aire espirado y solicitar directamente análisis de sangre. La analítica es, reglamentariamente, prueba de contraste[38] por lo que, en principio, sólo podría solicitarse si existen acreditados problemas físicos que impidan realizar la prueba de aire. Sin embargo, dicha actitud, esto es, la negativa a realizar la prueba del etilómetro y solicitar directamente una analítica, no debiera considerarse, en mi opinión, como típica a los efectos del art. 383 CP pues es precisamente esta prueba la que sin margen de error puede constatar la tasa de alcohol que el sujeto presenta en su organismo[39].

---

[37]   En este sentido vid. SAP Barcelona 4-11-2005 en la que se no se excluye de la obligación de someterse a la prueba de alcoholemia a la acusada que presentaba una fractura a la altura del tobillo con un dolor muy agudo y mareo.

[38]   Art. 22 RGCir. 1. *Las pruebas para detectar la posible intoxicación por alcohol se practicarán por los agentes encargados de la vigilancia de tráfico y consistirán, normalmente, en la verificación del aire espirado mediante etilómetros que, oficialmente autorizados, determinarán de forma cuantitativa el grado de impregnación alcohólica de los interesados. A petición del interesado o por orden de la autoridad judicial, se podrán repetir las pruebas a efectos de contraste, que podrán consistir en análisis de sangre, orina u otros análogos.* Acerca de la problemática de la negativa a la segunda prueba de aire espirado vid. RODRÍGUEZ FERNÁNDEZ, *La conducción bajo la influencia de bebidas alcohólicas, drogas tóxicas, estupefacientes y sustancias psicotrópicas*, 2º ed. Granada 2006, p. 140 ss. afirmando que la segunda negativa puede considerarse más leve en su ofensividad con respecto a los bienes jurídicos protegidos.

[39]   De la misma opinión MAGALDI PATERNOSTRO en *Comentarios al Código Penal*, op. cit. p. 1713 mantiene que "*entenderlo de otro modo conduce a una formalización de la conducta prohibida alejada de la finalidad específica que justifica objetivamente su expresa regulación al margen de la desobediencia en sentido estricto: la comprobación de que se está conduciendo bajo el influjo evidenciado de las sustancias típicas....*".

Siendo este extremo lo que precisamente se pretende probar, no puede decirse que el sujeto que voluntariamente se somete a este análisis y desecha la prueba de aire espirado lesione en modo alguno el principio de autoridad o contradiga el requerimiento de la autoridad para la comprobación de las tasas establecidas en los delitos contra la Seguridad Vial (art. 379. 2 CP).

Cabe destacar, no obstante que precisamente por el margen de error que presentan los etilómetros, no aceptar segundas pruebas —con las que precisamente se pretende subsanar dicho error— por el sujeto obligado a realizarlas[40] ha sido entendido por la jurisprudencia mayoritaria como una conducta típica a los efectos del art. 380 ACP. Así lo ha puesto de relieve el TS poniendo de manifiesto expresamente que *"…. la negativa a dichas segundas pruebas debe considerarse incluida en el tipo penal del art. 380 CP, pues entenderlo de otra forma, implicaría un verdadero fraude legal, por cuanto podría cuestionarse el resultado obtenido con ellos con lo que, en la práctica, devendría absolutamente ineficaz la norma legal"[41].*

3. Realización defectuosa de la prueba

Otro supuesto que en ocasiones se equipara a una negativa típica es la realización voluntariamente defectuosa de la prueba de alcoho-

---

[40] Art. 23 RGCir. Prácticas de las pruebas. *1. Si el resultado de la prueba practicada diera un grado de impregnación alcohólica superior a 0,5 gramos de alcohol por litro de sangre, o a 0,25 miligramos de alcohol por litro de aire espirado, o al previsto para determinados conductores en el <u>artículo 20 del presente Reglamento</u> o aún sin alcanzar estos límites, presentara la persona examinada síntomas evidentes de encontrarse bajo la influencia de bebidas alcohólicas, el agente someterá al interesado, para una mayor garantía y a efecto de contraste, a la práctica de una segunda prueba de detección alcohólica por el aire espirado, mediante un procedimiento similar al que sirvió para efectuar la primera prueba, de lo que habrá de informarle previamente.*

[41] STS 22-03-2002. Vid. también SSAP Barcelona 28-03-2006; Valencia 12-01-2005; Barcelona 10-11-2004. En contra de que la negativa a las segundas pruebas sea considerado típico a los efectos del art. 380 CP vid. SAP Zamora 25-04-2006. Analiza esta cuestión DOMÍNGUEZ IZQUIERDO, "La conducción bajo la influencia de drogas tóxicas o de bebidas alcohólicas y la negativa a someterse a las pruebas dirigidas a la comprobación de tales hechos: la vinculación material de los arts. 379 y 380 del Código Penal", op. cit. p. 285 ss.

lemia, es decir, lo que coloquialmente se denomina "soplar mal"[42]. No obstante ello, en otras tantas ocasiones no es posible fundamentar la condena por un delito de negativa al sometimiento de las pruebas de alcoholemia puesto que no puede asegurarse con absoluta certeza que la realización defectuosa de dicha prueba sea consecuencia directa de la intención fraudulenta del sujeto[43]. Así, un resultado inválido o bien la ausencia de resultado, puede deberse al estado psicofísico (asma, intoxicación etílica aguda etc....) del sujeto que intenta llevar a cabo la prueba del etilómetro. En estos casos y, ante la duda de que el sujeto en cuestión tenga una voluntad manifiesta y evidente de negarse a realizar la prueba de alcoholemia, procede la absolución del mismo por este delito[44].

4. Detección de sustancias estupefacientes

Como es sabido, para los casos de supuesta intoxicación por drogas tóxicas, estupefacientes y sustancias psicotrópicas no existe prueba similar —al menos de alta fiabilidad— a la utilizada para comprobar la impregnación alcohólica. Para estos casos están previstos los análisis de sangre u orina[45] que constituyen, obviamente, una injerencia en la integridad corporal del sujeto y requieren, por tanto, autorización de éste o del Juez para su realización. Por este motivo, la negativa a realizar las pruebas que demuestran la ingesta de dichas sustancias por parte del sujeto que supuestamente lleva

---

[42]   Vid. por ej. SAP Granada 31-03-2006.

[43]   Pone de manifiesto estos supuestos SÁNCHEZ MORENO, *Negativa a someterse a las pruebas de alcoholemia*, op. cit. p. 21 a 23.

[44]   Vid. SAP Barcelona 30-03-2006 en la que se absuelve al sujeto por no quedar suficientemente acreditada la intención deliberada de soplar mal.

[45]   Art. 28 RGCir. Pruebas para la detección de sustancias estupefacientes y similares. 1. *Las pruebas para la detección de estupefacientes, psicotrópicos, estimulantes u otras sustancias análogas, así como las personas obligadas a su sometimiento, se ajustarán a lo dispuesto en los párrafos siguientes.1.1 Las pruebas consistirán normalmente en el reconocimiento médico de la personas obligadas y en los análisis clínicos que el médico forense u otro titular experimentado, o personal facultativo del centro sanitario o instituto médico al que sea trasladada aquella, estimen más adecuados. A petición del interesado o por orden de la autoridad judicial, se podrán repetir las pruebas a efectos de contraste, pudiendo consistir en análisis de sangre, orina u otros análogos.*

a cabo una conducción anómala no podía entenderse incluida en la conducta típica del anterior delito de negativa al sometimiento de las pruebas de alcoholemia (art. 380 ACP). No obstante, por bien que esta conducta no podía entenderse como delictiva sí se podía condenar por la comisión de un delito de conducción bajo la influencia de estas sustancias, pues recuérdese, dicha influencia puede acreditarse por cualquier otro medio. Así, la propia declaración de los agentes o incluso la de testigos, podía ser suficiente a estos efectos.

Pues bien, con la nueva redacción del delito que nos ocupa la situación es, a mi modo de ver, idéntica con respecto a la actual. En efecto, a la luz de la redacción contenida en la LO 15/2007 de reforma del Código Penal la obligación del sujeto es idéntica, pues se establece que la negativa típica lo es a someterse a las pruebas legalmente establecidas para la comprobación de las tasas de alcoholemia, drogas tóxicas, estupefacientes y sustancias psicotrópicas. Con independencia de que la nueva redacción del precepto especifique las sustancias cuya ingesta pretende comprobarse y que únicamente se establezca una tasa para el alcohol y no para el resto de sustancias, este extremo no puede variar, en absoluto, una doctrina doctrinal y jurisprudencial ya asentada de lo que supone o no injerencia corporal en el sujeto[46]. Así, la negativa a someterse las pruebas para la detección de sustancias estupefacientes podrá ser relevante —del mismo modo que sucede en la actualidad— desde la óptica jurídico-penal sólo en la medida en que puedan equiparse a la prueba del etilómetro. De este modo, la condena por conducir bajo la influencia de sustancias estupefacientes deberá basarse en los *mismos indicios* que se han venido utilizando en la actualidad, todo ello mientras no exista una prueba fiable para la detección de dichas sustancias que

---

[46]   Sobre este aspecto vid. QUERALT JIMÉNEZ, *Derecho Penal español,* op. cit. p. 670 donde se refiere a las resoluciones de la Comisión Europea de Derechos Humanos referidas a análisis sanguíneos, y que declaran que toda intervención médica compulsiva constituye una intromisión en el derecho al respeto de la vida privada protegida por el art. 8 CEDH. Especifica este autor que en nuestro ordenamiento la constitucionalidad de la adopción coactiva de medidas de intervención corporal depende también de su previa autorización legal (arts. 5.1 y 8.2 CEDH), así como refiere la doctrina constitucional sobre intervenciones corporales en el sospechoso (SSTC 26/1981 y 37/1989).

no suponga una injerencia corporal en el sujeto que presenta síntomas de haberlas consumido.

V. CONCLUSIONES Y TOMA DE POSTURA

Si bien se ha procurado ofrecer una visión general de los puntos más problemáticos que rodean a la interpretación del delito que nos ocupa, en este lugar y, a modo de brevísima conclusión, quisiera destacar algunos aspectos que conciernen a la nueva redacción que la LO 15/2007 ofrece del delito de negativa a la realización de las pruebas de alcoholemia.

En primer lugar poner de manifiesto lo que en mi opinión constituye un *acierto* de la LO 15/2007 de reforma. Tal es la inclusión en el delito de negativa al sometimiento de las pruebas de alcoholemia (art. 383 CP) de la *pena de privación del derecho a conducir* vehículos a motor y ciclomotores por tiempo superior a uno y hasta cuatro años[47]. En efecto, en la anterior redacción de este delito, como es sabido, únicamente se recogía la pena de prisión de seis meses a un año, pena que se corresponde con la establecida en el art. 556 CP (delito de desobediencia). Esta cuestión había sido altamente cuestionada y criticada por la doctrina e incluso se veía como un obstáculo a la hora de aplicar, acudiendo a la solución que ofrece el concurso de normas, únicamente la pena prevista para el delito descrito en el art. 380 ACP. Todo ello por la imposibilidad de aplicar al sujeto que incurriese en dicha conducta la pena de privación del derecho a conducir vehículos a motor y ciclomotores[48] pena que, por

---

[47]   Extremo éste que, por cierto, es objeto de enmienda por parte del Grupo Parlamentario de Senadores Nacionalistas Vascos (GPSNV) proponiendo la supresión de dicha pena privativa del derecho a conducir (BOCG Senado VIII Legislatura nº 24-C 29 octubre 2007).

[48]   En este sentido vid. MAGALDI PATERNOSTRO en *Comentarios al Código Penal,* op. cit. p. 1715, donde afirma que en relación a la problemática concursal entre el art. 379 ACP y art. 380 ACP lo más adecuado sería decantarse por un concurso de normas y aplicar la pena privativa de libertad prevista para el delito descrito en el art. 380 ACP, destacando también el problema de que dicho precepto no recoge la pena de privación del derecho de conducir vehículos de motor o ciclomotores. Un reducido sector jurisprudencial se pronuncia del mismo modo decantándose por la solución del concurso de

otra parte, parecía del todo inexcusable habida cuenta de la calificación de delito contra la seguridad en el tráfico de la que gozaba dicho precepto. Máxime con la interpretación que el Tribunal Constitucional había establecido en aras a su constitucionalidad. Pues bien, con la actual redacción del delito de negativa a la realización de las pruebas de alcoholemia que introduce la LO 15/2007 no hay objeción alguna para, siguiendo esta línea interpretativa, decantarse por la solución del concurso de normas en el caso de concurrir el delito de conducción bajo la influencia de bebidas alcohólicas o sustancias estupefacientes y el delito de negativa al sometimiento de las pruebas de alcoholemia.

En segundo lugar destacar otro aspecto, en esta ocasión y bajo mi punto de vista, altamente *negativo* de la LO 15/2007 de reforma del Código Penal en lo que concierne al delito aquí analizado. Me refiero al hecho de que la redacción dada para este tipo se refiera a la obligación de someterse a las pruebas legalmente establecidas para la comprobación de las tasas de alcoholemia, y la presencia de las drogas tóxicas, estupefacientes y sustancias psicotrópicas referidas en los artículos anteriores. Dejando a un lado el hecho de que la tasa únicamente se establezca para el caso de las bebidas alcohólicas (art. 379. 2 CP), entiendo que dicha referencia a la *"comprobación de las tasas"* obliga a una *interpretación formal* de este delito. Así una vez suprimida la necesaria influencia de determinadas sustancias en la conducción del sujeto como requisito previo para la comisión del delito de negativa al sometimiento de las pruebas de alcoholemia, no queda otra alternativa que entender esta *"especie de desobediencia"* como un delito meramente formal en el que el único requisito para otorgar relevancia jurídico-penal a la acción es negarse a someterse a una determinada prueba, con independencia de que la conducción de este sujeto haya sido correcta o no. Como ya he señalado con anterioridad, esta posible interpretación me parece un retroceso intolerable en la aplicación de un tipo al que se había logrado dotar, a través de una interpretación material y restrictiva, de un mínimo de sentido.

normas entre el art. 379 y el art. 380 ACP condenando sólo por el delito de negativa al sometimiento de las pruebas de alcoholemia. En parecidos términos MARTÍNEZ RUIZ, "El delito de desobediencia a los agentes de la autoridad en el ámbito de la seguridad vial", op. cit. p. 246. Vid. las SSAP Madrid 18-11-2005; 1-07-2005; Valencia 3-01-2005.

Por último destacar, también desde una *perspectiva negativa*, el hecho de que este precepto (art. 383 CP) —con los defectos y carencias que ya se han reseñado— tenga asignada una *pena superior* a la establecida para el delito de conducción bajo la influencia de bebidas alcohólicas o sustancias estupefacientes (art. 379. 2 CP). Bajo mi punto de vista, si existe una conducta realmente peligrosa para la seguridad en el tráfico rodado y en último lugar para la vida e integridad de las personas, no es el hecho de negarse formalmente a realizar tal o cual prueba, sino ponerse al volante de un vehículo teniendo alteradas las facultades mínimas y necesarias para dicha actividad por el hecho de haber ingerido determinadas sustancias. Pues bien, curiosamente dicha conducta sigue siendo menos penada que el hecho de negarse ante los agentes de la autoridad a realizar las pruebas preceptivas de alcoholemia (art. 383 CP).

CREACIÓN DE GRAVE RIESGO PARA LA SEGURIDAD EN EL TRÁFICO (ART. 385 CP)

DAVID I. CARPIO BRIZ
Profesor de Derecho Penal
Universidad de Barcelona

I. INTRODUCCIÓN

Tras la reforma operada por la LO 15/2007, el legislador ha venido a ofrecer, a través del nuevo art. 385 CP[1], una renovada versión y ubicación del delito contenido en el derogado art. 382 ACP[2]. Éste

---

[1]   Art. 385 CP *"Será castigado con la pena de prisión de seis meses a dos años o a las de multa de doce a veinticuatro meses y trabajos en beneficio de la comunidad de 10 a 40 días, el que originare un grave riesgo para la circulación de alguna de las siguientes formas:*
1.ª Colocando en la vía obstáculos imprevisibles, derramando sustancias deslizantes o inflamables o mutando, sustrayendo o anulando la señalización o por cualquier otro medio.
2.ª No restableciendo la seguridad de la vía cuando haya obligación de hacerlo."

[2]   Art. 382 ACP *"Será castigado con la pena de prisión de seis meses a dos años o multa de 12 a 24 meses el que origine un grave riesgo para la circulación de alguna de las siguientes formas:*
1.º Alterando la seguridad del tráfico mediante la colocación en la vía de obstáculos imprevisibles, derramamiento de sustancias deslizantes o inflamables, mutación o daño de la señalización, o por cualquier otro medio.

era, de entre los delitos contra la seguridad en el tráfico, el que menor atención había recibido por parte de la doctrina. A pesar de ello, su opinión no resultaba pacífica respecto a la valoración jurídica de la mayoría de los elementos que lo configuraban[3]. Probablemente porque se trataba, y se trata, de un delito de peligro, de estructura compleja (activa y omisiva) y cuyas posibilidades de aplicación rebasan el uso que la jurisprudencia venía, y viene, haciendo de él[4].

    2.º No restableciendo la seguridad de la vía cuando haya obligación de hacerlo."

[3] Las discrepancias afectaban incluso a la denominación del delito, como así lo ha señalado SPINOLA TARTALO, "Conductas no consistentes en circular con vehículo de motor o ciclomotor creadoras de grave riesgo para la seguridad del tráfico: el artículo 382 del Código penal", *CPC*, núm. 66, 1998, p. 695 y ss, quien considera preferible la terminología empleada en el título de su artículo, frente a otras expresiones empleadas por la doctrina como: *"Creación de grave riesgo para la circulación"*, así ORTS BERENGUER, *Compendio de Derecho penal* (dir. GONZÁLEZ CUSSAC y ORTS BERENGUER), Ed. Tirant lo Blanch, Valencia, 2002, p. 713; el mismo, *Derecho Penal. Parte Especial* (dir. VIVES ANTÓN), Ed. Tirant Lo Blanch, Valencia, 1999, p. 706 y ss. En otro sentido lo denomina *"Creación de grave riesgo para la seguridad del tráfico"*, MUÑOZ CONDE, *Derecho Penal. Parte Especial*, 16ª ed., Ed. Tirant Lo Blanch, Valencia, 2007, p. 691 y ss. Lo define como *"Alteración de la seguridad del tráfico"*, TAMARIT SUMALLA, *Comentarios a la Parte Especial del Derecho Penal* (dir. QUINTERO OLIVARES), 5ª ed., Ed. Thomson-Aranzadi, Pamplona, 2005, p. 1460 y ss. Como *"Obstaculizaciones al tráfico"*, BELTRÁN BALLESTER, "Las obstaculizaciones al tráfico examen del art. 30 bis b) del código penal español", en *Delitos contra la seguridad del tráfico y su prevención* (dir. COBO DEL ROSAL), Ed. Universidad de Valencia, 1975, p. 11 y ss. En otro sentido, *"Alteración de la seguridad en el tráfico mediante obstáculos en las vías"*, BUSTOS RAMÍREZ, *Manual de Derecho Penal Español*, 3ª ed., Ed. Ariel, Barcelona, 1991, p. 251 y ss; lo denomina *"Obstaculización de la circulación"* QUERALT JIMÉNEZ, *Derecho penal español. Parte especial*, 5ª ed., Ed. Atelier, Barcelona, 2007, p. 939 y ss; MONTANER FERNÁNDEZ, *Lecciones de Derecho penal. Parte Especial* (dir. SILVA SÁNCHEZ), Ed. Atelier, Barcelona, 2006, p. 280-281, no lo intitula.

[4] Vid. Memoria de la Fiscalía General del Estado del año 2005, p. 522, *"De estos delitos de riesgo en la seguridad del tráfico, las conducciones temerarias o con consciente desprecio a la vida de los demás, son las menos frecuentes, prácticamente quedan relegadas, a casos muy esporádicos (…)La colocación de obstáculos en las vías es todavía más infrecuente "*. En la Memoria de 2006 en el apartado destinado a efectuar la valoración general sobre la incidencia de los delitos relativos a la seguridad vial no existe mención expresa a este delito, p. 545-564. De nuevo en la Memoria de 2007, p. 516, se afirma: *"El apartado de riesgos de la circulación no se refiere a los delitos*

Estructuralmente, bajo este disenso subyacen las posiciones encontradas sobre el fundamento político-criminal de los bienes jurídicos supraindividuales y que, a la postre, sirven de guía en la interpretación dogmática de los delitos que persiguen la protección de esta clase de bienes. Estado de controversia al que cabe reconducir, en última instancia, la disparidad de propuestas vertidas por la doctrina en torno a los delitos de peligro referidos a bienes colectivos. Por lo tanto, las dificultades que planteaba el art. 382 ACP, y ahora el art. 385 CP, no son más que otro ejemplo enmarcado en ese escenario, aderezado en el caso de este delito, con las particularidades derivadas del tipo de comisión por omisión que en él se contiene.

Este trabajo trata de señalar, en trazos esencialmente descriptivos, el estado de discusión que existía en la literatura dogmática española en torno a los componentes que estructuraban el delito *ex* art. 382 ACP y que, dadas las similitudes, cabe proyectar sobre su actual formulación en el art. 385 CP. Privilegiando, en este nivel de análisis, la toma en consideración de casos jurisprudenciales, así como de otros posibles supuestos que podrían llegar a serlo. Dejo para una ulterior publicación un abordaje más profundo sobre el fundamento político-criminal del delito, lo que no me impide tomar posición sobre los problemas de interpretación y sus posibles soluciones.

Por último, presto especial atención a las posibles consecuencias prácticas que pueden suscitar las reformas llevadas a cabo por el legislador. Igualmente, sugiero *de lege ferenda* diversas propuestas que cabría haber acogido en esta reforma para preservar más eficazmente la seguridad sobre las vías públicas, dada la notable sensibilidad que el legislador viene mostrando en materia de seguridad en el tráfico, como pone de manifiesto la reciente modificación del CP.

---

del artículo 382 respecto de los que apenas hay procedimientos y es un cajón desastre sin apenas valor indicativo", idea reiterada en la p. 521 (en www. fiscal.es).

II. CONSIDERACIONES GENERALES SOBRE EL NUEVO ART. 385: ESTRUCTURA Y ELEMENTOS COMUNES

El actual legislador, al igual que el de 1995 y anteriores[5], se ha propuesto mediante este precepto tipificar conductas consistentes en alterar la seguridad en la vía u omitir su restablecimiento siempre que causaran un grave riesgo para la seguridad en el tráfico. Esta bicéfala estructura continúa siendo lo más característico de este delito, y lo que le aporta su mayor complejidad práctica al reprocharse un doble comportamiento humano. En su vertiente activa (art. 385. 1ª CP) se persigue la alteración de las condiciones de seguridad de la vía produciendo con ello un grave riesgo para la circulación. Alternativamente, contiene una segunda modalidad típica, ésta de configuración omisiva (art. 385. 2ª CP), por la que el reproche penal se dirige al sujeto que obligado a recuperar la seguridad de la vía infringe el deber de restituirla a su estado inicial.

Además de su ya señalada estructura compleja, cabe destacar como otra característica sustantiva de este delito, el hecho de que la realización de las conductas típicas no vienen necesariamente derivadas —a diferencia del resto de delitos contra la seguridad en el tráfico— de la conducción efectiva de vehículos a motor y/o ciclomotores. Por ello continuará cumpliendo en la práctica, al igual que hacía hasta la reforma de 2007 el art. 382 ACP, una función residual al

---

5   A su vez el derogado art. 382 ACP seguía en su estructura al art. 340 bis b), su predecesor en el Código Penal de 1973, vid. Lascuraín Sánchez, *Comentarios al Código Penal* (dir. Rodríguez Mourullo), Ed. Civitas, Madrid, 1997, p. 1048. Este último artículo fue introducido en el Código Penal por Ley de 7 de abril de 1967, para una visión ágil de sus antecedentes y la *ratio essendi* que motivó al legislador de 1967, vid. Beltrán Ballester, "Las obstaculizaciones al tráfico...", cit., p. 13-21; Cerezo Mir, "Problemas fundamentales de los delitos contra la seguridad del tráfico", *ADPCP*, 1970, p. 581-590. Desde su reinclusión en el art. 382 del CP de 1995, el precepto sólo se había visto alterado a través de la reforma operada por LO 15/2003, de 25 de noviembre, que aumentó la pena alternativa de multa, pasando de entre 3 y 8 meses a entre 12 y 24 meses, de conformidad con los criterios de sustitución previstos en el art. 88 CP. Vid. Monterde Ferre, "Resumen de los cambios efectuados en el libro II del Código penal tras la reforma de la LO 15/2003, de 25 de noviembre", en *Las últimas reformas penales* (dir. Castellano Rausell), *CDJ*, Ed. CGPJ, Madrid, núm. 3, 2005, p. 345.

subsumirse conductas no incardinables en el resto de delitos contra la seguridad de la circulación. Esta función de cierre del sistema *"de los delitos contra la seguridad en el tráfico"* la reafirma el legislador reubicando el precepto al final del Capítulo IV. A consecuencia de esta escenificación el art. 385 CP pierde de manera expresa la aplicación de la cláusula concursal específica prevista en el derogado art. 383 ACP, modificada y contenida en el actual art. 382 CP. Sin embargo, según el vigente sistema concursal se llega materialmente a la misma solución, pues en su nueva redacción la cláusula del art. 382 CP —aparentemente de leyes— acoge la solución del concurso ideal-medial *ex* art. 77 CP, la misma que se deberá aplicar entre el delito de resultado lesivo, de cualquier gravedad, y el delito de peligro del art. 385 CP[6]. Con el añadido que, este último supuesto, sí se beneficia del límite general previsto en el art. 77. 2 CP *in fine*, es decir *"...la pena impuesta nunca podrá exceder de la suma de las que correspondería aplicar si se penaran separadamente la infracciones."*. Lo que no sucederá en aquellos casos que queden bajo la previsión concursal específica del art. 382 CP[7].

Por último, desde el punto de vista general que ahora me ocupa, ambas modalidades comisivas comparten, consecuentemente con la teleología común descrita, algunos elementos. Entre ellos: el bien jurídico protegido, el objeto y las personas que deben tomarse como referencia en el juicio de peligro. Por consiguiente, resulta conveniente tratarlos conjunta e inicialmente, antes de entrar en las especificidades que singularizan a ambas vertientes, con el fin de evitar reiteraciones innecesarias.

1. ¿Delito de peligro concreto o abstracto?

En general, uno de los mayores problemas que provoca el disenso entre la doctrina deriva de la dificultad de consensuar una terminología común para los delitos de peligro. Se carece de esta conceptualización en términos tan básicos como los de "peligro" y "riesgo", "peligro concreto", "abstracto", "hipotético" o simplemente con el

---

6   Vid. En esta obra el trabajo de CORCOY BIDASOLO, en particular, sobre el análisis de la cláusula concursal del art. 382 CP. También en esta dirección GARCÍA ALBERO, "La nueva política criminal de la seguridad vial", *RECPC*, 09-11, 2007, p. 8-9, nota 23.

7   Ibíd. CORCOY BIDASOLO.

concepto de "resultado" que puede entenderse en sentido jurídico o naturalístico, o como "resultado de peligro" y "resultado de lesión".

Esta dificultad coadyuva a que la clasificación del delito, contenido ahora en el art. 385 CP, como de peligro abstracto o concreto haya resultado compleja tanto para la doctrina como para la jurisprudencia. Según el parecer mayoritario de los tribunales se trata de una infracción de peligro abstracto[8], en el que la proximidad o producción de un resultado sólo sería relevante para determinar la pena a imponer, dado el amplio marco penal de este delito.

> Valga el ejemplo de la SAP Guipúzcoa 06-04-2005: *"El tipo no requiere una concreta puesta en peligro. Sin embargo, la referencia a la gravedad del riesgo para la circulación impone la constatación de la idoneidad de la conducta desplegada para generar un riesgo relevante para la vida e integridad física de las personas, dado el carácter medial que los bienes jurídicos supraindividuales presentan respecto a los bienes jurídicos personales. Tal y como se ha reseñado en otras resoluciones de este tribunal, la seguridad del tráfico constituye un bien jurídico colectivo de carácter intermedio en la medida que se encuentra en una relación de medio a fin con los bienes jurídicos individuales..."[9].*

---

[8]   En esta dirección las SSAP Zaragoza 03-09-2003, Guipúzcoa 06-04-2005, Córdoba 17-06-2005 y Cáceres, 11-05-2006.

[9]   Continúa la Sentencia "*...Los delitos contra la seguridad en el tráfico, por lo tanto, otorgan una protección inmediata a las condiciones de desarrollo de los bienes jurídicos individuales de manera que estos obtienen una protección inmediata. De esta forma puede sostenerse que se trata de un bien jurídico colectivo que complementa la tutela de los bienes jurídicos individuales. Esta tutela complementaria se logra a través de dos funciones.-la función de garantía de seguridad, centrada en la conservación de los bienes jurídicos complementados mediante la creación de espacios de contención de riesgos para los bienes jurídicos individuales.-la función de garantía de promoción, abocada a la promoción del uso y disfrute de los bienes jurídicos complementados a través de del diseño de espacios dúctiles para el desenvolvimiento de los bienes jurídicos individuales*". En este mismo sentido, aunque de modo más lacónico, el AAP Lugo 05-05-2005: "*el tipo se configura como de riesgo abstracto*". Por el contrario, la SAP Zaragoza 10-04-2001 entiende que en: "*Este delito... el grave riesgo del que habla el precepto no se refiere a bienes jurídicos personales sino a la circulación, confusa redacción que lo aleja de la órbita de los delitos de peligro concreto, y lo integra en los delitos llamados de peligro hipotético...*". Cfr. TAMARIT SUMALLA, *Comentarios...*, cit., p. 1461, también lo entiende como delito de peligro hipotético por no referirse el riesgo a bienes individuales sino a un bien configurado en términos abstractos. Sobre la relación entre peligro abstracto e hipotéti-

Con independencia del *nomen iuris* con el que se le catalogue, a mí entender, la realización de este tipo exige la puesta en grave peligro de un bien jurídico supraindividual: la seguridad en el tráfico[10]. Debiéndose exigir, por respeto al *principio de lesividad*, la concreta lesión de la seguridad vial, al crear un grave peligro sobre la vía, siendo potencialmente idóneo, a su vez, para lesionar, en abstracto, bienes individuales[11].

La esencia de esta interpretación se encuentra en el fundamento y contenido del objeto de protección. Considero, no siendo cuestión sosegada en la doctrina, que éste se configura como bien supraindividual de carácter autónomo[12]. Sin embargo, su autonomía no lo desvincula de su función de protección de la seguridad y confianza de todas aquellas personas involucradas en una actividad social de riesgo, comúnmente aceptada, como es la del tráfico viario. Su fina-

---

co, TORIO LÓPEZ, "Los delitos del peligro hipotético (Contribución al estudio diferencial de los delitos de peligro abstracto)", *ADPCP*, 1981, p. 825-847.

[10] Sobre la distinción conceptual y terminológica entre peligro y riesgo, en general, CORCOY BIDASOLO, *Delitos de peligro y protección penal de bienes jurídico-penales supraindividuales*, Ed. Tirant Lo Blanch, Valencia, 1999, p. 45 y ss, define el concepto normativo de peligro como probabilidad de lesión de un bien jurídico penal rayana a la seguridad de lesión en el caso concreto, atendiendo a dicho bien y al ámbito de actividad, lo que implica que previamente el legislador debe seleccionar aquellos riesgos que entienda como relevantes para lesionar el bien jurídico y, en base a ello, determinar las modalidades de conducta que considera con suficiente peligrosidad normativa en abstracto para ser objeto de la norma penal. Consecuencias de esta concepción normativa son: la distinción a efectos de imputación entre la situación de peligro ógrado de peligro normativo penalmente relevante según el legisladoró y juicio de peligro, efectuado con posterioridad a la acción peligrosa, pero desde una perspectiva *ex ante,* desde la posición de un espectador objetivo situado en lugar del autor.

[11] En este sentido la ya citada SAP Zaragoza 10-04-2001, que a pesar de haberlo configurado como delito de peligro hipotético acierta cuando establece "...que las conductas que describe el artículo tengan entidad suficiente para suponer un peligro potencial para la vida o la integridad de las personas: el tipo no requiere su concreta puesta en peligro, pero la negación de toda potencialidad *lesiva relevante, según se deriva de la exigencia explícita de la gravedad del riesgo, conllevaría la atipicidad del comportamiento"*.

[12] En la línea de CORCOY BIDASOLO, *Delitos de peligro...*, cit., p. 183 y ss. Esta dirección encuentra acomodo en nuestro modelo de estado constitucional en el que se concilia en lo político, y en lo político-criminal, la perspectiva liberal y social.

lidad es la estabilización del riesgo propio de esta actividad dentro de unos márgenes adecuados para la sociedad, sin que ello permita prescindir del referente individual que limite la intervención penal sólo para aquellas conductas materialmente más peligrosas.

En otra dirección, algunos autores consideran que nos encontramos ante un delito de peligro concreto[13], pues *ex post* se valoran datos para demostrar la posibilidad de que un sujeto entrara en el radio de peligro de la conducta[14]. Sin embargo, no creo que exista referencia en el tipo que determine la necesaria concreción del peligro en bienes individuales, aunque la referencia a la generación de un grave riesgo debe implicar algo más que la mera infracción de la norma[15]. Por ello cabría excluir el reproche penal, si a pesar de la realización de la conducta típica, se comprueba que se ha excluido de antemano todo posible peligro para bienes individuales[16].

En cuanto al resultado, debemos encontrarnos con una puesta en peligro real de la seguridad, no siendo suficiente la mera incomodidad para circular, sino la creación de un verdadero riesgo, cuya estabilidad o permanencia ha de tener un carácter muy relativo (vid. infra). La conducta alteradora debe originar un grave riesgo para la circulación aumentando de forma relevante, por su incidencia sobre las vías, el peligro asumido por los usuarios de éstas.

En consecuencia, estimo que el art. 385 CP es un *delito de peligro abstracto*[17] que no requiere de la producción de resultado alguno respecto a bienes jurídico-penales individuales, aunque sí es preciso, insisto, la irradiación en abstracto de peligro para estos[18]. Debe ser

---

[13]   ORTS BEREBGUER, *Comentarios al Código Penal* (Coord. VIVES ANTÓN), Ed. Tirant lo Blanch, Valencia, 1996, p. 1719.

[14]   BELTRÁN BALLESTER, "Las obstaculizaciones al tráfico...", cit., p. 22.

[15]   Siguiendo a SPINOLA TARTALO, "Conductas...", cit., p. 703.

[16]   MIR PUIG, *Derecho Penal. Parte General,* 7ª ed. Ed. Reppertor, Barcelona, 2004, p. 234.

[17]   En este sentido LASCURAÍN SÁNCHEZ, *Comentarios...,* cit., p. 1048-1049; MAGALDI PATERNOSTRO, *Comentarios al Código Penal. Parte Especial,* (dirs. CÓRDOBA RODA/ GARCÍA ARÁN) Ed. Marcial Pons, Madrid-Barcelona, 2004, p. 1721-1723.

[18]   CORCOY BIDASOLO, *Delitos de peligro...,* cit., p. 373 afirma que *"la delimitación entre delitos de peligro abstracto y concreto se fundamenta en que, en los primeros, únicamente se protege, de forma inmediata un bien jurídico-penal supraindividual, mientras que en los delitos de peligro concreto, junto al bien jurídico-penal supraindividual, se protege, también de forma*

así, por la necesidad de observar los principios que informan al Derecho penal, en este caso, especialmente el ya mencionado *principio de lesividad*[19]. Este postulado político-criminal apuesta por un *Derecho penal material* que debe valorar la efectiva lesividad de la conducta, en función del incremento del riesgo originado para el bien jurídico. Por lo que no basta, sin más, con la mera contravención formal de la norma (lo que es propio del Derecho administrativo sancionador), junto a ésta se requiere de la valoración material, en el contexto social, de la potencialidad lesiva de la conducta.

2. El concepto de vía: ¿Es el común al resto de delitos contra la seguridad en el tráfico?

Como se ha puesto de manifiesto en el apartado anterior, en este delito, la vía es el objeto de referencia sobre el que recaen las conductas peligrosas para lesionar la seguridad en el tráfico. Sobre la vía se concreta el peligro objetivo, desde una perspectiva *ex ante*, para valorar su potencialidad lesiva respecto a la seguridad colectiva. Por este motivo resulta de suma importancia dotar de contenido a dicho elemento típico, pues dependiendo del alcance que tenga cabe derivar un mayor o menor ámbito de aplicabilidad del delito. Diversas son las opiniones de la doctrina al respecto:

a) Para LERMA GALLEGO[20] el término *"vía"*, si bien no se encuentra descrito con precisión, debe entenderse referido tanto a la pública como a la privada[21]. Llega a esta conclusión desde una interpretación teleológica que parte, tanto del bien jurídico protegido, como del

---

inmediata, un bien jurídico-penal individual, exigiéndose en ese caso un resultado de peligro para ese bien jurídico". En el mismo sentido, SILVA SÁNCHEZ, "Consideraciones dogmáticas y de política legislativa sobre el fenómeno de la "conducción suicida", *La ley*, núm. 3, 1988, p. 970-980, entiende los delitos de peligro abstracto como de peligro real y no presunto pero sin que tenga lugar un resultado, en sentido jurídico, de peligro concreto para bienes jurídicos.

19   MIR PUIG, *Estado, pena y delito*. 2ª ed., Ed. BdF, Buenos Aires-Montevideo, 2006, p. 259 y ss, sobre el principio de lesividad como punto de partida de la teoría del delito.

20   LERMA GALLEGO, "Delitos de tráfico y prevención general" *CPC*, núm. 52, 1994, p. 143-168.

21   En el mismo sentido, BELTRÁN BALLESTER, "Las obstaculizaciones al tráfico...", cit., p. 23, al no hacer mención expresa el precepto a la naturaleza

contenido esencial del tipo, el peligro concreto proyectado sobre la vía.

b) Por el contrario, en opinión de CARMONA SALGADO, debe incluirse en el concepto de vía: las carreteras, caminos vecinales y municipales, las vías públicas y urbanas destinados al uso público. Excluyendo de aquél, los caminos de uso exclusivamente privado, pues de lo contrario se contravendría la naturaleza colectiva del objeto de protección[22].

c) La doctrina mayoritaria[23], consecuente con el principio de unidad del ordenamiento, afirma que, como elemento común a todos los delitos contra la seguridad en el tráfico, por *"vía"* debe entenderse tanto las públicas como las vías privadas asimiladas, en el sentido del art.1.2.c) Reglamento General de Circulación[24].

Comparte esta última propuesta la jurisprudencia mayoritaria[25], para la que este término comprende las vías abiertas al uso público, o vías de uso común tanto públicas como privadas. En este sentido

---

pública de la vía. A su parecer, los lugares privados son *"tan dignos de protección como los públicos"*

[22] CARMONA SALGADO, *Derecho Penal Español. Parte Especial* (dir. COBO DEL ROSAL), 2ª ed., Ed. Dykinson, Madrid, 2005, p. 81; sigue su opinión SUÁREZ MIRA-RODRÍGUEZ, *Manual de Derecho Penal. Parte Especial,* Tomo. III, 3ª ed. Ed. Thomson-Civitas, Madrid, 2005, p. 472.

[23] Cfr. AAVV, *Manual práctico de Derecho Penal Parte Especial,* (dir. CORCOY BIDASOLO), 2ª ed., Ed. Tirant Lo Blanch, Valencia, 2004, p. 885-901. Próximo a esta postura, aunque de un modo un tanto indefinido, TAMARIT SUMALLA, *Comentarios...,* cit., p. 1461, para el que el establecimiento de una referencia expresa a la vía *"excluye la posibilidad de la comisión del delito fuera de la misma según en los términos que aparecen definidos en la legislación de circulación"*.

[24] En cuanto al ámbito de aplicación de las normas sobre tráfico, circulación de vehículos a motor y seguridad vial el RGCir lo configura en el art. 1.2.c) incluyendo *"... las autopistas, autovías, carreteras convencionales, a las áreas y zonas de descanso y de servicio, sitas y afectas a dichas vías, calzadas de servicio y a las zonas de parada o estacionamiento de cualquier clase de vehículos; a las travesías, a las plazas, calles o vías urbanas; a los caminos de dominio público; a las pistas y terrenos públicos aptos para la circulación; a los caminos de servicio construidos como elementos auxiliares o complementarios de las actividades de sus titulares y a los construidos con finalidades análogas, siempre que estén abiertos al uso público, y, en general, a todas las vías de uso común públicas o privadas."*

[25] Así, SAP Vizcaya 24-01-2003 o SAP Madrid 03-07-2000

la jurisprudencia mayoritaria sigue la complementación dispensada por la normativa extrapenal *ex* art. 1.2.c) *in fine*, por lo que deben quedar excluidas las conductas realizadas sobre "*... caminos, terrenos, garajes, cocheras u otros locales de similar naturaleza, construidos dentro de fincas privadas, sustraídos al uso público y destinados al uso exclusivo de los propietarios y de sus dependientes*"[26].

Aunque existan algunas referencias jurisprudenciales partidarias de restringir este elemento objetivo del injusto[27], entiendo que, por razones de sistematicidad del ordenamiento y de coherencia con los sujetos de referencia en la valoración del peligro[28], debemos acoger esta última perspectiva, al no haber razón alguna que objetivamente obligue a interpretar el tipo en sentido distinto.

Por último, es importante señalar, a efectos de interpretación, que la visualización del concepto exige su proyección tridimensional. La vía no debe ser entendida tan sólo como asfalto, piso o calzada, sino que por el contrario ocupa un espacio físico con volumen. Esta interpretación realista, posibilita la punición de conductas, de indubitado peligro, como las de propagación de humo (vid. Infra 3.2.e)).

3. Personas de referencia en el juicio de peligro

Uno de los caracteres sustantivos del delito reside en que cualquier persona puede ser autor del mismo. Sin embargo, esta cuestión será examinada con más detalle en los apartados destinados al análisis de cada una de las modalidades de comisión, por las singularidades propias que presentan según se trate de su vertiente activa u omisiva[29].

Por el contrario, aquí interesa reflexionar, al hilo del objeto en el que recae la conducta típica (la vía), sobre qué personas deben ser tomadas como referencia para efectuar el juicio de la posible irradiación del peligro resultante de la afectación a la seguridad de la cir-

---

[26]   En este mismo sentido SPINOLA TARTALO, op. cit., p. 699-700.
[27]   SAP Asturias 26-12-2003.
[28]   Vid. Infra. 2.3.
[29]   Vid. Infra. apartados 3.1 y 4.1.

culación. Parte de la doctrina entiende que ese juicio sólo cabe realizarlo en consideración exclusiva a conductores y/o conducidos[30].

Considero, en atención a una interpretación teleológica, que deben incluirse dentro del tipo aquellas alteraciones en la vía que entrañen también un posible riesgo para el resto de usuarios, al ser igualmente estos sujetos referentes en la configuración jurídica de la seguridad vial[31]. Los peatones son partícipes del tráfico y, al igual que los conductores, albergan legítimas expectativas de seguridad ante el peligro que representa, también para ellos, las incidencias derivadas de la circulación y del estado de las vías[32]. A modo de ejemplo, cabría pensar en los siguientes supuestos que suponen un incremento del riesgo tanto para las personas que circulan de forma motorizada, como para aquellas que lo hacen mediante otros medios de locomoción, o incluso a pié:

---

[30] Cfr. CARMONA SALGADO, op. cit., p. 811, en lógica conexión con su interpretación del concepto de vía (vid. Supra), considera que la mención de vía implica la limitación de ubicación al tráfico rodado por lo que, a su parecer, deben excluirse del tipo las alteraciones de la misma que causen grave riesgo para peatones y semovientes; También, SUÁREZ MIRA-RODRÍGUEZ, op. cit., p. 472. A otro sector, por vinculación a su consideración general de los delitos de peligro abstracto, les es indiferente para efectuar el juicio de peligro que se produzca un riesgo concreto para usuarios de la vía. Cfr. TAMARIT SUMALLA, *Comentarios...*, cit., p. 1461, califica el delito de hipotético aunque no renuncia, por principio de lesividad, a que la conducta sea peligrosa para la vida o integridad en abstracto aunque la referencia a la vía *"no constituye un dato casual, sino que se corresponde con la forma de definir la situación peligrosa. A diferencia de lo que sucede con el Art.381, el grave riesgo no se refiere a bienes jurídicos de las personas sino a la circulación"*. En sentido más ecléctico, SPINOLA TARTALO, "Conductas...", cit., p. 698-699, para quien al aludir el precepto de manera expresa a las alteraciones de la vía pública considera que: *"las alteraciones que perjudiquen el tránsito de peatones, semovientes u otros vehículos sólo darán lugar a la aplicación del tipo cuando ellas se puedan derivar, también de forma previsible, del tráfico rodado"*.

[31] Art. 2 RGCir: *"Los usuarios de la vía están obligados a comportarse de forma que no entorpezcan indebidamente la circulación ni causen peligro, perjuicios o molestias innecesarias a las personas, o daños a los bienes"*.

[32] No en vano pechan sobre ellos igualmente obligaciones, como las preceptuadas en el Capitulo IV del RGCir. Así, por ejemplo en el art. 121 de este mismo cuerpo legal se establece que *"Los peatones están obligados a transitar por la zona peatonal, salvo cuando ésta no exista o no sea practicable; en tal caso, podrán hacerlo por el arcén o, en su defecto, por la calzada, de acuerdo con las normas que se determinan en este capítulo"*.

- Alterar las señales semafóricas que regulan el tráfico viario, puede implicar a su vez la utilización de los peatones como obstáculos en la vía, más aún si se produce en situaciones de escasez lumínica.

- Alterar las condiciones de visibilidad (con humo) o practicabilidad de las zonas destinadas al paso de los peatones, puede incrementar el riesgo tanto para ellos, como para los vehículos que circulan de forma próxima.

- Situar un obstáculo en una vía urbana, puede ser idóneo para incrementar el peligro de los peatones que deambulen junto a la calzada ante una posible maniobra evasiva del vehículo que pretenda sortear el obstáculo. O bien, por las consecuencias que pueda llegar a tener la colisión con el mismo, por ejemplo saliendo despedido contra la acera.

En definitiva, no cabe obviar la posibilidad que, de la afectación a la vía, resulte menoscabada la confianza y seguridad de los peatones al deambular sobre ellas. Por lo que debe estimarse, lógicamente, el peligro potencial de las conductas típicas también en relación a bienes personales (esencialmente vida e integridad física) de estos usuarios, siempre que al foco de peligro contribuya la presencia del tráfico rodado[33]. La mayor o menor cercanía del posible resultado sería relevante para determinar la pena a imponer, al igual que sucede en otros delitos contra la seguridad en el tráfico, como por ejemplo, en la conducción temeraria[34].

4. Delito alternativo de doble estructura comisiva

Por último, en cuanto a su estructura general, este delito es de actos alternativos, al prever una dualidad de posibles formas de realización del mismo resultado típico[35]: una activa (art. 385. 1ª CP), y otra omisiva (art. 385. 2ª CP). Jurídicamente, debe entenderse

---

[33] En este sentido, Spinola Tartalo, op. cit., p. 698-699.

[34] Vid. Hortal Ibarra, "El delito de conducción temeraria (arts. 379.1y2 in fine y 380): algunas reflexiones al hilo de las últimas reformas", en esta misma obra.

[35] Vid. Mir Puig, PG, cit., p. 229-230, sobre la distinción entre delitos de un acto, de pluralidad de actos, o de actos alternativos. Este último caso se da cuando el tipo prevé dos o más modalidades de posible comisión.

que el legislador ha decidido equiparar ambas modalidades[36], siendo de alternatividad la relación existente entre ellas, por lo que la aplicación de una excluye a la otra. Esta relación supone, a efectos prácticos, que al autor del delito por vía de su comisión activa no se le puede hacer responder, a su vez, por la omisión de la obligación impuesta en el apartado 2ª, pues sería tanto como castigar dos veces un mismo hecho desde la misma unidad típica, lo que supondría la lesión al principio constitucional del *non bis in idem*[37]. En definitiva, se incurriría en un *bis in idem* material al imponerse de forma duplicada una misma sanción punitiva concurriendo identidad de sujetos, hechos y fundamentos[38].

III. MODALIDAD ACTIVA

1. Sujetos activos

A diferencia del resto de delitos contra la seguridad en el tráfico, es un rasgo característico del art. 385 CP el que no se castigue exclusivamente la creación de un peligro para el tráfico viario derivado de la conducción efectiva de un vehículo a motor. En este delito se reprocha penalmente a quien, con independencia de ostentar la condición de conductor o no, lleva a cabo una actividad idónea para crear un grave peligro para la seguridad en el tráfico, a través de la alteración de las condiciones de seguridad de la vía. En consecuen-

---

[36] Vid. Infra. 4.2. Se abordará esta cuestión con más de atención en torno a la importancia que tiene para la comisión por omisión.

[37] Cfr. SERRANO GÓMEZ/SERRANO MAÍLLO, *Derecho Penal. Parte Especial*, 10ª ed., Ed. Dykinson, Madrid, 2006, p. 731; ORTS BERENGUER, *Derecho Penal...*, cit., p. 707; MUÑOZ CONDE, *PE*, cit., p. 692; MONTANER FERNÁNDEZ, en *Lecciones...*, cit., p. 707.

[38] Formulación material del principio otorgada desde la segunda sentencia del Constitucional, STC 2/1981, FJ. 4, en la que el *non bis in idem* aparece vinculado como una garantía inherente al derecho fundamental a la legalidad punitiva *ex* art. 25 CE. Doctrina posteriormente reiterada, entre otras, en las SSTC 77/1983; 66/1986; 94/1986; 107/1989; 154/1990; 234/1991; 270/1994; 204/1996; 221/1997; 2/2003; 229/2003; 180/2004; 188/2005; 48/2007.

cia, puede ser autor del delito, como señala la doctrina y la jurisprudencia mayoritaria, *cualquier persona*[39].

Ejemplos de ello los encontramos en las siguientes sentencias: SAP Castellón 27-04-2005, en la que se castiga a quien lanzó a un conductor de un vehículo una rama; SAP Málaga 16-07-2004, condena a un jinete que de noche, a galope tendido, circulaba por la calzada y la acera sin objetivo luminoso alguno; SJP San Sebastián 22-10-2004, reprueba penalmente la conducta de un sujeto que a las 02.45 horas arrojó a la calzada de un paseo una moto que se encontraba aparcada, una silla de pupitre y diversas bolsas de basura; SJP Pamplona, 08-11-2001, el reproche penal se dirige a un sujeto que colocó tres piedras de considerable dimensión en la calzada.

Tal identidad subjetiva, ha sido expresada con plena intención, porque cabe la posibilidad de cometer este delito *también* por los *conductores* de vehículos a motor, en cuanto tales[40]. Ahora bien, no será normalmente mediante conductas dinámicas de conducción, o de circulación efectiva. Por el contrario, sí podría ser más frecuente la punición de aquellos casos de utilización pasiva o estática de los vehículos a modo de obstáculos, siempre que con ellos se lleve a cabo una actividad idónea para crear un grave peligro para la seguridad en el tráfico y probable para conductores y/o peatones, según los requisitos contemplados en el tipo objetivo de injusto[41].

Supuestos posibles serían: detener/estacionar un vehículo a motor de un modo indebido de tal manera que no sea percibido suficientemente, o bien que éste impida la visión de alguna señalización viaria destinada al control de los riesgos propios de la circulación[42].

---

[39] Cfr. Tamarit Sumalla, *Comentarios...*, cit., p. 1461; Conde-Pumpido Ferreiro, *Código Penal Comentado,* Ed. Bosch, Barcelona, 2004, Tomo II, p. 1134; Beltrán Ballester, "Las obstaculizaciones al tráfico...", cit., p. 22, si bien añade una afirmación un tanto confusa referida a cuando el sujeto sea conductor *"aunque tenga tal condición, en el momento de actuar se desprovee de ella, pues el precepto habla de el qué".*

[40] En contra, Spinola Tartalo, "Conductas ...", cit., p. 695 y ss, quien mantiene que sólo es posible la alteración de las condiciones de seguridad de la vía por conductas que no impliquen conducción de vehículos a motor; Calderón/Choclán, *Código penal comentado,* Ed. Deusto Jurídico, Bilbao, 2004, p. 841, También comparten esta tesis y consideran como posible único sujeto activo a un no conductor.

[41] Cfr. AAVV, *Manual práctico de Derecho Penal Parte Especial,(dir.* Corcoy Bidasolo) 2ª ed., Ed. Tirant Lo Blanch, Valencia, 2004, p. 885-901.

[42] A lo que parece referirse Lascuraín Sánchez, *Comentarios...*, cit., p. 1048, cuando admite la posibilidad, en determinados supuestos, de que el vehículo sea utilizado como obstáculo y no quepa incluirlo en otras modalidades

Únicamente, y de manera excepcional, cabría aplicar este delito a supuestos de conducción efectiva de un vehículo a motor que supusiera una obstaculización de la vía y no pudiera subsumirse en algunos de los delitos previstos en los arts. 379, 380 y 381 del CP[43]. Posibilidad que se amplía por el esfuerzo del legislador en limitar el ámbito de interpretación judicial, especialmente en cuanto a la consideración auténtica de la temeridad manifiesta.

> Así por ejemplo cabría aplicar el art. 385 CP en el caso del "motociclista suicida", quien con la intención de ser arrollado por un camión, circula de noche en sentido adecuado a la marcha del carril de una carretera sin iluminación que lleva a una cantera, a sabiendas que se están realizando trabajos de transporte del material extraído. El sujeto lo hace sin reflectantes, con las luces apagadas y a velocidad anormalmente reducida.

2. Medios de comisión idóneos para la alteración activa de la seguridad en el tráfico

Otro de los puntos que resultaba controvertido, sobre el alcance de los elementos objetivos del tipo, consistía en concretar qué conductas cabía subsumir en el primer apartado del derogado art. 382 ACP. Éste resultaba especialmente confuso debido a las discrepancias existentes en torno a la interpretación de la cláusula "o por cualquier otro medio", incluida tras las conductas específicamente tipificadas y que provocaba un efecto ampliatorio del delito. A pesar de que el legislador ha perfilado su redactado en el art. 385. 1ª, alterando parcialmente una de las conductas expresamente prescritas, es seguro que esta modificación, de entenderse necesaria, resulta insuficiente para resolver las controversias planteadas por la doctrina, especialmente en lo referido a la citada cláusula.

Del tenor literal del precepto se desprende el castigo para quien origine un grave peligro en el tráfico, mediante la alteración de los elementos de seguridad de la vía, a través de tres acciones expresamente recogidas:

---

delictivas. Posibilidad expresamente contemplada por GANZENMÜLLER/DE LAMO/ROBLEDO/ESCUDERO/FRIGOLA, *Delitos contra la seguridad...*, cit., p. 244.

[43] Cfr. LASCURAÍN SÁNCHEZ, *Comentarios...*, cit., p. 1048.

a) *Colocar en la vía obstáculos imprevisibles*. Se persigue la obstaculización de la vía, siendo desde la vertiente activa la conducta que más ha sido tratada por la jurisprudencia:

> SAP Barcelona 01-05-2005, condena a quienes desde un coche en marcha arrojaron a la vía una máquina de escribir; SJP San Sebastián, 22-10-2004, castiga a un sujeto que a las 02.45 horas arrojó a la calzada de un paseo una moto que se encontraba aparcada, una silla de pupitre y diversas bolsas de basura. Y la ya reseñada SJP Pamplona, 08-11-2001.

b) *Derramamiento de sustancias deslizantes o inflamables*, siempre que se haga conscientemente, puesto que debe anticiparse que la comisión fortuita o imprudente es atípica, aunque puede dar lugar en determinadas circunstancias al delito de comisión por omisión previsto en el apartado segundo de este artículo[44].

> Ejemplos de derramamiento de sustancias deslizantes se abordaron en: SAP Asturias 05-04-200, condena al sujeto que vierte gasóleo sobre la calzada proveniente de una garrafa que se encontraba en el interior del vehículo; SAP Alicante 22-05-1999, en la que se derrama unos 80 litros de gasoil en el suelo de una calzada en pendiente, llegando a cubrir 50 metros de largo.

c) *Mutación, sustracción o anulación de la señalización*. En este apartado se ha producido una de las modificaciones con respecto al redactado del art. 382. 1º ACP, substituyendo los daños en la señalización, por dos nuevas formas verbales típicas referidas a su sustracción[45] y a su anulación. En todo caso, la tipificación expresa de estas conductas viene a ratificar la unánime opinión doctrinal que ya las entendía subsumidas dentro del tipo las conductas consistentes en arrancar o destruir las señales[46]. Interpretación que resultaba correcta en la medida que si la mutación o daño eran típicos ¿Cómo no lo iba a ser una acción más grave como es la de arrancar señales? Si se castigaba lo menos, dentro del fin de protección de la

---

44   Vid. Infra. 4.
45   El legislador recupera así la idea de la sustracción que ya se incluía expresamente en el "quitar" de la ley de 1950 y que desapareció con la introducción en 1973 del art. 340 bis b), precedente del derogado art. 382 ACP, vid. BELTRÁN BALLESTER, "Las obstaculizaciones al tráfico...", cit., p. 23.
46   Entre otros, ORTS BERENGUER, *Derecho Penal. Parte Especial*, p. 707; MAGALDI PATERNOSTRO, *Comentarios...*, cit., p. 1723, aceptaba su tipificación en base a la cláusula "o por cualquier otro medio" por resultar una conducta restrictivamente análoga a la de los medios descritos en el art. 382. 1º ACP.

norma, se encontraba inevitablemente también la punición de una conducta análoga y objetivamente más grave como las de arrancar y destruir las señales. Siendo pacífica como era la incriminación de estas dos conductas, el legislador, movido por el fin de aportar mayor seguridad en la aplicación de delito, desde un buen principio imprimió en el Proyecto de Ley Orgánica la redacción que finalmente ha cristalizado como derecho positivo en el art. 385. 1ª CP[47].

Por lo tanto estas modificaciones no suponen novedad alguna porque todas las nuevas conductas ya eran típicas y la referida a dañar las señales, en la medida que suponga un incremento del peligro jurídico-penalmente desaprobado para la seguridad en el tráfico, lo continuará siendo pues trae consigo la modificación del estado de las indicaciones.

Sin embargo, la mayor novedad puede venir dada por la relación entre esta modalidad de delito contra la seguridad en el tráfico y los daños derivados del menoscabo de la señalización, que hasta ahora se estructuraba a partir del *concurso de leyes,* resolviéndose en favor del delito contra la circulación por quedar absorbido el desvalor de los daños en la conducta típica del art. 382 ACP. Siendo posible satisfacer por vía de la responsabilidad civil el *damnum* patrimonial ocasionado. Sólo de manera excepcional cuando éste era desproporcionado o excesivo se resolvía mediante la estructura del *concurso ideal* entre ambos, aplicando por analogía los criterios jurisprudenciales sobre el delito de robo efectuado mediante violencia-fuerza desmedida o sobrevenida a la sustracción. Así sucedía cuando el sujeto no se contentaba con arrancar la señal sino que además la arrojaba a la calzada a modo de obstáculo. O bien, por resultar desproporcionado, si se quitara más de un semáforo o señal relacionada con el peligro, pues puede ser suficiente con dañar una de éstas para que se afecte a la seguridad en el tráfico.

Resulta de interés la SAP Barcelona 17-02-2005, en la que se confirma la sentencia que condena a cuatro sujetos por un delito contra la seguridad en el tráfico en concurso ideal con otro de daños previsto en el art. 263. Estas cuatro personas descalzaron varias señales del suelo y las doblaron contra la calzada dejándolas allí extendidas, de noche y en un vía pública con dos carriles de circulación.

---

47   Cfr. CARBONELL MATEU, "La reforma del tratamiento penal de la seguridad vial" en *Derecho Penal y Seguridad Vial* (AAVV), Ed. Centro de Estudios Jurídicos y Thomson-Aranzadi, Pamplona, 2007, p. 72.

Probablemente, en una materia tan compleja como la concursal, la supresión de la referencia expresa al "daño de la señalización" favorezca la aplicación del concurso ideal de delitos ante supuestos como los referidos, aunque esta consecuencia no ha sido regulada expresamente por el legislador. Por el contrario, en los supuestos de sustracción de señales viarias seguramente aumentarán las dificultades para plantear la existencia de un concurso ideal de delitos entre los tipos previstos para a proteger las cosas destinadas a un servicio público (como por ejemplo sucede con el art. 235. 2 CP) y el delito viario, debido a la redacción prevista en el delito del art. 385 CP. Aunque dicha relación concursal es posible atendiendo a la dualidad de bienes protegidos.

Por último, en relación a las dos nuevas conductas típicas, cabe estimar que con el verbo *inutilizar* se pretende reforzar la incriminación de la afectación llevada a cabo mediante *mecanismos informáticos* del sistema de señalización que provoquen su disfunción o inutilización. Por ejemplo, alterando o suprimiendo los signos luminosos de los indicadores de los carriles reversibles, de los semáforos, o de los paneles señalizadores.

Resulta imprescindible señalar que en todos estos supuestos debe restringirse su punición a los supuestos (de mutación, sustracción, inutilización o daño) referidos a *señales que inciden inminentemente sobre la seguridad*, al tener éstas como función la contención directa del riesgo[48].

A diferencia de lo sucedido en el caso del que se ocupó la SAP Ciudad Real 31-10-1975[49], donde la señal arrancada (prohibido aparcar) no contenía el peligro de un modo tan directo como lo puedan hacer las de "*Stop*" o "*ceda el paso*", aunque al parecer del

---

48   Cfr. BELTRÁN BALLESTER, "Las obstaculizaciones...", cit., p. 23 "*...es evidente que si el delito supone la creación de un peligro, las señales a que se refiere el tipo, no podrán ser otras que las avisadoras del peligro y no ...las orientadoras o puestas para mayor comodidad del viajero, cuya inexistencia no apareja un posible riesgo.*".

49   Citada en ALBACAR LÓPEZ, *Las infracciones penales de tráfico en la doctrina de los tribunales*, Ed. Centro de Publicaciones del Ministerio de Justicia, Secretaría General Técnica, Madrid, 1984, p. 1137, "*el encausado, con intención de perturbar gravemente la seguridad del tráfico, con peligro de las personas o bienes, en más de una ocasión, quitó una señalización de carretera (prohibido aparcar), ocasionando con ello, además, un entorpecimiento del tráfico rodado, en razón que la tan repetida señal se encontraba colocada en el cruce de dos vías de gran circulación*".

tribunal sí que originó un grave riesgo para la seguridad en el tráfico. En este caso, el Tribunal obvió el requisito de la imprevisibilidad del peligro, elemento común a todas las conductas.

En cualquier caso, deben excluirse las señales de mera comodidad, por ejemplo aquellas que indican un área de descanso o el kilómetro de autopista. Lo esencial es que la alteración en la señalización sea la causa de la creación de un grave peligro para la circulación.

Además, para que todas las anteriores conductas alcancen el grado de peligrosidad típico debe concurrir el *elemento común de la imprevisibilidad*. De tal modo que estas incidencias, desde ninguna perspectiva lógica, sean esperables, vinculándose este concepto, por parte de la jurisprudencia, con los componentes que conforman las infraestructuras propias de la vía[50]. Este requisito debe ser valorado *ex ante*, desde un juicio objetivo de racionalidad, poniéndolo en relación con el posible contexto viario y los conocimientos sobre el estado de la vía que tenga el conductor. Para ello habrá que estimar, además de entre otros posibles datos, la falta de una adecuada señalización, la concurrencia de más o menos densidad viaria, las condiciones ambientales y de visibilidad, la estrechez de los carriles y la identidad objetiva de los obstáculos o de las sustancias derramadas para alterar la seguridad. Hay que recordar que debemos encontrarnos con una puesta en peligro real de la seguridad. No basta la mera incomodidad para circular, sino la creación de un verdadero riesgo, debiendo tener la estabilidad o permanencia del mismo un carácter relativo.

No es necesaria la permanencia indefinida sobre la calzada del obstáculo, del líquido inflamable, o, en su caso, de la disfuncionalidad de la señal. Basta que la conducta realizada sea adecuada, relación medio-fin, para producir en abstracto el riesgo típico, es decir, una alteración de las condiciones de seguridad de la vía capaz de poner en peligro la seguridad en el tráfico. Sin embargo, en torno al art. 385 CP pueden darse ciertos supuestos que deben conducir a una reflexión profunda, que rebasa la finalidad de este artículo, sobre la tentativa y desistimiento en los delitos de peligro[51].

---

50   SAP Guipúzcoa 06-04-2005.
51   En general, CORCOY BIDASOLO, *Delitos de peligro...*, cit., especialmente p. 271-281, defiende por razones político criminales como criterio general la impunidad de la tentativa en los delitos de peligro, y a través de una inter-

Un ciudadano, paseando de madrugada en compañía de un grupo de amigos, decide poner en medio de la calzada un contenedor de basuras metálico. Caben las siguientes variaciones: A) El ciudadano no llega a colocarlo porque el resto de sus amigos se lo impide evitando que penetre en la calzada con el contenedor que ya estaba siendo empujado; B) El ciudadano llega a obstaculizar la vía pero, tras unos segundos, uno de sus amigos devuelve el contenedor a la acera[52]; C) El ciudadano, tras unos segundos, reflexiona y retira con sus propias manos el obstáculo[53].

---

[52] pretación teleológico-material, la irreprochabilidad penal en los casos de desistimiento al entender que no se ha consumado el delito de peligro. Especialmente, los casos A) y B) pueden suponer supuestos especiales en los que cabe observar, tanto por razones político criminales como *de lege lata*, la aplicación del tipo de tentativa "inacabada" y "acabada", respectivamente. En este último caso, parte de la doctrina puede entender que, por definición, es inadmisible la tentativa acabada en los delitos de peligro abstracto. Sin embargo, atendiendo a una interpretación material cabe concluir que, aunque formalmente se haya producido la consumación, materialmente a ésta no se llega hasta que no se genera el peligro típico, lo que ha sido impedido por la presencia constante y la rápida actuación del amigo que lo ha controlado. Considero atendibles los criterios generales de la impunidad de la tentativa en los delitos de peligro defendidos por Corcoy (vid. nota anterior) debido a la falta de necesidad de pena al quedar cubierta ésta, en la mayoría de las ocasiones, por una regulación administrativo-sancionadora. Sin embargo, en estos dos supuestos considero adecuado el reproche penal por razones político criminales que atienden a la gravedad de ambas conductas y a la falta, especialmente en el caso A), de una adecuada respuesta administrativa, aunque la solución de ambos casos merece una detenida reflexión que no puede ser aquí abordada y que pospongo para una futura publicación. A la misma solución llega CÓRDOBA RODA, *Comentarios al Código penal*, 1ª ed., Ed. Ariel, Barcelona-Caracas-México, 1978, Tomo. III, p. 1276 y 1280, ante la posibilidad de punir la imperfecta ejecución del art. 340 bis b, en su primer apartado (precedente del art. 385. 1ª CP), no así para su vertiente omisiva al entenderlo como una pura y simple omisión. También, QUERALT JIMÉNEZ, *Derecho penal español...*, p. 940, admite la posibilidad teórica de castigar la tentativa en este delito. En contra, MAGALDI PATERNOSTRO, *Comentarios...*, cit., p. 1725, afirma la virtualidad, en el plano dogmático, de castigar los tipos de imperfecta ejecución, aunque razones político criminales aconsejan pronunciarse a favor de la irrelevancia penal de cualquier forma de tentativa.

[53] En el caso C), me inclino por aceptar la solución del desistimiento siguiendo el planteamiento de Corcoy (vid. notas precedentes) al entender que se trata de una estructura análoga a la del desistimiento activo en la tentativa acabada, en el que el sujeto ha realizado los actos que consuman el delito y donde sin embargo tiene la posibilidad de evitar la consumación. Aunque formalmente el delito se ha consumado, a través de una interpretación teleológica, se puede restringir el tipo entendiendo que no se ha consumado

Por último, el elemento de la *imprevisibilidad* impide aplicar el art. 385 CP en caso de producirse desórdenes públicos, siempre que sean visibles y detectables, porque estas circunstancias impiden de por sí la creación del peligro típico. Como así puede suceder cuando se corta u obstaculiza una carretera por la presencia de una manifestación ilegal, pues si bien impide el paso de vehículos no crea ningún peligro para los partícipes en el tráfico al resultar visible dicha concurrencia de personas[54].

3. La cláusula *"o por cualquier otro medio"*, supuestos controvertidos y cuestiones comunes a todas las conductas

Seguidamente, tras las tres posibles formas de comisión expresamente previstas en el delito, el legislador ha mantenido la apertura del tipo a través de la expresión *"o por cualquier otro medio"* de cuyo significado dependerá la incriminación, o no, de algunos casos que pueden continuar resultando problemáticos, por no responder al sentido literal del texto. Así: utilizar el propio cuerpo humano como obstáculo, arrojar piedras a la vía, abandonar a un animal en la autopista o en sus proximidades...

Un sector de la doctrina aboga por interpretar la cláusula de un modo restrictivo, basándose en la estricta identidad analógica con las conductas tipificadas literalmente[55]. Pues de lo contrario, en pa-

---

al quedar excluida la lesividad efectiva. También cabe apoyar esta solución por razones político criminales al favorecerse cuando sea posible la compensación de los intereses de la seguridad vial, pues el sujeto tiene en este caso los medios necesarios para evitar la irradiación de un riesgo efectivo, al quedar la fuente de peligro bajo su dominio.

[54] CÓRDOBA RODA, *Comentarios...*, cit., p. 1274, *"En suma, atentar contra la libertad de circulación no significa aún el poner en riesgo ésta"*. El mismo, p. 1276, rechaza la posibilidad de apreciar un concurso ideal entre este delito contra la seguridad vial y el delito contra la libertad (coacciones), debiéndose estimar un concurso de leyes entre una y otra infracción.

[55] MAGALDI PATERNOSTRO, *Comentarios...*, cit., p. 1723 *"la referencia genérica (...) debe ser restrictivamente interpretada en el sentido de cualquier otro medio análogo"*; CONDE-PUMPIDO FERREIRO, *Código penal comentado (...)*, cit., p. 1134, *"no se le puede dar un significado omnicomprensivo que incluyese aquí cualquier cualquier acción (...) sino que debe referirse a un medio que guarde una relación de analogía o similitud"*.

labras de CONDE-PUMPIDO FERREIRO, *"no tendría sentido la enumeración expresa y el tipo delictivo carecería de la mínima precisión o certeza"*[56]. Sin embargo, los partidarios de esta posición restrictiva, no coinciden en la subsunción de una acción relativamente habitual en este ámbito, como es la de arrojar piedras a la vía desde un lugar elevado[57].

Por el contrario, según entiendo, debe entenderse que lo esencial para la realización activa del tipo es la creación de un grave riesgo para la circulación mediante la alteración de las condiciones de la vía por cualquier medio idóneo para ello. Aunque en el precepto se destaquen algunas formas por las que se pueda ocasionar el mentado peligro, éstas se mencionan *ad exemplum*, como meras pautas de interpretación destinadas al aplicador del derecho a título meramente orientativo[58], pues simplemente se refiere a *"cualquier otro medio"* no a cualquier otro medio de análoga significación[59]. En consecuencia, no nos encontramos ante un delito de medios o comportamientos determinados sino ante uno de *carácter resultativo*[60], en el que lo decisivo es la creación de un grave riesgo a través de los mecanismos idóneos para ello. Éstos pueden ser los expresamente mencionados u otros que no guarden necesariamente analogía alguna. La única identidad que debe producirse es respecto a la potencialidad lesiva del medio y al objeto sobre el que recae, la vía.

Tanto por su carácter de delito resultativo, así como por su ubicación, y junto a la posibilidad de que cualquiera pueda ser sujeto

---

[56]   CONDE-PUMPIDO FERREIRO, op. cit., p. 1134.

[57]   Resulta atípica para MAGALDI PATERNOSTRO, op. cit., p. 1723; y en sentido contrario, CONDE-PUMPIDO FERREIRO, op. cit., p. 1134.

[58]   Interpretación seguida por la mayoría de la doctrina, ORTS BERENGUER, *Derecho Penal...*,cit., p. 830; LERMA GALLEGO, "Delitos...", cit., p. 154; BELTRÁN BALLESTER, "Las obstaculizaciones...", cit., p. 23; SUÁREZ MIRA-RODRÍGUEZ, op. cit., p. 472.

[59]   Como sí sucede en Alemania en el que la cláusula general alude a la necesidad de un *"ataque similar e igual de peligroso"*. Vid. SPINOLA TARTALO, "Conductas no consistentes...", cit., p. 710 y ss, acertadamente propone lo injustificado de este debate en España en virtud de la mayor amplitud del precepto que proporciona la cláusula patria. Por el contrario, en Alemania es pertinente el debate en torno a qué debe entenderse por *"similar"* en relación a las conductas previstas en el delito.

[60]   Vid. MIR PUIG, *PG,* cit., p. 229, sobre la distinción entre delitos de medios determinados y resultativos.

activo, cabe asignar al delito estudiado un carácter *residual*, de *cláusula de cierre* del sistema de protección penal de la seguridad en el tráfico. A su vez esta condición permite, a efectos prácticos, efectuar calificaciones alternativas con el fin de evitar elusiones de la responsabilidad penal, siempre que las características de los hechos enjuiciados lo hagan posible.

Una cuestión distinta consiste en valorar si el empleo de esta cláusula de apertura es la técnica legislativa más idónea o no[61]. Asunto que debe ser puesto en relación con la posible lesión del principio de taxatividad[62] que, de haberse producido, debería comportar su depuración constitucional.

Ciertamente, cuando nos encontramos frente a una ley penal debe exigirse al legislador, en pro de la certeza jurídica, un plus de precisión en la tipificación de las conductas punibles que evite la parcialidad en la aplicación del Derecho. Ahora bien, la precisión absoluta acarrea determinados costes, como el de la *infrainclusión*[63], que además de requerir de códigos penales enciclopédicos, es inaceptable según el propio principio de eficacia del Derecho penal. En consecuencia, es inevitable un margen de indeterminación que permita una valoración acotada de la norma, que en el caso del art. 385.1.ª CP, se consigue precisamente a través del criterio orientativo que suponen las conductas enumeradas, el objeto sobre el que recae la acción y la relación medio-resultado, es decir, la conexión entre medio y creación del grave riesgo[64]. Por lo expuesto nada cabe repro-

---

[61]   Cfr. QUERALT JIMÉNEZ, *Derecho penal español...*, p. 939 *"con la mala técnica acostumbrada, que la LO 15/2007 no ha mejorado, la enumeración legal continúa cerrándose con una cláusula abierta"*.

[62]   En general para una visión constitucional del principio de taxatividad, FERRERES COMELLA, *El principio de taxatividad en materia penal y el valor normativo de la jurisprudencia (Una perspectiva constitucional)*, Ed. Civitas, Madrid, 2002.

[63]   FERRERES COMELLA, op. cit., p. 34-36. La *infrainclusión* es un efecto negativo en el que puede incurrir un legislador que adolezca de hiperprecisión. Éste consiste en la posibilidad que queden sin reproche penal conductas que en realidad aquél sí desea castigar y que por el contrario sí hubieran recibido sanción bajo tipos penales construidos con conceptos más valorativos. En consecuencia el autor afirma que *"Cuanto más preciso sea el legislador mayor es el riesgo de que la norma penal padezca de infrainclusión"*.

[64]   En este sentido SPINOLA TARTALO, op. cit., p. 709 y ss, esta cláusula general no lesiona principio constitucional alguno y no permite analogía contra reo

char al legislador[65], en esta ocasión, pues el tipo puede ser acotado mediante una interpretación que tomando en conjunto todos estos elementos sea objetivamente restrictiva y certera.

A efectos prácticos, las discrepancias enunciadas más arriba sobre el alcance de la cláusula general contenida en el art. 385. 1.ª, pueden provocar inseguridad al decidir sobre la tipicidad de algunos supuestos. Estos casos deben resolverse acudiendo a una interpretación conforme a criterios objetivamente restrictivos, que permitan encontrar su recto sentido. Así:

a) *Arrojar piedras u objetos a las vías.* En principio nada debiera objetarse a su incriminación atendiendo, claro está, al volumen de los objetos y su idoneidad para crear un grave peligro (no será lo mismo lanzar plumas de ave, o esputos desde un puente de la autopista, que arrojar piedras de distinto tamaño que, aun sin impactar, suponen por sí un incremento grave del peligro de la vía, a la vez que su obstaculización, impidiendo o dificultando, en todo caso, el normal desarrollo de la circulación). Por ello, la mayoría de la doctrina, incluso la que aboga por un criterio más restrictivo[66], al igual que la jurisprudencia[67], entiende que tales conductas quedan cubiertas por este tipo penal.

Recientemente algunas fiscalías, como las de Jaén y La Coruña, han promovido la persecución de conductas protagonizadas habitualmente por jóvenes que desde lugares elevados lanzan piedras y otros objetos en autovías y carreteras creando un intenso peligro[68].

---

sino que garantiza a través de los elementos expresados en ella la determinación de conductas igualmente típicas atendiendo al peligro penalmente desaprobado para la seguridad en el tráfico.

[65]   No cabe reprochar al legislador la previsión de la citada cláusula general en el art. 385. 1.ª, aunque la nueva redacción dada al artículo es gramaticalmente defectuosa por lo que se refiere tanto al uso de las preposiciones, como a su puntuación. Cfr. GONZÁLEZ CUSSAC, "La reforma penal en curso en materia de siniestralidad vial", en *Derecho penal de la seguridad vial* (dir. DE VICENTE MARTÍNEZ), *CDJ*, Ed. CGPJ, Madrid, núm. 114, 2007, p. 327-358, especialmente sobre el art. 385 CP, p. 357-358.

[66]   CONDE-PUMPIDO FERREIRO, op. cit., p. 1134; CALDERÓN /CHOCLÁN, op. cit., p. 382.

[67]   Así en la SAP Castellón 27-04-2005, que confirma la SJP Castellón 13-12-2002, que condena a un sujeto que arroja un palo a la calzada.

[68]   Vid. Memoria de la Fiscalía General del Estado del año 2007, p. 521-522, en la que se justifica la apertura de estos procedimientos por la vía del art.

b) *Utilizar el propio cuerpo humano a modo de obstáculo*. Es aceptado por la doctrina, tanto si es empleado de forma dinámica, como pasiva[69]. Ejemplos de ello son:

Torear a los vehículos que circulan por la calzada[70], correr en patines por una autopista[71], o incluso la conducta del suicida que se extiende a lo largo de la calzada. Así, la SAP Guipúzcoa 18-03-2003, condena a un sujeto que ebrio deambula por la calzada de la autopista arrojándose contra los coches.

c) Puede también resultar típico la interposición en la vía mediante vehículos no motorizados o animales de tiro o monta[72]. A estos mismos efectos es relevante penalmente el abandono de un animal en la autopista o proximidades, pues es indudable que cumple un efecto de obstaculización de la vía incrementando el peligro para la circulación.

d) *Un vehículo indebidamente detenido o estacionado*. Debe ser punible en la medida que pueda resultar imprevisible, por ejemplo al estar aparcado tras un cambio de rasante o una curva que impida divisarlo con suficiente antelación. La obstaculización puede ser total, con todo el volumen del vehículo, o parcial. En este caso a través de la interposición o interferencia con alguna de sus partes que pudieran sobresalir e invadir parcialmente el espacio físico de

---

382 ACP: *"La subsunción en función de las circunstancias de cada caso parece correcta, ya que genera un grave riesgo para la circulación y las conductas son incluibles en el inciso penal "por cualquier otro medio", dada su gravedad y similitud próximas a los modos comisivos descritos en el tipo"* (en www.fiscal.es). En contra, Magaldi Paternostro, *Comentarios...*, cit., p. 1723. En este sentido es de interés la SAP Málaga 05-10-2000, dictada en apelación y que revoca la sentencia del *a quo* que condenó a un sujeto por lanzar desde su ventana una barra de hierro a la vía, entre otros objetos, con un argumento criticable basado en la falta del dolo propio de los delitos contra bienes colectivo. Pero no por la falta de idoneidad objetiva de las conductas para causar el peligro propio del art. 382 ACP. Vid. Infra. 5. Sobre el tipo subjetivo, apartado en el que se transcribe el fundamento de la citada sentencia.

[69]   Por todos, Muñoz Conde, op. cit., 691.

[70]   Ejemplo citado por Muñoz Conde, op. cit., p. 691.

[71]   Ejemplo empleado por Muñoz Conde, op. cit., p. 691, Calderón/Choclán, op. cit., p. 841.

[72]   Así, la ya mencionada SAP Málaga 16-07-2004, en la que se condena a un jinete que de noche, a galope tendido, circulaba por la calzada y la acera sin objetivo luminoso alguno.

la calzada[73]. O bien cuando su mal estacionamiento impide divisar alguna de las señalas destinadas al control directo del riesgo viario, como los semáforos o las señales de "stop"[74] (Vid. Supra.3.1).

e) Del mismo modo cabe reputar típica la *rotura* de los *espejos* destinados a facilitar la visualización del tráfico en intersecciones viarias peligrosas y que hacen más fiable el tránsito o la incorporación de los vehículos a los carriles.

f) Debe juzgarse penalmente relevante la perturbación de la seguridad vial producida a través de la propagación de humo sobre la vía, aunque su origen esté fuera de ella, al impedir la normal visibilidad en la misma. Por ejemplo, así podría suceder en el caso de la quema de rastrojos cercanos a una carretera.

g) Desde el punto de vista del tipo objetivo puede resultar penalmente significativo, en determinadas circunstancias, el hecho de colocar, de manera que no se puedan esperar, *resaltos o tachuelas* escasamente señalizados con el fin de obligar a los vehículos a reducir la marcha, como acostumbran algunas autoridades municipales en las calzadas de los barrios residenciales de sus poblaciones. Estos verdaderos murillos, en ocasiones con una sobresaliente inclinación sobre la línea de pavimento, pueden llegar a suponer verdaderos obstáculos sobre el asfalto cuando no están señalizados (o lo están defectuosamente)[75]. Derivando, en consecuencia, en un posible riesgo para los vehículos y sus ocupantes, al poder salir despedidos e impactar contra otros usuarios de las vías, incluso contra los posibles peatones que deambulen por la acera próxima[76]. Igualmente es peligroso porque estos obstáculos obligan al conductor a realizar ma-

---

[73] RODRÍGUEZ DEVESA, *Derecho Penal...*, cit., p. 1052, *"la incriminación de las alteraciones por cualquier medio permiten incluir también el bloqueo con personas e incluso con vehículos inmóviles o en marcha"*.

[74] Cfr. MAGALDI PATERNOSTRO, op. cit., p. 1723, considera atípicas estas conductas (estacionar indebidamente un vehículo, colocar una valla o cono de señalización) en la medida que resultan previsibles en el contexto del tráfico rodado.

[75] Por ejemplo, cuando se coloca uno de estos resaltos sin un color distintivo, en una zona que carece de alumbrado artificial, y de la señalización oportuna.

[76] QUERALT JIMÉNEZ, op. cit., p. 940, la indebida señalización, o la falta de un adecuado mantenimiento, de estas tachuelas puede dar lugar a un delito de daños cuando sean la causa de afectación a la mecánica de los vehículos.

niobras de elusión, como frenazos[77], que resultan inesperadas para otros vehículos. Lo que puede ocurrir incluso, respetando el límite de velocidad de la vía, pues en ocasiones no se adecúa al proyecto de "pista americana" que algún concejal de urbanismo ha ideado o autorizado[78].

Para que todos estos supuestos alcancen el grado de peligrosidad típico, al igual que sucede con las conductas expresamente previstas en el art. 385.1.ª CP, debe concurrir el elemento común de la imprevisibilidad a valorar según los parámetros expuestos (Vid. Supra).

IV. MODALIDAD OMISIVA

1. Consideraciones generales sobre la omisión. En especial la comisión por omisión. Origen, requisitos legales y jurisprudenciales

Lo fundamental en los tipos de omisión reside, siguiendo la opinión de MIR PUIG, en "la no verificación de una determinada conducta"[79], en consecuencia su esencia normativa subyace sobre la inobservancia del deber de actuar y en la consiguiente realización de un comportamiento distinto al prescrito.

A nuestros efectos, resulta de interés distinguir, a su vez, entre los tipos de omisión pura y los de comisión por omisión[80]. Esta di-

---

[77]   SAP Huelva 31-12-1992, "La afirmación de que los obstáculos podían ser salvados sin daño es gratuita...es gratuito afirmar que por la vía donde se colocaron los obstáculos hay que circular a "prudente velocidad o a "velocidad moderada". El hecho de que un conductor pudiese detenerse antes de colisionar sólo quiere decir que los acusados deben responder de un riesgo posible y no de un daño real"; SAP Gerona 15-11-1996, condena a un vecino que colocó en la calzada pública, de la urbanización en que vivía, unas piedras adheridas mediante cemento a fin de que los coches moderaran su velocidad y no aparcaran al final de un plazoleta.

[78]   Vid. Infra. 4 y 5. Sobre los posibles sujetos responsables en los casos de comisión por omisión y la propuesta de lege ferenda consistente en configurar un delito imprudente que dote de mayor eficacia a la diligencia exigible a determinados sujetos en el aseguramiento de las condiciones de la vía.

[79]   MIR PUIG, PG, cit., p. 308-309.

[80]   Sobre las diversas teorías y clasificaciones, en los delitos de omisión SILVA SÁNCHEZ, El Delito de omisión: concepto y sistema. Ed. Librería Bosch, Barcelona, 1986, p. 21 y ss.

ferencia se produce en función del deber que el legislador impone al sujeto activo. Mientras que en los primeros se reprocha que éste simplemente no haga lo debido (equiparándose así a los de mera actividad), en los delitos de comisión por omisión se reprocha la *no evitación de un resultado*[81]. Por lo que en este último caso se equiparará la producción omisiva de un resultado, como si de una realización activa se tratara.

Sin entrar de forma detallada en la compleja estructura de los delitos de comisión por omisión, es sabido que antes de la promulgación del CP de 1995, ésta podía suscitar, desde el punto de vista del principio de legalidad penal, alguna dificultad en su reconocimiento legal. Lo que sucedía por su falta de enunciación expresa en la redacción legal, dando lugar a posturas doctrinales encontradas[82]. Este arduo debate, que no puede ser abordado aquí, pretendió zanjarse, y por lo menos se ha minimizado en los supuestos llamados "supralegales", con la redacción del *art. 11 CP*[83]. Este precepto da amparo positivo expreso a la figura mediante la inclusión en la Parte General de los elementos esenciales que permitan su identificación, a través de la interpretación sobre los delitos de la Parte Especial. Los elementos estructurales son: a) situación típica, b) ausencia de la acción debida y c) capacidad para llevar ésta a cabo. Junto a estos tres elementos (compartidos con la omisión pura) deben valorarse

---

[81]   MIR PUIG, *PG*, cit., p. 312 y ss; SILVA SÁNCHEZ, *El Delito de omisión...*, cit. p. 311 y ss, propone una tripartición de los delitos de omisión, distinguiendo entre omisiones puras generales, omisiones puras de garante (omisiones de gravedad intermedia) y la comisión por omisión; Vid. al respecto DOPICO GÓMEZ-ALLER, *Omisión e injerencia en Derecho penal*, Ed. Tirant lo Blanch, Valencia, 2007, p. 573-577.

[82]   SILVA SÁNCHEZ, "La Comisión por omisión y el nuevo Código penal español" en *Consideraciones sobre la Teoría del Delito,* Ed. Ad-Hoc, Buenos Aires, 1998, p. 73-124; sobre la influencia de la dogmática alemana en esta materia Vid., GIMBERNAT ORDEIG, "La Omisión impropia en la dogmática penal alemana. Una exposición" *ADPCP*, Tomo 50, 1997, p. 5-112, también recogido en *Ensayos Penales.* Ed. Tecnos, Madrid, 1999, p. 257-374.

[83]   De un modo similar a la fórmula adoptada en el Código penal alemán, § 13 Begehen durch Unterlassen (Comisión por Omisión), apartado primero, *"1) Quien omita cvitar un resultado previsto en un tipo penal sólo será responsable penalmente, conforme a este código, cuando esté jurídicamente obligado a que el resultado no se produzca y la omisión sea equivalente a la realización del tipo mediante una acción". En el segundo apartado de este artículo se prevé una cláusula de atenuación de la pena.*

para la imputación objetiva del hecho: d) la posición de garante, e) la producción de un resultado típico y f) la posibilidad de evitarlo[84]. La jurisprudencia ha asumido en estos mismos términos los elementos que deben darse necesariamente para valorar la existencia de conductas en comisión por omisión[85].

La situación típica de peligro origina, integrada bajo la posición de garante, la obligación personal del sujeto activo de controlar una determinada fuente de riesgo. Ya sea por crear éste previamente la situación típica (injerencia), o bien sin haberla producido, por estar obligado a ello por razón legal o contractual. En todo caso, las posibilidades de control del peligro deben estar al alcance material y personal del sujeto. Pues no cabe la atribución automática de responsabilidad basada en meros deberes formalizados de cuidado o garantía. Porque si así fuera, se incurriría en un supuesto de responsabilidad objetiva irreconciliable con nuestro sistema de atribución de responsabilidad penal basado en la culpabilidad en sentido amplio[86]. En definitiva, para poder castigar omisiones, como si de comisiones se tratara, debe suceder que la realización típica omisiva y la comisiva resulten equivalentes, es decir que se produzca una identidad estructural y material en el plano normativo[87].

Tomando en consideración todos estos elementos generales sobre los delitos de omisión, debemos interrogarnos sobre la naturaleza de la conducta omisiva prevista en el segundo apartado del art. 385 CP.

---

[84]   MIR PUIG, *Parte General,* sobre los requisitos de la comisión por omisión, p. 317-330.

[85]   Entre otras, las SSTS 28-01-1994 y 25-10-2002.

[86]   MIR PUIG, *Introducción a las bases del Derecho penal.* ed. Bosch, Barcelona 1976, p. 153. Como límite político-criminal al *ius puniendi* del estado, debe exigirse la necesidad de dolo o imprudencia como presupuesto de la pena, lo que deriva de la propia función que ésta debe desempeñar en el estado social y democrático de Derecho. De no ser así resultaría inútil, desde la perspectiva de la motivación-intimidación, castigar conductas inevitables como el caso fortuito.

[87]   SÁNCHEZ, *El Delito de omisión...*, cit., p. 342 y ss.

2. Art. 385. 2ª. Tipo de comisión por omisión

La modalidad omisiva tipificada en el segundo apartado del art. 385 es, a mi entender, de comisión por omisión al exigirse a un determinado sujeto-garante la obligación de impedir un resultado típico[88]. No se trata de un supuesto de comisión por omisión "supralegal", sino de un caso especialmente previsto en la parte especial por el legislador, quien ha decidido equiparar en el plano normativo la identidad material de la comisión activa —consistente en alterar las condiciones de seguridad de la vía originando un grave riesgo para la circulación— con la omisión de restablecer dicha seguridad por parte de quien viola un especial deber jurídico destinado a ello. Con esta equiparación pretende reforzar la observancia de las obligaciones de aquellos sujetos-garantes evitando la producción del resultado peligro típico: el menoscabo de la seguridad de la vía[89].

En dicho apartado se conmina a restablecer la seguridad en el tráfico *"cuando haya obligación de hacerlo"*. Por lo tanto, será fundamental saber sobre quién pecha este deber y ante qué situaciones se puede exigir su observancia.

---

[88] MIR PUIG, *Parte General*, cit., p. 228-229. Se refiere expresamente a él como delito de comisión por omisión. p.317-330. En este mismo sentido la doctrina mayoritaria, MUÑOZ CONDE, *DP. Parte Especial*, p. 692; MAGALDI PATERNOSTRO, *Comentarios...*, cit., p. 1724; CONDE-PUMPIDO, *Código penal Comentado*, p. 1134. En contra, CÓRDOBA RODA, *Comentarios...*, cit., p. 1278, *"(...) describe una pura y simple omisión, a saber, el no restablecer la seguridad de la vía, cuando haya obligación de hacer."*; CARMONA SALGADO, op. cit., p. 812, *"la obligación de actuar en este caso sólo comprende a los que jurídicamente hayan contraído por ley o por contrato el deber de restaurar las condiciones de la vía y eliminar el grave riesgo que pudiera derivarse para la circulación, al igual que a quines tengan ese deber como derivado de su función o cargo (...) siendo insuficiente los meros deberes morales, de donde puede desprenderse que nos encontramos ante un delito de omisión pura"*.

[89] Se distingue así, de los delitos de omisión pura, como ya se ha dicho, en tanto que en estos se describe sólo un no hacer, con independencia de si del mismo se sigue o no un resultado, como por ejemplo sucede en la omisión de socorro del art. 195 CP. Sobre este artículo vid. en esta obra el comentario do GÓMEZ MARTÍN. vid. DÍAZ Y GARCÍA CONLLEDO, "Omisión de socorro a la propia víctima", en *Derecho penal de la seguridad vial* (dir. DE VICENTE MARTÍNEZ), *CDJ*, Ed. CGPJ, Madrid, núm. 114, 2007, p. 11-75, especialmente, p. 26-36, sobre la discusión en torno al carácter como tipo de omisión pura o de comisión por omisión del art. 195. 3 CP.

Este último interrogante se resuelve, a los efectos de determinar la *situación típica de peligro previa*, poniendo en relación de sentido el segundo apartado de este artículo con el primero. Por lo que debemos traer a colación lo que ya se ha puesto de manifiesto sobre qué es objetivamente peligroso penalmente para alterar las condiciones de seguridad de la vía[90].

Según este planteamiento será atípico el hecho de que la vía sea peligrosa o presente unos niveles de seguridad inadecuados, como sucede en el caso de los denominados "puntos negros viarios" (por ejemplo por su deficiente diseño, trazado o mala realización de las obras) que presentan altas cifras de siniestralidad[91]. Debe ser de este modo, tanto por la necesaria conexión con el primer apartado, como por el propio sentido del verbo típico precedido por el adverbio de negación que completa su significado. Se persigue el *"no restablecer"*, esto es el no devolver a la vía al estado de seguridad que antes tenía cualquiera que éste fuera. Por lo tanto en estos casos la responsabilidad penal, de existir, no puede pretenderse por la vía del art. 385.2.ª CP.

¿Quiénes y por qué, están obligados a llevar a cabo la tarea de restablecimiento de la seguridad en la vía? Las respuestas a estos interrogantes permitirán conocer qué sujetos pueden ser *autores del delito en comisión por omisión*, al concurrir en ellos una posición de garante respecto al bien jurídico protegido[92]. La contestación no

---

[90] Vid. Supra. III.2 y III.3. Medios de comisión idóneos para la alteración activa de la seguridad en el tráfico. La cláusula "o por cualquier otro medio", supuestos controvertidos y cuestiones comunes a todas las conductas.

[91] La instrucción 01/TV-29 de la Dirección General de Tráfico, define el concepto de punto negro como cualquier emplazamiento perteneciente a una calzada de una red de carreteras en el que durante un año natural se hayan detectado tres o más accidentes con víctimas. Informe de la DGT sobre accidentes mortales en carretera durante la semana santa de 2007 (en www. dgt.es).

[92] Vid. GIMBERNAT ORDEIG, *La Omisión*, cit., p. 301, sobre cómo en Alemania, a partir de la década de los años 60 y de la obra de WELP, pasa a considerarse como fuente específica de la posición de garante (junto a las tradicionales: ley, contrato y actuar previo) los denominados deberes de aseguramiento del tráfico *(verkehrspflichten)*. Lo que permite la equiparación legal entre acción y omisión.

puede prescindir de la regulación extrapenal[93], aunque esta debe ser interpretada de forma restrictiva atendiendo a la efectiva equivalencia material entre la acción y la omisión.

Inicialmente deben asumir la función de control del peligro creado sobre las vías aquellos sujetos especialmente obligados a observar un deber de cuidado, derivándose éste principalmente de dos fuentes de obligaciones. Por un lado, de lo que determinen las previsiones legales y contractuales específicas (en este caso especialmente las administrativas) y, por otro, de la previa creación del riesgo o hacer precedente. En todo caso, insisto, debe comprobarse la equivalencia material entre la acción y la omisión, atendiendo a la teoría de las funciones, que fundamenta materialmente la posición de garante valorando la relación existente entre el sujeto y el bien jurídico.

En el primero de los casos subyace una situación especial de dependencia personal, principalmente derivada del desempeño de una profesión o de las obligaciones más básicas que corresponden a la administración pública[94]. Esta situación se da, por ejemplo, con los encargados municipales de urbanismo y seguridad vial en relación a las vías públicas propias de su municipio y, en general, sobre los organismos públicos titulares de las vías, o las empresas privadas que devienen en concesionarias o adjudicatarias por contrato público... En estos casos la responsabilidad nacerá cuando, informados de la situación de peligro objetivo que afecte a la vía, o siendo conocedores de ésta por cualquier otro medio, incumplan su deber de restablecimiento de la seguridad.

La segunda fuente que obliga al control del riesgo, deriva de la denominada *injerencia o actuar precedente* que da origen a la situación típica. Es decir, existe una especial vinculación con el peligro para aquellos sujetos que crearon previamente la situación objetiva de inseguridad alterando las condiciones de la vía. Esta actuación

---

[93]   Ejemplos de estos deberes pueden observarse en los arts.7, 10.3, 13, 51.2 de la Ley de Circulación, y en los arts. 130, 139, 140 del Reglamento General de Circulación. El ordenamiento es extenso en la configuración de esta fuente de las obligaciones, y prevé qué sujetos guardan una especial relación con las condiciones de la seguridad de la vía y son titulares de la obligación de procurar su restauración, en el caso de que se vea alterada.

[94]   No resulta baladí recordar que desde los inicios del Estado liberal, dentro de sus cometidos mínimos de seguridad estaba el referido a la creación y supervisión de la seguridad de las vías de comunicación.

antecedente puede ser realizada a título de imprudencia o incluso fortuitamente, pero nunca a título de dolo, porque en ese caso se condenaría por el art. 385. 1ª CP[95].

En *la práctica,* en las escasas ocasiones que se ha aplicado esta figura ha sido precisamente por derramamientos fortuitos o imprudentes de sustancias deslizantes o inflamables (actuar precedente), sin que el conductor del vehículo, advertido de tal circunstancia, llevara a cabo el control del peligro que acababa de originar[96] (omisión del ingerente). A estos efectos, resulta de interés la redacción del art. 130.2 del RGCir que extiende el deber de restablecimiento, si bien en menor medida, a los acompañantes u ocupantes del vehículo que produce la caída de la carga:

> "Siempre que, por cualquier emergencia, un vehículo quede inmovilizado en la calzada o su carga haya caído sobre ésta, el conductor o, en la medida de lo posible, los ocupantes del vehículo procurarán colocar uno y otra en el lugar donde cause menor obstáculo a la circulación para lo cual podrán, en su caso, utilizarse, si fuera preciso, el arcén o la mediana; asimismo, adoptarán la medidas oportunas para que el vehículo y la carga sean retirados de la vía en el menor tiempo posible".

Este supuesto puede dar lugar, según distintas variantes, a interesantes y problemáticos casos de autoría y participación. Sin embargo, esta referencia al deber extrapenal, no basta por sí sola para fundamentar la posición de garante, por lo que resulta imprescindible que se produzca una concreta equivalencia con la alteración, para la seguridad en el tráfico, de análogo sentido jurídico al requerido en el apartado 1º, para que se dé el requisito del actuar precedente[97].

Los *sujetos-garantes* siempre deben tener *conocimiento* de la situación, *competencia y medios* (personales y materiales) necesarios

---

[95] Vid. Supra. II.4 La configuración del delito como de doble estructura alternativa y la posible vulneración del principio *non bis in idem.*

[96] SAP Asturias 05-04-2001*"condena por omisión de medidas preventivas, tras el derramamiento en la calzada de gasoil que transportaban los acusados"* y SAP Alicante 22-05-1999.

[97] Cfr. Dopico Gómez-Aller, op. cit., p. 130-131, especialmente p. 132, precisamente utiliza al art. 382. 2º CP, como ejemplo para criticar la teoría formalista del deber jurídico especial. Comparto con este autor el exceso que supondría ampliar, sin tasa, *ope legis*, el ámbito de destinatarios de este delito según determine el citado art. 130 RGCir o el 129, del mismo cuerpo legal, que amplía a todos los usuarios de la vía el deber de restablecer la seguridad de la circulación en caso de accidente.

para restaurar la seguridad en el caso concreto, al no ser admisible las posiciones de garantía formalizadas. Estos sujetos, una vez conocida la situación, deben poder controlar, al estar en su esfera de dominio, el grave peligro originado por él o por terceros. Por tanto, deben tener *capacidad* para eliminar el peligro.

De no ostentar estas capacidades, cualidades o condiciones y se llegara a imputarles el delito, se estaría vulnerando el principio de culpabilidad[98], al actuar el juzgador con criterios de responsabilidad objetiva. Lo que por otro lado es fácil que suceda, en general, en los casos de comisión por omisión[99].

Ejemplo de ello es la SAP Segovia 23-09-2005, que confirma la sentencia del juzgador *a quo* que condenó al representante legal de una sociedad y al encargado de supervisión de la obras, por la caída de tierra sobre la carretera proveniente de alguno de los camiones de la obra que la transportaban. Tierra que provocó posteriormente dos accidentes de circulación. Según el *ad quem* refiriéndose al art. 382 *"La tipología del número primero es dolosa, mientras que en el segundo castiga a quienes de forma culposa han alterado la seguridad del tráfico y no la restablecen tenido obligación de hacerlo...resulta obvia la responsabilidad y obligación de los recurrentes de su retirada, pues el art. 10.2 de la Ley de Tráfico, establece que: se prohíbe arrojar, depositar o abandonar sobre la vía objetos o materias que puedan entorpecer la libre circulación parada o estacionamiento, hacerlos peligrosos o deteriorar aquélla o sus instalaciones, o producir en la misma o en sus inmediaciones efectos que modifiquen las condiciones apropiadas para circular, para o estacionar. Y el 10.3 por su parte que: Quienes hubieran creado sobre la vía algún obstáculo o peligro, deberán hacerlo desparecer lo antes posible, adoptando entretanto las medidas necesarias para que pueda ser advertido por los demás usuarios y para que no se dificulte la circulación"* Y sin más argumentación concluye el Tribunal que *"En definitiva sí tenían esa obligación de hacer desaparecer el barro, por lo que el motivo debe ser desestimado"*

La parquedad de la argumentación de la sentencia es proporcional a la redacción de los hechos probados. A pesar de ello, resulta

---

[98]   Reconocido su rango constitucional por primera vez en la STC 65/1986, aunque no fue hasta la STC 76/1998 en la que se vincula con la exigencia de dolo y culpa, Vid., BACIGALUPO ZAPATER, *Principios constitucionales del derecho penal,* Ed. Hamurabi, Buenos Aires, 1999, p. 156-158.

[99]   MARTÍNEZ-BUJÁN, *Derecho penal económico. Parte General,* 2ª ed., Ed. Tirant, 2007, p. 491-512, compendia las dificultades de imputación en sistemas organizados jerárquicamente y presenta las líneas de solución aportadas por la doctrina alemana y española. Con un apartado específico sobre las dificultades de imputación en estructuras de comisión por omisión en materia de delitos comunes.

evidente, tomando el material fáctico de esta resolución, que el representante legal de la sociedad no está presente en el momento de derramarse parte de la carga que portaban los camiones. En consecuencia, es obvia la imposibilidad de evitar el resultado a través de su poder de dirección ordenando a su jefe de obras, o a sus camioneros, la retirada del fango vertido sobre la calzada. Tampoco consta la existencia de una orden previa que, adelantándose al posible acontecimiento de supuestos como el ocurrido, impidiera a los camioneros, o al jefe de la obras, restablecer la seguridad de la calzada.

La imputación de responsabilidad penal a los administradores de una sociedad, por las conductas de terceros, en casos de estructuras jerarquizadas de poder, no es un ejercicio jurídico sencillo ni automático. Salvo que se quiera incurrir en responsabilidad objetiva, como parece derivarse de la lectura de la sentencia. Esta atribución exige la verificación de los deberes de supervisión (por ejemplo a través de la contratación y despacho con el jefe de obra) y de elección del personal adecuado, así como de la dotación de medios necesarios (por ejemplo si los camiones disponían de lona) y la ordenación de las tareas de los trabajadores según la capacidad de estos. En este caso, la conducta antijurídica la cometen los camioneros si fueron conscientes del vertido de las tierras y nada hicieron para recuperar la seguridad de la calzada, pues pecha sobre ellos primaria y principalmente la conducta reparadora debida, cuya omisión es análoga a la comisión dolosa.

V. EL TIPO SUBJETIVO. PROPUESTA *DE LEGE FERENDA*: COMISIÓN IMPRUDENTE

El tipo subjetivo, en la vertiente activa del delito, viene presidido por su exclusiva modalidad dolosa (art. 1 en relación al art. 12 del CP). Este dolo, siguiendo a Corcoy Bidasolo[100] no presenta ninguna particularidad por tratarse de un delito que protege un bien supraindividual[101]. Éste, en tanto que conocimiento y voluntad, debe abar-

---

[100] Corcoy bidasolo, *Delitos de peligro...*, p. 287-303.
[101] En otro sentido SAP Málaga, 05-10-2000, revoca la sentencia del Juzgado de lo Penal, que había condenado a un sujeto por lanzar una barra de hie-

car, como en los delitos contra bienes individuales, los elementos del tipo objetivo, sin que sea necesario que el sujeto conozca la efectiva peligrosidad de la conducta para causar el resultado de peligro. Bas-

---

rro, entre otros objetos, desde su ventana a la vía con un argumento criticable basado en la falta del dolo propio de los delitos contra bienes colectivos. *"PRIMERO.- Aún cuando la acción del apelante, en relación al hecho de arrojar diversos objetos, entre ellos una barra de hierro, desde la vivienda en la que se hallaba, en una cuarta planta de una céntrica y transitada calle de ésta ciudad, es totalmente incívica y reprobable, ella en sí misma denota el talante del recurrente, pero no por ello es constitutiva de infracción penal, aunque sí debería ser sancionable en otra norma jurídica, y ello porque la vía penal, como última ratio del derecho se rige por principios de intervención mínima, y requiere una acción que sea típica, antijurídica, culpable y punible, y aunque el apelante sea autor de la acción y ésta no se halla amparada por el derecho (siendo antijurídica e injustificable), no por ello está dentro de nuestro Código Penal, ni existe un dolo específico con ella (la acción culpable en el Código Penal de 1995, también requiere, una expresa tipificación, que en éste caso no existe) y por ello no es sancionable, pues el artículo 382 del Código Penal vigente que aplica la sentencia recurrida, requiere que de la acción, o por medio de ella se origine un grave riesgo para la circulación, es decir una situación de trascendencia importante y general (es un delito de protección "erga ommes" que significa algo más que una situación de instantáneo peligro en una vía circulatoria, requiere un plus sobre una situación instantánea, momentánea y concreta, teniendo el tipo penal un plus de transcendencia que sobrepase ese instante), y ello se centra en esa expresión de grave riesgo, siendo una acción dolosa que debía tender a ese fin atentatorio a la seguridad colectiva en la circulación de vehículos de motor, ya sea por quererse directamente, ya por dolo eventual al ser previsible ese riesgo abstracto y genérico a la circulación, a la seguridad colectiva, a los demás en abstracto, no siendo esa la intención del recurrente, ni siendo de su acción previsible y probable un grave riesgo (como tal extenso, permanente y general) a la circulación, por lo que no es aplicable el tipo penal, por falta del necesario elemento subjetivo del mismo, no siendo una reiterada y continua acción de lanzar objetos contundentes a la vía pública de tráfico rodado, sino una acción aislada, esporádica y no tendente a ese fin, no debiéndose sancionar penalmente por ese hecho, aunque el mismo sea, en sí mismo, contrario a las reglas de convivencia ciudadana. Si son constitutivos los hechos como expone la resolución recurrida de la falta del artículo 634 del Código Penal por las manifestaciones producidas, que el recurrente dirige a los Agentes Policiales, que actúan ante los hechos y que se acreditan con las declaraciones de los mismos al detallar lo acaecido, siendo suficiente prueba de cargo acreditativa de ésta leve infracción penal, procediendo mantener la condena que por éste hecho realiza la sentencia de la instancia".*

ta que sepa que su comportamiento es peligroso, y aún así quiera llevarlo adelante, sin que por ello sea necesario que su voluntad contenga la intención de lesionar el bien supraindividual. Al autor se le exige únicamente que sea consciente del significado de su conducta sin necesidad que sepa su concreta relevancia jurídica, cabiendo el dolo eventual[102].

Alguna particularidad más presenta, sin embargo, el *tipo subjetivo de comisión por omisión*. En primer lugar, resulta necesario volver a mencionar que una *actuación previa imprudente* o *fortuita* puede dar lugar a la realización del tipo de omisión. Siempre que, claro está, el sujeto garante (el que actúa imprudentemente o un tercero obligado legalmente a restablecer la seguridad tras la alteración provocada por conductas de terceros) conozca la existencia del peligro creado en la vía y voluntariamente omita llevar a cabo la actividad de subsanación, *dolo subsequens*[103]. En general, el dolo en los casos de comisión por omisión debe comprender, tanto la ausencia de la acción debida, como la posible evitación del resultado mediante dicha acción[104].

Esta cuestión no debe confundir el sentido doloso del tipo de comisión por omisión. En este delito el dolo del omitente no se puede

---

[102] MIR PUIG, *Parte General,* p. 269, el dolo eventual exige el conocimiento de la peligrosidad de la conducta, en el que se produce el "querer" como "aceptar" la conducta capaz de producir el resultado pero sin necesidad de quererlo. En la comisión por omisión, basta querer la omisión de la conducta debida y conocer la posibilidad de la producción del resultado.

[103] GIMBERNAT ORDEIG, op. cit., p. 281, señala como una dirección minoritaria de la doctrina alemana (Schüneman) no acepta como fuente de obligaciones la injerencia, pues no sería más que una forma atemperada del *versare in re illicita* que vendría a reducirse en este dolo sobrevenido o subsiguiente, porque se estaría castigando una mala voluntad sin hecho ni dominio. Este planteamiento no puede ser compartido en relación al art. 385. 2ª CP., pues en él se requiere que el sujeto tenga, no sólo el deber jurídico, sino también la capacidad material de revertir la situación e impedir el resultado lesivo. De no asistirle esta capacidad de dominio no cabría imputar ningún resultado, siempre que hubiera tomado las medidas que estuvieran a su alcance, pues nadie esta obligado a lo imposible.

[104] MIR PUIG, *Parte General,* p.330, "además, habrá que extender a la situación que determine la presencia de la obligación de garante, en tanto que la conciencia de que la misma de lugar a dicha posición de garante que integra únicamente el conocimiento del significado antijurídico del hecho y su ausencia no constituirá error de tipo sino de prohibición"

negar cuando éste ha tomado conocimiento de las circunstancias que generan el peligro de producción del resultado y tiene capacidad para evitarlo.

Igualmente es posible que una *conducta fortuita* derive (injerencia previa) en fuente de obligaciones jurídico-penales para su causante. En este caso, el reproche penal no es contrario al principio de culpabilidad, lo que sí resultaría si se dirigiera directamente al comportamiento involuntario. Porque de este modo se frustraría el principio de la finalidad motivadora de la pena.

Por el contrario, con el art. 385 CP el legislador pretende incentivar la observancia de los deberes sociales derivados de la seguridad en el tráfico, que todo usuario de las vías tiene por el simple hecho de contribuir al incremento de riesgos en un ámbito social de interacción colectiva especialmente peligroso. Estos sujetos, sin hallarse en una situación de sujeción especial, se encuentran particularmente vinculados a observar determinadas obligaciones de control de su propia contribución de riesgos para el bien jurídico protegido. Por esta razón, el legislador construye un deber reforzado de aseguramiento de las condiciones de la vía. Esta imposición no se dirige a cualquier sujeto, sino tan sólo a quien directamente produce un incremento del riesgo, a pesar de que sea de un modo fortuito y no lo controla pudiendo hacerlo sin peligro propio o ajeno. Pues una vez conocido éste por su causante, no puede obviar la peligrosidad que representa para el resto de usuarios, además de que en él se encuentra el origen del mismo[105]. En consecuencia, no cabe exonerarle de su especial responsabilidad en el aseguramiento de las condiciones de la vía.

Creo que este debe ser el fundamento de la incriminación que subsigue en estos casos de conductas inicialmente fortuitas, que se transforman ulteriormente en una oposición dolosa a los deberes de "solidaridad vial"[106]. Ahora bien, si el Estado predica esta relación

---

[105] Podría barajarse la posibilidad de prever dos marcos penales distintos, como sucede en el art. 195. 3 CP, uno agravado para la previa comisión imprudente y otro privilegiado para los caso de generación fortuita del peligro típico. En cualquier caso, *de lege lata*, se debe tomar en consideración estas distintas formas de actuación previa para concretar la pena a imponer.

[106] Vid. DOPICO GÓMEZ-ALLER, op. cit., p. 767 y ss, especialmente p. 764, fundamenta la expresa equiparación legal entre la comisión y la omisión del ingerente del art. 382.2.º ACP en base al criterio de la omisio aseguramiento,

para cualquier ciudadano, hemos de reclamar para él un plus de motivación para el cumplimiento de las obligaciones jurídicas derivadas de su estatus. A éste debe exigírsele mayor fidelidad y diligencia en la protección de la seguridad en el tráfico, porque sobre esta función erige sus extraordinarias potestades y, en definitiva, su existencia. En consecuencia, propongo *de lege ferenda* la creación de un tipo imprudente que asegure la efectividad de las actuaciones de los responsables públicos y privados en la protección de la seguridad de las vías de su titularidad. De lo contrario se produciría, como sucede en la actualidad, una igualación desde la perspectiva del Derecho penal entre sujetos que ostentan una distinta relación en la protección del bien jurídico. Esta necesidad de protección penal se hace más necesaria debido a la práctica, cada vez más habitual, consistente en asegurar la seguridad en el tráfico, procurando la reducción de la velocidad, a través de la obstaculización de la vía mediante tachuelas o resaltos. Para asegurar que esta forma de incrementar el riesgo se haga con la diligencia oportuna, dada la gravedad del peligro que puede originar, se hace necesaria la previsión de un tipo imprudente destinado a salvaguardar las condiciones de seguridad de la vía.

VI. CONCLUSIONES

La reforma operada por la LO 15/2007 imprime al nuevo art. 385 CP mínimas modificaciones con respecto a su predecesor, art. 382. CP. En la práctica va a seguir cumpliendo una *función de cierre* del

---

al producirse una introducción en la vía de objetos peligrosos que forman parte de su propia esfera. El planteamiento general de este autor esta presidido por el intento de demostrar que el dogma de la injerencia nació para explicar el indiscutido grupo de casos de comisión por omisión que representarían, según su parecer, los representados por su teoría de la omisio aseguramiento, a diferencia de los de salvamento. Distinción que se erige sobre la capacidad exclusiva y soberana de la gestión de un foco de peligro, que se da únicamente en los de aseguramiento, y no en los de omisio salvamento, en los que, por el contrario, se trata de una responsabilidad derivada de la competencia organizativa. Para este autor cabe hablar de aseguramiento cuando, de eliminarse mentalmente el foco de peligro, la lesión desaparece de la representación del hecho. Por el contrario, se hablará de salvamento cuando, de eliminarse mentalmente el foco de peligro, la lesión no desaparezca, no pudiendo ya ser asegurable el peligro.

sistema de protección penal de la seguridad en el tráfico. Bien jurídi-co-penal que este delito de *peligro abstracto* pretende salvaguardar controlando los estándares de riesgo que las condiciones de seguridad de las vías establecen. A pesar de la autonomía del bien jurídico, para valorar la *gravedad del peligro* generado sobre la vía se atenderá a su potencialidad e idoneidad para lesionar bienes individuales en atención al *principio de lesividad*. La proximidad real de estos últimos y, en su caso, el posible resultado permitirá modular la pena a imponer.

Su *carácter residual* deriva principalmente por tratarse de un delito en el que cualquiera puede ser *sujeto activo*, sin necesidad que éste desarrolle ninguna conducción de vehículo a motor. Además se trata de un delito de *conductas indeterminadas*, en el que lo esencial es la creación de un grave riesgo para la circulación, pudiendo derivarse éste de una alteración activa de las condiciones de seguridad de la vía o bien por la omisión de su restablecimiento. Por ello el legislador ha mantenido su *bicéfala estructura*, activa y de omisión, dispuestas en relación de alternatividad, por lo que la aplicación de una impide la observancia de la otra so pena de quebrantar el principio *non bis in idem*.

Esta condición de *delito alternativo de doble estructura comisiva*, en el que el legislador ha equiparado los resultados, permite que ambas conductas compartan algunos elementos. Entre ellos el concepto de *vía*, objeto sobre el que recaen los comportamiento peligroso, y que debe integrarse a partir de la regulación administrativa (art. 1.2 c) RGCir). En consecuencia, en aquél se incluyen tanto las de *uso público* como las *privadas asimiladas*. Igualmente, es un elemento común del juicio de peligro, a efectuar desde una perspectiva *ex ante*, tomar como referencia al conjunto de los usuarios de las vías: conductores/conducidos y peatones. Pues estos últimos también albergan legítimas expectativas de seguridad ante las incidencias derivadas de la circulación y del estado de las vías.

En el primer apartado del artículo se mencionan tres modalidades específicas de realización del tipo. La primera, consiste en *colocar obstáculos en la vía*, que pueden ser incluso arrojados desde fuera de ésta, entendiendo la jurisprudencia que se subsume en este apartado el uso del propio cuerpo del autor a modo de interposición. La segunda modalidad específica consiste en el *derramamiento de sustancias deslizantes o inflamables* y en la tercera, modificada por la LO 15/2007, se tipifica la *mutación, anulación o sustracción de la señalización* destinadas al control del peligro. Conductas todas ellas, junto a los daños en la señalización, que eran y continuarán siendo típicas conforme a este precepto.

Estas tres conductas son enunciadas *ad exemplum*, como se demuestra por la inclusión tras ellas de la cláusula "*o por cualquier otro medio*", que aboca al carácter resultativo del delito, en el que lo importante es la creación de un grave riesgo para la seguridad en el tráfico. Esta habilitación residual no quebranta el *principio de taxatividad*, gracias a la orientación interpretativa que cumplen las tres formas específicamente previstas. Bien al contrario, evita así el legislador el efecto de la *infrainclusión*.

En el segundo apartado del art. 385 CP se regula una *modalidad omisiva* que se configura como un *tipo de comisión por omisión* expresamente regulado en la parte especial del código penal. En él se reprocha la conducta de quién *no restablezca la seguridad de la vía teniendo obligación de hacerlo*. Lo que se exige es restaurar las vías a su estado inicial o previo a la situación de alteración grave de su seguridad, debiendo ser ésta análoga a la prevista en el primer apartado. Cabe fundamentar la posición de garante del sujeto obligado a través de la *injerencia* o actuar precedente *imprudente* o *fortuito*, así como por *atribución legal* o *contractual* del deber de mantener en buen estado las vías, siempre que se produzca una material equivalencia entre el comportamiento activo y omisivo. El primer caso ha sido, en la vertiente omisiva, el más tratado por la jurisprudencia habiéndose condenado en varias ocasiones a quienes derramaron sustancias deslizantes y que una vez advertidos del peligro no actuaron en el sentido ordenado por la ley.

De cualquier modo debe darse en todas las posibles modalidades comisivas el *elemento común de* la *imprevisibilidad* para que las conductas alcancen el grado de peligrosidad típico. De tal modo que las incidencias no deben ser esperables desde ninguna perspectiva lógica según los elementos propios de la vía. Este requisito debe ser valorado *ex ante*, desde un juicio objetivo de racionalidad, poniéndolo en relación con el posible contexto viario, sus condiciones medioambientales y de visibilidad.

Sea como fuere los sujetos-garantes deben tener *conocimiento* de la situación, *competencia* y *medios* personales y materiales necesarios para restaurar la seguridad en la situación concreta, al no ser admisible las posiciones de garantía formalizadas, ni presunciones *iuris et de iure* en Derecho penal.

El *tipo subjetivo* tanto de la modalidad activa como en la omisiva es *doloso*. Dolo que no presenta ninguna particularidad por tratarse de un delito que protege un bien supraindividual. Éste, en tanto que conocimiento y voluntad, debe abarcar como en los delitos contra bienes individuales los elementos del tipo objetivo, sin que sea necesario que el sujeto conozca la efectiva peligrosidad de la conducta para causar el resultado de peligro. Basta que el sujeto sepa que su comportamiento es peligroso, y aún así quiera llevarlo adelante, sin que por ello sea necesario que su voluntad abarque la lesión del bien supraindividual.

En este ámbito subjetivo he manifestado *de lege ferenda* la posibilidad de configurar un *delito imprudente* que dote de mayor eficacia a la diligencia exigible a determinados sujetos en el aseguramiento de las condiciones de la vía.

Por último, otra de las novedades del art. 385 se refiere a la penalidad. El *marco penal continúa siendo muy amplio* —prisión de seis meses a dos años— o, alternativamente, multa de 12 a 24 meses[107]. La innovación efectuada por el legislador viene dada para el caso de que se imponga la pena de multa, que vendrá siempre aparejada con la de trabajos en beneficio de la comunidad de 10 a 40 días[108]. Sin embargo, el legislador sigue sin prever la posibilidad de imponer una pena de cancelación o suspensión de la autorización administrativa para circular, incluso, en aquellos supuestos en que la obstaculización de la calzada se lleve a cabo mediante un vehículo, por ejemplo estacionado tras un cambio de rasante[109]. La amplia extensión del marco penal exige valorar la mayor o menor probabilidad de lesión de bienes individuales para determinar la pena a imponer, como así lo ha manifestado la jurisprudencia.

---

[107] El mismo introducido por la LO 15/2003 que aumentó la pena de multa de 12 a 24 meses.

[108] CARBONELL MATEU, "La reforma..", p. 72, el Proyecto de Ley orgánica en su propuesta de art. 385 prevé la aplicación de la pena de trabajos en beneficio de la comunidad que según el parecer de este autor resulta especialmente indicada, a pesar de que en la práctica no suelen aplicarse penas de prisión.

[109] Agradezco esta reflexión al Prof. Dr. Sergi Cardenal Montraveta.

Debido a la nueva sistemática operada por el legislador al art. 385 CP no le es aplicable la cláusula concursal del art. 382 (antes art. 383 ACP), en caso de producirse un posible resultado de lesión para bienes individuales derivados de la alteración de las condiciones de seguridad de la vía. Aunque materialmente se llegue a la misma solución, pues en su nueva redacción la cláusula del art. 382 CP —aparentemente de leyes— acoge la solución del concurso ideal-medial *ex* art. 77 CP, la misma que se deberá aplicar entre el delito de resultado lesivo, de cualquier gravedad, y el delito de peligro del art. 385 CP. Sin embargo, este último caso sí se beneficia del límite general previsto en el art. 77. 2 CP, lo que no sucede con aquellos supuestos sometidos a la previsión concursal específica del art. 382 CP.

EL DELITO DE CONDUCCIÓN SIN PERMISO EN LA REFORMA DE LOS DELITOS CONTRA "LA SEGURIDAD VIAL"

HELENA MARÍA PRIETO GONZÁLEZ
Fiscal de la Fiscalía de Seguridad Vial-FGE

Sumario: I. Introducción. II. Antecedentes legislativos. III. La conducción sin permiso en el Derecho comparado. IV. El nuevo tipo de conducción sin permiso del art. 384 CP. 1 El bien jurídico-penal protegido en el tipo penal de la conducción sin permiso. 2 Elementos: El sujeto activo, los conceptos de conducción, vehículo de motor y ciclomotor y el lugar de realización de la conducta. 3 La conducta típica: diferenciación entre el ilícito penal y el ilícito administrativo. 4. La pena de la conducción sin permiso. V. Conclusiones

I. INTRODUCCIÓN[1]

La LO 15/2007, de 30 de noviembre, por la que se modifica la LO 10/1995 de 23 de noviembre, del CP en materia de seguridad vial[2], ha introducido en el art. 384 CP, como novedad y de forma sorpresiva, el delito de conducción sin permiso[3]. El art. 384 del Proyecto de Ley Orgánica publicado en el BOE de 15 de enero de 2007 por la que se modifica la LO 10/1995, de 23 de noviembre, del que fueron segregados por acuerdo de los Grupos Parlamentarios[4] los delitos

---

[1]   Nótese que el estudio realizado se refiere exclusivamente a la conducción sin permiso y no comprende, por tanto y salvo las menciones que a efectos aclaratorios deban realizarse, los restantes supuestos de conducción ilegal incardinados en el párrafo primero del art. 384.

[2]   El Capítulo IV, del Título XVII, del Libro II pasa a tener como rúbrica: *De los delitos contra la Seguridad Vial*. No debe entenderse que se está produciendo una modificación en el objeto de protección. La nueva denominación pretende únicamente armonizar la nomenclatura penal y administrativa.

[3]   La entrada en vigor del texto de la reforma se produce al día siguiente de su publicación en el BOE, salvo en lo que se refiere al párrafo segundo del art. 384 (conducción ilegal y supuestos de quebrantamiento antes ubicados en el 468.2) que entra en vigor el 1 de mayo de 2008.

[4]   Los Grupos Parlamentarios Socialista, de Convergencia i Unió (CiU), de Esquerra Republicana (ERC), de Izquierda Unida-Iniciativa per Catalunya

contra la Seguridad Vial, contemplaba únicamente la conducción de un vehículo en los supuestos de privación judicial o administrativa del derecho o cuando el correspondiente permiso se encontrase suspendido o retirado; de la conducción sin permiso no había ni rastro en tal artículo.

Tampoco se incriminaba la conducción sin permiso en la Proposición de Ley Orgánica de reforma del CP en materia de Seguridad Vial que los Grupos Parlamentarios presentaron a la Mesa del Congreso el 14 de junio de 2007 y que fue admitida a trámite por la Mesa de la Cámara el 22 de junio de 2007.

Abierto el trámite de enmiendas el Grupo Parlamentario de Izquierda Unida-Iniciativa per Catalunya Verds (IU-ICV) propuso la supresión del art. 384 tal y como estaba redactado, es decir, eliminando la incriminación de la conducción en los supuestos de privación judicial o administrativa del derecho o cuando el correspondiente permiso se encontrase suspendido o retirado; no existiendo ninguna otra enmienda relativa a la conducción sin permiso salvo la presentada por el Grupo Parlamentario de Convergencia i Unió (CiU).

La redacción del art. 384 propuesta por el Grupo Parlamentario de Convergencia i Unió[5] (CiU), que utilizaba, por cierto, una fórmula mucho más precisa que la finalmente aprobada por el pleno de la Cámara Baja, contenía una incriminación de la conducción sin permiso

---

Verds (IU-ICV), de Coalición Canaria-Nueva Canarias y el Grupo Mixto presentaron el 14 de junio de 2007 a la Mesa del Congreso la Proposición de Ley Orgánica de reforma del CP en materia de Seguridad Vial. Como se desprende de la Exposición de Motivos de dicha proposición, existiendo un amplio consenso parlamentario en el seno de la Comisión de Seguridad Vial del Congreso de los Diputados y una especial urgencia en la reforma de los delitos contra la Seguridad Vial, consideran oportuno segregar la reforma de estos delitos del Proyecto de reforma general del CP que previsiblemente requerirá una más lenta tramitación, al afectar a cuestiones especialmente espinosas y controvertidas, como es la responsabilidad penal de las personas jurídicas y la regulación de la imprudencia.

[5]   El art. 384. 2 de la enmienda del Grupo Parlamentario de Convergencia i Unió (CiU) disponía: *"El que condujere un vehículo de motor o ciclomotor, por cualquier espacio o vía pública, sin haber tenido nunca un permiso o licencia de conducción, expedido por la autoridad pública de cualquier país, será castigado con las mismas penas que el apartado anterior en su grado máximo"*.

con la justificación de que de no castigarse la misma, se beneficiaría al que deliberadamente decide no obtener el mencionado permiso y permanecer al margen del sistema.

El art. 384 que se contiene en el texto aprobado por el pleno del Congreso en fecha 4 de octubre de 2007[6] y cuya formulación ha devenido en definitiva, al ser la contenida en el texto finalmente aprobado el 22 de noviembre de 2007 en el Congreso y publicado en el BOE el 1 de diciembre de 2007, tipifica como delito tanto la conducción en los supuestos de privación judicial o administrativa del derecho o cuando el correspondiente permiso se encontrase suspendido o retirado, como la conducción sin permiso, con una formulación no muy clara que augura no pocos problemas interpretativos a los que luego nos referiremos.

La incriminación de la conducción sin permiso ya venía siendo solicitada desde algunos sectores doctrinales; es el caso de Carbonell Mateu[7], redactor de la propuesta de la Comisión General de Codificación, que afirma que no parece razonable sancionar penalmente al que conduce con el carné suspendido y, sin embargo, relegar al campo administrativo la conducción del que nunca lo obtuvo.

Debemos convenir con Carbonell Mateu que si todo el sistema tiene como punto de mira la seguridad vial, entendida como la seguridad de la vida y de la integridad, parece razonable la tipificación de la conducta del que conduce sin haber obtenido el correspondiente permiso. Si la conducción de vehículos a motor es una actividad reglada para cuya realización se requiere la superación de unas pruebas y la demostración de conocimientos y habilidades, no es por

---

6   El art. 384 del texto aprobado por el pleno del Congreso en fecha 4 de octubre de 2007 dispone: *"El que condujere un vehículo de motor o ciclomotor en los casos de pérdida de vigencia del permiso o licencia por pérdida total de los puntos asignados legalmente, será castigado con la pena de prisión de tres a seis meses o con la de multa de doce a veinticuatro meses y trabajos en beneficio de la comunidad de treinta y uno a noventa días. Las mismas penas se impondrán al que realizare la conducción tras haber sido privado cautelar o definitivamente del permiso o licencia por decisión judicial y al que condujere un vehículo de motor o ciclomotor sin haber obtenido nunca permiso o licencia de conducción"*.

7   Vid. CARBONELL MATEU, "La reforma del tratamiento penal de la seguridad vial" en *Delincuencia en materia de tráfico y seguridad vial: Aspectos penales, civiles y procesales,* (Coord. MORILLAS CUEVA), Ed. Dyckinson, Madrid, 2007, pp. 402-403.

puro capricho o por un desmedido ánimo recaudatorio, sino porque se trata de una actividad capaz de crear riesgos de suma importancia para los demás.

Por otra parte, no cabe duda de que con la introducción del nuevo art. 384 CP, el legislador pretende proporcionar cobertura penal al denominado permiso por puntos[8,] regulado por Ley 17/2005, de 9 de julio, y mala cobertura se proporcionaría al mismo, si precisamente se excluyera del tipo penal al que conduce sin permiso por no haberlo obtenido nunca, situándolo de ese modo en una cómoda situación al margen del sistema.

La conducción sin permiso está tipificada hasta ahora como infracción administrativa muy grave en el art. 65.5 j RDL 339/1990, de 2 de marzo, por el que se aprueba el Texto Articulado de la Ley sobre Tráfico, Circulación de Vehículos a Motor y Seguridad Vial, y sancionada con multa de 301 a 600 euros, según el art. 67.1 del mismo texto. Para las infracciones muy graves el mencionado artículo prevé, además, la imposición de la sanción de suspensión del permiso por el tiempo mínimo de un mes y máximo de tres meses, sanción que por su propia naturaleza no puede imponerse al que nunca lo ha obtenido, que sufrirá únicamente una sanción de multa cuyo efecto disuasorio es nulo en los supuestos de insolvencia, generando en el infractor una indeseable sensación de impunidad.

Con la introducción de este artículo se ha querido dar respuesta, así mismo, a una demanda social que no llega a comprender que el que de forma deliberada decide permanecer fuera del sistema reciba un tratamiento más benévolo, aparentemente al menos, que el que, cumpliendo las normas, obtiene el permiso de conducción exigido por la legislación. Resulta difícil explicar que la norma penal protege exclusivamente bienes jurídico-penales y que, por tanto, sólo pueden sancionarse penalmente aquellas conductas que ponen en peligro tales bienes[9].

---

8   Vid., en este sentido, la Comparecencia del Sr. Director General de Tráfico en el Congreso de los Diputados, 22 de febrero de 2006, *Diario de Sesiones. Comisiones,* Núm. 489, 2006, p. 3.

9   A estos efectos resulta bastante ilustrativo el amplio debate que respecto a este tema se suscitó en la opinión pública tras la SAP Sevilla, sec. 7ª, 4-9-2006 y que después ha rodeado la ejecución de la misma.

En el caso de los delitos contra la seguridad vial el bien jurídico-penal que se protege es la seguridad de la vida y la integridad, por lo que una persona que, a pesar de conducir sin permiso, lo haga de forma adecuada demostrando los conocimientos y habilidades que se requieren para ello, no puede ser sancionada penalmente simplemente por haber incumplido una normativa administrativa, ya que no ha puesto en peligro la seguridad de la vida y la integridad que es lo que, en definitiva, tutela el tipo penal.

De otra parte, resulta difícil de explicar que aunque no exista un tipo autónomo de conducción sin permiso, el hecho de conducir sin permiso pueda ser valorado por el juzgador a la hora de calificar la imprudencia. Así, por ejemplo, en el caso de dos conductores que atropellan a un peatón causando la muerte del mismo por no respetar los límites de velocidad establecidos, careciendo de permiso uno de ellos y estando en posesión del permiso el otro, la valoración de la imprudencia puede ser diferente, en tanto que el que carecía de permiso ha demostrado una mayor falta de diligencia, por lo que su imprudencia puede merecer el calificativo de grave, mientras que en el caso del que conducía con permiso, la imprudencia puede ser calificada de leve, suponiendo, ello, así mismo y con la regulación actual, que el primero de ellos incurriría en un delito de homicidio imprudente y el segundo en una falta.

En definitiva, todo lo anterior es revelador de que conceptos como el de bien jurídico protegido e infracción formal son difícilmente explicables al ciudadano que escucha atónito lo que para él son disquisiciones de juristas que viven alejados de la realidad. No obstante ello, y como luego se dirá, no les falta parte de razón a los que alegarán ante la vuelta del tipo penal de la conducción sin permiso, que debería evitarse la tipificación de infracciones formales que no son más que ecos inmisericordes del tan denostado Derecho penal del enemigo.

II. ANTECEDENTES LEGISLATIVOS

No es ni mucho menos la primera vez que el legislador toma la decisión de incriminar la conducta de conducir sin permiso. Desde los inicios del siglo pasado esta conducta ha pasado de ser infracción administrativa a convertirse en delito y viceversa en múltiples ocasiones, dando así la razón a los que piensan que la diferencia entre el ilícito penal y el ilícito administrativo es meramente cuantitativa[10].

Resulta sorprendente la rapidez con que históricamente se estableció la necesidad de una habilitación especial para conducir automóviles o carruajes a motor, pues surge en los inicios del siglo pasado. En efecto, así lo disponía el Reglamento para el servicio de coches automóviles por las carreteras, aprobado por el RD de 17 de diciembre de 1900. En su virtud, era necesaria licencia para conducir vehículos particulares de más de 150 kg de peso y velocidad máxima de 28 km/h. La sanción prevista para la infracción de tal precepto tenía carácter administrativo y correspondía imponerla al Gobernador Civil[11].

La mencionada infracción ascendió a la categoría de delito en el CP de 1928. Este texto dedicaba el Título IX a los *delitos contra la seguridad colectiva* y, dentro de él, la Sección Segunda del Capítulo Primero dedicado a los *estragos y delitos afines*, bajo la rúbrica de *delitos afines a los estragos, imputables a imprevisión, imprudencia o impericia*, castigaba en su art. 574 con pena de dos meses y un día a un año de prisión y multa de 1000 a 3000 pesetas, al que "*condujere los vehículos o aparatos de locomoción para cuya conducción se necesite aptitud determinada, sin certificación que acredite ésta*".

Llama la atención la severidad de la pena que para la conducción sin permiso se preveía en este CP que tuvo una breve vigencia, al ser

---

[10]   Esta es la postura mayoritaria entre la doctrina española. Por todos Vid. GARCÍA DE ENTERRÍA, *Curso de Derecho administrativo*, T. II, 2ª ed., Ed. Civitas, Madrid, 1984, pp. 147 y ss; En el ámbito penal Vid. por todos BERDUGO GÓMEZ DE LA TORRE/ARROYO ZAPATERO/GARCÍA RIVAS/FERRÉ OLIVÉ/SERRANO PIEDECASAS, *Lecciones de Derecho Penal PG*, 2ª ed., Ed. Praxis, Barcelona, 1999, p.13.

[11]   Como anécdota es interesante ver como la Proposición de Ley Orgánica por la que se modifica la LO 10/1995 del CP, en materia de Seguridad Vial aprobada por el Pleno del Congreso de los Diputados el 4 de octubre de 2007 aprovecha para, en su Disposición final primera, modificar el artículo 68 del Real Decreto Legislativo 339/1990, de 2 marzo, por el que se aprueba el Texto Articulado de la Ley sobre Tráfico, Circulación de Vehículos a Motor y Seguridad Vial, arrebatando al Gobernador Civil su centenaria competencia para sancionar las infracciones de tráfico y atribuyéndosela a los Jefes de Tráfico, modificación que, por otra parte, ya venía siendo necesaria y que se había hecho urgente ante la inminente puesta en funcionamiento del Centro de Tratamiento de Denuncias Automatizadas.

rápidamente sustituido por el CP de 1932 que ya no tipificaba como infracción penal la conducción sin permiso, relegada desde entonces al campo de las infracciones administrativas hasta la Ley del Automóvil de 9 de mayo de 1950, ya que el CP de 1944 tampoco la recogió en su articulado.

La mencionada Ley del Automóvil de 1950 volvió a tipificar como delito la conducción sin permiso castigando en su art. 3 con pena de arresto mayor o multa de 1000 a 10.000 pesetas, al que condujere un vehículo de motor sin estar legalmente habilitado para ello. Esta disposición fue sustituida por la Ley sobre Uso y Circulación de Vehículos de Motor de 24 de diciembre de 1962[12], que en su art. 6 castigaba con multa de 5000 a 15000 pesetas al que condujere sin haber obtenido el correspondiente permiso.

La importante reforma operada por la Ley de 8 de abril de 1967 mantuvo la conducción sin permiso como delito, pero la introdujo en el CP común en su art. 340 bis c)[13]. Para ello creó un nuevo capítulo con el epígrafe *De los delitos de riesgo en general*, en cuya primera sección, *De los delitos contra la seguridad del tráfico*, incluyó la conducción sin permiso. Este tipo se mantuvo en el texto refundido de 1973, siendo derogado en la reforma del CP operada por la LO 8/1983 de 25 de junio, sin otra razón que, como expresa la Exposición de Motivos de tal ley, atender *a un sentimiento generalizado en los medios forenses y doctrinales que no ha podido apreciar en tal conducta nada más que un ilícito administrativo*. Así, sin ofrecer ningún otro tipo de explicación, el legislador expulsa de la órbita penal la conducción sin permiso, que tampoco el CP de 1995 recogerá entre

---

[12] La inclusión de tipos penales relativos a la seguridad vial en la Ley de 1962 fue duramente criticada por la doctrina de la época, que consideraba que la especialidad de la delincuencia del tráfico no justificaba un secesionismo legislativo que amagaba con dar al traste con un ordenamiento unitario y coherente como es el de los grandes Códigos y que llevaba a una dispersión que entrañaría claros riesgos para la seguridad jurídica. En este sentido vid. QUINTANO RIPOLLÉS, *Tratado de la parte especial del Derecho penal*, Ed. Revista de Derecho Privado, T. IV, Madrid, 1967, p. 453. En sentido contrario vid. CUELLO CALÓN, "La delincuencia automovilística y su represión", ADPCP, 1955, pp. 271ss.

[13] El art. 340 bis c) CP de 1940 revisado en 1963 disponía: *Será castigado con pena de multa de 10.000 a 50.000 ptas. el que condujere por vía pública un vehículo de motor sin haber obtenido el correspondiente permiso.*

los delitos contra la seguridad del tráfico, permaneciendo hasta la actualidad como infracción administrativa.

A la vista de esta evolución histórica sorprende que de los 107 años de exigencia del permiso de conducir, durante 70 años la conducción sin permiso haya sido meramente una infracción administrativa, sin que el legislador, pese a ser consciente desde épocas muy tempranas del riesgo que supone la circulación con un vehículo de motor, considerase oportuno elevarla a la categoría de delito.

III. LA CONDUCCIÓN SIN PERMISO EN EL DERECHO COMPARADO

Antes de entrar en el estudio del tipo penal de conducción sin permiso es necesario hacer un breve análisis del tratamiento que tal conducta recibe en los países de nuestro entorno.

En primer lugar, se observa un general endurecimiento de la respuesta de los Estados de nuestro entorno ante las infracciones cometidas en el ámbito de la seguridad vial[14]. Así, por ejemplo, en Francia y en Reino Unido todo ilícito en materia de tráfico tiene carácter penal. La gravedad de las conductas, la naturaleza de los bienes jurídicos protegidos y la mayor eficacia del sistema sancionador penal han hecho a los legisladores optar por el modelo de sanción exclusiva en vía penal. En Alemania, un sistema que mantiene, del mismo modo que el español, la diferenciación entre la infracción penal y la infracción administrativa en materia de tráfico y que por razones dogmáticas nos resulta más cercano, el papel del Derecho penal en materia de seguridad vial es muy superior al del Derecho administrativo[15].

---

[14]   Vid. DOMÍNGUEZ PECO (Coord.), *La circulación con permiso de conducción retirado en vía administrativa,* CEJ-DGT, Madrid, 2006, p. 79ss.

[15]   Muestra de ello es que la misma Ley de Tráfico Vial (StVG) recoge en sus parágrafos 21 y ss. varias conductas delictivas. Esta práctica de regular conductas delictivas en textos administrativos no es ajena a nuestra tradición jurídica. Como hemos visto más arriba La ley del Automóvil de 1950 y la Ley de Uso y Circulación de Vehículos de Motor de 1962 hizo lo propio en nuestro Derecho.

El *Code de la Route* francés, que agrupa todo lo relacionado con la circulación en carretera[16], castiga como delito en el art. L221-2 la conducción de un vehículo sin ser titular del permiso de conducir correspondiente a la categoría del vehículo con pena de un año de prisión y 15.000 euros de multa. Además prevé la imposición de las siguientes penas complementarias: pena de trabajos en interés general; pena de días-multa; privación del derecho a conducir vehículos a motor, incluidos aquellos para los que no se exige permiso de conducir; obligación de realizar un curso de sensibilización; y confiscación del vehículo con el que se ha cometido el hecho delictivo, siempre que el condenado sea el propietario del mismo[17].

En lo que se refiere al Derecho inglés podemos observar una cierta dispersión normativa, ya que no existe un texto que recoja todas las normas relativas a la seguridad vial como hace el Derecho francés en el *Code de la Route* y el Derecho italiano en el *Codice della Strada*. Así mismo, la regulación inglesa se caracteriza por la unidad de tratamiento en la tipificación de las infracciones de tráfico, pues la práctica totalidad de las mismas son constitutivas de delito[18]. Las dos disposiciones fundamentales relativas a la seguridad vial son:

---

[16]   Nuestra doctrina ha sido especialmente crítica con la regulación gala. Vid. MORILLAS CUEVAS, "Delitos contra la seguridad del tráfico: una preocupada reflexión global" en *Delincuencia en materia de tráfico, op. cit.*, p. 414. El citado autor define al *Code de la Route* como *"una mezcla, criticable, entre lo legislativo y lo reglamentario que se presenta sumamente amplio en su articulado, farragoso y detallista para lo que parece normal en estas conductas, con una mezcla de infracciones y sanciones administrativas y de delitos, con sus penas, tipificados expresamente como nuevos en dicho Texto o con referencia al Código Penal"*.

[17]   Llama la atención la extraordinaria dureza de la legislación francesa en la que la pena de prisión resulta de imposición obligatoria y la multa notablemente elevada. También destaca el hecho de que se prevea la confiscación del vehículo, a diferencia de nuestro Derecho en que por vía interpretativa la jurisprudencia viene aceptando el comiso del vehículo exclusivamente para el tipo de conducción suicida del art. 384 CP. Por otra parte, el artículo L224-16 castiga la conducción en los supuestos de suspensión, retención, anulación o prohibición de obtener el permiso con pena de dos años de prisión y multa de 4500 euros. La multa es inferior, por tanto, a la prevista para la conducción sin permiso pero la pena de prisión es superior, quizás por el contenido de desobediencia a la autoridad que tiene este precepto.

[18]   Vid. ESCOBAR JIMÉNEZ, "El sistema legal de Reino Unido", en *La circulación con permiso de conducción retirado...*p. 56.

The Road Traffic Act 1988 y *The Road Traffic Offenders Act 1988*. La primera de ellas define las principales infracciones de tráfico, mientras que las sanciones se contienen en la segunda. La conducción sin permiso es tipificada como delito en la sección 87 de la *Road Traffic Act*[19] y sancionada en la Parte I del Anexo II de la *Road Traffic Offenders Act* con pena de multa de nivel 3[20] de la escala estándar, *endorsment* obligatorio en determinados supuestos[21], *discualification* facultativa en determinados casos[22] y 2 *penalty points*[23].

---

[19]   La sección 87 de la *Road Traffic Act* tipifica como delito la conducción en vía pública de un vehículo careciendo de la licencia necesaria para conducir el mismo, considerando, así mismo, como delictiva, la conducta del que hace conducir a otro o permite que otro conduzca un vehículo careciendo del permiso correspondiente, sin exigir tan siquiera que el que causa o permite la conducción ilegal sea el propietario del vehículo.

[20]   Las penas de multa en el Reino Unido se imponen de acuerdo con una escala que se va actualizando cada año, evitando así la necesidad de revisar todos los textos legales. Así, por ejemplo, la cuantía máxima de la multa del nivel 3 de la escala estándar aplicable desde 2005 es de 1000 £.

[21]   La sanción del *endorsement* o anotación se regula en las secciones 44 y 45 de la *Road Traffic Offenders Act* y consiste en la anotación en la licencia de conducción de todos aquellos extremos relevantes de la sanción impuesta, como pueden ser la naturaleza de la infracción y su fecha de comisión, los puntos de castigo que lleva aparejados y, en su caso, la *disqualification* o inhabilitación para conducir y duración de la misma. La finalidad de esta anotación o registro de las sanciones por infracciones de tráfico no se detiene exclusivamente en contar con un registro de antecedentes pues apunta también a tener asegurada la detección inmediata de los mismos. Además, esta información también se anota en la *Driver and Vehicle Licensing Agency (DVLA)*. El *endorsement* puede ser obligatorio o facultativo. La sección 45 también regula el momento en que se cancela la anotación. En el caso de la conducción sin permiso el *endorsment* es obligatorio en caso de que al conductor no fuera posible concederle una licencia que le autorice para la conducción (i.e. no cumple el requisito de la edad) ni en el caso de que fuera posible concederle una licencia provisional (i.e. las licencias que se conceden para que una persona pueda hacer prácticas), la conducción realizada estaría amparada por dicha licencia (i.e. el conductor en prácticas que conduce sin monitor).

[22]   La sanción de *discualification* o inhabilitación para conducir se regula en las secciones 34 a 43 de la *Road Traffic Offenders Act* y produce como efecto la revocación de la licencia durante un determinado periodo de tiempo que como regla general no puede ser inferior a 12 meses. La *discualification* puede ser obligatoria o facultativa. A la *discualification* puede llegarse por dos vías: como consecuencia de una sanción impuesta por el juez o como consecuencia de la acumulación de puntos. Cuando se ha impuesto esta

Más flexible y menos pormenorizada es la legislación italiana que no contempla de manera expresa en el CP formas delictivas de peligro referentes a la circulación vial. El *Codice della Strada* regula los ilícitos penales en el Capítulo II del Título VI. En los arts. 220 y 221 se regula el procedimiento a seguir cuando el agente u órgano sancionador tenga conocimiento de la comisión de un delito relativo a la seguridad vial y en los arts. 222, 223 y 224 las sanciones administrativas accesorias a las sanciones penales[24]. Por su parte, el CP italiano cuando regula el homicidio y las lesiones culposas establece en los arts. 589 y 590 una agravación en los casos en que el hecho se haya cometido con violación de normas de seguridad vial.

Con respecto a la conducción sin el permiso correspondiente a la categoría del vehículo que se conduce, el hecho en sí mismo es constitutivo de infracción administrativa según el art. 180 del *Codice della Strada* y la sanción prevista es exclusivamente pecuniaria.

A continuación vamos a referirnos al Derecho alemán cuyo estudio es de singular importancia, dada la influencia de la dogmática alemana en nuestro Derecho y dado que, a diferencia de otros sistemas como el inglés o el francés, el Derecho alemán mantiene, como el español, la diferenciación entre infracción administrativa y

---

sanción el Juez puede ordenar que no se recupere el derecho a conducir hasta que no se supere un examen o prueba. En este caso, el juez puede en determinados supuestos autorizar al condenado para que obtenga una licencia provisional. Así mismo, el juez puede imponer una *combination order* que consiste en que se condicione la recuperación del derecho a conducir a que se realice un examen y además un trabajo de interés general. En determinados supuestos, como en los supuestos de conducción alcohólica o conducción con la licencia revocada, el juez puede imponer al condenado la obligación de cumplir un programa de reeducación (*discualified orderís programme*). En el caso de la conducción sin permiso la *discualification* es facultativa en los mismos supuestos en que el *endorsment* es obligatorio.

[23] En el Derecho inglés el sistema de carné por puntos funciona de forma diferente a los sistemas español y francés. En el sistema inglés cada conductor comienza con un saldo de 0 puntos de manera que cuando llega a 12 se produce la *discualification*. Los *penalty points* se regulan en las secciones 27 a 32 de la *Road Traffic Offenders Act*. En el caso de la conducción sin permiso la sanción es de 2 puntos que se anotarán en la *Driver and Vehicle Licensing Agency (DVLA)* de manera que en caso de que el sancionado obtenga una licencia se le anotarán esos puntos.

[24] Las sanciones administrativas accesorias de las sanciones penales son la suspensión o revocación de la licencia de conducir

penal en los ilícitos contra la seguridad vial. En opinión de Kaiser[25], tradicional autor en esta materia, como el Derecho penal común no basta para captar las infracciones de tráfico más leves, el Derecho germano contiene en leyes especiales y reglamentos una cantidad relevante de infracciones punibles, que en su mayoría están sancionadas con una pena como delitos abstractos de puesta en peligro o, en la mayoría de los casos, como infracciones administrativas[26]. En cualquier caso el Derecho alemán reserva el *StGB* para las conductas más graves contra la seguridad vial[27]. También la *StVG* contiene en los § 21 ss varios tipos delictivos entre los que se encuentra la conducción sin permiso[28].

---

[25]   KAISER/RODRÍGUEZ DEVESA, *Delincuencia de tráfico y prevención general: investigaciones sobre la criminología y el Derecho penal de tráfico,* Ed. Espasa Calpe, Madrid, 1979, p.93.

[26]   Este es el caso de las normas referentes a los excesos de velocidad.

[27]   Dentro de la sección vigésimo octava dedicada a los delitos de peligro público el StGB tipifica en el §315b las intervenciones peligrosas en la circulación viaria; en el §315c la puesta en peligro de la seguridad del tráfico y en el §316 la conducción en estado de embriaguez.

[28]   El § 21 *StVG* dispone que: (1) *Será castigado con pena privativa de libertad de hasta un año o con pena de multa, el que condujere un vehículo a motor careciendo del permiso necesario o estando privado del derecho a conducir vehículos a motor en virtud del artículo 44 del Código Penal o del artículo 25 de la presente ley. Con la misma será castigado el que, como propietario de un vehículo a motor, dispusiere o permitiere que otro conduzca el vehículo careciendo del permiso necesario o estando privado del derecho a conducir vehículos a motor en virtud del artículo 44 del Código Penal o del artículo 25 de la presente ley. (2) Será castigado con pena de hasta seis meses o con pena de multa de hasta 180 días, el que cometiere por imprudencia la conducta prevista en el apartado primero de este artículo. Con la misma pena será castigado el que intencionadamente o por imprudencia condujere un vehículo a motor a pesar de tener custodiado, asegurado en cualquier modo o secuestrado el permiso en aplicación del artículo 94 de la Ley de Enjuiciamiento Criminal y el que como propietario de un vehículo a motor intencionadamente o por imprudencia disponga o permita que otro conduzca el vehículo a pesar de tener custodiado, asegurado en cualquier modo o secuestrado el permiso, en aplicación del artículo 94 de la Ley de Enjuiciamiento Criminal. (3) En los supuestos del apartado primero de este artículo el vehículo con el que se cometiera el hecho delictivo será decomisado si el autor condujere el vehículo a pesar de tener retirado el permiso de conducir o a pesar de estar privado del derecho a conducir vehículos a motor en virtud del artículo 44 del Código Penal o del artículo 25 de la presente ley o a pesar de tener prohibida la concesión del permiso en virtud del artículo 69a..1 in*

A diferencia de las legislaciones inglesa y francesa, la legislación alemana concede el mismo tratamiento al que conduce sin permiso, por no haberlo obtenido nunca, que al que conduce con el permiso retirado o suspendido en vía penal o administrativa, sancionando a ambos en el mismo tipo penal y con las mismas penas de prisión o multa. La única diferencia, atendiendo quizás al contenido de desobediencia que tienen esas conductas, es la posibilidad de aplicar el comiso, que viene restringida a los supuestos de conducción con el permiso retirado judicial o administrativamente, aunque también está prevista para la conducción sin permiso por no haberlo obtenido nunca, si en los 3 años inmediatamente anteriores a la comisión del hecho delictivo el condenado ya lo hubiera sido otra vez por el mismo motivo[29].

También destaca el hecho de que se castigue al propietario del vehículo que disponga o permita que otro conduzca careciendo de la licencia necesaria, así como que se castigue la comisión imprudente de estos tipos penales[30].

En la línea de las legislaciones francesa y británica se encuentra el sistema portugués. En el país vecino, en el que se mantiene, al igual que en Alemania, la existencia de infracciones administrativas y penales en materia de tráfico, la circulación sin permiso de conducción es siempre constitutiva de ilícito penal, si bien se castiga separadamente la mera conducción sin licencia (art. 3 del RD 2/1998, de 3 de enero) de la conducción con un permiso retirado previamente (art. 348.2º CP portugués).

---

fine del Código Penal. Así mismo, será decomisado el vehículo si el autor, como propietario del mismo, hubiere dispuesto o permitido que otro conduzca el vehículo teniendo retirado el permiso o estando privado del derecho a conducir vehículos a motor en virtud del artículo 44 del Código Penal o del artículo 25 de la presente ley o teniendo prohibida la concesión del permiso en virtud del artículo 69a.1 in fine del Código Penal. Por último, también será decomisado el vehículo si en los 3 años inmediatamente anteriores a la comisión del hecho delictivo, el autor hubiera sido condenado ya alguna vez por un hecho previsto en el apartado primero de este artículo.

29   Esta previsión de especial dureza de la legislación alemana supone un instrumento muy eficaz para poner coto a las conductas de aquellos que de forma contumaz y deliberada se mantienen fuera del sistema.

30   Como vimos anteriormente en la legislación inglesa se castigaba esta conducta pero sin exigir que el que la cometiera fuera el propietario del vehículo, lo cual resultaba excesivo.

Especialmente esclarecedora resulta la redacción del precepto, que hace expresa mención a la naturaleza del ilícito, que califica de *"desobediencia cualificada"*. Esta conducta es independiente, a su vez, del genérico delito de quebrantamiento de condena, previsto en el art. 353 CP portugués, que resultaría aplicable en caso de que se infringiera la prohibición de conducir impuesta como pena accesoria por otro delito.

La conducción sin permiso es, por tanto, un ilícito penal en la mayor parte de los países de nuestro entorno y ello con independencia de las diferencias existentes entre los sistemas elegidos para regular las infracciones contra la seguridad vial[31].

IV. EL NUEVO TIPO DE CONDUCCIÓN SIN PERMISO DEL ART. 384 CP

El nuevo art. 384 CP[32] tipifica como delito la conducción sin permiso junto a la conducción en los supuestos de pérdida de vigencia del permiso o licencia por la pérdida total de los puntos asignados legalmente[33] y junto a los supuestos de conducción en casos de pri-

---

[31] También es un ilícito penal la conducción sin permiso en Bélgica, Finlandia y Rumanía, entre otros.

[32] Dispone el nuevo art. 384 CP: *El que condujere un vehículo de motor o ciclomotor en los casos de pérdida de vigencia del permiso o licencia por pérdida total de los puntos asignados legalmente, será castigado con la pena de prisión de tres a seis meses o con la de multa de doce a veinticuatro meses y trabajos en beneficio de la comunidad de treinta y uno a noventa días. Las mismas penas se impondrán al que realizare la conducción tras haber sido privado cautelar o definitivamente del permiso o licencia por decisión judicial y al que condujere un vehículo de motor o ciclomotor sin haber obtenido nunca permiso o licencia de conducción.*

[33] Quedan fuera del tipo penal los supuestos de pérdida de vigencia por motivos distintos a la pérdida total de los puntos legalmente asignados (como es el caso de la pérdida de vigencia por la desaparición de los requisitos sobre conocimientos, habilidades o aptitudes psicofísicas exigidas para el otorgamiento de la autorización, a la que se refiere el art. 63.4 del Texto Articulado de la Ley sobre Tráfico, Circulación de Vehículos a Motor y Seguridad Vial, así como los supuestos de pérdida de vigencia como consecuencia de la imposición judicial de una pena de privación del derecho a conducir vehículos a motor y ciclomotores superior a 2 años que ahora comporta el nuevo

vación cautelar o definitiva del permiso o licencia de conducción por decisión judicial, sin distinguir a efectos de pena entre los supuestos enunciados.

Así pues, nos encontramos ante un tipo penal que sanciona conductas de muy distinta índole: unas con un fuerte contenido de desobediencia, ya sea a la autoridad judicial o a la autoridad administrativa y otras, la conducción sin permiso, que en última instancia pretenden salvaguardar el orden administrativo.

1. El bien jurídico-penal protegido en el tipo de conducción sin permiso

Cuando nos acercamos al tipo penal de la conducción sin permiso, la primera duda que nos asalta es la de cuál es el bien jurídico-penal que se protege con tal figura delictiva. Lo más correcto tanto académica como dogmáticamente sería concluir que nos encontramos ante un tipo penal de peligro abstracto que está protegiendo la seguridad de la vida y la integridad. Pero, ¿es posible realizar tal afirmación? ¿No nos encontramos ante un tipo formal en el que lo que se pretende salvaguardar como interés y que se erige en objeto jurídico, no es ya la seguridad de la vida o bienes en el curso del tráfico, sino un orden administrativo y la eficacia de determinadas formalidades que se estiman capitales para disciplinar y controlar la circulación?

Si volvemos la mirada al pasado y analizamos las posiciones doctrinales existentes en el tiempo en que la conducción sin permiso era constitutiva de delito nos encontramos tres tipos de argumentaciones: los que consideran que la conducción sin permiso es un delito de desobediencia[34]; los que entienden que es un delito de peligro

---

art. 47 CP). También quedan fuera del tipo penal los supuestos de quebrantamiento de la sanción administrativa de suspensión del permiso o licencia y los supuestos del condenado a pena de privación del derecho a conducir vehículos a motor y ciclomotores no superior a 2 años que, habiendo cumplido la condena, no ha superado con aprovechamiento el curso al que se refiere la Disposición Adicional Décimo Tercera del Texto Articulado de la Ley sobre Tráfico, Circulación de Vehículos a Motor y Seguridad Vial.

[34]   Vid. BERISTAIN IPIÑA, "El delito de peligro por conducción temeraria", Revista de Derecho de la Circulación, Núm.6, 1970, pp. 21ss. No obstante hay que tener en cuenta que este autor utiliza en muchas ocasiones las expresiones de delito de peligro abstracto, delito de peligro presunto y delito

abstracto[35]; y, por último, quienes consideran que la conducción sin permiso es una figura exclusivamente formal que tutela un determinado orden administrativo[36].

No obstante, parece que estas categorías no tienen por qué ser excluyentes y de hecho no operan al mismo nivel[37]. Si se afirma que la conducción sin permiso es un delito de desobediencia[38] ha de entenderse que el injusto está situado precisamente en esa desobediencia del sujeto frente al mandato legal que le impone el deber de obtener un permiso para poder conducir por lo que, en definitiva, lo que se está tutelando es el orden administrativo. Por otra parte, si se afirma que estamos ante un delito de peligro abstracto[39], lo que se

---

de mera desobediencia para referirse a la misma realidad, cuando lo cierto es que pueden existir diferencias conceptuales entre ellas. Así, en los delitos de peligro presunto cabría en principio prueba en contrario cuando falte el peligro; por el contrario, los delitos de mera desobediencia no admiten tal prueba en contrario, pero pueden, sin embargo, admitir prueba en contrario por falta del elemento subjetivo de la desobediencia.

[35] Vid. CASABÓ RUIZ, "El delito de conducción sin habilitación legal", en *Delitos contra la seguridad del tráfico y su prevención* (Dir. COBO DEL ROSAL), Colección de Estudios Instituto de Criminología y Departamento de Derecho Penal de la Universidad de Valencia, Valencia, 1975, pp. 33ss. En el mismo sentido Vid. CUELLO CALÓN, "La delincuencia automovilística, op. cit.

[36] Vid. QUINTANO RIPOLLÉS, *Tratado de la Parte Especial,* op. cit, pp. 542-543.

[37] El propio Jakobs afirma que los delitos de peligro abstracto están formulados como delitos de desobediencia. Por tanto son dos categorías que, al no operar en el mismo nivel, no pueden contraponerse. Vid. JAKOBS, *Derecho penal PG* (Trads. CUELLO CONTRERAS/SERRANO GONZÁLEZ DE MURILLO), 2ª ed., Ed. Marcial Pons, Madrid, 1997, pp. 212 ss. "...*Los delitos de peligro abstracto están formulados como delito de desobediencia, es decir, se exige al sujeto a la norma que obedezca, aún cuando esté descartada la puesta en peligro concreta (esto ocurriría incluso en la mayor parte de los casos en determinados ámbitos del tráfico rodado)...*"

[38] Vid. CASABÓ RUIZ, "El delito de conducción", op. cit., p. 35. Parece que estos autores admiten una triple modalidad de delito en relación con el injusto: delitos de lesión, delitos de peligro y delitos de desobediencia.

[39] La mayor parte de la doctrina contrapone los delitos de peligro a los delitos de lesión. No obstante, también se ha propuesto como alternativa la distinción entre delitos que tutelan bienes jurídico-penales individuales y los que tutelan bienes jurídico-penales supraindividuales, distinguiendo en el seno de estos últimos entre los delitos de peligro concreto que requieren un resultado concreto para el bien jurídico-penal individual (delitos de peligro

está tutelando es la seguridad vial, tras la cual aparecen la vida y la integridad como bienes jurídico-penales protegidos[40].

Dicho todo ello y tomando como punto de referencia la antigua jurisprudencia relativa a la conducción ilegal, existen numerosas razones para creer que nos encontramos ante un tipo formal que tutela un orden administrativo concreto. En primer lugar, una rápida lectura del preámbulo de la LO 15/2007 basta para concluir que la intención del legislador, con muchos de los tipos que introduce, es proteger el orden administrativo y, más concretamente, proporcionar cobertura penal a la Ley 17/2005 que regula el permiso por puntos[41].

Por otra parte y repasando la jurisprudencia antes aludida, descubrimos como los tribunales, reconociendo el formalismo del tipo que nos ocupa, rechazaban toda prueba sobre la capacidad técnica de los inculpados carentes de autorización[42]. Así mismo, se mantenía que el delito de conducción sin permiso no era propiamente un delito de peligro sino un delito formal cuya *ratio legis* se encuentra, más que en la defensa de la seguridad de la circulación, en la rebeldía y desobediencia del sujeto frente al mandato legal que exige la obtención de un permiso para el ejercicio de la actividad de conducir[43].

---

concreto) y los delitos de peligro abstracto que sólo protegen un bien jurídico-penal supraindividual (delitos de peligro abstracto). A estos efectos vid. CORCOY BIDASOLO, *Delitos de peligro y protección de bienes jurídico-penales supraindividuales,* Ed. Tirant lo Blanch, Valencia, 1999, pp. 142ss.

[40]   Esta tesis denominada individualista ha sido mantenida con frecuencia por la doctrina moderna. A estos efectos Vid. CARBONELL MATEU, "La reforma del tratamiento penal", op.cit., p.402.

[41]   A estos efectos vid. Comparecencia del Sr. Pere Navarro, Director General de Tráfico en el Congreso de los Diputados, 22 de febrero de 2006, *Diario de Sesiones. Comisiones,* Núm. 489, 2006

[42]   STS de 8 de mayo de 1958, 12 de enero de 1959, 13 de marzo de 1959, 19 de marzo de 1959, 15 de febrero de 1960, 2 de julio de 1962, 6 de octubre de 1962, 29 de octubre de 1962 y 2 de noviembre de 1962. Incluso mantenía la antigua jurisprudencia la concurrencia del tipo de conducción ilegal cuando se había superado favorablemente el examen de capacidad pero no se había producido la expedición material del permiso. A estos efectos vid. STS de 5 de mayo de 1958, 1 de febrero de 1960, 24 de junio de 1960, 3 de mayo de 1962, 24 de mayo de 1962 y 26 de enero de 1963.

[43]   Vid. STS de 14 de noviembre de 1978 en la que interpuesto recurso de casación en que se solicitaba que se apreciase la unidad delictiva en un

No obstante, el reconocimiento de este formalismo no debe llevar a un automatismo tal en la aplicación del tipo que suponga una subordinación del mismo a las disposiciones administrativas, lo cual llevaría a una servil sumisión del Derecho penal al Derecho administrativo. Así pues, la afirmación de que nos encontramos ante un tipo formal no puede suponer, en ningún caso, que se prescinda del elemento culpabilístico ni, en definitiva, de todas las exigencias de la parte general del Derecho penal[44]. A estos efectos, cobran pleno sentido las palabras escritas con ocasión de la antigua polémica generada en los supuestos de conducción con el permiso caducado, por quien recordaba la conveniencia de *"huir de toda interpretación servilmente literal, que si siempre es deleznable en Derecho penal, cuando la fuente del tipo se halla en un reglamento administrativo puede conducir a la ruina moral, jurídica y aun profesional y económica*

---

supuesto de conducción bajo los efectos de bebidas alcohólicas y conducción sin permiso. En este supuesto, el alto Tribunal, tras examinar los requisitos de la unidad delictiva consistentes en unidad de conducta, unidad de ocasión y unidad de bien jurídico lesionado, concluye que no concurren en el supuesto concreto, considerando que el delito de conducción bajo los efectos del alcohol es un delito de peligro en que el bien jurídico protegido es la seguridad del tráfico, mientas que en el delito de conducción ilegal que no es propiamente un delito de peligro, la *ratio legis* se encuentra en la rebeldía y desobediencia del sujeto frente a la norma, como se desprende del hecho de que el texto punitivo que lo tipifica no aluda a la capacidad o pericia subjetiva del conductor para que el tipo penal se produzca, y sí, en cambio, al cumplimiento objetivo de los requisitos administrativamente, impuestos para la correspondiente obtención del permiso necesario.

[44] La antigua jurisprudencia ya consideraba que la buena fe y la creencia fundada y probada de creerse autorizado para conducir eliminaba el dolo. Así, en la STS de 28 de enero de 1956 se consideró que aunque la superación del examen no exonera del deber de obtener el permiso, la creencia acreditada de creerse autorizado puede eliminar el dolo del sujeto. La STS de 27 de mayo de 1959 absolvió a quien actuó mal asesorado por una gestoría de la que obtuvo un informe erróneo y la STS de 7 de febrero de 1963 fundó el fallo absolutorio en que quedó acreditado que la no obtención del permiso se debió a un retardo burocrático no atribuible al sujeto. También la presencia de circunstancias extraordinarias que justifican la conducta de conducir sin permiso ha servido para exculpar a determinados conductores, como en la STS de 13 de noviembre de 1956 en que se absolvió al acusado que actuó con la intención de apartar un vehículo del lugar en que se encontraba porque entorpecía el tráfico.

de quien sin merecerlo tenga que sufrir el oprobio de una condena penal"[45].

A pesar de lo hasta aquí razonado el reconocimiento de que nos encontramos ante un tipo formal, que tutela un orden administrativo y que incorpora un fuerte componente de desobediencia, no obsta para que pueda considerarse que también se está protegiendo la seguridad vial y, en definitiva, la vida y la integridad de las personas, pues la obligación de obtener un permiso para poder conducir un vehículo impuesta por la normativa administrativa, no es un capricho del legislador, sino que parte de la constatación de que conducir es una actividad peligrosa que genera riesgos y que, por tanto, ha de estar reglada, habiendo realizado ya el legislador el juicio de peligrosidad de la conducta de conducir sin haber obtenido el mencionado permiso y no correspondiendo, por tanto, al juzgador, decidir si conducir sin permiso es peligroso o no.

2. Elementos: *El sujeto activo, los conceptos de conducción, vehículo de motor y ciclomotor y el lugar de realización de la conducta*

El nuevo tipo de conducción sin permiso viene referido *"al que condujere un vehículo de motor o ciclomotor"*, por lo que para determinar el sujeto activo del delito debe acudirse a la definición que de conductor proporciona el Anexo I del RDL 339/1990, de 2 de marzo[46], por el que se aprueba el Texto Articulado de la Ley sobre Tráfico, Circulación de Vehículos a Motor y Seguridad Vial[47].

---

[45] Vid. STS de 2 de febrero de 1966.

[46] No obstante, hay autores que piensan que las definiciones que contiene el mencionado anexo son prolijas y pedantes y no deben tenerse en cuenta a efectos penales. Vid. GANZENMÜLLER/DE LAMO RUBIO/ROBLEDO VILLAR/ESCUDERO/FRIGOLA, *Delitos contra la seguridad del tráfico*, 2ª ed., Ed. Bosch, Barcelona, 2005, p. 82.

[47] En el Anexo I del RD 339/1990 se define al conductor como *la persona que, con las excepciones del párrafo segundo del apartado 2 de este artículo, maneja el mecanismo de dirección o va al mando de un vehículo, o a cuyo cargo está un animal o animales. En vehículos que circulen en función de aprendizaje de la conducción, es conductor la persona que está a cargo de los mandos adicionales.* Deben excluirse, por tanto, a

Así pues, nos hallamos ante un de propia mano en el que el conductor es quien maneja el mecanismo de dirección o va al mando del vehículo de motor o ciclomotor. Bien entendido que si es una persona que circula en funciones de aprendizaje "el conductor" será el profesor de la autoescuela que es la persona que lleva los mandos adicionales y, por tanto, será él el que pueda ser, en su caso, sujeto activo de este tipo delictivo[48].

El delito se comete conduciendo, esto es manejando los mecanismos de la dirección del vehículo, por lo que es necesario que la acción tenga una cierta duración temporal y se traduzca en el recorrido de un espacio[49]. Se ha indicado por la doctrina que si bien sería incorrecto decir que ha conducido un vehículo quien se ha limitado a empujarlo, utilizando el volante para acercarlo a la

---

quienes empujan o arrastran un coche de niño o de impedido o cualquier otro vehículo sin motor de pequeñas dimensiones, los que conducen a pie un ciclo o ciclomotor de dos ruedas, y los impedidos que circulan al paso en una silla de ruedas, con o sin motor, que el Anexo I considera peatones.

[48] Particularmente importante es esta precisión para los supuestos de conductores que hayan perdido la vigencia de su permiso como consecuencia de una pena de privación del derecho a conducir vehículos a motor y ciclomotores superior a 2 años, ya que, de considerarse aplicable el concepto de conductor proporcionado por el Anexo I del RDL 339/1990, podrían volver a realizar el examen de conducir durante el tiempo en que estén cumpliendo la pena de privación del derecho a conducir vehículos a motor y ciclomotores, de manera que una vez cumplida la pena y cumplimentadas todas las formalidades administrativas, ya podrían volver a conducir y ello porque durante la realización del examen y durante las clases prácticas, en su caso, según la definición del Anexo I, no conduce el condenado sino el monitor. Esta precisión evita, así mismo, que el que conduce en funciones de aprendizaje cometa un delito de conducción sin permiso.

[49] La jurisprudencia ha declarado que para que exista conducción es necesario que se ponga en marcha el motor y que el desplazamiento se efectúe a impulsos. A estos efectos vid. STS de 15 de octubre de 1986, cuyo criterio es seguido modernamente por la jurisprudencia menor, vid. SAP Guipúzcoa de 2 de junio de 2006, SAP Alicante 29 de noviembre de 2005. Por otra parte y aunque nos encontramos ante un delito de consumación instantánea, cabría imaginar en la práctica formas imperfectas de ejecución, como ha admitido ya la jurisprudencia en alguna ocasión en cuanto al delito de conducción bajo los efectos del alcohol, vid. SAP Huelva de 7 de febrero de 1990.

acera, por ejemplo, no lo sería menos estimar que no lo ha hecho el que deja deslizar un automóvil por una carretera de acentuada pendiente durante un buen trecho, manejando la dirección, ya que la maniobra puede entrañar idénticos riesgos, si no superiores, a los producidos, en iguales condiciones, con el motor en marcha[50].

Los conceptos de vehículo de motor y ciclomotor[51] que se establecen, así mismo, en el Anexo 1 del RDL 339/1990, pueden generar problemas en la práctica en los supuestos de motos manipuladas que alcanzan velocidades y tienen de facto cilindradas superiores a las determinadas por el fabricante, ya que, en estos casos, se planteará el problema de si debe atenderse a las especificaciones de construcción para determinar la concurrencia del tipo delictivo, o, por el contrario, son las condiciones reales del vehículo las que deben tenerse en cuenta[52].

---

[50] Vid. GANZENMÜLLER/DE LAMO RUBIO/ROBLEDO VILLAR/ESCUDERO/FRIGOLA, *Delitos contra la seguridad*, op.cit., pp. 77ss.

[51] El Anexo I del RDL 339/1990 define vehículo como *el artefacto o aparato apto para circular por las vías o terrenos a que se refiere el artículo 2;* vehículo de motor como aquel *vehículo provisto de motor para su propulsión*, excluyéndose de esta definición los ciclomotores y tranvías; y, por último, el mencionado anexo considera ciclomotores a: *a) los vehículos de dos ruedas, provistos de un motor de cilindrada no superior a 50 cm3, si es de combustión interna, y con una velocidad máxima por construcción no superior a 45 km/h; b) los vehículo de tres ruedas, provisto de un motor de cilindrada no superior a 50 cm3, si es de combustión interna, y con una velocidad máxima por construcción no superior a 45 km/h; los vehículos de cuatro ruedas cuya masa en vacío sea inferior a 350 kg, excluida la masa de las baterías en el caso de vehículos eléctricos, cuya velocidad máxima por construcción no sea superior a 45 km/h y con un motor de cilindrada igual o inferior a 50 cm3 para los motores de explosión, o cuya potencia máxima neta sea igual o inferior a 4 kW, para los demás tipos de motores.*

[52] Si se atiende a la literalidad del mencionado anexo parece que si se trata de la velocidad debe atenderse a la velocidad máxima por construcción, no así en lo que se refiere a la cilindrada. No obstante y dado que los tribunales tenderán siempre a realizar una interpretación favorable al reo, es esperable que atiendan a las velocidades y cilindradas que correspondan por construcción y no a las reales.

En cuanto al lugar de realización de la conducta, la doctrina[53] y la jurisprudencia[54], acuden al art. 2 del RDL 339/1990[55] y a los arts. 1 y 2 del RD 1428/2003[56] por el que se aprueba el RGC. En general se viene entendiendo que la conducción ha de realizarse o en una vía o terreno público apto para la circulación, o en una vía o terreno que sin tener tal aptitud sea de uso común, o en una vía o terreno privado susceptible de ser utilizado por una colectividad indeterminada de usuarios. Así, por ejemplo, la jurisprudencia ha admitido la posibilidad de comisión de un delito contra la seguridad del tráfico en el aparcamiento de un establecimiento abierto al público, al entender

---

[53] Vid. LUZÓN CUESTA, *Compendio de Derecho Penal, PE*, ed.8ª, Ed. Dykinson, Madrid, 2000, p. 234.

[54] SAP Baleares, sec. 1ª, 12-6-2006; SAP Madrid, sec. 2ª, 9-2-2006; SAP Madrid, sec. 15ª, 27-10-2005; SAP Madrid, sec. 1ª, 8-11-1995; SAP Badajoz, 8-7-1996;

[55] Art. 2 RDL 339/1990: *Los preceptos de esta Ley serán aplicables en todo el territorio nacional y obligarán a los titulares y usuarios de las vías y terrenos públicos aptos para la circulación, tanto urbanos como interurbanos, a los de las vías y terrenos que, sin tener tal aptitud sean de uso común y, en defecto de otras normas, a los titulares de las vías y terrenos privados que sean utilizados por una colectividad indeterminada de usuarios.*

[56] Art. 2 RGCir: *... En concreto, tales preceptos serán aplicables: a) A los titulares de las vías públicas o privadas, comprendidas en el párrafo c, y a sus usuarios, ya lo sean en concepto de titulares, propietarios, conductores u ocupantes de vehículos o en concepto de peatones, y tanto si circulan individualmente como en grupo. Asimismo, son aplicables a todas aquellas personas físicas o jurídicas que, sin estar comprendidas en el inciso anterior, resulten afectadas por dichos preceptos; b) A los animales sueltos o en rebaño y a los vehículos de cualquier clase que, estáticos o en movimiento, se encuentren incorporados al tráfico en las vías comprendidas en el primer inciso del párrafo c; c) A las autopistas, autovías, carreteras convencionales, a las áreas y zonas de descanso y de servicio, sitas y afectas a dichas vías, calzadas de servicio y a las zonas de parada o estacionamiento de cualquier clase de vehículos; a las travesías, a las plazas, calles o vías urbanas; a los caminos de dominio público; a las pistas y terrenos públicos aptos para la circulación; a los caminos de servicio construidos como elementos auxiliares o complementarios de las actividades de sus titulares y a los construidos con finalidades análogas, siempre que estén abiertos al uso público, y, en general, a todas las vías de uso común públicas o privadas. No serán aplicables los preceptos mencionados a los caminos, terrenos, garajes, cocheras u otros locales de similar naturaleza, construidos dentro de fincas privadas, sustraídos al uso público y destinados al uso exclusivo de los propietarios y sus dependientes...*

que *"... el RGC sólo excluye de su ámbito de aplicación los garajes situados dentro de fincas privadas que se hallen sustraídos al uso público, de modo que su utilización se reserve de modo exclusivo a los propietarios del inmueble, circunstancia que no puede predicarse del caso de autos, en que el vehículo siniestrado trataba de salir del aparcamiento de un establecimiento abierto al público y por tanto accesible al público, de modo que la conducta de la acusada arriesgaba la seguridad de todas aquellas personas que pudieran encontrarse en el garaje, en cuanto que espacio potencialmente accesible a una colectividad indeterminada de personas, colmando con ello el desvalor del tipo penal aplicado..."* [57]. Así mismo, la jurisprudencia ha admitido también que los delitos contra la seguridad del tráfico puedan ser cometidos en el aparcamiento de un edificio de viviendas, al entender que son lugares susceptibles de ser utilizados por una colectividad indeterminada de usuarios [58].

3. La conducta típica: diferenciación entre el ilícito penal y el ilícito administrativo

El segundo inciso del segundo párrafo del art. 384, que como dispone la Disposición final tercera de la LO 15/2007 entrará en vigor el 1 de mayo de 2008 [59], incrimina la conducta del *que condujere un*

---

[57]   Vid. SAP Baleares, sec. 1ª, 12-6-2006

[58]   Vid. SAP Madrid, sec. 2ª, 9-2-2006 y SAP Madrid, sec. 15ª, 27-10-2005

[59]   Como consecuencia de lo que parece ser un desliz del legislador, tampoco entrará en vigor hasta el 1 de mayo de 2008 el delito de conducción tras haber sido privado el sujeto del derecho a conducir vehículos de motor o ciclomotores, ya sea como consecuencia de la adopción de una medida cautelar o por sentencia, supuestos ambos que hasta el 1 de mayo de 2008 quedarán incardinados dentro del quebrantamiento del art. 468.2 CP. La intención del legislador al introducir una *vacatio legis* para la conducción sin permiso es permitir a los ciudadanos adaptarse a la nueva situación creada por la norma. No debemos olvidar que aunque la conducción sin permiso ya fue una conducta delictiva desde 1928 hasta 1932 y desde 1950 hasta 1983, la sociedad española del año 2008 dista mucho de aquella sociedad de los años 80 en que todavía España no era un país receptor de extranjeros. En la actualidad los programas de ayudas para la obtención del permiso de conducir deberán concentrarse especialmente en los jóvenes y los extranjeros, con la dificultad añadida en el caso de estos últimos de que los que no tengan residencia legal en España difícilmente van a poderse beneficiar

vehículo de motor o ciclomotor sin haber obtenido nunca permiso o licencia de conducción.

Lo primero que llama la atención de la redacción del nuevo tipo de conducción sin permiso es que el legislador ha pretendido eliminar, aunque, como luego veremos, no lo ha logrado del todo, los reductos de impunidad que subsistían tras la entrada en vigor de la ley del permiso por puntos. El tipo va dirigido al infractor que de forma deliberada y contumaz decidía permanecer al margen del sistema y no obtenía el permiso exigido por la legislación, por lo que tampoco quedaba sometido al sistema de puntos. En el ámbito del Derecho administrativo la sanción prevista era sólo de multa y existían dificultades técnico-jurídicas para entender que cometía un delito de desobediencia[60]. Es este argumento, como así se expone en el Preámbulo de la LO 15/2007, lo que justifica la inclusión de este tipo penal de conducción sin permiso[61].

El tipo de conducción sin permiso se refiere al que conduzca sin haber obtenido nunca un permiso, por lo que quedan fuera del tipo delictivo los que condujeren con el permiso caducado. La antigua

---

del programa de *Permiso de conducir × 1 euro al día* ofrecido por la DGT y financiado por el ICO.

[60] Los requisitos que la jurisprudencia exige para entender cometido el delito de desobediencia dificultan la apreciación del mismo en los supuestos del que conduce sin permiso de forma reiterada. Así se viene sosteniendo por la jurisprudencia que la desobediencia equivale al incumplimiento de una orden o mandato emanada de la Autoridad o de sus agentes, mandato que, para ser legítimo, deberá revestir las formalidades legales y hallarse dentro de la competencia de quien lo da. Dicha orden debe ser concreta y dirigirse específicamente al sujeto que debe obedecerla. A estos efectos Vid STS de 23 marzo de 2007, por todas. Aplicando la jurisprudencia citada al supuesto del que conduce sin permiso por no haberlo obtenido nunca, resulta que la desobediencia del infractor no se produce frente una orden emanada de la autoridad o de sus agentes, sino que es una desobediencia frente a un precepto legal, por lo que construir un delito de desobediencia en esos supuestos se revelaba harto complicado.

[61] Se utiliza el término de conducción sin permiso en lugar de la antigua expresión conducción ilegal porque la conducción ilegal engloba más supuestos que la conducción sin permiso. Es conducción ilegal toda aquella conducción que se realiza con infracción de cualquier norma reguladora de los permisos o licencias de conducción, por ejemplo, la conducción con un permiso caducado, no constituyendo, por el contrario esta última, una conducción sin permiso a los efectos del tipo del art. 384 CP.

jurisprudencia había mantenido un rigor, que muchos habían calificado como excesivo[62], en lo que se refiere a la necesidad de renovar el permiso en los plazos fijados por la legislación administrativa[63] y las absoluciones se basaron siempre en la ausencia de culpabilidad en supuestos de evidente buena fe cuando la falta de renovación se había producido por ignorancia o negligencia pero no por una maliciosa intención de vulnerar la ley[64].

Otro supuesto que generará problemas interpretativos es el de determinar si incurren en el tipo penal aquellos que conducen con un permiso extranjero sin haber procedido al canje[65]. Según la literalidad del precepto penal habría que entender que quedan excluidos del tipo, dado que el tipo se refiere al que nunca hubiera obtenido permiso de conducir pero no especifica conforme a qué legislación[66].

La redacción del tipo penal suscita dudas, así mismo, en los supuestos de conducción de un vehículo con un permiso de una categoría que no es la adecuada según el tipo de vehículo. Esta dificultad se hubiera obviado si el tipo penal se hubiera referido al *permiso o licencia correspondiente*[67], pero no ha sido así, por lo que habrá que

---

62   Vid. QUINTANO RIPOLLÉS, *Tratado de la Parte Especial,* op.cit, p.544.

63   STS de 18 de enero de 1963.

64   SSTS de 7 de junio de 1963 y 27 de junio de 1964.

65   Según el art. 30 del RGCo transcurridos 6 meses desde que haya fijado su residencia en España, el extranjero residente deberá proceder al canje de su permiso o a obtener un permiso en España para poder conducir en territorio español.

66   La antigua jurisprudencia absolvía con base en la ausencia de culpabilidad en los supuestos de falta de canje o falta de visado de la licencia extranjera por el Automóvil Club nacional, citándose al efecto en la STS de 4 de mayo de 1961 el Convenio de París de 26 de abril de 1926. No obstante, la redacción de precepto propuesta por Grupo Parlamentario de Convergencia i Unió (CiU) era más clara, ya que se refería expresamente al que *condujere un vehículo de motor o ciclomotor, por cualquier espacio o vía pública, sin haber tenido nunca un permiso o licencia de conducción, expedido por la autoridad pública de cualquier país.*

67   El CP de 1973 sí precisaba que el permiso había de ser el correspondiente por lo que la jurisprudencia entendía que incurrían en el tipo aquellos que no lo poseían, vid. STS de 30 de mayo de 1964. A lo más que se llegó fue a tener en cuenta únicamente la categoría real del vehículo y no la que afecta a otras formalidades extrañas a la seguridad, como se decidió en la STS de 17 de febrero de 1960 respecto de un particular que matriculó su coche como de servicio público, pero sin que se alterase su categoría, que era la

entender que los casos de inadecuación del permiso a la categoría del vehículo quedan fuera del tipo penal.

No obstante lo anterior, un supuesto cuya inclusión en el tipo no queda en absoluto clara es la del poseedor de una licencia que conduce un vehículo para el que es necesario un permiso, por ejemplo, el que teniendo licencia de ciclomotor conduce un camión. En este caso parece que sí debe entenderse incluido en el tipo del art. 384 CP, no sólo por la obvia peligrosidad de la conducta descrita sino porque el tipo penal se refiere al *que condujere un vehículo de motor o ciclomotor sin haber obtenido nunca permiso o licencia de conducción.* Parece, por tanto, que la palabra permiso va referida a la expresión vehículo de motor y la palabra licencia al vocablo ciclomotor[68].

En cualquier caso, en los supuestos de inadecuación del tipo de permiso no se produce un reducto de impunidad, ya que el infractor será sancionado en la vía administrativa con una multa y su correspondiente detracción de puntos, por lo que, de persistir en su conducta infractora, llegaría a perder todos los puntos, lo cual acarrearía la pérdida de vigencia del permiso y, a la postre, si continuase conduciendo a pesar de ello, el infractor incurriría en el tipo del art. 384 párrafo primero[69].

---

correspondiente al permiso de conducir que poseía. La STS de 18 de octubre de 1956 absolvió al conductor de un camión tenedor de un permiso de segunda clase, que lo conducía precisamente para acudir a la convocatoria de examen para conductores de primera y en el que fue aprobado.

[68]   No obstante, hay que tener en cuenta que según el art. 8 del RGCo existen, así mismo, licencias de conducción para otro tipo de vehículos que no son ciclomotores como son los vehículos especiales agrícolas autopropulsados y los coches de minusválidos, a los que no se refiere el tipo penal y que podrían generar, así mismo, problemas interpretativos. En cualquier caso, en el proyecto de reforma del RGCo se elimina la diferenciación entre permisos y licencias de conducción, pasando todos ellos a denominarse permisos y a recibir un tratamiento jurídico uniforme.

[69]   La conducción de un vehículo con un permiso que no habilita para ello es según el art. 65.5 j) del Texto Articulado de la Ley sobre Tráfico, Circulación de Vehículos de Motor y Seguridad Vial una falta muy grave que, según el art. 67.2, será sancionada con multa desde 301 hasta 1500 euros y la imposibilidad de obtener el permiso o licencia durante 2 años. Según el Anexo II del Texto Articulado, esta infracción lleva consigo la detracción de 4 puntos, por tanto, la comisión de 3 infracciones de este tipo llevaría consigo la pérdida de todos los puntos.

Una cuestión sobre la que la antigua jurisprudencia, en relación a la conducción ilegal, había debatido con intensidad era la relativa a las autorizaciones privilegiadas y al incumplimiento de las condiciones personales de validez del permiso o licencia, supuestos ambos en los que en la jurisprudencia reinaba una tónica de sumo rigor que acentuaba el carácter de tipo formal de la conducción ilegal. Así, la antigua jurisprudencia entendía que se cometía el tipo delictivo en los supuestos de permisos de conducir librados por las autoridades militares cuando el titular había salido del servicio activo[70].

Como decíamos al principio, el legislador ha pretendido ofrecer cobertura penal al permiso por puntos tratando de eliminar los reductos de impunidad existentes, objetivo que no ha logrado completamente al no haber incluido en el tipo penal a los que conduzcan a pesar de tener el permiso retirado por una decisión de la autoridad administrativa. El párrafo primero del art. 364 se refiere únicamente a los supuestos de pérdida de vigencia del permiso o licencia por pérdida total de los puntos asignados, por lo que en los casos de conducción con el permiso retirado en vía administrativa, la conducta sería constitutiva de infracción administrativa[71] y llevaría aparejada una nueva retirada del permiso que no supone la detracción de puntos, lo cual convierte al delito de desobediencia en la única vía para reconducir estos supuestos al ámbito penal[72], ya que en estos casos, a diferencia de los casos de inadecuación del permiso al tipo de vehículo conducido, no se producirá la pérdida de vigencia por pérdida total de los puntos asignados.

En cuanto a la apreciación de causas de justificación en la comisión de este tipo delictivo, la antigua jurisprudencia fue muy res-

---

[70]　Vid. SSTS de 16 de diciembre de 1954, 7 de febrero de 1968 y 24 de junio de 1960.

[71]　Según el art. 67.4 del Texto Articulado de la Ley sobre Tráfico, Circulación de Vehículos de Motor y Seguridad Vial la realización de actividades correspondientes a las distintas autorizaciones durante el tiempo de suspensión de éstas llevará aparejada una nueva suspensión por un año al cometerse el primer quebrantamiento, y de dos años si se produjese un segundo o sucesivos quebrantamientos.

[72]　En este caso, a diferencia del supuesto del que conduce sin permiso no habiéndolo obtenido nunca, la orden desobedecida sí proviene de la autoridad por lo que, cumplidos los restantes presupuestos que la jurisprudencia exige para el delito de desobediencia, la conducta podría incardinarse en este tipo penal.

trictiva en su admisión, aunque se apreciaron, por ejemplo, en los supuestos de conducir un vehículo únicamente con la intención de apartarlo del lugar en que obstaculizaba el tráfico[73] o en el caso de obedecer una orden de la superioridad que actuó con el objeto de no interrumpir un servicio público[74]. Así mismo, se exculpaba al que se encontraba en funciones de aprendizaje al entender que la intención no era conducir sino aprender[75].

Respecto a los supuestos de error la antigua jurisprudencia también era muy restrictiva en cuanto a su admisión y mantenía que el conductor, por el hecho de serlo, está obligado al conocimiento de las reglas de la circulación, lo que lleva a rechazar de plano las alegaciones de buena fe o ignorancia del mismo[76].

Así pues, no todos los supuestos de conducción ilegal son constitutivos de delito. Sólo los supuestos de conducción sin permiso por no haberlo obtenido nunca y los de conducción en los casos de pérdida de vigencia por pérdida total de los puntos pueden incardinarse en el art. 384, siendo el resto, como hemos visto, constitutivos de infracciones administrativas.

4. La pena de la conducción sin permiso

El art. 384 CP establece la misma pena para todas las conductas que contempla: prisión de tres a seis meses o multa de doce a veinticuatro meses y trabajos en beneficio de la comunidad de treinta y uno a noventa días. Carece de relevancia, por tanto, a efectos punitivos que la conducta consista en quebrantar una medida o pena judicialmente impuesta; que se trate de un supuesto de conducción una vez que haya sido administrativamente declarada la pérdida de vigencia del permiso o licencia por pérdida de todos los puntos asignados; o, finalmente, un supuesto de conducción sin permiso o licencia por no haberlos obtenido nunca.

---

[73] Vid. STS de 13 de noviembre de 1956.
[74] Vid. STS de 13 de diciembre de 1956.
[75] Realmente este supuesto no plantea problemas en la actualidad porque según las definiciones contenidas en el Anexo I del Texto Articulado el conductor en los supuestos de un vehículo que circula en funciones de aprendizaje es el que lleva los mandos adicionales, por lo que sólo él podrá ser sujeto activo del tipo de conducción sin permiso.
[76] Vid. STS de 30 de mayo de 1964.

Otra cuestión que resulta sorprendente es que el legislador no haya previsto finalmente la pena de privación del derecho a conducir vehículos a motor y ciclomotores que el Proyecto de Ley Orgánica publicado en el BOE de 15 de enero de 2007 sí contemplaba con gran extensión[77]. Razones de política criminal justifican esta supresión. Lo que se pretende es motivar a los infractores a que obtengan el permiso y opina el legislador que mal se les motivaría si precisamente se les privara del derecho a conducir vehículos a motor y ciclomotores[78] cuando, en su opinión, parece que la pena debería consistir precisamente en condenarles a obtener el mencionado permiso.

El hecho de que la conducción sin permiso no lleve consigo la imposición de la pena de privación del derecho a conducir vehículos a motor y ciclomotores impide que a estos condenados se les aplique la Disposición Adicional Décimo Tercera del RDL 339/1990 que regula los efectos administrativos de las condenas penales y que prevé que el condenado a la pena de privación del derecho a conducir vehículos a motor y ciclomotores deba superar con aprovechamiento un curso de reeducación y sensibilización vial, aunque siempre sería posible en el supuesto de que se impusiese una pena de prisión, condicionar la suspensión de la misma, según el art. 83.1.5º CP, a que el condenado realice el mencionado curso.

---

[77] El art. 384 del Proyecto publicado en el BOE de 15 de enero de 2007 contemplaba para todas las conductas que regulaba entre las que no se encontraba la conducción sin permiso, la pena de privación del derecho a conducir vehículos a motor y ciclomotores por tiempo superior a un año y hasta seis años que debía imponerse en todo caso. Dicha pena se contenía, así mismo, en la Proposición de Ley Orgánica de reforma del CP en materia de Seguridad Vial que los Grupos Parlamentarios presentaron a la Mesa del Congreso el 14 de junio de 2007 y desapareció en el texto aprobado por el pleno del Congreso en fecha 4 de octubre de 2007.

[78] No es descabellada esta opinión del legislador pero lo cierto es que en el orden administrativo se prevé, como hemos visto, que el quebrantamiento de la sanción de retirada del permiso lleva consigo una nueva retirada y, paradójicamente, resulta que ni el delito de quebrantamiento de la medida cautelar o pena de privación del derecho a conducir vehículos a motor y ciclomotores, ni el delito de conducción en los casos de pérdida de vigencia del permiso administrativamente declarada por pérdida de todos los puntos asignados, que son conductas más graves, llevan consigo la pena de privación. Quizás el legislador debió distinguir a efectos de pena entre las distintas conductas que se tipifican en el art. 384 CP.

Uno de los rasgos característicos de la reforma es que el legislador ha pretendido subrayar la finalidad rehabilitadora de la pena. Así, en los casos en que se imponga la pena de multa, ésta deberá ir acompañada siempre por la pena de trabajos en beneficio de la comunidad, pena que al requerir según el art. 49 CP el consentimiento del penado, obligará al órgano de enjuiciamiento o al Fiscal en los supuestos de conformidad, a recabar el consentimiento del acusado y, en caso de no obtenerlo, a imponer o pedir la pena de prisión.

V. CONCLUSIONES

Como hemos visto, el Proyecto de reforma del CP publicado en el BOE de 15 de enero de 2007 no incriminaba la conducción sin permiso, cuestión que era criticada por parte de la doctrina e incluso por los propios miembros de la Comisión General de Codificación[79]. Atendiendo a estas voces críticas el legislador decidió contemplar esta conducta entre las tipificadas en el art. 384 CP.

La conducta de conducir sin permiso es constitutiva de delito en todos los países de nuestro entorno cultural a excepción de Italia, lo cual no basta por sí solo para justificar la incriminación de la misma pero no deja de ser revelador.

Por otra parte, dicha conducta estuvo tipificada como delito en nuestro Derecho desde 1928 hasta 1932 y de 1950 a 1983 y cuando el legislador decidió despenalizarla lo hizo sin más argumento que el de considerar que la práctica forense no había sabido ver en ella más que un tipo administrativo criminalizado.

Es cierto que debe evitarse en lo posible la tipificación de infracciones formales y que no deben olvidarse los principios informadores del Derecho penal: el principio de bien jurídico protegido, el principio de *ultima ratio* y el carácter fragmentario del Derecho penal. No obstante, ya hemos visto que a pesar de su carácter de tipo formal, la seguridad vial y, en última instancia, la protección de la vida y de la integridad laten tras este nuevo tipo penal de la conducción sin permiso.

---

[79] Vid. CARBONELL MATEU, "La reforma del tratamiento", op.cit, p.402

En otro orden de cosas y anticipándonos a los que criticarán este tipo penal, al considerar que supone un abandono del principio de *ultima ratio* y del carácter subsidiario y fragmentario del Derecho penal, es necesario justificar la presencia de este tipo penal como único y último mecanismo posible para reaccionar frente a los que de forma deliberada y contumaz deciden permanecer al margen del sistema. No existe otra forma de reaccionar frente al infractor que decide no obtener un permiso de conducción que arrojar sobre él todo el peso del Derecho penal.

Este principio de *ultima ratio* ha sido considerado por el legislador que, como hemos visto, ha reservado el tipo penal para los supuestos más graves[80] y en los que el Derecho administrativo se había revelado ineficaz, manteniendo en el ámbito administrativo los supuestos de caducidad, inadecuación del tipo de permiso y conducción en los supuestos de permiso retirado por la autoridad administrativa.

Así pues y como ya hemos indicado, la fórmula utilizada por el legislador puede ser confusa y claramente mejorable pero no cabe duda de que era necesaria para acabar con los reductos de impunidad existentes. Así, el legislador podría haber distinguido a efectos de pena entre los distintos supuestos contemplados en el art. 384 y precisar la exclusión de los supuestos de inadecuación del tipo de permiso y de los permisos extranjeros, pero, a pesar de todo ello, la no incriminación de esta conducta hubiera sido difícilmente justificable.

---

[80]   Conducción sin permiso, quebrantamiento de condena o medida cautelar y supuestos de pérdida de vigencia administrativamente declarada por pérdida total de los puntos asignados.

OMISIÓN DEL DEBER DE SOCORRO, COMISIÓN POR OMISIÓN Y SEGURIDAD EN EL TRÁFICO

Víctor Gómez Martín
Profesor TEU de Derecho penal
Universidad de Barcelona

I. PLANTEAMIENTO

1. ¿Incurre en responsabilidad penal aquel que no socorre a quien, por haber sufrido un accidente de tráfico, se encuentra necesitado de ayuda? En caso afirmativo, si acaba produciéndose un resultado, por ejemplo, de muerte ¿debe ser castigado el sujeto que no ha auxiliado por la no evitación de dicho resultado como si lo hubiese causado activamente? ¿Qué relevancia puede tener en este contexto la circunstancia de si el sujeto que no socorre ha sido, o no, quien ha causado el accidente, o si se encuentra o no especialmente vinculado a la persona que se halla en situación de desamparo?

2. Las anteriores preguntas guardan relación con los llamados *delitos de omisión*. Según el art. 10 CP, "son delitos o faltas las *acciones y omisiones* dolosas o imprudentes penadas por la Ley". El CP distingue, por tanto, entre delitos *activos* y delitos *omisivos*. Los primeros consisten en la lesión o puesta en peligro de bienes jurídicos mediante la infracción activa de normas prohibitivas. Los segundos, en la lesión o puesta en peligro de bienes jurídicos mediante la infracción de deberes de solidaridad. Dentro de los delitos de omisión, el CP distingue, además, entre los delitos de omisión pura y

los delitos en comisión por omisión. Los primeros consisten en la no realización de una determinada conducta debida. En ellos, el sujeto omitente no responde por el resultado lesivo que pueda producirse, sino por no haber llevado a cabo la conducta a cuya realización obliga el tipo. En los delitos en comisión por omisión, también llamados delitos de omisión impropia, el sujeto no solo está obligado a realizar la conducta impuesta por el tipo, sino que debe evitar el resultado, de tal modo que si no lo hiciera, debería responder por su no evitación como si lo hubiera causado activamente. Los delitos de omisión pura se encuentran expresamente previstos en tipos específicos del Libro II del CP. Uno de estos delitos, probablemente el más característico, es el delito de omisión del deber de socorro (art. 195 CP). Por lo que respecta a los delitos de omisión impropia, a pesar de que algunos aparecen específicamente tipificados en la Parte Especial del CP (por ejemplo, art. 382.2º CP), la regulación legal de esta clase de delitos se articula, sobre todo, por medio de una cláusula general de cuya conformidad, en principio, cualquier delito podría ser cometido en comisión por omisión. Esta cláusula general se encuentra prevista en el art. 11 CP[1].

3. Como ya se ha insinuado mediante las preguntas formuladas al inicio del presente apartado, uno de los ámbitos en los que cobra mayor importancia la distinción entre delitos de omisión pura y delitos en comisión por omisión, que acaba de ser expuesta, es el correspondiente a los delitos contra la seguridad en el tráfico. Las líneas que siguen tienen como objetivo exponer algunos breves apuntes sobre la respuesta que doctrina y jurisprudencia dan a aquéllas cuestiones y a otras relacionadas.

---

[1] Sobre los delitos de omisión propia e impropia, en general, *vid*, entre otros muchos, SILVA SÁNCHEZ, J.M., *El delito de omisión. Concepto y método*, 1986; LACRUZ LÓPEZ, J.M., *Comportamiento omisivo y Derecho penal*, 2004; SÁNCHEZ TOMÁS, J.M., *Comisión por omisión y omisión de socorro agravada*, 2005; DOPICO GÓMEZ-ALLER, J., *Omisión e injerencia en Derecho Penal*, 2006; ARÁUZ ULLOA, M., *El delito de omisión del deber de socorro. Aspectos fundamentales*, 2006; y ROBLES PLANAS, R., *Garantes y cómplices. La intervención por omisión y en los delitos especiales*, 2007, en particular pp. 79 ss. (= en SALAZAR SÁNCHEZ, N. (coord.), *Dogmática actual de la autoría y la participación criminal*, 2007, pp. 513 ss.).

II. EL DELITO DE OMISIÓN DEL DEBER DE SOCORRO SIMPLE (ART. 195.1 Y 2 CP)

1. *INTRODUCCIÓN*

Según el 195 CP, *"1. El que no socorriere a una persona que se halle desamparada y en peligro manifiesto y grave, cuando pudiere hacerlo sin riesgo propio ni de terceros, será castigado con la pena de multa de tres a doce meses. 2. En las mismas penas incurrirá el que, impedido de prestar socorro, no demande con urgencia auxilio ajeno."* A la vista de este precepto, los cuatro elementos fundamentales del tipo que nos ocupa son tres elementos objetivos y uno subjetivo. Los objetivos son los siguientes: *a)* que una persona se encuentre *"desamparada y en peligro manifiesto y grave"*; *b)* que el sujeto activo *no realice la acción* impuesta por el tipo; y, por último, *c)* que el sujeto activo tenga *capacidad para realizar la acción debida "sin riesgo propio ni de terceros".* El elemento subjetivo se refiere a que el sujeto activo tenga conocimiento de la situación de desamparo y peligro manifiesto y grave de la víctima.

2. *"Persona desamparada y en peligro manifiesto y grave"*

2.1. Según la doctrina dominante, se entiende por *"persona desamparada"* aquélla que ni puede prestarse ayuda a sí misma, ni cuenta con otras personas que la auxilien. No se encuentra en situación de desamparo quien recibe efectivamente el auxilio de otro u otros sujetos, siendo dicha ayuda idónea para conjurar o limitar el peligro. No basta, por tanto, la mera presencia de simples curiosos que no prestan ayudan alguna[2]. En este contexto, los casos más discutidos son aquéllos en los que la víctima no se encuentra completamente desamparada, pero la ayuda que recibe no basta para conjurar o limitar el peligro de un modo absoluto. Ello ocurre, por ejemplo, cuando un sujeto accidentado se encuentra acompañado por una o varias personas que no se encuentran completamente capacitadas (por ejemplo, por falta de conocimientos técnicos o de recursos mate-

---

[2] QUERALT JIMÉNEZ, J.-J., *Derecho penal español, PE*, 4ª ed., 2002, p. 148.

riales) para auxiliar a la víctima. Para la doctrina[3] y la jurisprudencia dominantes[4], también en estos casos cabe referirse *de lege lata* a una "persona (...) desamparada" en el sentido del art. 195.1 CP[5]. No obstante, en los casos de desamparo parcial con la concurrencia de una pluralidad de personas en el lugar de los hechos, ésta última puede inducir al potencial auxiliador a error sobre la existencia de la situación de desamparo. Como se verá *infra*, el error sobre la situación de desamparo excluye siempre la responsabilidad penal, tanto si es vencible como invencible.

2.2. Por lo que respecta al *"peligro"*, la doctrina dominante entiende que éste debe consistir en la probabilidad de que se produzca un daño para la vida o la integridad corporal[6]. Debe tratarse de un peligro *"manifiesto"* y *"grave"*. El primer elemento se refiere a la necesidad de que la situación de riesgo para un tercero sea perceptible para el sujeto activo por medio de signos externos, sin ulteriores exigencias. El segundo, el relativo a la gravedad del peligro, debe ser valorado teniendo en cuenta tres aspectos: el grado de probabilidad

---

[3] Díaz y García Conlledo, M., "La omisión de socorro a la propia víctima", en VV.AA., *Derecho de la circulación*, 1993, pp. 213 s.; Rebollo Vargas, R., en Córdoba Roda, J. / García Arán, M., *Comentarios al Código penal, PE*, I, 2004, pp. 429 s.; del Rosal Blasco, B., en Cobo del Rosal, M. (coord.), *Derecho penal español, PE*, 2ª ed., 2005, p. 332.

[4] SSAP Tarragona 22 mayo 2003; Murcia 24 septiembre 2001.

[5] Doctrina y jurisprudencia fundamentan de distinto modo este extremo. Así, según Díaz y García Conlledo, este punto de vista se basaría en la idea de que el precepto de referencia se limitaría a exigir que la persona se encuentre desamparada, sin distinguir entre los distintos grados de desamparo que pueden presentarse en la práctica: *vid.* Díaz y García Conlledo, M., en VV.AA., *Derecho de la circulación*, 1993, p. 221. Según la jurisprudencia del TS, la solución mencionada respondería a una interpretación extensiva del término "desamparo", de conformidad con la cual solo se encontrarían en dicha situación aquellos sujetos que no estén recibiendo asistencia médicosanitaria suficiente y eficaz o no estén siendo atendidos en un centro sanitario. Desde una perspectiva *de lege ferenda*, Díaz y García Conlledo propone que, debido a su menor gravedad, los supuestos de no auxilio a sujetos que se encuentren sólo parcialmente desamparados no sean constitutivos de delito, sino, a lo sumo, de una falta o, incluso, de una simple infracción administrativa: *vid.* Díaz y García Conlledo, M., en VV.AA., *Derecho de la circulación*, 1993, p. 221.

[6] Rebollo Vargas, R., en Córdoba Roda, J. / García Arán, M., *Comentarios al Código penal, PE*, I, 2004, pp. 432 s.

de que se produzca un resultado lesivo; la mayor o menor inminencia con que pueda preverse que va a producirse el daño para la vida o la salud individual; y, por último, la naturaleza del mal amenazante, en atención, sobre todo, a la entidad de los bienes jurídicos afectados[7]. En relación con este último aspecto, doctrina y jurisprudencia convienen que dichos bienes jurídicos se refieren a la vida y la salud individual[8].

3. Falta de realización de la acción debida

El segundo elemento objetivo del delito que nos ocupa tiene por objeto la *no realización por parte del sujeto activo de la conducta debida* impuesta por el tipo. A este respecto, debe distinguirse entre la conducta debida del art. 195.1 CP y la del art. 195.2 CP. Así, mientras que el primero obliga al sujeto a *"socorrer"*, el segundo impone a quien esté impedido de prestar socorro la obligación de demandar "con urgencia auxilio ajeno". Por tanto, solo será castigado con pena quien no realice ninguna de las dos conductas, esto es, quien no so-

---

[7]   En aplicación de estos criterios, el AAP Girona 4 febrero 2000 (Ar. 993) consideró no concurrente el elemento del peligro grave en la víctima en un supuesto en el que las lesiones causadas a la víctima se debieron a una colisión con el espejo retrovisor del coche del sujeto activo, produciéndose la rotura de un hueso del brazo, sin llegar a inmovilizar al perjudicado y sin causarle una situación de inconsciencia. Por su parte, los AAP Asturias 14 marzo 2002 (Ar. 162301), Córdoba 24 febrero 2003 (Ar. 94155) y Cádiz 17 marzo 2005 (Ar. 144399) tampoco consideraron suficiente para la aplicación del art. 195 CP la gravedad de unas lesiones de escasa entidad, al tratarse de contusiones que no afectaron a zonas vitales o especialmente delicadas, y constitutivas de falta, por precisar para su curación únicamente de una primera asistencia facultativa, sin tratamiento médico o quirúrgico.

[8]   *Vid.*, por todos, REBOLLO VARGAS, R., en CÓRDOBA RODA, J. / GARCÍA ARÁN, M., *Comentarios al Código penal, PE*, I, 2004, p. 427. RODRÍGUEZ MOURULLO, G., en RODRÍGUEZ MOURULLO, G. (dir.) / JORGE BARREIRO, A. (coord.), *Comentarios a Código penal*, 1997, p. 554; CARBONELL MATEU, J.C. / GONZÁLEZ CUSSAC, J.L., en VIVES ANTÓN, T.S. / ORTS BERENGUER, E. / CARBONELL MATEU, J.C. / GONZÁLEZ CUSSAC, J.L. / MARTÍNEZ-BUJÁN PÉREZ, C., *Derecho penal, PE*, 2004, p. 306; DEL ROSAL BLASCO, B., en COBO DEL ROSAL, M. (coord.), *Derecho penal español, PE*, 2ª ed., 2005, pp. 331 s.; SUÁREZ-MIRA RODRÍGUEZ, C., en SUÁREZ-MIRA RODRÍGUEZ, C. / JUDEL PRIETO, A. / PIÑOL RODRÍGUEZ, J.R., *Manual de Derecho penal*, II, *PE*, 3ª ed., 2005, p. 190; LAMARCA PÉREZ, C., en LAMARCA PÉREZ, C. (coord.), *Derecho penal, PE*, 3ª ed., 2005, p. 175.

corra al desamparado ni avise inmediatamente a terceras personas para que lo hagan. Según la jurisprudencia del TS, los delitos de omisión del deber de socorro previstos en los apartados primero y segundo del art. 195.1 CP son homogéneos a efectos del principio acusatorio. Esto significa que aunque un sujeto sea acusado por la comisión únicamente de uno de estos dos delitos, el Juez o Tribunal podrá condenarle por el otro, ya que, con ello, no estaría provocando indefensión en el procesado. Entre las dos conductas debidas, "socorrer" (art. 195.1 CP) y "demandar con urgencia auxilio ajeno" (art. 195.2 CP) existe una relación de *subsidiariedad*. Así, en una situación de desamparo y peligro para la víctima, sólo resulta obligado demandar con urgencia auxilio ajeno cuando el sujeto se encuentre "impedido de prestar socorro".

4. *Capacidad para realizar la acción debida "sin riesgo propio ni de terceros"*

4.1. Según el tercer elemento objetivo del delito de omisión del deber de socorro, el sujeto activo debe tener *capacidad para socorrer / pedir socorro*. En caso contrario, esto es, cuando el sujeto carezca de dicha capacidad, quedará exento de responsabilidad penal. En los casos en que el sujeto activo se encuentra bajo los efectos de bebidas alcohólicas o drogas tóxicas, la jurisprudencia suele entender que el mismo sigue teniendo capacidad para socorrer, ya que, salvo en casos de embriaguez extrema, podrá pedir ayuda a un tercero[9]. Para poder castigar al sujeto que omite la realización de la conducta debida de auxilio es necesario, además, que como consecuencia de la realización de dicha conducta el sujeto activo no se coloque en una situación de riesgo para su propia persona o para un tercero. Es decir, que la omisión del socorro haya tenido lugar *"sin riesgo propio ni de terceros"*.

4.2. En relación con este extremo, el principal objeto de discusión en la doctrina y jurisprudencia española consiste en si el *"riesgo"* al que se refiere el tipo debe derivarse necesariamente de un impedimento u obstáculo para prestar el auxilio exigido por el tipo *de naturaleza material*, o bien también puede resultar de un impedimento de índole *jurídica*. Por ejemplo: ¿Deben responder por omisión del

---

[9]   SAP Huelva 27 enero 1998 (Ar. 57).

deber de socorro los atracadores de un banco que, acechados por la policía, huyen en coche del lugar de los hechos y no se detienen a socorrer a quien lo necesita por encontrarse desamparado para evitar ser detenidos?

A juicio de la doctrina y jurisprudencia dominantes, sólo quedará exento de responsabilidad penal por falta de capacidad de acción quien no pueda prestar auxilio porque con ello podría producirse un daño o perjuicio propio o ajeno de orden físico, tangible y perceptible por los sentidos. De acuerdo con esta interpretación restrictiva de la expresión *"riesgo propio o de tercero"* del art. 195.1 CP, en ella no se incluiría, por ejemplo, el posible riesgo de ser identificado como el autor de una infracción y de ser sancionado por la misma, cosa que podría ocurrir en caso de detenerse para socorrer[10]. Paradigmático de lo que acaba de ser mencionado es el caso del que conoció la STS 27 abril 1987. Según el relato de hechos probados de dicha resolución, un sujeto conducía un vehículo sustraído bajo los efectos del alcohol circulando, además, a una velocidad excesiva. Debido a todo ello, el sujeto perdió el control del vehículo, colisionando frontalmente con dos vehículos que circulaban en sentido opuesto, huyendo posteriormente del lugar de los hechos pese a haberse apercibido de la presencia de lesionados. El TS, pese a admitir que la razón de la huida fue, a buen seguro, el miedo del conductor a ser detenido por la sustracción del automóvil con el que chocó, no concedió relevancia alguna a este dato, condenando al sujeto por un delito (agravado) de omisión del deber de socorro[11].

Sin embargo, frente a este punto de vista, compartimos el defendido por un sector doctrinal minoritario, encabezado por SILVA

10 *Vid.*, por todos, REBOLLO VARGAS, R., en CÓRDOBA RODA, J. / GARCÍA ARÁN, M., *Comentarios al Código penal, PE*, I, 2004, p. 434; SOLA RECHE, E., en DÍEZ RIPOLLÉS, J.L. / ROMEO CASABONA, C. (coords.), *Comentarios al Código penal, PE*, II, 2004, p. 634; GARCÍA ALBERO, R., en QUINTERO OLIVARES, G. (dir.) / MORALES PRATS, F. (coord.), *Comentarios a la Parte Especial del Derecho penal*, 5ª ed., 2005, pp. 389 s.; DEL ROSAL BLASCO, B., en COBO DEL ROSAL, M. (coord.), *Derecho penal español, PE*, 2ª ed., 2005, p. 332.

11 En idéntico sentido se pronunció, más recientemente, la STS 11 noviembre 2004 (Ar. 7537), que condenó a quien, después de haber ocasionado el accidente, se alejó, a juicio del TS, inmediatamente del lugar, no sirviendo como excusa para no detenerse la circunstancia de estar siendo perseguido por otro conductor.

SÁNCHEZ. En opinión de este autor, en los supuestos de riesgo de detención mencionados, la responsabilidad penal o impunidad del omitente dependerá de cuatro factores: la gravedad del peligro que amenaza a la víctima; las posibilidades que tiene el sujeto de eliminar o reducir el peligro; la mayor o menor intensidad del riesgo de ser detenido; y, por último, la gravedad de la pena que se impondría al sujeto por todos los delitos por los que sería enjuiciado en caso de ser detenido. En atención a estos cuatro factores, SILVA acaba afirmando que, en algunos casos, habrá que entender que el riesgo de ser detenido será uno de los "riesgos propios" del art. 195 CP[12]. En el caso de la STS 27 abril 1987, SILVA considera, con razón, que la ponderación de las distintas circunstancias concurrentes permitiría afirmar que el sujeto activo no era capaz de socorrer sin riesgo a los sujetos desamparados, debiendo quedar, por ello, impune del delito de omisión del deber de socorro. Tres son las razones esgrimidas por SILVA en apoyo de su tesis: el sujeto no sólo corría peligro de ser condenado por la sustracción de vehículo a motor, sino también por las lesiones imprudentes ocasionadas por el accidente; se encontraba en estado de intoxicación, lo cual reducía sensiblemente su capacidad para socorrer a las víctimas de un modo eficaz; y, por último, no existía una situación de peligro extremo para las dos víctimas del accidente, ya que éstas sufrieron lesiones leves que sanaron en 8 y 12 días, respectivamente. Para SILVA, no resulta exigible, en suma, que alguien se exponga a tanto para tratar de resolver, en condiciones tan poco satisfactorias, una situación tan poco peligrosa para las víctimas[13].

5. El tipo subjetivo

5.1. La aplicación del art. 195 CP exige la concurrencia de *dolo*[14]. Esto es, de la *voluntad consciente* de no socorrer o pedir auxilio para ayudar a quien se halle en situación de desamparo y peligro manifiesto y grave en la que se encuentra la víctima. La cuestión más

---

[12] SILVA SÁNCHEZ, J.M., "Problemas del tipo de omisión del deber de socorro (Comentario a la STS de 27 de abril de 1987, Ponente Díaz Palos)", ADPCP 1988, pp. 562 ss.

[13] SILVA SÁNCHEZ, J.M., ADPCP 1988, pp. 562 ss.

[14] *De lege ferenda* propone la tipificación de la omisión del deber de socorro con imprudencia grave, entre otros autores, MOLINA FERNÁNDEZ, F., en BAJO FERNÁNDEZ, M., *Compendio de Derecho penal, PE*, II, 1998, p. 175.

controvertida a este respecto consiste en decidir cuál es el grado mínimo de conocimiento que debe tener el sujeto activo para poder ser condenado. Para un sector de la jurisprudencia basta con un conocimiento general o aproximado, mientras que para otro es necesario un conocimiento preciso de la existencia de la situación de desamparo y peligro para la víctima. En opinión de la doctrina dominante, asiste la razón al segundo sector jurisprudencial, debiendo ser el conocimiento *directo* y *personal*, no bastando el meramente indirecto, como el que podría obtenerse, por ejemplo, a través de los medios de comunicación[15], aunque con la salvedad de que no es preciso que el autor conozca con exactitud la concreta gravedad del daño causado a la víctima[16]. Cuando el sujeto incurra en un error sobre el desamparo de la víctima, esto es, cuando abandone el lugar de los hechos creyendo que la víctima está siendo auxiliada, cuando en realidad ello no está ocurriendo, será de aplicación el art. 14.1 CP. De acuerdo con este precepto, el error sobre la situación de la víctima excluirá la responsabilidad criminal en todo caso, esto es, tanto si se trata de un error invencible como de uno vencible. Según el segundo inciso de este último precepto, esta segunda clase de error resulta punible, como delito imprudente, únicamente cuando la modalidad imprudente del delito correspondiente se encuentre expresamente prevista en la ley, cosa que en este caso no sucede. No obstante, para que el Juez o Tribunal aprecie dicho error no bastará con que lo invoque el acusado, sino que será preciso que el desconocimiento de la situación de desamparo y peligro manifiesto y grave de la víctima pueda inferirse de datos objetivos. Ello no sucederá, sin embargo, cuando, en atención a la entidad del accidente, no sea posible descartar que la víctima necesite ayuda[17]. De lo contrario, bastaría para afirmar la existencia de error de tipo con que el sujeto activo renunciase

---

15   REBOLLO VARGAS, R., en CÓRDOBA RODA, J. / GARCÍA ARÁN, M., *Comentarios al Código penal, PE*, I, 2004, p. 433.

16   LUZÓN PEÑA, D.-M., "La posición jurisprudencial sobre la omisión de socorro de la víctima y su repercusión sobre los requisitos del dolo en tal omisión (Comentario a la Sentencia TS 6-3-1985)", en EL MISMO, *Derecho penal de la circulación*, 2ª ed., 1990, pp. 213 ss.; DÍAZ Y GARCÍA CONLLEDO, M., en VV.AA., *Derecho de la circulación*, 1993, p. 222.

17   REBOLLO VARGAS, R., en CÓRDOBA RODA, J. / GARCÍA ARÁN, M., *Comentarios al Código penal, PE*, I, 2004, p. 432.

a comprobar la situación típica[18]. Idéntico tratamiento merecen los supuestos de error sobre el objeto (*error in objecto*), que en el caso del delito de omisión del deber de socorro adopta la forma de "error sobre la persona" (*error in persona*), esto es, aquéllos en los que quien omite la acción de socorro ignora que la víctima es una persona. Así, por ejemplo, la SAP Vizcaya 8 abril 1998 (Ar. 1915) absolvió por el delito de omisión del deber de socorro al conductor de un vehículo que, a pesar de atropellar a una persona que se encontraba tirada en una carretera, lo hizo sin que quedase acreditado que el sujeto fuera consciente de que el bulto que atropelló era una persona, y no un animal.

5.2. En ocasiones, lo que ocurre es precisamente lo contrario de lo que acaba de ser descrito. Esto es, que el conductor abandona el lugar del accidente creyendo que la víctima necesita auxilio, no siendo ello así por estar siendo asistida, o por haber fallecido ya. En estos casos, denominados por la doctrina y la jurisprudencia "tentativa inidónea" o "delito imposible", debe apreciarse un delito de omisión del deber de socorro en grado de tentativa[19]. Así lo han estimado, entre otras resoluciones, las SSAP Ciudad Real 6 octubre 1989 (Ar. 7603), 8 marzo 1990 (Ar. 2430), Barcelona 18 noviembre 1995 (Ar. 1352); 13 octubre 1992 (Ar. 8315); y la SAP Asturias 17 marzo 2005 (Ar. 340), que apreció tentativa en un supuesto en el que el conductor huyó del lugar del accidente desconociendo que la víctima había fallecido en el acto. No resulta compartible, en nuestra opinión, el punto de vista defendido por aquel sector jurisprudencial y doctrinal que considera que en el CP español, la tentativa inidónea debe quedar impune. Es de esta opinión, por ejemplo, la SAP Almeria 28 junio 2005 (Ar. 24), que absolvió de delito de omisión del deber de

---

[18]   SSTS 10 septiembre 2003 (Ar. 7438); 12 marzo 2004 (Ar. 1546); SSAP Madrid 24 julio 2003 (Ar. 86456) y Málaga 21 julio 2004 (Ar. 25016).

[19]   Consideran que en el delito de omisión del deber de socorro la tentativa (no sólo la inidónea) siempre debe quedar sin pena RODRÍGUEZ MOURULLO, G., en RODRÍGUEZ MOURULLO, G. (dir.) / JORGE BARREIRO, A. (coord.), *Comentarios a Código penal*, 1997, pp. 555 s.; CARBONELL MATEU, J.C. / GONZÁLEZ CUSSAC, J.L., en VIVES ANTÓN, T.S. / ORTS BERENGUER, E. / CARBONELL MATEU, J.C. / GONZÁLEZ CUSSAC, J.L. / MARTÍNEZ-BUJÁN PÉREZ, C., *Derecho penal, PE*, 2004, p. 312; SOLA RECHE, E., en DÍEZ RIPOLLÉS, J.L. / ROMEO CASABONA, C. (coords.), *Comentarios al Código penal, PE*, II, 2004, p. 628; SUÁREZ-MIRA RODRÍGUEZ, C., en SUÁREZ-MIRA RODRÍGUEZ, C. / JUDEL PRIETO, A. / PIÑOL RODRÍGUEZ, J.R., *Manual de Derecho penal*, II, *PE*, 3ª ed., 2005, p. 192.

socorro a quien, después de haber arrollado a un ciclista, huyó del lugar de los hechos ignorando la muerte inmediata de la víctima[20].

---

[20] En la doctrina defienden esta postura, entre otros, CALDERÓN CEREZO, A. / CHOCLÁN MONTALVO, J.A., *Código penal comentado*, 2005, p. 446. En la doctrina, entienden que la punición de la tentativa indónea carece en la actualidad de toda base legal CARBONELL MATEU, J.C. / GONZÁLEZ CUSSAC, J.L., en VIVES ANTÓN, T.S. / ORTS BERENGUER, E. / CARBONELL MATEU, J.C. / GONZÁLEZ CUSSAC, J.L. / MARTÍNEZ-BUJÁN PÉREZ, C., *Derecho penal, PE*, 2004, p. 313. DEL ROSAL BLASCO, B., en COBO DEL ROSAL, M. (coord.), *Derecho penal español, PE*, 2ª ed., 2005, p. 333, distingue entre "tentativa absolutamente inidónea" y "tentativa relativamente inidónea", estimando que sólo la primera óque sería, en su opinión, difícilmente imaginable en el delito de omisión del deber de socorroó es punible desde la perspectiva del art. 16 CP 1995. También considera discutible la punibilidad de la tentativa inidónea en el marco del CP actualmente en vigor LAMARCA PÉREZ, C., en LAMARCA PÉREZ, C. (coord.), *Derecho penal, PE*, 3ª ed., 2005, p. 176. Por su parte, CEREZO MIR, J., *Curso de Derecho penal, PG*, II, 6ª ed., 1998, pp. 108 ss., el CP 1995 acogería un concepto objetivo de la tentativa. En su opinión, el CP 1995 sólo castigaría la tentativa idónea. CEREZO entiende por tentativa idónea la acción peligrosa para el bien jurídico de acuerdo con un juicio *ex ante*. Nótese, sin embargo, que pese a la distinta terminología empleada por CEREZO, su concepto de tentativa idónea incluye también todos los supuestos que, en opinión de un segundo sector doctrinal (el representado, por ejemplo, por MIR PUIG, S., *PG*, 7ª ed., cit., 13/82 y nota 61) pertenecerían a la tentativa inidónea (peligrosa). Aunque CEREZO no se refiere expresamente a los supuestos de sujeto inidóneo (sólo lo hace en relación con los supuestos de inidoneidad del objeto), debe concluirse que este autor también los considera constitutivos de tentativa idónea (en su terminología) cuando la conducta del sujeto inidóneo se presente desde una perspectiva *ex ante* como peligrosa para un espectador objetivo. Ello es así porque CEREZO sólo exige para admitir la idoneidad de una tentativa la posibilidad de afirmar su peligrosidad *ex ante*. Y puesto que CEREZO no dice expresamente que la conducta de un sujeto inidóneo nunca pueda ser contemplada *ex ante* como una conducta peligrosa, deberá concluirse que, en opinión de este autor, también los casos de sujeto inidóneo cabrían en el concepto de la "tentativa idónea". Tal y como CEREZO lo entiende, fuera del concepto de tentativa idónea, y, por ende, del tenor literal del art. 16 CP de 1995, sólo quedarían, por tanto, los supuestos de tentativa irreal. Se refieren a la polémica terminológica entre CEREZO MIR y MIR PUIG sus respectivos discípulos GRACIA MARTÍN, L., "El "iter criminis" en el Código penal español de 1995", CDJ 1996, pp. 257 ss.; y SILVA SÁNCHEZ, J.M., "Teoría de la infracción penal, regulación de la imprudencia, la comisión por omisión y los actos previos a la consumación", CDJ 1996, pp. 145 ss.; EL MISMO, "La regulación del iter criminis", en EL MISMO, *El nuevo Código penal*, 1997, p. 133, nota 343.

6. Relaciones concursales

Cuando la situación de desamparo y peligro manifiesto y grave en que se halle la víctima resulte de la comisión por parte de una tercera persona de un delito contra la vida, la salud individual, la libertad o la libertad sexual también podría ser de aplicación el art. 450.1 CP, que tipifica la infracción del deber de evitar determinados delitos. Entre el art. 195.1 CP y el art. 450 CP se da una relación de concurso de leyes que, en opinión de la doctrina dominante, debe ser resuelta en favor del art. 450 CP, por ser ley especial (art. 8.1ª CP)[21].

7. Algunas consideraciones de lege ferenda

7.1. Desde una perspectiva *de lege ferenda*, se discute, sobre todo en el ámbito anglosajón, si es conveniente, en un sentido político-criminal, que el Estado castigue penalmente la infracción del deber de socorrer a quien lo necesite[22]. Consideramos que en un Estado social y democrático de derecho como el consagrada por el art. 1 CE, la existencia de un delito de omisión del deber de socorro constituye prácticamente un imperativo[23]. En dicho modelo de Estado, éste no debe renunciar al desarrollo de una función de fomento o promoción de la salvaguarda de los principales bienes jurídicos personales. En este sentido, el Derecho penal, y concretamente la técnica legislativa del delito de omisión del deber de socorro, pueden ser, sin duda, dos instrumentos útiles. No obstante, para ser respetuoso con los principios derivados del Estado democrático, entendemos que el delito de omisión del deber de socorro debe referirse, exclusivamente, a los bienes jurídicos individuales más importantes. Por esta razón, reco-

---

[21] *Vid.*, por todos, REBOLLO VARGAS, R., en CÓRDOBA RODA, J. / GARCÍA ARÁN, M., *Comentarios al Código penal, PE*, I, 2004, p. 427; BENEYTEZ MERINO, L., en CONDE-PUMPIDO FERREIRO, C. (dir.), *Código penal comentado. Con concordancias y jurisprudencia*, I, 2004, p. 610; SOLA RECHE, E., en DÍEZ RIPOLLÉS, J.L. / ROMEO CASABONA, C. (coords.), *Comentarios al Código penal, PE*, II, 2004, p. 648.

[22] Sobre ello, ampliamente, VARONA GÓMEZ, D., *Derecho penal y solidaridad. Teoría y práctica del mandato penal de socorro*, 2005, *passim*.

[23] Sobre la vinculación del delito de omisión del deber de socorro con el Estado social *vid.* LAMARCA PÉREZ, C., en LAMARCA PÉREZ, C. (coord.), *Derecho penal, PE*, 3ª ed., 2005, p. 175.

mendamos que el tenor literal del art. 195.3 CP aclare expresamente este extremo. El precepto quedaría redactado del modo siguiente: "El que no socorriere a una persona que se halle desamparada y en peligro manifiesto y grave *para la vida, la salud individual, la libertad ambulatoria y la libertad sexual de las personas...*"

7.2. Del mismo modo que ocurre en el art. 450 CP, consideramos que tendría sentido castigar con mayor pena la omisión del deber de socorro en los casos en que el peligro que corre la víctima es para la vida que en el resto de casos (peligro para la salud individual, la libertad ambulatoria o la libertad sexual).

7.3. Como ya se mencionó, *de lege lata*, entre las conductas debidas de "socorrer" (art. 195.1 CP) y "demandar con urgencia auxilio ajeno" (art. 195.2 CP) existe una relación de *subsidiariedad*. La segunda conducta sólo será obligatoria en los casos en que el sujeto carezca de capacidad para realizar la primera. Sin embargo, la realidad práctica demuestra que, en algunos casos, el mejor auxilio para la víctima puede consistir, no en socorrer directamente, sino en pedir auxilio a terceros. Por esta razón, creemos que sería aconsejable *de lege ferenda* que el art. 195.2 CP fuese redactado del modo siguiente: "En las mismas penas incurrirá el que, impedido de prestar socorro, no demande con urgencia auxilio ajeno, *o el que, a pesar de no estar impedido para prestar socorro, no demande con urgencia auxilio ajeno cuando lo segundo resulte más indicado que lo primero*".

7.4. En materia de *responsabilidad civil derivada de delito*, coincidimos con el sector doctrinal[24] que propone la elaboración de un programa de reparación a cargo del Estado, de acuerdo con el cual se cree un fondo de compensación para que el auxiliador pueda ver resarcidos los posibles costes económicos de la acción de socorro en dos casos: cuando no lo haga la persona auxiliada; y cuando el causante de la situación de desamparo y peligro de la víctima sea insolvente.

---

[24]   *Vid.*, por todos, GÓMEZ TOMILLO, M., *El deber de socorro*, 2003, pp. 157 s.

III. EL DELITO DE OMISIÓN DEL DEBER DE SOCORRO CUALIFICADO (ART. 195.3 CP)

1. Consideraciones generales

1.1. El art. 195.3 CP reza del siguiente modo: *"Si la víctima lo fuere por accidente ocasionado fortuitamente por el que omitió el auxilio, la pena será de prisión de seis meses a dieciocho meses, y si el accidente se debiere a imprudencia, la de prisión de seis meses a cuatro años".* Cuando el sujeto que no socorre a la persona que se encuentra desamparada y en peligro manifiesto y grave es quien ha provocado el accidente que ha colocado a la víctima en aquella situación de desamparo y riesgo, aquel sujeto tiene un *deber especial de socorro*. La infracción de este deber cualificado es castigada con una pena superior[25].

1.2. Con anterioridad a la entrada en vigor del CP 1995[26], el delito de omisión del deber de socorro cualificado que ahora nos ocupa se encontraba regulado en el art. 489 ter CP 1973. Este precepto castigaba con una pena agravada al sujeto que no prestaba el auxilio debido a la víctima de un accidente ocasionado por el primero, sin especificar si dicho accidente debía ser *doloso*, o bien también podía ser *imprudente* o incluso *fortuito*. La doctrina y la jurisprudencia consideraban de forma unánime que en el término "accidente" del art. 489 ter CP 1973 debía entenderse incluido el ocasionado dolosamente. Y de forma dominante que también cuando el accidente se producía de forma *imprudente* o incluso *fortuita* recaía sobre su causante el deber jurídico especial cuya infracción justificaba la pena

---

[25] La actual redacción de este precepto procede de la reciente LO 15/2003, que entró en vigor el 1 de octubre de 2004. Con anterioridad a esta reforma, la pena prevista para la primera modalidad delictiva recogida en este precepto era de prisión de seis meses a un año y multa de seis a doce meses, y la de la segunda modalidad, esto es, cuando, el accidente se deba a imprudencia, la de prisión de seis meses a dos años y multa de seis a veinticuatro meses.

[26] Una pormenorizada evolución histórica del precepto se encuentra en DÍAZ Y GARCÍA CONLLEDO. M., "Omisión de socorro a la propia víctima", en DE VICENTE MARTÍNEZ, R. (dir.), *Derecho penal y seguridad vial*, EDJ 114, 2007, pp. 18 ss.

agravada prevista en el tipo[27]. Esta opinión, también defendida por la doctrina dominante, fue parcialmente recogida, con la llegada del CP 1995, por el actual art. 195.3 CP. De la redacción de este artículo pueden extraerse, entre otras, *cuatro consecuencias*:

a) El legislador de 1995, al emplear en dicho precepto la expresión "si la víctima lo fuere por accidente *ocasionado* fortuitamente por el que omitió el auxilio..."[28], extiende la aplicación del tipo a todos aquellos casos en los que exista una *relación de causalidad* entre la conducta del sujeto activo y la situación de desamparo y peligro en que se encuentre la víctima (SAP Barcelona 5 diciembre 1997, Ar. 1883). Esto es, también a los supuestos en los que el sujeto activo habría provocado la situación típica en la que se halla la víctima de un modo completamente fortuito.

b) El art. 195.3 CP, al referirse únicamente a los accidentes fortuitos o imprudentes, y no, por tanto, a los dolosos, no será de aplicación en los casos en los que un sujeto provoque de forma intencionada un accidente y posteriormente omita socorrer a la víctima del mismo. El sujeto activo de dicha conducta deberá ser castigado por la causación activa del resultado efectivamente producido. Así, por ejemplo, si un sujeto atropella dolosamente a un peatón ocasionando un resultado de muerte o de lesiones, el conductor no responderá como autor de un delito de omisión del deber de socorro cualificado (art. 195.3 CP), sino como autor de un delito doloso de homicidio o de lesiones. Resulta discutible si el sujeto debe responder por haber causado activamente el resultado (responsabilidad por acción), o bien por no haberlo evitado teniendo el deber jurídico de hacerlo (responsabilidad en comisión por omisión, art. 11.b CP).

c) A criterio del legislador, no todo sujeto que cause un accidente tendrá el mismo deber de socorro con respecto a las víctimas de su accidente que se hallen en situación de desamparo y peligro manifiesto y grave. Dejando al margen al responsable de un accidente doloso, de las otras dos modalidades de accidente a las que se refiere el art. 195.3 CP, el sujeto que tendrá un mayor deber de socorro será el que haya provocado el accidente de forma *imprudente*. Por esta razón, el legislador considera más merecedora de pena la infracción de dicho

---

[27]   *Vid.* DÍAZ Y GARCÍA CONLLEDO, M., en VV.AA., *Derecho de la circulación*, 1993, pp. 212 s.

[28]   Cursiva añadida.

deber en este último caso (prisión de seis meses a dieciocho meses) que cuando el accidente ha sido provocado de modo fortuito (prisión de seis meses a cuatro años)[29]. Según afirman jurisprudencia[30] y doctrina[31] de forma unánime, es irrelevante la gravedad de la imprudencia para la concurrencia del tipo cualificado del art. 195.3 CP.

Cuando, como consecuencia del accidente ocasionado de forma imprudente, se produzca algún resultado lesivo (por ejemplo, la muerte de la víctima o una lesión de su integridad corporal), el sujeto deberá responder, además, por la lesión producida (homicidio imprudente, lesiones imprudentes...). Cuando dichas lesiones traigan causa de la conducción bajo los efectos de bebidas alcohólicas o drogas tóxicas (art. 379 CP) o de una conducción temeraria (art. 380 CP), el Juez no castigará al sujeto por ambos delitos, sino sólo con la pena del más grave, en su mitad superior (art. 382 CP). De conformidad con este precepto "cuando con los actos sancionados en los artículos anteriores se ocasionare, además del riesgo prevenido, un resultado lesivo, cualquiera que sea su gravedad, *los Jueces o Tribunales apreciarán tan sólo la infracción más gravemente penada, aplicando la pena en su mitad superior* y condenando en todo caso al resarcimiento de la responsabilidad civil que se hubiera originad"[32].

d) Por último, del art. 195.3 CP se desprende que el sujeto especialmente obligado a prestar socorro es el conductor del vehículo que ha ocasionado el accidente. De este modo, si en el vehículo en cuestión se encuentra una pluralidad de sujetos, y el vehículo se da a la fuga después del accidente, en principio sólo responderá por el tipo agravado el conductor, debiendo hacerlo el copiloto y los restantes ocupantes del vehículo por el tipo básico del art. 195.1 CP[33]. Cuando

---

[29]   En contra de esta valoración se muestra, entre otros autores, DÍAZ Y GARCÍA CONLLEDO. M., "Omisión de socorro a la propia víctima", en DE VICENTE MARTÍNEZ, R. (dir.), *Derecho penal y seguridad vial*, EDJ 114, 2007, p. 42, que la considera una muestra de *versari in re ilicita*.

[30]   STS 16 enero 2003; 19 enero 2000; SSAP Tarragona 4 enero 2001; Girona 13 junio 2002; Valencia 27 octubre 2003.

[31]   *Vid.*, por todos, QUERALT JIMÉNEZ, J.-J., *Derecho penal español, PE*, 4ª ed., 2002, p. 150.

[32]   Cursiva añadida.

[33]   Así lo han entendido, por ejemplo, las SSAP Asturias 26 junio 2000 (Ar. 2739) y 22 octubre 2001 (Ar. 11); Tarragona 5 mayo 2003 (Ar. 239580) y la SJP nº 8 de Sevilla 29 julio de 2005 (Ar. 500).

el vehículo esté ocupado por dos sujetos, uno como conductor y otro como copiloto, y no exista prueba o no quede suficientemente acreditado cuál de los sujetos en cuestión conducía el vehículo, no será posible aplicar el art. 195.3 CP, por aplicación del principio *"in dubio pro reo"*[34].

2. ¿Qué debe entenderse por "víctima"? La cuestión a la luz del llamado "caso Farruquito"

2.1. También es objeto de controversia la cuestión relativa a si el legislador emplea el término *"víctima"* en el art. 195.3 CP en idéntico sentido a como lo hace en el tipo básico del art. 195.1 CP. En relación con este particular, jurisprudencia y doctrina se encuentran divididas.

2.1.1. Conforme a una línea jurisprudencial tradicional defendida por el TS, a diferencia de lo que ocurre en los dos primeros números del art. 195 CP, en el tercero podría entenderse que concurre una "víctima" como persona desamparada aunque el sujeto esté recibiendo el auxilio de terceras personas. El TS ha venido invocando cuatro razones en favor de esta interpretación extensiva del elemento "víctima": *a)* el deber de solidaridad que recae sobre el sujeto que causa el accidente tiene una naturaleza diferente al deber que recae sobre terceros ajenos al accidente: el primero sería de naturaleza jurídica, mientras que el segundo consistiría en un simple deber moral; *b)* la impunidad en el supuesto de no socorro por la presencia de terceras personas auxiliadoras sería político-criminalmente contraproducente: al confiarse en la posible ayuda de terceros, nadie ayudaría, pues el auxilio no se consideraría necesario; *c)* el causante del accidente normalmente podrá prestar a la víctima un auxilio más eficaz que el que podrían brindar terceras personas; *d)* sobre el responsable del accidente recae un deber personalísimo que no cesa aunque la víctima esté siendo atendida, ya que no consiste en un deber de socorro, sino en uno de permanencia en el lugar de los hechos, esto es, de permanecer junto a la víctima aunque no haga nada. Esta línea de argumentación se encuentra presente, entre otras sentencias, en las SSTS 18 octubre 1989 (Ar. 7710); 25 enero 1990 (Ar. 2953); 26 septiembre 1990 (Ar. 7246); 22 octubre 1991 (Ar. 7341); 25 octubre

---

[34]   SAP Tarragona 19 enero 2005 (Ar. 63950).

1993 (Ar. 7956) [35] y 6 octubre 1991 (Ar. 4490). También ha sido aceptada por algunas resoluciones de las Audiencias Provinciales, como, por ejemplo, las SSAP Granada 26 mayo 1998 (Ar. 3173); León 22 febrero 1999 (Ar. 736); Ciudad Real 8 junio 1999 (Ar. 2487), Vizcaya 22 septiembre 2004 (Ar. 308825)[36] y Zaragoza 6 junio 2005 (Ar. 154881).

2.1.2. Para la doctrina dominante, en cambio, cuando el art. 195.3 CP alude a la *"víctima"* se está refiriendo exactamente a la "persona que se halle desamparada y en peligro manifiesto y grave" del art. 195.1 y 2 CP[37]. Claro exponente de este punto de vista es la posición defendida por DÍAZ Y GARCÍA CONLLEDO. Este autor se opone a los cuatro argumentos invocados por la jurisprudencia, que han sido expuestos *supra*, del modo que sigue. En relación con el argumento *a)*, DÍAZ señala que no solo el deber de solidaridad del responsable del accidente, sino también el que recae sobre terceras personas consiste en un deber de naturaleza jurídica, ya que en un Estado social y democrático de derecho, el Estado no se encuentra legitimado para

---

[35] Según esta sentencia, *"el que existieran allí otras personas, como ya se ha dicho, que al menos, en los momentos iniciales en el que el ahora recurrente se marchó del lugar con su vehículo, no prestaban asistencia alguna, no excusa el insolidario proceder del condenado. Todos tenían la obligación de acudir en auxilio de quien así lo necesitaba.... Todos los allí presentes que se percataron de tal situación, sin que la presencia de unos pudiera excusar a los otros de su deber de socorrer...; pero más que ningún otro, estaba obligado a auxiliar quien había sido causa del accidente (y en grado superior aún, por haberlo sido como consecuencia de su comportamiento imprudente, incluso temerario)".*

[36] De acuerdo con el Fundamento de Derecho Tercero de la SAP Vizcaya 22 septiembre 2004 (Ar. 308825), *"(...) entiende el escrito de recurso que tampoco se daba éste, por cuanto «en el lugar había gente que auxilió inmediatamente a la persona atropellada, sin que exista prueba alguna para considerar que el conductor causante pudiera haber prestado un auxilio objetivamente más eficaz que el recibido por la víctima». La alegación ignora los claros criterios jurisprudenciales establecidos en la interpretación del tipo agravado de la omisión del deber de socorro, a cuyo tenor, el delito se consuma aunque el auxilio pueda ser prestado por terceras personas, por ser obligación personalísima, sin perjuicio de otras ayudas que pueda recibir la víctima".*

[37] *Vid.*, por ejemplo, GARCÍA ALBERO, R., en QUINTERO OLIVARES, G. (dir.) / MORALES PRATS, F. (coord.), *Comentarios a la Parte Especial del Derecho penal*, 5ª ed., 2005, p. 386; LAMARCA PÉREZ, C., en LAMARCA PÉREZ, C. (coord.), *Derecho penal, PE*, 3ª ed., 2005, p. 177.

castigar con pena la infracción de deberes *exclusivamente* morales[38].
Por lo que respecta al argumento *b)*, Díaz apunta que es necesario
distinguir entre el auxilio real y el potencial, y es sólo el primero, no
el segundo, el que hace desaparecer la situación de desamparo de la
víctima. En cuanto al argumento *c)*, no es cierto, para Díaz, que el
causante del accidente se encuentre *siempre* en mejores condiciones
que los terceros para prestar auxilio, ya que su vehículo podría encontrarse destrozado como consecuencia del accidente, o el vehículo
de cualquier otra persona que pase por allí podría ser más idóneo
que el suyo para prestar ayuda a la víctima transportándola al hospital, por ser más potente, más cómodo, etc. Por último, si, como
reiteradamente ha afirmado el TS, sobre el causante del accidente
recayese un deber personal de permanencia junto a la víctima en el
lugar de los hechos, entonces el delito previsto en el art. 195.3 CP
consistiría en un delito de fuga[39].

Idéntica solución a la sostenida por Díaz y García Conlledo, aunque no siempre con argumentos coincidentes, viene manteniendo
también un sector de la jurisprudencia de las Audiencias Provinciales. Cabe destacar en este contexto, entre otras, las SSAP Toledo 3
enero 1997 (Ar. 86); Albacete 22 marzo 1999; Las Palmas 19 noviembre 1999 (Ar. 4771); Pontevedra 2 febrero 2000 (Ar. 750); AAP Girona 4 febrero 2000 (Ar. 993); Cádiz 20 noviembre 2000 (Ar. 51205); la
SAP Cádiz 4 octubre 2002 (Ar. 89780), que absolvió al conductor de
un camión que, después de tirar a dos motociclistas, y que aunque
no prestó asistencia a los lesionados, detuvo el camión y se marchó
al advertir que se levantaron y otras personas acudieron, para no
entorpecer el tráfico; y la SAP Burgos 1 abril 2005 (Ar. 296), que
desestimó la aplicabilidad del art. 195.3 CP en un supuesto en el
que compareció en el lugar del accidente una ambulancia por aviso
de uno de los acompañantes del acusado a requerimiento del mismo,
siendo la víctima auxiliada de manera inmediata por los viandantes
que se encontraban en la zona hasta que llegó el personal sanitario.

---

[38]   En un sentido parecido Molina Fernández, F., en Bajo Fernández, M., *Compendio de Derecho penal, PE*, II, 1998, p. 162.

[39]   Díaz y García Conlledo, M., en VV.AA., *Derecho de la circulación*, 1993, pp.
217 ss.; el mismo, en de Vicente Martínez, R. (dir.), *Derecho penal y seguridad vial*, EDJ 114, 2007, pp. 24 ss. y 26.

2.1.3. Una buena muestra de la primera de las dos posturas que acaban de ser someramente expuestas, según la cual el art. 195.3 CP podrá ser aplicado incluso cuando la víctima, por encontrarse acompañada por terceras personas, no se halle desamparada y en peligro manifiesto y grave, se encuentra en la conocida SJP nº 8 de Sevilla 29 julio 2005 (Ar. 500), que resolvió en primera instancia el llamado *"caso Farruquito"*.

A) Según el relato de hechos probados que se contiene en esta resolución, los dos acusados, D. y J.M., circulaban como conductor (carente de permiso de conducción) y copiloto, respectivamente, a bordo de un vehículo (que carecía, a su vez, de seguro de responsabilidad civil) "en torno a los 80 Km/h" cuando el conductor "se percató que dos viandantes cruzaban el citado paso de peatones, ante ello reaccionó realizando dos maniobras evasivas, cuales son una frenada de emergencia y un volantazo brusco a la izquierda, invadiendo el carril de sentido contrario para eludir al peatón, A., que a diferencia de su compañero que al ver el vehículo retrocedió, decidió correr para salir de su trayectoria. El atropello se produjo en el punto 1,6 metros de la doble línea longitudinal que separa los dos sentidos de la marcha, concretamente ya en el carril izquierdo del sentido contrario al que llevaba el vehículo conducido por Donato, el golpe se produjo con la zona frontal izquierda, *la velocidad del vehículo al impactar era de 48 Km/h aproximadamente y el cuerpo de A. fue lanzado a 13,40 metros del punto de colisión. Tras el atropello, el vehículo detuvo la marcha mirando ambos ocupantes hacia atrás y percatándose de que 3 ó 4 personas rodeaban al peatón atropellado, decidiendo el conductor abandonar el lugar de los hechos, haciéndolo a gran velocidad y sin respetar alguno o algunos de los semáforos que le vinculaban"* (cursiva añadida).

Por lo que al delito de omisión del deber de socorro respecta, la sentencia condenó al conductor por el delito de omisión del deber de socorro cualificado del art. 195.3 CP con la atenuante analógica del art. 21.6ª CP en relación con la de colaboración con la Administración de Justicia (art. 21.4ª CP: *"son circunstancias atenuantes: (...) 4ª. La de haber procedido el culpable, antes de conocer que el procedimiento judicial se dirige contra él, a confesar la infracción a las autoridades"*); absolviendo, en cambio, al copiloto por el delito de omisión del deber de socorro (art. 195.1 CP) del que fue acusado. La resolución que ahora nos ocupa declara probado que los acusados, el conductor y su copiloto, abandonaron el lugar de los hechos después de haber comprobado que la víctima estaba acompañada por tres personas. Por esta razón, la víctima no se encontraría en la situación de desamparo y peligro manifiesto y grave exigida por el art. 195.1 CP, por lo que dicho precepto no sería aplicable al copiloto. El Juez llega a esta conclusión apoyándose exclusivamente en las declaraciones de los acusados y un hermano de éstos, que se auto-inculpó de los hechos, así como en las declaraciones de las personas presentes en el lugar de los hechos. Los primeros afirmaron que el conductor paró el coche, miró y al ver a gente, huyó del lugar. Los segundos, que vieron de lejos como un vehículo detenía su marcha y la proseguía seguidamente. No obstante, el Juez consideró aplicable al piloto el art. 195.3 CP, al obligar este precepto a permanecer en el lugar de los hechos también en aquellos supuestos en los que la víctima estaría siendo auxiliada por terceras personas, pero de un modo insuficiente.

La resolución que ahora nos ocupa resulta criticable, cuanto menos, por dos razones: *a)* en contra de lo que dicha resolución concluye, no es en absoluto seguro que falte la situación de desamparo y peligro manifiesto y grave del art. 195.1 CP; y *b)* si dicha situación típica brillase por su ausencia, tampoco el art. 195.3 CP podría ser aplicado al conductor del automóvil.

a) Como es sabido, corresponde a la primera instancia jurisdiccional (en este caso, el Juzgado de lo Penal), conforme a lo establecido en el art. 741 LECrim, otorgar mayor credibilidad a un testigo frente a otro, al ser el juicio celebrado ante el Juez *a quo* aquél en el que cobrarían plena vigencia los principios de oralidad, inmediación y contradicción. Por todo ello, en lo que concierne a la valoración de la prueba, el Juez *a quo* se encuentra en una posición privilegiada con respecto a la segunda instancia y, en sede de apelación ante la Audiencia Provincial, a esta última instancia no le es posible modificar aquella valoración cuando, como ocurre en el presente caso, no se celebre vista oral ante la misma. La única excepción a este planteamiento viene representada por los supuestos en los que se produzca un error notorio, o la valoración de la prueba realizada por el Juez *a quo* sea absurda o ilógica o, por último, no cuente con sustrato fáctico suficiente. En este contexto, podemos aventurarnos a afirmar (aun sin haber tenido acceso, como es obvio, al acta del Juicio Oral o a la eventual copia audiovisual del plenario) lo siguiente: a la vista del relato de hechos probados y de la fundamentación jurídica, la valoración de la prueba realizada por el Juez resulta muy cuestionable.

Esto es así al menos en relación con dos extremos: la inexistencia de una situación de desamparo y el conocimiento de dicha supuesta situación por parte de los acusados.

Por lo que respecta al primero de ellos, la sentencia fundamenta la inexistencia de una situación de desamparo y peligro manifiesto y grave para la víctima en la permanencia en el lugar de los hechos de tres personas, una de las cuales era médico, concretamente cardió-logo. No obstante, no entra en la cuestión, decisiva, de si esa ayuda era o no suficiente, o en la de si los acusados podrían haber incre-mentado las probabilidades de que el resultado de muerte que final-mente se produjo hubiese podido evitarse, por ejemplo, trasladando de inmediato a la víctima a un centro sanitario. A este respecto, debe señalarse que, por lo que parece, ninguna de las personas que inten-taron ayudar a la víctima pudo acompañarla a un centro sanitario, por no disponer, a diferencia de lo que ocurría con los acusados, de vehículo propio. La insuficiencia del auxilio de las tres personas que permanecieron en el lugar del accidente viene acreditada, además, por el hecho de que finalmente no pudieron evitar el resultado de muerte que efectivamente se produjo.

La sentencia que ahora nos ocupa afirma, en segundo lugar, que los acusados conocían perfectamente la situación de amparo y falta de peligro inminente y grave en la que se encontraba la víctima. La resolución considera suficientemente probado este extremo a partir de las declaraciones prestadas por los dos acusados, un hermano de ambos, y tres de las personas que permanecieron en el lugar de los hechos. Sin embargo, la valoración que el Juez hace de dicha prueba testifical resulta cuestionable por diversos motivos.

En cuanto a las confesiones prestadas en la causa por los dos acusados y el hermano de éstos que se autoinculpó, la credibilidad que deben merecer todas ellas es, en el mejor de los casos, sólo muy relativa. Porque, como se deduce de un modo evidente, todos ellos tienen un interés directo en provocar con sus confesiones el dictado de una sentencia absolutoria. En cuanto a tres de las personas que permanecieron en el lugar de los hechos, dos de ellas —una, además, con contradicciones entre lo declarado en la fase de instrucción y el Juicio Oral— se limitaron a afirmar que "a lo lejos vio frenar un co-che para luego irse", sin concretar si el coche en cuestión era o no el de los acusados. Por último, una tercera únicamente admitió haber visto "tras el impacto vio luces de freno". Un cuarto testigo "negaba originariamente de modo contundente que frenara, pues asegura que oyó el golpe, vio a A. por los aires cayendo a sus pies y mirando inmediatamente al coche, al que no perdió de vista hasta que giró por la Avda. Cruz del Campo, si bien al concluir su declaración en el juicio oral explicó que no puede asegurar al 100% que no perdiera de vista al vehículo y se detuviera no sabe cuántos segundos a mirar a A.". Y los restantes testigos no pudieron afirmar que los acusados detuviesen el vehículo, ya que no se fijaron en si dicho extremo tenía lugar o no. Pese a todo lo anterior, el Juez de lo Penal entiende, de modo altamente cuestionable, que "la prueba desplegada permite tener por acreditado que D. sí detuvo el vehículo tras el atropello y por ello nada permite dudar de que lo manifestado relativo a que miró por el retrovisor e incluso volvió la cabeza, fuera cierto, y de ello podemos deducir que efectivamente vio alrededor varias personas pues inmediatamente a su lado acudieron A., A. y C.C. que era médico cardiólogo y tras ello decidió abandonar el lugar en vez de quedarse, abandono que según nos cuenta N. fue a gran velocidad sin respetar los semáforos que le vinculaban, conducción ésta que se produce pues en la huída y por ello convierte la misma en actos de auto encubrimiento impunes e inoperantes para acudir al contenido del art. 381 del Código Penal (...) al no constar peligro concreto para personas. De lo declarado probado pretende deducir la defensa tanto de D. como de J.F. que no concurre la situación de desamparo en la víctima pues el conductor y su acompañante se percataron de que estaba siendo asistida".

Adviértase, sin embargo, que en el negado supuesto de que se entendiese probado que los acusados llegaron a detener el vehículo después del accidente, ello no significaría, sin embargo, que se hubiesen apercibido de la ausencia de situación de desamparo. En primer lugar, debe recordarse que, según la doctrina y la jurisprudencia absolutamente dominantes, no basta con que el sujeto activo tenga conocimiento de que la víctima se encuentra *acompañada* por uno o varios sujetos, sino que es necesario, además, que sepa que está siendo *auxiliada* de un modo mínimamente *suficiente*. En segundo lugar, por lo que parece, los acusados detuvieron el vehículo durante un brevísimo espacio de tiempo, y a una distancia muy considerable del lugar del accidente. De estas dos circunstancias bien podría extraerse la conclusión contraria a la deducida por el Juez. Esto es, que lo acusados no pudieron conocer con un mínimo de precisión el grado de auxilio que estaba recibiendo la víctima. Una buena prueba de la reducidísima visibilidad de los acusados puede encontrarse, por ejemplo, en el hecho de que uno de ellos llegó a afirmar "que incluso creyó ver levantarse a la víctima", lo cual es evidente que nunca pudo ocurrir. A mayor abundamiento, debe señalarse que, en contra de lo que parece deducirse tácitamente de la sentencia a la que ahora nos referimos, lo que los acusados seguro que no pudieron saber es que uno de los sujetos que permaneció en el lugar del accidente para socorrer a la víctima era cardiólogo, ya que resulta ocioso advertir que dicho extremo no resulta "manifiesto, es decir, perceptible para un sujeto carente de conocimientos sanitarios", como exige la propia sentencia que ahora nos ocupa.

b) En cuanto al segundo elemento discutible de la sentencia, esto es, aquél según el cual el art. 195.3 CP sería aplicable aunque la víctima no se encontrase desamparada y en peligro manifiesto y grave, la principal observación que debe realizarse es la siguiente: en el negado supuesto de que se considerase demostrado que los acusados abandonaron el lugar del accidente previa comprobación de que la víctima no requería ayuda, la consecuencia de ello no consistiría —como erróneamente afirma la sentencia— en la aplicabilidad analógica (art. 21.6ª CP) de la atenuante de colaboración con la Administración de Justicia (art. 21.4ª CP), sino en la absolución. La solución adoptada por la SJP nº 8 de Sevilla 29 julio de 2005 sitúa a esta resolución en la senda de aquéllas que, erróneamente, entienden el delito de omisión del deber de socorro cualificado del art. 195.3 CP como si de un *delito de fuga* se tratara. Además, la atenuante del art. 21.4ª CP exige que el acusado coopere con la Administración de Justicia, no con la víctima, por lo que *ninguna analogía* con ella presentaría la supuesta comprobación por parte de los procesados de que la víctima se encontraba auxiliada por terceros en el momento en que los primeros emprendieron su huida.

B) Contra la SJP nº 8 de Sevilla 29 julio 2005, que acaba de ser someramente analizada, interpusieron recursos de apelación el Ministerio Fiscal, la representación procesal de la acusación particular y la defensa del acusado J.M.F.M. Los recursos fueron resueltos por la reciente SAP Sevilla 4 septiembre 2006. En esta segunda sentencia, la Audiencia Provincial de Sevilla revocó la sentencia de instancia, y, en consecuencia, procedió a condenar a J.M.F.M.: *a)* como autor de un delito de homicidio por imprudencia en concurso con un delito contra la seguridad del tráfico, a las penas de dos años de prisión con la accesoria de inhabilitación especial para el derecho de sufragio pasivo durante el tiempo de la condena, y de privación durante tres años y seis meses del permiso de conducir vehículos de motor y ciclomotores; y al pago de las indemnizaciones correspondientes; *b)* como autor de un delito de omisión del deber de socorro ya definido y circunstanciado, a las penas de un año de prisión con la misma accesoria de inhabilitación, y de multa de doce meses con cuota diaria de cien euros, quedando privado de libertad un día en caso de impago de cada dos de dichas cuotas, y pudiendo abonarlas en seis plazos mensuales de igual cuantía; y *c)* como autor por inducción de un delito de simulación de delito ya definido, sin circunstancias modificativas de la responsabilidad criminal, a una pena de multa de doce meses con cuota diaria de cien euros, quedando privado de libertad un día en caso de impago de cada dos de dichas cuotas, y pudiendo abonarlas en seis plazos mensuales de igual cuantía.

La revocación de la SJP nº 8 de Sevilla 29 julio 2005 operada por la SAP Sevilla 4 septiembre 2006 se apoya, principalmente, en una importante revisión de la valoración de la prueba por parte de la segunda instancia, que la lleva a transformar considerablemente los hechos reputados como probados por la primera. En los que aquí interesa, el extenso relato de hechos probados que se encuentra en la SAP Sevilla 4 septiembre 2006 reza como sigue: *"El acusado J.M.F.M., mayor de edad, compró el día 11 de septiembre de 2003 el turismo de la marca BMW modelo 530 D matrícula 0324 CFW, de seis cilindros y 2.926 centímetros cúbicos de cilindrada; y el día 30 de ese mismo mes y año, habiéndolo pilotado en muy pocas ocasiones y sabiendo que carecía de seguro obligatorio de responsabilidad civil, lo condujo estando cansado para comprobar sus prestaciones por diversas vías públicas de Sevilla. Lo acompañaba el acusado J.R.S., mayor de edad, que ocupó el asiento delantero derecho. J.M.F. carecía entonces de permiso de conducir vehículos de motor, y eran escasos sus conocimientos sobre la conducción de automóviles. Siendo aproximadamente las 22´15 horas, condujo así el turismo BMW mencionado por la Avenida de Pedro Romero; y al llegar al cruce con la calle Tesalónica prosiguió su marcha, adelantando por la izquierda a dos automóviles que le precedían y que estaban detenidos por lucir en rojo el semáforo allí existente, siendo continua la línea pintada en el eje de la calzada. De todo ello se dio cuenta J.M.F., el cual una vez pasado el cruce acabado de mencionar, continuó conduciendo el BMW por la calle Doctor Laffón Soto, que venía a ser la prolongación de la Avenida de Pedro Romero, y que tenía dos carriles en cada sen-*

tido de marcha con el firme en buen estado, siendo de catorce metros la anchura total de la calzada, estando entonces suficientemente iluminada por farolas de alumbrado público, y existiendo en la misma un paso de peatones indicado con señales horizontales y verticales a la altura de la entrada y salida del Complejo Deportivo San Pablo. J.M.F. entró en la calle Doctor Laffón Soto conduciendo el BMW a una velocidad superior a la máxima autorizada de 40 Km/h, sin prestar atención a la señales de tráfico y a los vehículos o personas que pudiera haber en la calzada o en sus inmediaciones. Por ello, no se percató de las señales de limitación de velocidad, y tampoco se dio cuenta hasta encontrarse a escasa distancia, de que existía el paso de peatones mencionado, y de que lo atravesaban dos personas de derecha a izquierda según el sentido en que circulaba. Para sortear a esas dos personas, J.M.F. frenó y giró el volante hacia la izquierda. El BMW pasó así a la calzada izquierda, según el sentido en que circulaba; y allí, en el mismo paso de peatones y a una distancia de 1´60 metros del eje de la calzada, atropelló a B.O.L., nacido el 26 de agosto de 1968, el cual era una de aquellas dos personas que corriendo intentaba en ese momento sortear al BMW, como consecuencia de cuyo impacto salió proyectado y cayó al suelo a una distancia de 13´40 metros, resultando como consecuencia con daños el BMW. J.M.F. prosiguió inmediatamente después su marcha, disminuyendo en un primer momento la velocidad del BMW; y después de comprobar girando la cabeza o mirando por los espejos retrovisores, que había varias personas junto a B.O., aceleró de nuevo y se fugó sin intentar prestarle auxilio"[40].

En lo que concierne al delito de omisión del deber de socorro cualificado, la SAP Sevilla 4 septiembre 2006 confirma la condena impuesta por el Juez *a quo* como autor de un delito de omisión del deber de socorro del artículo 195.1.3 CP, dando por reproducida la fundamentación jurídica sobre este particular que se encuentra en la SJP nº 8 de Sevilla 29 julio 2005. Desde este punto de vista, a la SAP Sevilla 4 septiembre 2006 deben hacerse extensivas las consideraciones críticas formuladas en relación a la SJP nº 8 de Sevilla 29 julio 2005, con la única excepción de lo que se refiere a la circunstancia de si el conductor detuvo, o no, su vehículo después del atropello antes de proseguir la marcha. Sobre este particular, la SAP Sevilla

---

[40]   Hechos Probados Primero a Sexto.

4 septiembre 2006 viene a coincidir con el comentario crítico a la SJP n° 8 de Sevilla 29 julio 2005 que se encuentra en el presente trabajo cuando afirma que *"en cualquier caso, que detuviese entonces su vehículo o que sólo disminuyera su velocidad, es un dato de escasa trascendencia. Lo decisivo para la aplicación que ratificamos del artículo 195.1.3 CP, es que sabiendo J.M.F. que había atropellado a una persona, sin embargo después de comprobar que había varias personas junto a la misma tendida en el suelo, mirando hacia atrás o por los espejos retrovisores, continuó circulando fugándose sin intentar prestarle auxilio y sin cerciorarse de si estaba siendo debidamente atendida. Todo ello pese a ser consciente de que tenía necesariamente que haber sufrido lesiones graves, dada la violencia del impacto del BMW contra la misma. Es esta conducta gravemente insolidaria de Juan Manuel Fernández lo que le convierte en autor de un delito agravado de omisión del deber de socorro"*[41].

2.1.4. Como se ha señalado, en un número considerable de resoluciones judiciales el TS parte de la premisa de que en la base del comportamiento del conductor que no se detiene tras haber puesto en peligro de forma imprudente la vida o la integridad física de la víctima existiría un deseo de sustraerse a la acción de la Justicia igualmente reprobable. Según el TS, el responsable del accidente debería haber permanecido en el lugar de los hechos para no huir de la Justicia por el delito imprudente cometido. De conformidad con este planteamiento, si el sujeto huye deberá responder como autor del delito del art. 195.3 CP, y ello con total independencia de si la víctima está siendo auxiliada por terceras personas o no, o de si la víctima continúa con vida o ya ha fallecido. Así concebido, el delito previsto en el art. 195.3 CP sería un *delito de fuga*.

En nuestra opinión, esta línea jurisprudencial es *completamente censurable*. En primer lugar, puesto que el accidente del art. 195.3 CP puede ser imprudente o fortuito, la obligación personal de permanecer en el lugar de los hechos para no sustraerse a la acción de la Justicia sólo tendría sentido en el primero de los dos casos mencionados, ya que los supuestos en los que un sujeto lesiona un bien jurídico de modo fortuito quedan, de acuerdo con lo dispuesto por el art. 10 CP, impunes. En segundo lugar, también se ha destacado que en el delito del art. 195.3 CP lo decisivo no consiste en si el causante

---

[41]   Fundamento de Derecho Decimocuarto.

del accidente ha permanecido o no en el lugar de los hechos, sino en si recae sobre su persona un especial deber jurídico de socorrer a la víctima. En efecto, en caso afirmativo, esto es, cuando la víctima se encuentre desamparada y en peligro manifiesto y grave, si el responsable del accidente decide permanecer junto a la víctima, pero a pesar de ello no la socorre efectivamente, el sujeto deberá responder penalmente[42]. Por último, si el bien jurídico protegido en el art. 195.3 CP es la solidaridad con respecto a la vida o la salud individual de la víctima, entonces cuando el causante del accidente se marche conociendo que la víctima ya está siendo atendida, o que no lo necesita (por no hallarse en situación de desamparo o por haber fallecido ya) no infringirá dicho deber.

Coincide con este punto de vista crítico un importante sector de la doctrina[43] y un sector de la jurisprudencia tanto de las Audiencias Provinciales como del Tribunal Supremo. Así lo ha reconocido, por ejemplo, la STS 19 enero 2000 (Ar. 435) y las SSAP Granada 2 marzo 2001 (Ar. 149802) y Madrid 2 julio 2004 (Ar. 267829), que condenó a quien, a pesar de detenerse, lo hizo para mirar hacia el lugar del accidente, pero sin preocuparse en acudir en ese primer instante a socorrer a la víctima. De acuerdo con esta línea jurisprudencial, cuando la víctima no se encuentre desamparada, por estar siendo atendida por terceros o por haber fallecido, resulta completamente irrelevante para la vida o la salud individual de la víctima si el responsable del accidente permanece en el lugar en el que éste ha tenido lugar o bien decide huir del mismo, ya que nada puede hacer por ella. Esta tesis, enteramente compartible, se encuentra, por ejemplo, en la fundamentación jurídica de la SAP Jaén 10 marzo 2000 (Ar. 530); y en la reciente SAP A Coruña 26 mayo 2006, que se expre-

---

[42] GARCÍA ALBERO, R., en QUINTERO OLIVARES, G. (dir.) / MORALES PRATS, F. (coord.), *Comentarios a la Parte Especial del Derecho penal*, 5ª ed., 2005, p. 386.

[43] RODRÍGUEZ MOURULLO, G., en RODRÍGUEZ MOURULLO, G. (dir.) / JORGE BARREIRO, A. (coord.), *Comentarios a Código penal*, 1997, pp. 556 s.; DÍAZ Y GARCÍA CONLLEDO, M., en VV.AA., *Derecho de la circulación*, 1993, pp. 217 ss.; CARBONELL MATEU, J.C. / GONZÁLEZ CUSSAC, J.L., en VIVES ANTÓN, T.S. / ORTS BERENGUER, E. / CARBONELL MATEU, J.C. / GONZÁLEZ CUSSAC, J.L. / MARTÍNEZ-BUJÁN PÉREZ, C., *Derecho penal, PE*, 2004, p. 308; SOLA RECHE, E., en DÍEZ RIPOLLÉS, J.L. / ROMEO CASABONA, C. (coords.), *Comentarios al Código penal, PE*, II, 2004, p. 626; DEL ROSAL BLASCO, B., en COBO DEL ROSAL, M. (coord.), *Derecho penal español, PE*, 2ª ed., 2005, p. 336.

sa en los siguientes términos: *"En el caso que ahora nos ocupa, del examen de lo manifestado en el acto de la Vista por las testigos S. y C., cuando reconocen que vieron bajarse de la furgoneta al conductor tras el accidente, y, sobre todo, que los que circulaban en el ciclomotor fueron inmediatamente atendidos por las personas que, como ellas, se acercaron a las víctimas;* «*... se acercó mucha gente a atender a los heridos,... de modo inmediato al accidente se bajó o acercó más gente al accidente...*»*;* «*...llamaron a la ambulancia en el mismo momento del accidente...*»*, relataron ambas testigos reseñadas, por lo que la Sala no observa una situación de desamparo y de peligro manifiesto y grave de la fallecida en los términos expuestos. Si la actitud del acusado fue de una total pasividad, pues nada vino a hacer en favor de las víctimas, dado que estas fueron auxiliadas por viandantes que se encontraban en la zona hasta que llego el personal facultativo, y, por lo tanto, en ningún momento, se encontraron en una situación de desamparo o de peligro de abandono que pudiera justificar la aplicación del precepto indicado. Por ello, y aún destacando lo inadecuado de la conducta del acusado, su reprobabilidad social y lo incívico de su actuación, desde el punto de vista de los requisitos objetivos del tipo penal aplicado, procede la estimación de este punto del recurso de apelación, como decíamos, pues del relato de hechos probados no se desprende la concurrencia de los elementos definidores del delito de omisión del deber de socorro como se ha indicado, por lo que ante la falta de tipicidad de la conducta declarada probada procede la absolución del acusado del delito de omisión que había sido declarado en la sentencia recurrida"*[44].

3. Las consecuencias jurídicas del delito

3.1. La pena

Como ya se ha señalado, la *pena* prevista en el art. 195.3 CP es de prisión de seis meses a dieciocho meses si el accidente es ocasionado fortuitamente, y de prisión de seis meses a cuatro años si es debido a imprudencia. Antes de la LO 15/2003, las penas previstas eran sensiblemente más bajas: prisión de seis meses a un año y multa de seis a doce meses para los casos de accidente fortuito, y de seis meses a dos años y multa de seis a veinticuatro meses para los de

---

[44]   Cursiva añadida.

accidente imprudente. La razón de este aumento de la pena, especialmente notable en el caso de accidente imprudente, consiste en evitar la suspensión y sustitución de la pena en los casos más graves. En los casos menos graves, cuando, de acuerdo con lo previsto en el art. 66 CP, la pena resultante no sea superior a dos años, podrá suspenderse su ejecución siempre y cuando concurran los requisitos exigidos por el art. 81 CP. Cuando la pena no sea superior a un año o, excepcionalmente, dos años, podrá sustituirse la pena de prisión por multa o trabajos en beneficio de la comunidad *"cuando las circunstancias personales del reo, la naturaleza del hecho, su conducta y, en particular, el esfuerzo para reparar el daño causado así lo aconsejen, siempre que no se trate de reos habituales"*[45]. También podrán imponerse una o varias obligaciones o deberes previstos en el art. 83 CP.

3.2. La responsabilidad civil *ex delicto*

Desde que así lo declarase el TC en su sentencia 181/2000, de 29 de junio, el baremo introducido por la Disposición Adicional Octava de la LO 30/95 es de aplicación vinculante para Jueces y Tribunales "en todo lo que atañe a la apreciación y determinación, tanto en sede civil como en los procesos penales, de las indemnizaciones que, en concepto de responsabilidad civil, debe satisfacerse para reparar los daños personales irrogados en el ámbito de la circulación de vehículos de motor". No obstante, por lo que respecta a los posibles daños morales derivados de la omisión del deber de socorro, la jurisprudencia no solo no considera aplicable la mencionada norma, sino que entiende que no cabe indemnización alguna en favor de la víctima individual del accidente, al ser el delito de omisión del deber de socorro un delito contra la colectividad. En supuestos de lesiones provocadas por un accidente previo, cuando no existe situación de desamparo de la víctima y el sujeto que ha ocasionado el accidente permanece en el lugar de los hechos auxiliando a la víctima las Audiencias Provinciales suelen aplicar en relación con el delito de lesiones la atenuación de reparación prevista en el art. 21.5º CP[46].

---

[45]   Cursiva añadida.
[46]   Una muestra de ello es la SAP Guipúzcoa 10 julio 2001 (Ar. 308206).

4. Algunas cuestiones procesales

En lo relativo a *aspectos procesales*, según el *principio acusatorio*, el juzgador de instancia no puede penar por un delito más grave que el que ha sido objeto de acusación; tampoco puede castigar infracciones por las que no se ha acusado, ni por un delito distinto del que ha sido objeto de acusación; y, por último, tampoco puede apreciar circunstancias agravantes o subtipos agravados no invocados por la acusación. Este principio tiene dos excepciones: el uso de la facultad concedida en el art. 733 de la Ley de Enjuiciamiento Criminal, de planteamiento de la tesis y de su asunción por cualquiera de las acusaciones; y que el delito calificado por la acusación y el recogido en la sentencia sean homogéneos, en el sentido que todos los elementos del segundo estén contenidos en el tipo delictivo objeto de la acusación, es decir que en la condena no exista un elemento nuevo del que el condenado no haya podido defenderse[47]. En su sentencia 75/2003, de 23 de abril (Ar. 75), el TC ha declarado que entre los delitos de omisión del deber de socorro y homicidio imprudente no existe relación de homogeneidad. De este modo, cuando un sujeto sea acusado sólo por homicidio o lesiones imprudentes, y no por omisión del deber de socorro, no podrá ser condenado por este último delito[48].

5. Consideraciones de lege ferenda

5.1. Desde un punto de vista político-criminal *de lege ferenda*, no existe acuerdo doctrinal sobre si los deberes jurídico-penales de solidaridad son, o no, susceptibles de graduación. En opinión de algunos autores, el deber de socorro es igual para todo el mundo, careciendo de sentido, por ello, castigar con una pena superior a quien haya ocasionado el accidente de manera fortuita o imprudente y posteriormente no socorra a la víctima, por ejemplo, para garantizar su impunidad. Se trataría de una conducta de autoencubrimiento, considerada impune en general por el legislador penal español, tanto desde un punto de vista material como procesal (derecho constitu-

---

[47]   SSTS 26 febrero 1994 (Ar. 1127); 22 diciembre 1995 (Ar. 9449); 15 marzo 1997 (Ar. 2329); 3 abril 1997 (Ar. 2694); 7 octubre 1998 (Ar. 8050).

[48]   Así lo entendió, por ejemplo, la SAP Granada 24 julio 2003 (Ar. 223517).

cional a no declararse culpable)[49]. Una de las posibles consecuencias de este punto de vista sería la recomendación de *lege ferenda* de que el art. 195.3 CP sea derogado.

Sin embargo, en nuestra opinión, resulta más atendible el punto de vista contrario. El art. 195.3 CP debe mantenerse. En el ámbito de los delitos de omisión resulta conveniente distinguir, entre los delitos de omisión pura y los delitos en comisión por omisión, una tercera categoría intermedia: la de los delitos de omisión pura de garante. En ellos, el autor ocuparía una posición de garante, pero no sería posible establecer la equivalencia material y estructural en el plano normativo que exige el art. 11 CP para hacerle responder por el resultado[50]. El delito del art. 195.3 CP es un delito de omisión pura de garante[51]. En términos de responsabilidad penal por la deficiente organización de su propia esfera de actuación, merece ser castigado con mayor pena quien ha causado el accidente que quien no ha tenido nada que ver con el mismo. Por todo ello, consideramos que la técnica legislativa empleada por el legislador en el precepto de referencia, que ya constituye entre nosotros una arraigada tradición, es merecedora de ser ampliamente compartida[52].

---

[49] Representan esta dirección, entre otros, Rebollo Vargas, R., en Córdoba Roda, J. / García Arán, M., *Comentarios al Código penal*, PE, I, 2004, p. 438; Portilla Contreras, G., "La omisión del deber de socorro", en VV.AA., *El nuevo Derecho penal español. Estudios penales en memoria del profesor José Manuel Valle Muñiz*, 2001, p. 1682.

[50] De la misma opinión Díaz y García Conlledo. M., "Omisión de socorro a la propia víctima", en de Vicente Martínez, R. (dir.), *Derecho penal y seguridad vial*, EDJ 114, 2007, p. 34.

[51] Díaz y García Conlledo. M., "Omisión de socorro a la propia víctima", en de Vicente Martínez, R. (dir.), *Derecho penal y seguridad vial*, EDJ 114, 2007, p. 35.

[52] En idéntico sentido Silva Sánchez, J.M., "La regulación de la ããcomisión por omisiónõõ (artículo 11)", en el mismo, *El nuevo Código penal: cinco cuestiones fundamentales*, 1997, pp. 72 s.; el mismo, en Cobo del Rosal, M. (dir.), *Comentarios*, I, 1999, pp. 468 ss.; Gimbernat Ordeig, E., en Cobo del Rosal, M. (dir.), *Comentarios*, I, 1999, pp. 417 s.; Gracia Martín, L., "Los delitos de comisión por omisión (Una exposición crítica de la doctrina dominante)", en VV.AA., *Modernas tendencias en la Ciencia del Derecho penal y en la Criminología* (Congreso Internacional Facultad de Derecho de la UNED, Madrid, 6 al 10 de noviembre de 2000), Universidad Nacional de Educación a Distancia, 2001, pp. 477 s.

5.2. No obstante, resulta dudoso que tenga mayor deber de socorrer a la víctima, debiendo responder con más pena si lo infringe, quien ha causado el accidente de manera fortuita que quien no ha tenido nada que ver con el mismo. Por esta razón, recomendamos la *eliminación del art. 195.3 CP de la referencia a la producción fortuita del accidente*, quedando reducido el ámbito de aplicación del precepto de referencia, por tanto, a los casos de accidentes imprudentes. De este modo, en los casos de accidente fortuito seguido de omisión del deber de socorro, el omitente sólo debería ser castigado, en nuestra opinión, por omisión del deber de socorro simple del art. 195.1 o 2 CP[53].

5.3. Para evitar la incorrecta interpretación del art. 195.3 CP como un simple *delito de fuga* realizada por una parte importante de la jurisprudencia española, proponemos dos redacciones alternativas del precepto que nos ocupa: *"Si la víctima a la que se refiere el apartado 1..."*; o *"Si la persona que se halle desamparada y en peligro manifiesto y grave..."*.

IV. COMISIÓN POR OMISIÓN (ART. 11 CP)

1. La posición de garante en los supuestos de tráfico

1.1. En algunos supuestos el deber de solidaridad con respecto a la víctima de un accidente puede llegar hasta el punto de obligar a determinados sujetos no solo a prestar auxilio a la víctima, sino a evitar que la víctima muera o resulte menoscabada en su integridad física o psicológica. La consecuencia de la infracción de dicho deber de evitar el resultado de muerte o lesión de la víctima consiste en hacer responder al infractor por la no evitación del resultado como si lo hubiese causado activamente. En este contexto, la cuestión decisiva consiste en determinar cuáles son los sujetos que ocupan dicha posición de deber especial, de tal modo que la no evitación del resultado equivaldría a su causación activa.

1.2. No siempre que se produce un resultado y un sujeto no lo evita cabe desvalorar esta falta de evitación del mismo modo que

---

[53]   También sugiere esta posibilidad PORTILLA CONTRERAS, G., en *LH-Valle Muñiz*, 2001, p. 1682

si hubiese causado activamente el resultado. Ello sólo es posible cuando el sujeto que no evita el resultado se encuentra en *posición de garante* de la indemnidad del bien jurídico. Esta posición se da cuando el sujeto está encargado del cumplimiento de una función de protección del bien jurídico o de una función personal de control de una fuente de peligro. Esta idea procede de la llamada *"teoría de las funciones"*[54], que se opone a la llamada "teoría formal del deber jurídico", según la cual la posición de garante debería deducirse de la Ley o del contrato. A pesar de que esta última teoría es incorrecta, porque nada explica sobre el contenido material de injusto de los delitos en comisión por omisión, lo cierto es que parece haber sido acogida, al menos parcialmente, por el art. 11 CP[55]. En nuestra opinión, este precepto debe ser interpretado *restrictivamente*, de tal modo que la cuestión que ahora nos ocupa sea resuelta, de todos modos, de acuerdo con la teoría de las funciones. Así, toda posición de garante deberá contar con dos requisitos materiales comunes. El primero consistirá en la creación en un momento anterior de un peligro atribuible a su autor. El segundo, en que el bien jurídico quede "en manos" del autor, dependa personalmente de él[56].

1.3. *Formalmente*, el tenor literal del art. 11 b) CP permite incluir en su seno todos los casos en los que un sujeto ha puesto a la víctima en una situación de peligro mediante la realización de una conducta previa, dolosa, imprudente o fortuita. Sin embargo, consideramos que esta interpretación es *demasiado amplia*. No siempre que un sujeto cause un accidente deberá responder por el resultado como si lo hubiese causado activamente. Desde un *punto de vista material*, el precepto de referencia debe ser interpretado restrictivamente. En opinión de un importante sector doctrinal, el legislador penal habría dejado fuera del art. 11 CP no sólo los casos en los que el accidente se produzca de manera *fortuita*[57], sino también aquellos en los que

---

[54]   KAUFMANN, A., *Dogmática de los delitos de omisión* (trad. de la 2ª ed., alemana a cargo de CUELLO CONTRERAS, J. / SERRANO GONZÁLEZ DE MURILLO, J.L.), 2006, pp. 249 ss.

[55]   DÍAZ Y GARCÍA CONLLEDO. M., "Omisión de socorro a la propia víctima", en DE VICENTE MARTÍNEZ, R. (dir.), *Derecho penal y seguridad vial*, EDJ 114, 2007, p. 30.

[56]   En este sentido, por todos, MIR PUIG, S., *Derecho penal, PG*, 7ª ed., 2004, 12/33.

[57]   MIR PUIG, S., *Derecho penal, PG*, 7ª ed., 2004, 12/59 ss.

aquél tenga lugar por *imprudencia*. Según este punto de vista, la posición de garante quedaría reservada para aquellos sujetos que, habiendo causado *dolosamente* el accidente, hayan dejado a la víctima en una situación de desamparo y peligro manifiesto y grave[58].

1.4. Por nuestra parte, consideramos que el art. 11 CP resultará aplicable a todos aquellos casos en los que concurran los dos elementos característicos de la posición de garante antes mencionados: la *creación en un momento anterior de un peligro atribuible a su autor*; y la *situación de dependencia de la víctima con respecto al autor*[59]. El primer elemento faltará en todos los casos de accidente fortuito, con lo que estos supuestos ya quedarían fuera del art. 11 CP, debiendo aplicarse para ellos el art. 195.3 CP. Por lo que se refiere al segundo elemento, el relativo a la dependencia de la víctima con respecto al autor, ésta puede darse tanto en los casos de accidente imprudente como en los de accidente doloso[60].

1.5. Resulta particularmente problemático determinar cuándo podrá decirse que la víctima queda completamente en manos de quien ha ocasionado el accidente. Por lo demás, esta empresa excede sobradamente del objeto de estudio del presente trabajo. No obstante, permítasenos una breve referencia crítica a dos de las más recientes propuestas doctrinales formuladas sobre el particular.

15.1 En opinión de un primer sector doctrinal, aquello ocurrirá cuando el causante del accidente asuma voluntariamente una fun-

---

[58]   *Vid.* por todos, SILVA SÁNCHEZ, J.M., "La regulación...", en EL MISMO, *El nuevo Código penal*, 1997, p. 67; EL MISMO, en COBO DEL ROSAL, M. (dir.), *Comentarios*, I, 1999, p. 479; REBOLLO VARGAS, R., en CÓRDOBA RODA, J. / GARCÍA ARÁN, M., *Comentarios, PE*, I, 2004, p. 439. En la jurisprudencia *vid.*, entre otras, la SAP Granada 1 febrero 1999 (Ar. 225). En puridad de conceptos, en los casos de accidente doloso seguido de la no evitación del resultado por parte del causante del accidente, el sujeto debería ser castigado por el correspondiente delito doloso de acción. Ello se debe a que entre el delito activo y el cometido en omisión se daría la estructura propia de un concurso de leyes, que debe ser resuelto en favor del primero por aplicación del principio de consunción (art. 8.3ª CP).

[59]   MIR PUIG, S., *Derecho penal, PG,* 7ª ed., 2004, 12/33.

[60]   Comparte la tesis, aquí defendida, de que no todo actuar procedente imprudente da lugar, automáticamente, a comisión por omisión DÍAZ Y GARCÍA CONLLEDO. M., "Omisión de socorro a la propia víctima", en DE VICENTE MARTÍNEZ, R. (dir.), *Derecho penal y seguridad vial*, EDJ 114, 2007, pp. 28 ss. y 32.

ción de contención de los riesgos que amenazan a la víctima. Mediante dicha asunción, el conductor interrumpiría posibles cursos causales salvadores procedentes de terceras personas. Tales casos se darán cuando el causante del accidente asuma voluntariamente y de forma exclusiva la función de protección de la víctima, convenciendo a todos los terceros que podrían prestar ayuda o colaborar de algún modo de que no lo hagan, o incluso apartándola físicamente de aquéllos, abandonando posteriormente a la víctima y haciendo materialmente imposible la participación de aquéllos en su auxilio[61]. Frente a esta postura, cabe advertir, por de pronto, que la asunción voluntaria de una función de protección del bien jurídico constituye, por sí sola, una fuente material de la posición de garante. Por esta razón, resultan perfectamente imaginables supuestos de interrupción de cursos causales salvadores por parte de un sujeto que no haya causado (ni imprudentemente, ni de ningún otro modo) el accidente, sin que esto último sea en absoluto óbice para afirmar que dicho sujeto se encontraría en posición de garante[62].

15.2. Para otros autores, la aplicabilidad del art. 11 CP a los supuestos de injerencia previa imprudente exige que el causante del accidente tenga una especial capacidad para evitar el resultado sen-

---

[61] Defiende el planteamiento que acaba de ser expuesto, por ejemplo, LAMARCA PÉREZ, C., en LAMARCA PÉREZ, C. (coord.), *Derecho penal, PE*, 3ª ed., 2005, p. 178. Un buen ejemplo de esta clase de casos lo constituye el supuesto del que conoció la STS 21 diciembre 1977. Resumidamente, los hechos probados enjuiciados fueron los siguientes: el procesado circulaba por una carretera estrecha a una velocidad excesiva teniendo en cuenta la deficiente iluminación de la vía. Como consecuencia de ello, el conductor atropelló a cuatro chicas. A una de ellas, Carolina, de 13 años de edad, la llevó sobre el capó del coche durante 150 metros, huyendo posteriormente. La misma noche, el procesado volvió al lugar de los hechos, y, de forma subrepticia y al margen de la batida vecinal que se había organizado para encontrar a Carolina, que se encontraba desaparecida, la encontró, llevándosela a un cobertizo. El procesado retuvo a Carolina en el cobertizo en condiciones completamente insalubres, sin más abrigo que unos plásticos y papeles de periódico. Al cabo de 10 días, Carolina contrajo una pulmonía, que, unida a las lesiones provocadas por el accidente, le acabó provocando la muerte.

[62] Por ejemplo, si en el caso de la STS 21 diciembre 1977, el sujeto que priva a la víctima de todo posible curso salvador por parte de terceras personas nada hubiese tenido que ver con el accidente, resulta evidente que a partir del momento en que se produce la interrupción de todo posible curso causal salvador el mencionado sujeto se habría colocado en posición de garante.

siblemente superior a la del resto de posibles auxiliadores, de tal modo que su intervención evitaría el resultado de modo seguro o prácticamente seguro[63]. Ello ocurrirá, por ejemplo, cuando la víctima se encuentre completamente desprotegida, esto es, cuando la única persona que se halle en disposición de evitar el resultado sea el propio causante del accidente, por no haber nadie más en el lugar del accidente; o cuando, a pesar de que la víctima esté siendo auxiliada de algún modo por terceras personas, el causante del accidente pueda evitar el resultado lesivo con una probabilidad rayana en la certeza. Por ejemplo, por ser el único de los presentes en quien concurriría la cualidad de médico especialista, o por disponer de un potente vehículo con el que podría llegarse rápidamente a un hospital. Contra este segundo criterio cabe realizar, entre otras objeciones, la siguiente: en los casos de dolo eventual, perfectamente imaginables en los delitos cometidos en comisión por omisión, la probabilidad de que el peligro se realice en la lesión del bien jurídico no será, por definición, "rayana en la certeza". Si así fuera, nos encontraríamos en un supuesto de dolo directo de segundo grado[64].

2. Los casos de dolo sobrevenido

Cuando el dolo sea sobrevenido con respecto al accidente, esto es, cuando tras un accidente imprudente o fortuito el causante del mismo quiera que se produzca el resultado (por ejemplo, porque ha advertido que ha atropellado a un enemigo del que hacía tiempo que quería librarse) deberá apreciarse un concurso de delitos, castigándose por el delito previsto en el art. 195.3 CP y el delito correspondiente al resultado (homicidio, lesiones...)[65].

---

[63] *Vid.* Carbonell Mateu, J.C. / González Cussac, J.L., en Vives Antón, T.S. / Orts Berenguer, E. / Carbonell Mateu, J.C. / González Cussac, J.L. / Martínez-Buján Pérez, C., *Derecho penal, PE,* 2004, pp. 309 s. y 311.

[64] *Vid.* por todos, Mir Puig, S., *Derecho penal, PE,* 7ª ed., 2004, 10/84.

[65] *Vid.,* por ejemplo, Muñoz Conde, F., *Derecho penal. PE,* 16ª ed., 2007, p. 335.

3. *Consideraciones* de lege ferenda

3.1. Como ya ha puesto repetidamente de manifiesto un amplio sector doctrinal, *la redacción del art. 11 CP es muy deficiente*[66]. Puesto que, además, es un precepto innecesario, se recomienda su derogación, o la siguiente redacción alternativa: "Los delitos o faltas que consistan en la producción de un resultado sólo se entenderán cometidos por omisión cuando la no evitación del mismo equivalga, material y estructuralmente en el plano normativo, a su causación".

3.2. En caso de mantenerse la actual redacción del art. 11 CP, debería aclararse que la enumeración de fuentes de posición de garante que en él se formula es *meramente ejemplificativa*[67]. Ello podría conseguirse, por ejemplo, añadiéndose después de "a tal efecto se equiparará la omisión a la acción", la expresión *"por ejemplo"*.

3.3. También nos parece discutible el contenido de la letra *b)* del segundo inciso del art. 11 CP, al equiparar la omisión a la acción *"cuando el omitente haya creado una ocasión de riesgo para el bien jurídicamente protegido mediante una acción u omisión precedente"*. Creemos que sería preferible que la *"acción u omisión precedente"* a la que se refieren el precepto fueran, exclusivamente, las *dolosas*. En la actual redacción del art. 11, inciso segundo, letra *b)* CP no se excluye ninguna clase de acción precedente, ni siquiera las fortuitas. Sin embargo, entendemos que en los casos de accidente fortuito, la posterior no evitación del resultado por omisión del deber de socorro nunca puede equivaler *"según el sentido del texto de la Ley, a su causación"*. También en relación con los casos de accidente previo causado por imprudencia, consideramos que la regulación prevista en el CP resulta insatisfactoria. Se trata de supuestos de gravedad intermedia entre los de homicidio doloso en comisión por omisión y

---

[66]   De la misma opinión GIMBERNAT ORDEIG, E., en COBO DEL ROSAL, M. (dir.), *Comentarios*, I, 1999, pp. 409 ss.; SILVA SÁNCHEZ, J.M., en COBO DEL ROSAL, M. (dir.), *Comentarios*, I, 1999, pp. 441 ss.; DÍAZ Y GARCÍA CONLLEDO. M., "Omisión de socorro a la propia víctima", en DE VICENTE MARTÍNEZ, R. (dir.), *Derecho penal y seguridad vial*, EDJ 114, 2007, p. 31. También crítica con el precepto se muestra HUERTA TOCILDO, S., *Principales novedades de los delitos de omisión en el Código penal de 1995*, 1997, 47 ss.

[67]   SILVA SÁNCHEZ, J.M., "La regulación...", en EL MISMO, *El nuevo Código penal*, 1997, p. 68; DÍAZ Y GARCÍA CONLLEDO. M., "Omisión de socorro a la propia víctima", en DE VICENTE MARTÍNEZ, R. (dir.), *Derecho penal y seguridad vial*, EDJ 114, 2007, p. 31.

los constitutivos del delito de omisión del deber de socorro. Según esto, la pena que estos supuestos merecerían es, o bien la pena correspondiente al homicidio doloso en comisión por omisión atenuada, o bien la pena del delito de omisión de deber de socorro agravada. El legislador español no habría optado ni por la primera ni por la segunda solución, ya que ni el art. 11 CP ni 195.3 CP lograrían satisfacer correctamente el objetivo de castigar los supuestos de actuar precedente imprudente con la pena que realmente merecen[68].

---

[68]   MIR PUIG, S., *Derecho penal, PG,* 7ª ed., 12/65 ss.

EL ENDURECIMIENTO DE LAS PENAS DE LOS DELITOS DE TRÁFICO COMO MEDIDA DE MEJORA DE LA SINIESTRALIDAD[1]

Fco. Javier Villalba Carrasquilla
Subdirector Gral. Adjunto de Recursos
Subdirección General de Normativa y Recursos
Dirección General de Tráfico

Sumario: I. Introducción. II. Propuesta de modificación relativa al alcohol y otras drogas. 1 Semejanzas y diferencias con el tipo actual. 2 La justificación del cambio del tipo penal. 3. Evolución del marco normativo relativo al alcohol y otras drogas. 4 Tratamiento del alcohol y demás drogas en el derecho comparado. III. Propuesta de modificación relativa a la velocidad. 1 La justificación del cambio del tipo penal. 2 Tratamiento de la velocidad en el derecho comparado. IV. Tipificación de la conducción de vehículos a motor habiendo agotado los puntos del permiso. V. Reacciones y conclusiones

I. INTRODUCCIÓN

El pasado 22 de febrero de 2006, el Director General de Tráfico, D. Pere Navarro i Olivella, compareció en la Comisión de Seguridad Vial del Congreso de los Diputados para exponer la propuesta de modificación de varios artículos del Código Penal como medida legal necesaria para reprimir de forma más contundente determinados comportamientos relativos al alcohol, a otras drogas y a la velocidad que atentan contra la seguridad vial.

La propuesta ha tenido un amplio eco en los medios de comunicación, en los sectores relacionados con el automóvil, e incluso en la propia sociedad, y se une, en estos momentos, a la gran iniciativa

---

[1] El texto que sigue desarrolla lo expuesto por el Sr. Ramón Ledesma Muñiz (Subdirector General de Normativa y Recursos de la Dirección General de Tráfico) en la ponencia presentada el 4 de mayo de 2006, en el Seminario "Delitos contra la seguridad del tráfico. Contexto práctico y dogmático", celebrado en la Facultad de Derecho de la Universidad de Barcelona. Las referencias al articulado del CP remiten al texto entonces vigente.

en la que está trabajando la DGT, que es el permiso de conducir por puntos, que entra en vigor el día 1 de julio.

La propuesta realizada en sede parlamentaria por el Director General de Tráfico —a la que, por cierto, no sólo no se opuso ningún grupo parlamentario, sino que alguno estimó que se quedaba corta— no debe considerarse como una petición aislada o marginal. Varios países de la Unión Europea están en un proceso de redefinición de sus marcos legislativos en materia de conducción de vehículos a motor, con los modelos de permisos por puntos como elemento más visible pero no único. Y, por otra parte, es preciso señalar que antes incluso de que el Director General de Tráfico hiciera pública la propuesta de endurecimiento de los delitos sobre tráfico, otras relevantes personalidades de altas instituciones del Estado han ido apuntando esta necesidad de cambio. Recientemente, el Fiscal General de Estado señalaba en una comparencia la necesidad de ir a una nueva regulación en determinados comportamientos ilícitos al volante, indicando: "La seguridad vial constituye, inequívocamente, una de esas zonas oscuras del sistema penal. No parece necesario explicar que el impresionante reguero de muertos y heridos que la circulación rodada deja cada día en el asfalto de nuestras calles y carreteras no puede permanecer al margen de un tratamiento penal específico y adecuado. Y, sin embargo, diré con sinceridad que hasta el momento los distintos responsables de hacer funcionar la más poderosa herramienta del Estado, que es el *ius puniendi*, no hemos sido capaces de encontrar armas realmente eficaces con las que vencer esa amenaza cotidiana contra la vida y el bienestar de nuestros ciudadanos".

A los pocos días de la comparecencia del Director General de Tráfico en el Congreso, el Defensor del Pueblo también hacía pública una petición para que los vehículos a motor llevaran incorporados limitadores de velocidad —de forma similar a los ya instalados en camiones y autobuses— como medida para reducir el número de víctimas en las carreteras.

La exposición que se desarrolla a continuación parte de la descripción y el detalle de la propuesta de modificación de algunos delitos contra la seguridad del tráfico recogidos en el Código Penal, para analizar después las causas y motivos que están en la base de la propuesta, finalizando con una breve comparación del marco legal en esta materia existente en países de nuestro entorno.

II. PROPUESTA DE MODIFICACIÓN RELATIVA AL ALCOHOL Y OTRAS DROGAS

Antes de entrar a describir la situación actual y la propuesta de modificación del tratamiento del alcohol en la conducción, es necesario poner de manifiesto la gran contradicción que supone trabajar en el endurecimiento de penas en esta materia cuando España es un país al que muchos turistas de todas partes del mundo acuden, en algunos casos, por la facilidad para adquirir alcohol a un precio muy reducido en comparación con la mayoría de los países europeos.

El actual art. 379 CP establece que quien conduzca un vehículo a motor o un ciclomotor bajo la influencia de drogas tóxicas, estupefacientes, sustancias psicotrópicas o de bebidas alcohólicas, será castigado con pena de prisión de tres a seis meses o multa y trabajos en beneficio de la comunidad y, en todo caso, con la privación del derecho a conducir por tiempo superior a uno y hasta cuatro años. El propio Código relaciona en la actualidad la conducción bajo la influencia de bebidas alcohólicas u otras drogas, con la conducción temeraria, pues en su art. 381 señala que se considerará que existe *conducción temeraria manifiesta y concreto peligro para la vida o la integridad de las personas* en los casos de conducción bajo los efectos de bebidas alcohólicas con *altas tasas* de alcohol en sangre.

Frente a la dicción actual de artículo, la propuesta de modificación tendría dos partes diferenciadas. Por una parte, se propone mantener idéntico el texto relativo a la conducción bajo la influencia de drogas o alcohol, en los siguientes términos: "El que condujere un vehículo a motor o ciclomotor bajo la influencia de drogas tóxicas, estupefacientes, sustancias psicotrópicas o de bebidas alcohólicas será castigado con la pena de prisión de tres a seis meses y, en su caso, trabajos en beneficio de la comunidad de 30 a 90 días, y en cualquier caso, privación del derecho a conducir vehículos a motor y ciclomotores por tiempo superior a uno y hasta cuatro años"

La gran novedad es la inclusión, en el segundo párrafo de este art. 379, de una tasa objetiva por encima de la cual se entiende que existe influencia del alcohol en la conducción, y por tanto se entiende que existe delito. Se proponen dos textos alternativos:

a) "A estos efectos, se entiende que existe influencia cuando la tasa de alcohol es superior a 1 gramo/litro de alcohol en sangre"

b) "en todo caso se entenderá a estos efectos que existe influencia de bebidas alcohólicas cuando el grado de impregnación alcohólica sea superior en un 100% al límite reglamentariamente permitido"

1. Semejanzas y diferencias con el tipo actual

La propuesta de redacción del art. 379 CP plantea el análisis entre las semejanzas y las diferencias principales en el tipo delictivo respecto de los términos en que actualmente está redactado.

En este sentido, los principales elementos que permanecen iguales son:

• El delito sigue partiendo de la premisa de que es la *influencia* del alcohol en la sangre la conducta a castigar penalmente, no la mera ingesta de una cantidad de alcohol por parte del imputado.

• Sigue siendo un delito de peligro, de mera actividad, por lo cual no es necesario un resultado de lesión, sino la realización de una conducta que conlleva una alta probabilidad de lesión de bienes jurídicos, siendo estos bienes jurídicos protegidos dos en sentido amplio: las personas concretas que en cada momento puedan verse afectadas en su vida o integridad por el conductor que provoque un accidente y, con carácter más general, la propia seguridad del tráfico.

• El delito sigue reservando una parte importante a la acción punitiva administrativa, por lo que el sistema de represión de este tipo de conductas sigue siendo mixto: una parte de conductas son castigadas por la autoridad judicial y otra por la Administración competente. En la práctica, vistas las estadísticas, la mayor parte de los conductores sometidos a pruebas de impregnación alcohólica con resultados positivos seguirían siendo sancionados en vía administrativa, toda vez que de conformidad con las tasas fijadas por el art. 20 del Reglamento General de Circulación, modificado por el Real Decreto 1420/2003, de 21 de noviembre, existe infracción si la tasa de alcohol en sangre supera, con carácter general, los 0,5 gramos por litro de sangre, o 0,30 si se trata de conductores noveles, conductores de camiones, autobuses, transporte público, etc.

- Las penas con las que el Código castigaría el delito serían iguales a las actuales, tanto en la parte referida a la pena privativa de libertad, como en la multa o el tiempo por el que puede suspenderse el derecho a conducir vehículos a motor y ciclomotores

- La no superación del límite objetivo de alcohol en sangre no supondría por si mismo la inexistencia de delito, por cuanto que por otros medios de prueba admitidos en derecho se puede comprobar que el individuo conducía bajo la influencia de las sustancias descritas.

Las diferencias entre el tipo actual y la propuesta del Director General de Tráfico serían:

- Por primera vez se concreta a partir de qué tasa de alcohol en sangre existe, a los efectos de consideración del delito, influencia de aquél para conducir vehículos. La fijación de un límite por encima del cual se entiende que el alcohol produce efectos suficientes al conductor como para impedirle totalmente la conducción y castigarlo penalmente es uno de los aspectos más complicados y delicados de los delitos del tráfico, y la jurisprudencia ha ido oscilando en varios sentidos desde mediados de los años 50, en paralelo a los cambios legislativos, a la sensibilidad social, al progresivo aumento de la presencia del automóvil en la sociedad, y a los estudios médicos sobre alcohol y otras drogas, entre otros.

- Se eliminaría la discrecionalidad e indeterminación del actual segundo párrafo del art. 381 CP, según el cual se entiende que existe una conducción temeraria manifiesta y concreto peligro para la vida o integridad de las personas en los casos de conducción bajo los efectos de bebidas alcohólicas con *altas tasas* de alcohol en sangre. Este precepto también fue introducido por la reforma del Código por la Ley Orgánica 15/2003, de 25 de noviembre, y merece una severa crítica por cuanto parte de intentar concretar el riesgo o peligro de la conducción bajo la influencia del alcohol mediante la fórmula indeterminada de "alta tasa de alcohol", que en la práctica no ha venido a mejorar en muchos casos la interpretación judicial de estas conductas.

2. La justificación del cambio del tipo penal

Con independencia del cambio sustancial y formal que significa fijar un límite que suponga determinar la existencia de la influencia del alcohol en la conducción, hay que señalar otras importantes consideraciones que son las que verdaderamente justifican la propuesta de modificación del art. 379 CP:

1. *Vinculación entre siniestralidad y alcohol*. Está demostrado que el alcohol se encuentra en el 35-40% de los accidentes con víctimas de tráfico[2]. Con estas cifras, es evidente que cualquier intento de ir al fondo de las causas de la siniestralidad vial para buscar soluciones o mejoras en la misma pasa necesariamente por analizar si el actual tratamiento legal de este asunto es o no adecuado, y ponerlo en relación con el entorno cultural en el que nos movemos.

Por otra parte, también está demostrado de forma científica que las probabilidades de originar un accidente mortal con una tasa de 1 gramo por litro de sangre se multiplican por 8 respecto de un nivel de 0 gramos por litro[3]. Con una tasa de 1,20 gramos por litro la probabilidad sube y se multiplica por 9, y con una tasa de 1,50 la probabilidad se multiplica por 16.

2. *Nueva mentalidad de la sociedad*. En los últimos años, la propia sociedad española, al igual que la del resto de Europa, estima cada vez más absurdas y merecedoras de mayor reproche determinadas conductas que atentan contra el bienestar de la sociedad —empezando por su vida e integridad—, como son la permisividad con sujetos que ingieren cantidades altas de alcohol o de drogas y que pueden ocasionar de forma más evidente accidentes mortales a inocentes. Es una consecuencia de una sociedad que dispone de un mayor nivel de vida y que procura eliminar todos aquellos comportamientos potencialmente productores de resultados gratuita o absurdamente dañosos.

En este sentido, hay datos obtenidos por encuestas que encarga la Dirección General de Tráfico que muestran que:

---

[2]   La Revista Tráfico (nº 122) recoge datos de varios Institutos de Toxicología españoles y de Universidades en las que comparan los accidentes con víctimas mortales en los que está presente el alcohol.

[3]   Fuente: Zador PL, año 1991, recogida en la revista Tráfico y Seguridad Vial (nº 177, marzo 2006).

- En una escala de 1 a 10, los ciudadanos valoran con 9,4 la peligrosidad de conducir después de haber tomado 3 ó más bebidas alcohólicas
- El 98,7 % está muy o bastante de acuerdo en que se realicen controles de alcoholemia
- El 91,2 % considera que los controles de alcoholemia sirven para reducir los accidentes, y un porcentaje similar pide que se incremente el número de controles

La propia sociedad, en los últimos años, está demandando una nueva visión y concepción de la intervención punitiva del Estado y una articulación más moderna de la propia organización judicial. Las últimas reformas legales en esta materia dan plena fe de ello, como también lo es, por ejemplo, la extensión del modelo de juicio rápido como mecanismo de implantación de una justicia más inmediata y reparadora del daño causado. Más allá de esto, una demanda social es también el que se busque más la vía de la prevención, esto es, la evitación del hecho que da lugar al peligro, antes que la reparación, que era la solución tradicional de la justicia española en esta materia, con el colchón que proporcionaba una actividad de aseguramiento obligatorio.

3. *Agotamiento del marco legal*. Como ya se ha indicado anteriormente, España ha optado desde 1950 por un modelo punitivo mixto con base a que las conductas que menos riesgo directo generan a la seguridad del tráfico se sancionan administrativamente y aquellas que más directamente pueden suponer un riesgo concreto y cierto se regulan en el marco del Código Penal. Sin embargo, desde hace tiempo existe el convencimiento en muchos grupos de que este modelo mixto se agota. Los límites implícitos que se han tomado tradicionalmente de referencia están en crisis, por cuanto que desde hace tiempo se estima que no sirven a los fines para los que se crearon, no percibiendo la sociedad que la vía penal suponga un castigo ejemplarizante ante este tipo de conductas. Ya hay muchos sectores que apuntan que existe cierta sensación de impunidad, de mucho daño producido y poco castigo.

Aunque las penas para quienes cometan un delito contra la seguridad del tráfico se han endurecido progresivamente en las sucesivas reformas del Código Penal, se constata que los conductores, los poderes públicos o los medios de comunicación no perciben un cambio cualitativo, sino más bien al contrario, la sensación de que no es un delito grave y que, en consecuencia, se puede asumir el riesgo de ir ebrio al volante. Esta percepción no se tiene cuando se observa la evolución en el tratamiento administrativo de las infracciones por consumo de alcohol y otras drogas, pues aquí la sociedad sí percibe que una política nítida en la materia ha implicado que las sanciones administrativas se han ido endureciendo de forma decidida en dos aspectos: por una parte, en la reducción de los límites de alcoholemia y, por otra, en el agravamiento de la propia sanción, que hoy en día puede llegar a 600 euros de multa y suspensión de la autorización administrativa para conducir hasta tres meses.

4. *Intento de buscar más seguridad jurídica.* La propuesta de modificación del Código Penal para incluir una tasa fija por encima de la cual debe considerarse la existencia de delito, busca también dotar a conductores, agentes de tráfico, fiscales, jueces, etc. de una mayor seguridad jurídica, aspecto que se estima que es manifiestamente mejorable vista la situación actual:

– Por una parte, para los agentes de tráfico y fiscales, que tendrán mucho más clara la forma de actuar cuando se constate una conducta incursa en el tipo delictivo. En la actualidad, los fiscales imparten a los agentes órdenes de remisión o no a los juzgados de las diligencias practicadas, pero en cada provincia existe un criterio propio, acorde con la praxis judicial del foro. Es evidente que esta situación no es adecuada porque parece dar a entender que un mismo hecho va a ser considerado o no delito según la provincia en donde se haya cometido.

– También habría mayor seguridad para los ciudadanos y para los jueces, pues la existencia de un límite objetivo de tasa de alcoholemia eliminaría gran parte de la subjetividad existente en la consideración de la presencia o no de la influencia del alcohol en la conducción

3. *Evolución del marco normativo relativo al alcohol y otras drogas*

La propuesta de endurecimiento de los delitos sobre la seguridad del tráfico tiene como objetivo dar un salto cualitativo en la represión del consumo de bebidas alcohólicas al conducir, y romper con ello el tradicional marco de separación entre la regulación administrativa y la penal que se ha ido configurando desde 1950 en nuestro país.

Desde esa fecha, el derecho español ha perfilado de hecho un modelo mixto de represión de estas conductas, en el que se ponderaba, desde un punto de vista de política punitiva, la concreción y cercanía del riesgo creado como elemento definidor de un tratamiento administrativo o penal.

La regulación no ha sido nunca fácil, y la reforma que la Ley Orgánica 15/2003, de 25 de noviembre, realiza para estos delitos tampoco parece haber ayudado a despejar muchos de los problemas que cotidianamente se les presentan a agentes de tráfico, fiscales y jueces. La línea separadora siempre ha estado muy difuminada, y las sucesivas modificaciones de las normas administrativas y las penales parecen haber estado en compartimentos demasiado separados.

El año 1950 marca el inicio de la regulación del consumo de alcohol y otras drogas en la conducción. En ese año, con la promulgación de la denominada Ley del Automóvil, se dio el primer tratamiento de carácter administrativo a esta materia, castigando a quien esta influencia le pusiera en un estado de *incapacidad* para conducir con seguridad. Una primera regulación en un contexto político, económico y social muy distinto del actual, pero que ya mostraba la necesidad de que el Estado abordara el tratamiento punitivo de este tipo de conductas. La Ley de 1962, también referida al marco administrativo, sustituía el término "incapacidad" por "influencia", con lo que el legislador buscaba una evidente restricción de la conducción de vehículos tras el consumo de alcohol.

La Ley de Seguridad Vial, en 1990, supone la gran transformación del tratamiento administrativo de la alcoholemia, al fijar por primera vez unas tasas límite de alcohol en sangre, y los sistemas de control y verificación del consumo del mismo. Desde entonces, con sucesivas reformas, tanto la propia Ley de Seguridad Vial como el Reglamento General de Circulación han ido perfilando un régimen compacto y completo de esta materia, en el que progresivamente se han ido reduciendo las tasas de alcohol permitidas y han aumentado las sanciones a imponer.

Por su parte, la regulación, desde 1967, de los delitos contra la seguridad del tráfico en el Código Penal es la que ha modelado el sistema mixto al que anteriormente hacíamos referencia, a pesar de que algunos autores, como QUINTANO RIPOLLÉS, han mantenido que la intervención sancionadora en esta materia debía corresponder en exclusiva al Derecho administrativo. Las modificaciones del anterior Código, o incluso el primitivo art. 379 de la actual Norma penal no supusieron cambios significativos en el tipo, sino un agravamiento de las penas en general. Por su parte, la reforma de 2003 introducía la novedad de considerar "temeridad manifiesta y peligro concreto" la conducción con altas tasas de alcohol en sangre, aunque en ningún sitio se concretaba cuáles eran estas altas tasas.

Los delitos contra la seguridad del tráfico pertenecen al denominado grupo de "delitos de riesgo", que son delitos que se consuman por la realización de la mera actividad recogida en el tipo penal. En consecuencia, no se espera, para estimarlos cometidos, a que lesionen la vida o integridad de las personas, sino la causación de una situación de peligro real y concreto para la seguridad de los ciudadanos. Al tratarse de una consumación delictiva subjetiva, quedando a la interpretación caso a caso por parte del juez, la doctrina siempre ha tratado estos ilícitos con suma precaución, no faltando las opiniones que estiman que incluso deben ser desterrados de las normas penales. A pesar de estas opiniones tan negativas, los delitos de riesgos en general, y los relativos a la influencia del alcohol en particular, están recogidos en las leyes penales de países como Francia o Alemania, y cada vez tienen más partidarios en las nuevas corrientes penalistas, que son conscientes de la situación social de alta tecnificación en la que vivimos.

El otro gran pilar del modelo de regulación del alcohol y demás drogas en la conducción es el tratamiento jurisprudencial. Hay que reconocer que los jueces no han tenido una fácil tarea a la hora de aplicar una normativa en la que los límites administrativos y los penales han sido siempre poco claros, y en la que el bien jurídico protegido por los dos ámbitos de intervención era el mismo. La mayoría de la doctrina opina que intentar buscar criterios cualitativos en la distinta naturaleza de los ilícitos está abocado al fracaso, por lo que parece más lógico estimar que la separación entre ellos dependerá del tipo de peligro y del nivel de concreción del mismo.

La mayoría de la doctrina y de la jurisprudencia ha mantenido el criterio de que nos encontramos ante la consumación del delito tipificado en el art. 379 —o, en el Código anterior, el art. 340 bis a)— cuando se constata la existencia de un plus de peligrosidad a través de la constatación de la creación de un peligro real y concreto. Ésta, por ejemplo, ha sido la opinión, que, en la línea mayoritaria, ha mantenido el Tribunal Constitucional (por ejemplo, STC 68/2004, de 19 de abril). No basta, para esta jurisprudencia asentada, una ingesta de alcohol, sino que la misma tiene que haber influido en la conducción del vehículo generando un riesgo real y efectivo para la seguridad del tráfico rodado.

Curiosamente, esta opinión judicial se viene cuestionando recientemente por determinados tribunales, que están dando una reinterpretación del art. 379 para acercarlo a un delito de peligro abstracto mediante una nueva visión o concepción de lo que es la "influencia" del alcohol en la conducción. Para estos jueces, es suficiente que la ingesta de alcohol influya en el sujeto —es decir, en sus condiciones físicas o psíquicas— aunque no haya una externalización concreta de la misma realizando una conducción irregular, para considerar la consumación del tipo delictivo. Esta corriente judicial arrancó hace menos de una década en varios tribunales catalanes, siendo un elemento fundamental en la adopción de sentencias más duras la decidida actuación del Ministerio Fiscal en esta Comunidad Autónoma, que no dudaba en llevar al Juez todo comportamiento que consideraba debía tener un castigo penal ejemplar.

Esta jurisprudencia, que reiteramos que es minoritaria todavía, marca un cambio muy importante en la concepción tradicional, y tiene su base en una nueva concepción del Derecho Penal, más expansivo, más intervensionista, más cercano a la realidad social que le rodea. Un Derecho Penal que trae fundamento en una creciente tecnificación que hace aparecer riesgos nuevos para la colectividad y ante la que ésta reacciona con normas que la protejan de forma adecuada. Precisamente, la propuesta de modificación del art. 379 va en esa línea de mayor protección o intervención punitiva, ante un delito cuya consumación pone en peligro evidente la vida e integridad de los usuarios de las vías públicas.

4. *Tratamiento del alcohol y demás drogas en el derecho comparado*

Mientras en España la discusión jurídica gira en torno a la existencia o no de la influencia en la conducción, o si la tasa de alcohol es o no suficiente para estimar consumado el delito, por ejemplo, otros países llevan años por delante en una regulación adecuada para comportamientos que atentan directamente contra la seguridad vial y que a la postre generan más accidentes y más víctimas. La Unión Europea, como catalizador de las sensibilidades de muchos Estados miembros, ha diseñado un Plan de seguridad vial que busca una reducción del 50 % de los muertos en carreteras antes de finalizar la década. Esta visión demuestra que los países de nuestro entorno van tomando verdadera conciencia de que, en las sociedades avanzadas en las que presumimos estar, la reducción de la siniestralidad es una verdadera cuestión de Estado, y para ello es necesario analizar y cuestionar todos los mecanismos existentes, aplicando reformas estructurales si las actuales no surten los efectos necesarios para cumplir los objetivos propuestos.

En esta línea es preciso destacar que desde hace tiempo varios países de nuestro entorno han tenido meridianamente claro que la tolerancia respecto de la ingesta de alcohol en la conducción debe ser mínima —en algunos países ya existe una verdadera *tolerancia cero*—, poniendo verdaderamente contra la cuerdas —o, porqué no decirlo, entre rejas— a quienes pueden poner en peligro a ciudadanos inocentes por su conducta suicida al volante. Como expuso el propio Director General en su comparencia en el Congreso de los Diputados, no es casualidad que los países que obtienen mejores resultados en materia de seguridad vial son precisamente los que tienen los sistemas de autoridad más eficaces.

Cuando se examinan las respuestas que muchos de los países de nuestro entorno dan al alcohol en la conducción, es cuando se comprueba el camino que queda aún por recorrer en España. Sin ánimo de ser exhaustivo, algunos ejemplos pueden ser:

- PAÍSES BAJOS: Conducir con una tasa superior a 0,8 gr./litro de alcohol en sangre supone, además de sanción pecunia, pena de prisión o medidas sociales alternativas.
- ALEMANIA: Una tasa superior a 0,3 gr./litro de alcohol en sangre puede llevar a prisión hasta por un año si hay peligro para la seguridad vial. Y si la tasa es mayor a 1,1 gr./litro de alcohol en sangre la pena es prisión por un año.
- FRANCIA: Nuestro vecino, que está siendo en los últimos años un claro referente en las políticas de seguridad vial —derivadas de asumir que la reducción de la siniestralidad es una cuestión de Estado— ha reformado su legislación para considerar que con la tasa objetiva de 0,8 gr./litro de alcohol

en sangre el infractor será castigado con prisión hasta por dos años y multa de hasta 4.500 euros.

• PORTUGAL: La reciente modificación penal de nuestro país vecino también se ha inclinado por una tasa objetiva, y considera que por encima de 1,2 gr./litro de alcohol en sangre el hecho es constitutivo de delito, y en consecuencia debe aplicársele la vía judicial.

Aunque los ejemplos de países que toleran de forma mínima la ingesta de alcohol en la conducción son más numerosos —Reino Unido y los países escandinavos son ejemplos de aplicación de una severa legislación penal— es preciso reseñar que la propuesta que se realiza en nuestro país no se sustrae, ni mucho menos, a la corriente de regulación europea, hacia la que debe existir la necesaria armonización legal.

III. PROPUESTA DE MODIFICACIÓN RELATIVA A LA VELOCIDAD

En relación con la represión de los excesos de velocidad, la Dirección General de Tráfico propone dos alternativas:

a) la creación de un artículo específico cuya dicción sería: "El que condujere un vehículo a motor excediendo en 60 kilómetros/hora el límite de velocidad reglamentariamente establecido será castigado con la pena de prisión de tres a seis meses y, en su caso, trabajos en beneficio de la comunidad de 30 a 90 días, y en cualquier caso, privación del derecho a conducir vehículos a motor y ciclomotores por tiempo superior a uno y hasta cuatro años";

b) incluir un nuevo apartado en el art. 381 —referido a la temeridad manifiesta en la conducción— con la siguiente redacción: "En todo caso, se entenderá por conducción temeraria aquella en que se supere en 60 kms/hora el límite de velocidad reglamentariamente establecido".

A diferencia de lo expuesto para el alcohol, donde se ha visto que existe un modelo de intervención entre el Derecho administrativo y el penal más o menos consolidado por varias décadas de legislación y de jurisprudencia, la regulación de la velocidad inadecuada, en nuestro país, ha tenido y tiene un tratamiento exclusivamente administrativo, a excepción de la reciente inclusión de la mención al exceso desproporcionado de velocidad en el art. 381 a los efectos de considerar una conducta al volante como temeridad manifiesta.

Con lo expuesto, y a modo de ejemplo, se consideraría delito, según la propuesta:

- Circular a 110 kms/hora en una travesía o en una vía urbana
- Circular a 180 kms/hora en autopista o en autovía.

Y ello dejando claro que el exceso de 60 kms/hora sobre la limitación de velocidad es una propuesta que no debe considerarse como cerrada, sino que estaría sujeta a cambios tanto por exceso como por defecto.

También a modo de ejemplo, se puede señalar que, en la totalidad de radares controlados por la DGT se producen unas 2.000 captaciones de exceso de velocidad a 180 kms/hora cada mes, y unas 200 captaciones a 200 kms/hora, también cada mes.

Los aspectos más destacables de la propuesta mencionada, desde un punto de vista formal, serían:

1. *Define un modelo mixto de intervención punitiva.* A semejanza del tratamiento represor en el alcohol, la propuesta para el caso de la velocidad también afianza un modelo mixto similar, en el sentido de partir de la protección de idénticos bienes jurídicos que requieren un tratamiento administrativo si el peligro no es tan inmediato o grave, o penal, si el peligro creado por el conductor es más concreto. Aunque este modelo mixto ya se apuntó con la reforma del art. 381 en la Ley Orgánica 15/2003, la nueva redacción deslinda nítidamente los ámbitos de actuación del Estado.

2. *Busca reducir la inseguridad jurídica.* Al igual que se apuntó al tratar el tema del alcohol, la fijación de un límite expreso y objetivo de velocidad por encima del cual el enjuiciamiento recibe un tratamiento penal ayuda a los agentes intervinientes en el sistema administrativo y judicial a reducir de forma considerable la incertidumbre, por cuanto que la actual redacción del precepto penal, que habla de "exceso desproporcionado de velocidad" es una cláusula abierta de difícil interpretación en la praxis judicial, en donde rebota la consideración del delito entre el campo de lo concreto y de lo abstracto.

3. *La propuesta se refiere a la velocidad excesiva, no a la velocidad inadecuada.* La descripción del tipo se circunscribe a uno de los

dos tipos de velocidad que origina peligro para la seguridad vial, la excesiva, que es la más fácilmente detectable por medios técnicos, y no hace referencia directa a una velocidad inadecuada por las circunstancias propias del conductor o externas a él. Por desgracia, este tipo de velocidad, que también genera peligros evidentes, tiene más difícil prueba en el ámbito penal, y por ello una condena por esta conducta es verdaderamente complicada salvo que concurra una producción de accidente que permita probarlo.

4. *Igualdad de pena respecto del alcohol.* La propuesta de endurecimiento del tratamiento de los excesos de velocidad incluye que las penas a imponer a los enjuiciados sean similares a las que se proponen para quienes conduzcan bajo la influencia del alcohol y otras drogas, por entender que el rechazo social ya se está equiparando y el peligro para el resto de los ciudadanos es similar.

1. La justificación del cambio del tipo penal

Al igual que se ha señalado anteriormente en lo que respecta al alcohol, los cambios legales que se proponen vienen justificados por varios motivos:

1. *La relación entre siniestralidad y el exceso de velocidad.* Desde un punto de vista técnico, nadie duda hoy que tanto el exceso de velocidad como la velocidad inadecuada están considerados la mayor causa directa de muerte en las vías públicas, como señaló en la pasada década DOMINIC ZAAL[4], y como han puesto de manifiesto múltiples estudios e informes, tanto internacionales como nacionales, como el que, en nuestro país, sirvió de base para que en 1998 el Consejo Superior de Tráfico y Seguridad de la Circulación Vial descartara aumentar los límites de velocidad en autopistas y autovías. La conclusión generalizada es que existe una relación directa entre el aumento o disminución de la velocidad y el número y gravedad de los accidentes, y este dato es el principal referente en la regulación de la velocidad.

2. *La creciente demanda social.* En los últimos años se viene constatando un cambio en la opinión que la sociedad tiene sobre la velocidad excesiva con la que algunos sujetos conducen. La propia DGT

---

4   ZAAL, DOMINIC. *Traffic Law Enforcement: a review of the literature.* Departamento de Transporte de Australia (1994).

pretende ser motor de este cambio de percepción dando publicidad a velocidades de hasta 260 kms/hora que captan los radares en las carreteras, como ejemplo de lo que algunos son capaces de hacer en ciertas autopistas o autovías. Cada vez que se muestran las fotos de estas velocidades en periódicos o en televisiones aumenta la alarma social ante estos terroristas de la vía y crece el convencimiento de reformar la legislación.

Recientemente, la DGT hizo pública una encuesta que tenía por objetivo conocer el grado de apoyo social a los radares, con los siguientes resultados: [5]

- El 88,3 % de los ciudadanos está muy o bastante de acuerdo en que se controle la velocidad a través de los radares.

- El 77,8 % cree que los controles de velocidad por radar ayudarán a reducir los accidentes.

- El 60 % de los ciudadanos no cree que los controles de velocidad por radar sean una excusa para recaudar más dinero.

3. *Agotamiento del marco legal actual.* Hasta ahora, y salvo la consideración de conducción temeraria a quien conduce con un exceso desproporcionado de velocidad que de forma genérica e indeterminada prevé el art. 381 CP, la intervención del Estado en esta materia ha sido exclusivamente administrativa. El art. 19 de la Ley de Seguridad Vial fija los límites máximos de velocidad en las vías, y las infracciones a este precepto pueden ser calificadas, en atención a la velocidad con la que se circula y a otras causas, como graves o como muy graves, siendo la sanción máxima la de 600 euros y la suspensión de la autorización administrativa para conducir por un periodo de hasta tres meses.

Aunque el sistema de tratamiento administrativo de la velocidad está consolidado desde hace tiempo, se estima que hay determinadas conductas que merecen el mayor reproche que la sociedad puede dar a algunas actitudes: la consideración de delito. Hoy no es difícil que el binomio coche o moto de gran cilindrada y autopista unido a un conductor sin escrúpulos den como resultado los excesos de velocidad que periódicamente aparecen en los medios de comunicación.

---

[5]   En España, el control de velocidad lo llevan a cabo los órganos con competencia para ello: Ministerio del Interior, Gobierno Vasco, Generalitat de Cataluña y Ayuntamientos.

Aunque se están instalando cientos de radares en las carreteras para controlar la velocidad, aunque muchos de los excesos de velocidad van a conllevar detracción de puntos desde el 1 de julio, aunque las sanciones administrativas son duras, y aunque los fiscales presentan acusación criminal contra los conductores que conducen vehículos captados a altísimas velocidades, lo cierto es que es necesario y urgente dar un salto cualitativo para que determinadas conductas pasen ya al ámbito penal, por entender que la vía administrativa no es suficiente, aunque la sanción sea impuesta en su grado máximo.

2. Tratamiento de la velocidad en el derecho comparado

La Unión Europea lleva años muy sensibilizada con la siniestralidad en las carreteras con causa en una velocidad inadecuada. Varios grupos de trabajo comunitarios se encargan de dar un tratamiento y una regulación lo más unificada posible.

Por otra parte, y tal y como ya se expuso al tratar la alcoholemia, se constata una progresiva tendencia a la reducción de la tolerancia a los excesos de velocidad, que se manifiesta en unos marcos legales cada vez menos permisivos con estas conductas.

Los ejemplos pueden ser los siguientes:

- REINO UNIDO: Todos los excesos de velocidad tienen un tratamiento penal, acorde con su tradicional sistema represor

- PAÍSES BAJOS: Los excesos de velocidad que superen los límites permitidos en 30 kms/hora en vía urbana y en 40 kms/hora en zona interurbana tienen tratamiento penal.

- ALEMANIA: Aunque en principio todas las infracciones por exceso de velocidad son de tipo administrativo, el exceso de velocidad, si es considerado como conducción temeraria, pasa a la jurisdicción penal.

- IRLANDA: Todas las contravenciones de las normas relativas a la velocidad tienen carácter penal

- FRANCIA: Se ha reforzado la consideración de los delitos en lo que respecta a los excesos de velocidad, de forma que a partir de un exceso de 50 kms/hora del límite permitido se impondrá una multa de 1.500 euros y retirada del permiso de conducir por tres años.

IV. TIPIFICACIÓN DE LA CONDUCCIÓN DE VEHÍCULOS A MOTOR HABIENDO AGOTADO LOS PUNTOS DEL PERMISO

El día 1 de julio de 2006 entran en vigor las previsiones de la Ley 17/2005, de 19 de julio, por las que se regula el permiso de conducir por puntos, sistema llamado a modificar sustancialmente la concepción y la consideración de la autorización administrativa para conducir.

El permiso por puntos es una iniciativa de gran calado que se estima que puede ayudar a reducir la siniestralidad en las carreteras en un porcentaje llamativo, al igual que ha sucedido en los países de nuestro entorno que lo han implantado en los últimos años (este sistema, con particularidades nacionales, está en marcha en los cuatro grandes países de la Unión Europea).

El permiso por puntos configura a la autorización para conducir como un crédito social que va disminuyendo por la comisión de determinadas infracciones graves y muy graves. Cuando el saldo de puntos es de cero, el interesado no puede conducir durante seis meses —tres si es conductor profesional— y, transcurrido este plazo, debe realizar un curso de reeducación y sensibilización. La DGT se plantea que dentro del grupo de los 5.000-8.000 conductores que cada año se quedarán sin puntos y sin poder conducir habrá un porcentaje reducido que harán caso omiso a esta prohibición y seguirán conduciendo, por lo que es necesario articular medidas contundentes para no dejar impunes o poco castigadas este tipo de actuaciones especialmente injustas para el resto de la ciudadanía.

En la actualidad ya existe un grupo reducido de conductores que quebrantan las condenas judiciales que les suspenden el derecho a conducir y también retiradas de permiso en vía administrativa. Países europeos que ya disponen de sistemas de permisos por puntos han indicado la necesidad de reforzar el principio de autoridad en esta materia para evitar que el modelo quiebre, apuntando que éste es un aspecto esencial. Aunque la Ley del permiso por puntos establece que los conductores que conduzcan tiendo la autorización sin vigencia no podrán conducir en el periodo de un año, lo cierto es que parece que la sanción administrativa, aún siendo fuerte y disuasoria para la generalidad de los conductores, no va a conseguir alcanzar a un pequeño grupo de reincidentes.

Por ello, se propone también la inclusión en el Código penal de un artículo que de forma expresa tipifique la conducción de vehículos a motor y ciclomotores mientras el derecho a conducir esté sin vigencia por la pérdida total de los puntos. Se podrían mencionar dos alternativas para el artículo:

a) tipificar como conducta delictiva la de quien condujere un vehículo a motor o un ciclomotor con el permiso suspendido o cancelado por agotamiento de los puntos.

b) considerar como incurso en el delito de desobediencia a la autoridad el hecho de conducir habiendo sido el permiso suspendido o cancelado por pérdida de los puntos a consecuencia de la resolución administrativa firme.

Es preciso señalar que la Ley del permiso por puntos requiere, para que el mecanismo de funcionamiento sea lo más correcto posible, la colaboración de Jueces y Magistrados. Se pueden mencionar, en este sentido, dos puntos de apoyo importantes:

1. Es muy importante que los Jueces y Magistrados, al imponer condenas por delitos contra la seguridad del tráfico, comuniquen al Jefe Provincial de Tráfico respectivo el periodo de suspensión del derecho a conducir, de forma que el Registro de Conductores e Infractores de la Dirección General de Tráfico incluya como antecedente la condena y permita que cualquier agente de tráfico pueda comprobar la conducción por parte de una persona con el permiso de conducir suspendido.

2. La condena en sentencia firme por la comisión de un delito castigado con la privación del derecho a conducir un vehículo a motor o ciclomotor implicará que el conductor deberá acreditar haber superado con aprovechamiento un curso de reeducación y sensibilización vial. La ley fija que el condenado no pierde los puntos, pero para poder volver a conducir debe haber superado el curso.

Por otra parte, y esto ha suscitado alguna crítica de alguna asociación de automovilistas, no se ha recogido por ahora la conversión en delito de la conducción sin haber obtenido previamente la autorización administrativa para conducir. Es difícil que este tipo de hechos puedan pasar de la vía administrativa a la criminal, aunque al menos se propone que la comisión de un delito contra la seguridad del tráfico por quien no disponga de la autorización administrativa para conducir debería considerarse como agravante del delito.

V. REACCIONES Y CONCLUSIONES

Aunque la propuesta de endurecimiento de los delitos relacionados con la seguridad del tráfico que lanzó D. Pere Navarro ha obtenido amplio eco mediático, es justo decir que desde hace tiempo, varias asociaciones de víctimas de accidentes de tráfico y algunos otros sectores propugnan la adopción de una serie de medidas legales y educativas más eficaces para frenar comportamientos verdaderamente incívicos al volante.

Es necesario destacar que las propuestas de endurecimiento de los delitos sobre el tráfico también han recibido críticas de algunos sectores, como alguna voz del mundo de la doctrina jurídica o algunas asociaciones de conductores —no todas, pues algunas de éstas han acogido las propuestas de forma favorable—, pero en todos los casos es seguro que estas voces que han puesto reparos a esta iniciativa aportarán un punto de vista también importante y necesario para abordar el problema desde todos los puntos de vista.

Algunas voces preguntan por qué hay que reformar de nuevo el Código Penal en esta materia cuando la última modificación se produjo hace apenas dos años. Desde la Dirección General de Tráfico se estima que hay varias razones para ello, y hay un motivo que se debe destacar, y es que desde el momento en que los poderes públicos asumen la seguridad vial como cuestión de Estado es cuando hay que poner en cuestión todo el sistema legal que sustenta el tratamiento de la conducción, como uno de los instrumentos más destacados para poner coto a las cifras tan altas de muertes en las carreteras. De los tres elementos clásicos que intervienen en la conducción —vehículo, vía y hombre— éste es sin duda el elemento sobre el que más hay que incidir, no sólo por ser el más importante, sino también porque es el responsable en más de un 90 % de las causas de los accidentes. No se trata de llenar las cárceles de conductores ebrios o acelerados, aunque no cabe duda que la privación de libertad, aunque mínima, sería necesaria en algunos casos, sino de dar una respuesta adecuada y contundente a comportamientos que atentan directamente contra la seguridad de la sociedad del bienestar en que vivimos. El efecto ejemplarizante de unas penas disuasorias será un factor determinante para el inmediato descenso de este tipo de actitudes, y, a medio plazo, eso implicará, con toda seguridad, el descenso en el número de víctimas en las carreteras (el ejemplo más cercano lo tenemos, en este sentido, en la vecina Francia).

En definitiva, en España estamos en un momento en que desde amplios sectores —por suerte no sólo desde la DGT o desde los responsables de Tráfico de Cataluña y País Vasco— se constata una necesidad de adecuar el tratamiento de conductas peligrosas al volante para acercarnos a la forma de actuar a los países de nuestro entorno, superando un marco normativo que se estima que está ya en crisis desde hace tiempo por la incapacidad de responder a las necesidades que hoy plantea la sociedad altamente motorizada en la que vivimos.

Los que trabajamos en cada parcela de la seguridad vial creemos que la batalla por la reducción de la tolerancia para este tipo de conductas incívicas e insolidarias se está ganando día a día. Es cuestión de tiempo, es cuestión de ir poco a poco mostrando como una sociedad avanzada no puede tolerar que determinados comportamientos arruinen las vidas de ciudadanos inocentes.

PROTOCOLOS DE ACTUACIÓN Y PROBLEMÁTICA DE LA ACTUACIÓN POLICIAL EN MATERIA DE DELITOS CONTRA LA SEGURIDAD EN EL TRÁFICO*

SERGI PLA I SIMÓN
Cap de la Divisió de Trànsit dels Mossos d'Escuadra

1. Antes que nada, agradezco a la Universidad de Barcelona y a su Departamento de Derecho Penal la oportunidad de exponer las inquietudes de los policías en relación a la aplicación del Código Penal en materia de tráfico.

2. Con carácter previo a entrar a pormenorizar los problemas concretos con que nos encontramos en la práctica diaria en la aplicación del Derecho Penal en el tráfico, y como introducción a esa casuística, es necesario presentar el problema más grave que, con toda seguridad, es el origen de los demás.

Todos reconocemos la imagen de un arma y nos provoca, inmediatamente, un estado de alarma y la seguridad de que todo lo relacionado con ella debe tratarse con precaución por la peligrosidad que entraña. Su uso siempre está regido por una reglas muy estrictas y su mal uso siempre conlleva una responsabilidad grave al autor y, casi siempre también, de índole penal.

Hay objetos más peligrosos que se utilizan con una excesiva sensación de impunidad y, en cambio, los efectos de su mala utilización tienen unas consecuencias mucho más graves para la sociedad. A ese mal uso le llamamos accidente, pensamos que es fruto del azar o un hecho fortuito y, a menudo, las consecuencias para el autor se limitan al pago de una cantidad de dinero que, además, generalmente paga un tercero, la compañía de seguros.

---

* El texto que sigue coincide casi por completo con la ponencia presentada el 5 de mayo de 2006, en el Seminario "Delitos contra la seguridad del tráfico. Contexto práctico y dogmático", celebrado en la Facultad de Derecho de la Universidad de Barcelona. Las referencias al articulado del CP remiten al texto entonces vigente.

La ausencia de consecuencias personales configura una sensación de impunidad en los autores del mal uso de los vehículos, a pesar de que ese mal uso se fundamenta, ordinariamente, en negligen-
cias, imprudencias o infracciones de reglamentos. Esta sensación de
impunidad de los conductores se ha revelando como muy peligrosa
para la sociedad, y la actual dicotomía entre la aplicación del Derecho Administrativo y del Derecho Penal está demasiado descompen-
sada a favor del primero. De ahí que estén surgiendo actualmente
corrientes de opinión muy autorizadas en el sentido de criminalizar
muchas de esas conductas negligentes, imprudentes o infractoras de
reglamentos.

No hay que pensar por ello que la solución sea criminalizar la
conducción en sí, sino encontrar el equilibrio apropiado entre la aplicación de uno y otro derecho que permita neutralizar esa sensación
de impunidad del conductor que le induce a no observar las más
básicas normas de seguridad y prevención al volante, salvo que se
sienta vigilado.

Naturalmente hay que fundamentar todo esto en datos concretos. Para garantizar la seguridad vial es necesario neutralizar esa
sensación de impunidad, porque en caso contrario el precio a pagar
se está revelando como demasiado caro. En seis años hemos perdido
3181 vidas. Una media de 530 cada año, sólo en Catalunya y en vías
interurbanas. Y no incluiré les heridos y los daños causados, por no
ser exhaustivo y demasiado extenso, pero estamos hablando de un
coste social que no podemos seguir manteniendo.

3. Es necesario relacionar ese coste, esas vidas, con la aplicación
del Derecho Penal y para eso hay que determinar las causas de que
mueran personas en la carretera. En relación con los accidentes
mortales del año 2005 en Catalunya, observamos que la mayoría de
esos accidentes están causados por acciones imputables directamente al conductor y con infracción de reglamento (casi el 84%). Para
explicar el siniestro muchas veces se hace referencia a la distracción
del conductor; esto responde a sus propias declaraciones o a las de
los acompañantes, pero normalmente se encubre así una infracción
(hablar por el móvil, beber o comer, visionar un navegador o una
televisión, etc.), que es la que explica realmente el siniestro, pero
que no pudo ser comprobada. Lo mismo ocurre con la invasión del
sentido contrario, que es un hecho físico, pero originado normalmente en una distracción, en somnolencia, en la influencia del alcohol

o en una velocidad inadecuada o excesiva. La misma tendencia se mantiene los 4 primeros meses de este año.

Si observamos las estadísticas relativas a la aplicación del Derecho Penal en el ámbito del tráfico, podemos apreciar que los delitos relativos a la conducción bajo los efectos de bebidas alcohólicas constituyen la mayoría de los supuestos (72%), y también hay que destacar la alta incidencia de las negativas a someterse a las pruebas, en casi el 20% de los casos. Esto último tiene una clara explicación: tanto en el caso del art. 379 como en el 380 [ambos preceptos, en su redacción anterior a la LO 15/2007] hay pena de prisión, que ordinariamente no origina ingreso por ser la primera condena y de menos de un año, pero el artículo 379 conlleva penas accesorias que no prevé el art. 380:

– una multa de 6 a 12 meses,

– trabajos en beneficio de la comunidad de 31 a 90 días

– privación del permiso de conducir de 1 a 4 años.

– comiso del vehículo

Si a esto le sumamos que muchas compañías de seguros no pagan el siniestro si el asegurado se hallaba bajo los efectos del alcohol, está claro que sale más barata la negativa a someterse a las pruebas que dar positivo.

Incluso procedimentalmente, a la Policía también le supone menos esfuerzo la negativa que una alcoholemia positiva, ya que las garantías son muchas y pormenorizadas. El procedimiento es costoso y garantista, y cuando se han hallado más de cuatro conductores que den positivo en un control, se tiene que interrumpir por saturación e incapacidad de asumir más individuos.

Además de todo esto, tenemos la disyuntiva de la aplicación de la normativa penal o la administrativa, ya que la diferencia entre ambas no es relevante. Las sentencias por delito de conducción bajo los efectos de bebidas alcohólicas que se vienen dictando en juicio rápido con conformidad, que son la mayoría, "cuestan" una multa de 4 meses a 4 o 5 € por día (600€) y la retirada del permiso de conducir por unos 240 días de media. La utilización de la vía administrativa produce una multa mínima de 600€ y la retirada del permiso de conducir por unos 90 días de media, hasta los 360 en caso de reincidencia. La diferencia no es proporcional a la mayor intimidación que debiera causar la vía penal.

4. Otro dato sorprendente de las estadísticas relativas a la aplicación del Derecho Penal en el ámbito del tráfico es el número de casos de conducción homicida (14) que suponen sólo un 0,58 % del total. Esta baja imputación del supuesto se ha consolidado en la práctica policial por el escaso número de los casos de atestados por homicidio imprudente que han prosperado en los tribunales de justicia. Esto resulta chocante si nos atenemos a las causas de los accidentes mortales a las que se hizo referencia anteriormente, ya que recordemos que eran principalmente la velocidad excesiva, la distracción o las maniobras antirreglamentarias.

Pienso que hay un tratamiento penal demasiado leve de los autores de los siniestros de tráfico y los elementos de prueba de precisión de los que disponemos, como etilómetros, radares, discos tacógrafos, deben favorecer el endurecimiento de la aplicación de las normas penales sobre los conductores que han producido una muerte o lesiones graves con sus acciones imprudentes o constitutivas de infracción de reglamento.

Ordinariamente se califican los siniestros mortales como falta de lesiones con resultado de muerte, finalizando el proceso con un pacto y una simple indemnización de la compañía aseguradora. Esto es un reflejo de la percepción en la sociedad de una falta de responsabilidad al conducir un vehículo. El ciudadano no tiene conciencia de que por una conducta negligente, imprudente o una infracción de tráfico pueda llegar a cometer un delito. Pero hay que dejar de hablar de accidentes en el sentido de azar o de hecho fortuito o ineludible, ya que así se encubren conductas constitutivas de delitos o faltas de lesiones, homicidios por imprudencia, conducciones bajo los efectos del alcohol o las drogas, conducciones temerarias, amenazas, atentados, quebrantamientos de condena, u omisiones del deber de socorro.

La tipificación de todas estas conductas por separado tendría una pena elevada, pero el art. 383 sólo sanciona la conducta más grave y la pena obtenida por el culpable es ínfima comparada con el agravio provocado y el número de normas vulneradas.

Es necesario que el Ministerio Fiscal impulse la acusación por delito y solicite la adopción de la medida de la prisión provisional en los casos en que corresponda, sobre todo en caso de resultado de muerte.

A título de ejemplo, el conductor o propietario de un camión o autocar que manipula intencionadamente el mecanismo del disco tacógrafo para correr a más velocidad de la permitida, o eludir el descanso reglamentario, está poniendo en concreto y grave peligro a los demás usuarios de la vía o, en el caso de autocares, a las 60 personas que viajan en él. Las consecuencias de su acción antirreglamentaria pueden ser catastróficas. Conviene recordar que el 5% de los siniestros mortales son debidos a la somnolencia, además a este porcentaje hay que sumar la parte del 22% de distracciones en las que realmente se encubre una falta de descanso o una merma de las condiciones psicofísicas.

En estos casos se está imputando un delito de falsificación de documento oficial pero no un delito de temeridad manifiesta del art. 381. A quien manipula intencionadamente un mecanismo de control de la Administración para poder aumentar considerablemente el peligro sobre los demás usuarios de la vía debería imputársele una conducción temeraria, y si se produce un siniestro con resultado de muerte, se le debe imputar un homicidio. Un camión de 44 toneladas a 120 km/h. es una verdadera arma, incapaz de ser controlada en la vorágine del tráfico y debemos proteger a la sociedad de esos peligros.

5. Mención aparte merece también el utópico párrafo 2º del art. 381: la coincidencia de altas tasas de alcoholemia + exceso desproporcionado de velocidad respecto de los límites establecidos. La conjunción "y" ha producido la práctica inaplicabilidad del precepto, ya que obliga a que se den las dos circunstancias. Hay sentencias absolutorias por circular a 157 Km/h en un tramo limitado a 80 Km/h y con una tasa de alcoholemia de 0,45 mg/l de aire expirado, casi el doble de la tolerada. La pretensión de penalizar a un conductor por ir con una tasa de 0,80 mg/l y a 180 Km/h es utópica. Posiblemente habría que llevarle a un circo por conseguirlo. Además esto obliga a dotar técnicamente a las patrullas policiales con un cinemómetro y un etilómetro, lo cual también es utópico. La realidad nos dice que la penalización de estos dos factores combinados (velocidad y alcoholemia) debe basarse precisamente en la coincidencia de dos factores que, ya por si solos, y en exceso constituyen independientemente un peligro para los demás usuarios. No tiene sentido exigirlos los dos en exceso ya que el resultado fatal para los demás usuarios de la vía puede producirse con cada uno por separado. El exceso de uno con la simple presencia del otro ya debería configurar el tipo de conducción temeraria del segundo párrafo del art. 381. La cruda realidad de los siniestros nos dice que idéntico peligro causa en una vía rápida un

conductor con su vehículo a 180 Km/h y con una tasa de 0,40 mg/l, que otro a 150 Km/h pero con una tasa de 0,80 mg/l.

6. Finalmente, quisiera referirme a la ampliación de la desobediencia grave del art. 380 a dos supuestos que se están revelando muy importantes en su incidencia:

a) Primeramente, han aumentado considerablemente las desobediencias en los controles policiales, materializándose en conductores que se dan a la fuga para eludir la prueba de alcoholemia, incluso con acometimiento de los agentes policiales, ya que la pena que ordinariamente se impone es la prevista para una falta de desobediencia, muy inferior a la de la conducción bajo los efectos del alcohol. Existen referencias sobre abogados que aconsejan a sus clientes darse a la fuga en un control antes de dar positivo. Esta conducta debería penarse como una desobediencia grave del art. 380, como negativa del conductor a someterse a las pruebas de alcoholemia, o de atentado si se produce contacto físico con los agentes, ya que la próxima entrada en funcionamiento del permiso por puntos va a hacer aumentar estas conductas para evitar su pérdida.

b) Otra forma de desobediencia que ordinariamente se califica como falta son los quebrantamientos de las inmovilizaciones de vehículos. La fractura del conocido "zepo" en casos de inmovilización por alcoholemia debería castigarse como desobediencia grave, ya que la consecuencia del quebrantamiento supone reinstaurar a la vía el peligro que se quiso evitar con él y la posibilidad de perjudicar gravemente a los demás usuarios de la vía, que es lo que se quiere evitar con el tipo penal de la conducción bajo los efectos de bebidas alcohólicas.

REFLEXIONES SOBRE LA DELINCUENCIA VIAL

ANA MARÍA CAMPO
Presidenta Fundadora de la Asociación Stop Accidentes

1. Quiero expresar la importancia que representa, para nuestra Asociación de ayuda y orientación a los afectados por accidentes de tráfico, el hecho de que acepten escuchar la opinión de las víctimas en este Seminario, sobre todo por lo que ello supone de reconocimiento a nuestro trabajo. También quiero aprovechar para dejar constancia de nuestra satisfacción por la creación de la Fiscalía especializada en accidentes de tráfico, que veníamos reclamando desde hace años. Todo ello nos lleva a pensar que se está produciendo un cambio de actitud en materia de Seguridad Vial, que venía siendo muy necesario.

2. Hasta hace muy poco apenas se oía hablar de los accidentes o, mejor, siniestros de tráfico, ni se utilizaban en este contexto las palabras "culpable" y "madres de víctimas". Los afectados por siniestros de tráfico no han existido, ni como problema, ni como colectivo. No existíamos. Sin embargo, por citar datos de la DGT, del año 2000 al 2004 murieron en España 26.780 personas. No puedo contar los heridos graves, discapacitados para siempre.

3. Recientemente, sin demasiado eco mediático, se anunció la creación de esta nueva Fiscalía. Nosotros, las victimas de tráfico, que apenas conocíamos la figura del Fiscal, porque casi nunca se llega a un proceso judicial penal, nos enteramos ahora oficialmente de que: "En cumplimiento de la ley, la víctima debe saber que tiene en el Fiscal a su valedor y no debe tener duda en acercarse a él en cualquier momento del procedimiento para ponerle de manifiesto cuestiones referidas a la mejor defensa de sus intereses".

La mayoría de los procedimientos penales por los accidentes de tráfico se tramitan en un juicio de faltas, y no en un proceso por delito, aunque existan claros indicios de que es un delito lo que se ha cometido. Ello ha determinado la ausencia del Fiscal y que, en la mayoría de casos, el asunto pase a ser considerado casi como un problema entre el conductor imprudente y la víctima, donde el Juez ejerce un papel de arbitraje entre las partes, que finalmente concluirá mediante un acuerdo entre aseguradoras.... Ni siquiera la indemnización tiene que pagarla el responsable.

Las víctimas del conductor irresponsable, y en ocasiones delincuente, carecían de la protección y el amparo del Ministerio Fiscal, que tiene entre sus cometidos la defensa de los derechos de los ciudadanos. Por ello, desde hace años hemos estado reclamando esa figura, para un mayor apoyo con un trato más cercano.

4. Nosotros no entendemos por qué se considera a menudo que es una falta leve atravesar un paso de cebra a 80 km. por hora, o conducir con claros síntomas de ebriedad, o por qué se aprecia casi siempre concurrencia de culpas ante un atropello cuando no todos jugamos con las mismas armas, o por qué el homicidio es siempre involuntario después de que el conductor haya ejercido libre y voluntariamente su "derecho a beber y conducir a gran velocidad".

Tampoco entendemos por qué mientras enterramos a nuestros hijos el conductor que ha conducido bebido, a gran velocidad y hasta ha intentado huir, tras prestar declaración y superar los efectos del alcohol, vuelve a casa conduciendo con su vehículo.

Las medidas cautelares o preventivas ganan en eficacia por su inmediatez, y esperamos que sean reeducadoras y ejemplarizantes, tanto para el infractor como para la sociedad, y sirvan para resarcir en cierta manera a la víctima, comprobando el interés de la justicia por su caso. Al dolor de la pérdida se une esa dejadez, ese olvido que hace más fuerte el dolor.

Aprovecho para reivindicar desde aquí la creación de Oficinas de Atención a las Víctimas de Tráfico, donde asistentes sociales y psicólogos especializados puedan orientar social y jurídicamente a la víctima en el ejercicio de sus derechos y disminuir en lo posible la victimización secundaria.

Nadie quiere ser víctima y, cuando ese drama que nos parece tan lejano llega a nuestra puerta, nadie está preparado. Sin embargo, una simple llamada y en un segundo todo ha cambiado... La vida, los valores, el entorno....

Nadie está preparado para la muerte en el asfalto. Despides a tu hijo, le das un beso cuando se marcha a practicar su deporte, a su trabajo, y ya nunca vuelves a sentir la calidez de sus abrazos Así de contundente, como un puñetazo en la boca o el estómago, como un golpe irreversible a la línea de flotación de las familias, y de un plumazo traspasamos la frágil línea que separa la vida de la muerte, la felicidad del dolor... Primero la incredulidad, luego el dolor más profundo. Hay que aprender a vivir con la permanente presencia de su ausencia, y hay que hacer de tripas corazón cada mañana para enfrentarse a la vida, y evitar el hundimiento. No es fácil......

Y cuando ese proceso se encuentra más o menos avanzado, entonces tienes que enfrentarte a un proceso judicial que no va a cumplir jamás tus expectativas pero que, a nivel anímico, significa un nuevo retroceso importante. Primero, porque los familiares tenemos demasiadas expectativas puestas en el juicio, queremos saber cómo fueron los últimos momentos, si sufrió o no, cómo se le atendió, si pudo evitarse o no... cuestiones muy diferentes a las que se tratan en el juicio, sobre todo si es civil, y después porque percibimos un trato mercantil en lo que para una madre no tiene ninguna dimensión económica. Nada puede resarcir la pérdida de un hijo, de un padre, de un ser querido. Poner precio es difícil, nadie va a poder medir todo lo que hemos perdido, lo que no hemos vivido... y como ninguna cifra nos va a compensar todo eso, buscamos y queremos otra dimensión de la Justicia, como mínimo, una reparación moral y que se responsabilice a los culpables.

¿Cómo evaluamos y ponemos precio a no poder ver crecer a nuestros hijos, a no celebrar más su cumpleaños, a sentarnos nunca más a la mesa en Navidades con él, a todos los besos y abrazos que nos han sido robados? Son tantas cosas....

5. Reivindicamos un Pacto de Estado, donde el Gobierno declare a la lucha contra la violencia vial como una prioridad política. En este pacto deben estar implicados todos los ministerios. El de Justicia para dotar a los Juzgados y Fiscalías de los medios necesarios, para que el temor al colapso no impida tomar la decisión de modificar una tendencia escalofriante. El Ministerio del Interior para dotar de más presencia policial el control del tráfico, porque sin presencia policial ¿como detectar los innumerables delitos, además de los detectables por radar, que se cometen a cada instante? Somos conscientes de que harán falta medios para llevar a cabo ese proyecto de acabar con esta lacra de muertes y discapacidades en el tráfico, pero ¿se ha pensado o sopesado el coste de esas muertes y discapacitados, sin contar ya el dolor y discapacidad de víctimas y afectados?

En ese Pacto no solamente esperamos la implicación de los políticos, sino la de toda la sociedad. Para que sea efectivo se han de implicar: Federaciones de Municipios, Asociaciones de Vecinos, Federaciones de APAS, Sindicatos, Empresarios, Medios de Comunicación, y el resto de las instituciones públicas.

Los movimientos ciudadanos son imprescindibles para modificar las prioridades políticas y las leyes. Si hay una reivindicación ciudadana sentida y rigurosa, los poderes legislativo y judicial tendrán que cambiar su visión de los accidentes de tráfico, y tendrán que diseñar políticas activas a favor de la conservación de la vida, que es nuestro principal derecho.

Somos conscientes de que actualmente no existe esta reivindicación ciudadana. Por ello, somos nosotros, como personas que hemos sufrido el problema y que por tanto estamos más sensibilizados y concienciados, junto con los profesionales que perciben la verdadera dimensión del problema, como las Policías Locales, Guardia Civil, Investigadores, Medios de Comunicación etc., y me permito incluir a Jueces y Fiscales, los que debemos ser el germen de esta nueva cultura de la Seguridad Vial.

6. Desde estas líneas quiero pedir a todos aquellos que, por su profesión, deban instruir casos de tráfico, que los tomen con la dimensión humana que merecen. Quizás no les parezcan casos "interesantes", pero les ruego que piensen en lo que cada vida perdida en el asfalto conlleva: proyectos de futuro, sueños rotos, muchas veces robados por un delincuente, que "no quería hacerlo" pero que ha transgredido las normas y ha terminado haciéndolo.

7. Las medidas que nuestra Asociación entiende que deben adoptarse no se limitan a la reforma de la legislación penal y a la mejora de los medios necesarios para su aplicación. No puedo mencionarlas todas ahora. Sólo diré que se extienden al ámbito de las sanciones administrativas, al fomento de otras medidas preventivas (sistemas de retención en el transporte escolar, registro público de fallos mecánicos de los vehículos, mejora de los controles médicos que se realizan para obtener y renovar el permiso de conducir, equipos de seguridad de los vehículos, "caja negra", medidas educativas, mejora de las vías públicas y su señalización, indicación de "puntos negros", etc.), así como a los mecanismos de seguimiento y análisis de su eficacia (carácter permanente de la Comisión de Seguridad Vial del Congreso, creación de un Gabinete Interministerial de Seguridad Vial, etc.).

8. He de finalizar con una frase que los padres nos tenemos que repetir con frecuencia para no decaer y que va en memoria de todos nuestros hijos:

"sólo hay una cosa
que me puedo imaginar
más terrible que la muerte de mi hijo
No haberlo conocido siquiera".

DELITOS CONTRA LA SEGURIDAD EN EL TRÁFICO

ALFONSO PERONA
Secretario Ejecutivo de la Fundación RACC

I. DERECHO PENAL Y DERECHO ADMINISTRATIVO SANCIONADOR

En materia de tráfico, el derecho administrativo sancionador se encuentra siempre en una zona entre el derecho penal y el resto de la regulación de aquella actividad por parte del derecho administrativo. El marcado carácter policial de las actuaciones de la Administración, ha dado siempre a las normas de tráfico un carácter administrativo, basándose en este carácter policial y la complejidad técnica de la propia regulación del tráfico.

La potestad sancionadora de la Administración es tan antigua como ella misma y durante siglos ha sido considerada un elemento de policía.

Las relaciones entre el derecho administrativo sancionador y el derecho penal son objeto de controversias doctrinales, sin que se disponga de una opinión que sea aceptada de forma general. Según el profesor Alejandro Nieto, "el legislador es soberano para decidir entre el Derecho Penal o Derecho Administrativo sancionador para conminar un comportamiento". La tipificación como delito de conductas relacionadas con el tráfico y circulación de vehículos, se puede considerar residual, debido a una tendencia a la no-criminalización de las conductas. Esta situación se debe al principio de intervención mínima, donde el Estado sólo está legitimado para acudir al derecho penal cuando el resto de mecanismos jurídicos se muestran insuficientes para proteger los intereses sociales.

II. DELITOS CONTRA LA SEGURIDAD EN EL TRÁFICO

Junto con los delitos que describen la lesión efectiva de bienes jurídicos como la vida, la salud, la propiedad y el patrimonio, cada vez son más frecuentes los delitos de peligro, entre los que se encuentran los delitos contra la seguridad en el tráfico.

Los delitos de peligro se fundamentan en que afectan a determinados aspectos del conjunto de condiciones por los que la colectividad puede considerarse abrigada y resguardada frente a situaciones de riesgo.

En los delitos de peligro se tipifica una clase de comportamientos que, de acuerdo con los conocimientos técnicos y de experiencia, son peligrosos en general; es lo que un sector de la doctrina ha denominado presunción de peligrosidad.

De acuerdo con las características del peligro, tradicionalmente se ha diferenciado entre los delitos de peligro concreto y los de peligro abstracto. En los primeros el peligro es un elemento del tipo, es un peligro próximo o inmediato, mientras que en relación con el peligro abstracto recae una presunción de peligrosidad sobre todo comportamiento realizado.

El Código Penal de 1995, aprobado por Ley Orgánica 10/95 de 23 de noviembre, tipifica como delitos contra la seguridad del tráfico:

- La conducción bajo los efectos de drogas tóxicas, estupefacientes, sustancias psicotrópicas o bebidas alcohólicas.
- La desobediencia al sometimiento a practicar la prueba de alcoholemia.
- La conducción con temeridad manifiesta.
- La creación de grave riesgo para la circulación.
- La conducción temeraria con consciente desprecio por la vida de los demás.

III. EL PERMISO POR PUNTOS

Las últimas modificaciones legales de los requisitos para tener y perder el permiso de conducir, la introducción del denominado sistema del permiso de conducir por puntos, han dado lugar a que se cuestione la regulación del derecho penal en los temas de tráfico. Nos encontramos aquí con que, por una parte, las víctimas y sus familiares consideran de corta duración las condenas impuestas por las lesiones y muertes producidas en accidentes de tráfico. Pero, por otra parte, se considera necesario mantener una concepción del derecho penal como la *ultima ratio*, como el último recurso en la protección de la seguridad en el tráfico y la prevención de aquellos resultados.

El derecho administrativo interviene a través de la sanción de tipo económico y la suspensión o pérdida del permiso de conducir, aplicadas en función de la gravedad de los hechos. Cuando se quiere castigar conductas más graves, puede ser que estas dos sanciones típicamente administrativas no sean suficientes.

En una reciente encuesta de la Fundación RACC sobre la opinión de los españoles acerca de las sanciones por infracciones o delitos de tráfico, un 49,8% considera que conducir sin tener el permiso o licencia debería ser sancionado con la cárcel; por otra parte, un 47,5% se muestra bastante o totalmente de acuerdo en considerar delito los excesos de velocidad que superen los limites en 70 Km/h.

Además de plantear la posibilidad de modificar la legislación vigente, parece necesario plantear cómo se realiza actualmente el control de estas conductas tan graves.

El estudio "Control y vigilancia en la circulación vial. Comparativa UE-15", realizado por la Federación Europea de Carreteras y el Instituto de Seguridad Vial de la Fundación Mapfre, nos indica que España es el país con menos controles establecidos en las carreteras y menos sanciones por malas conductas al volante. En el año 2004 tan solo se detectaron 25,2 infracciones por cada 1000 vehículos en circulación en España, mientras en Holanda han tramitado 850 sanciones por 1000 vehículos por infracciones al exceso de velocidad.

En relación con otro de los elementos importantes de la accidentalidad, como es el consumo de alcohol (segunda causa de muerte en carretera en la Unión Europea), España aparece entre los 6 Estados de la UE que menos controles de alcoholemia realiza por habitante.

La modificación del Código Penal con relación a los delitos de tráfico, será la culminación de un procedimiento sancionador, que se inicia con la modificación de la Ley de Tráfico y Seguridad Vial, y con el nuevo sistema conocido como permiso por puntos. Pero aquellos datos permiten afirmar que, además de modificar las leyes, se debe mejorar el control de su cumplimiento y la respuesta a su incumplimiento.

IV. CODIGO PENAL Y REPROCHE SOCIAL

Las sanciones penales deben reflejar el máximo reproche que la sociedad quiere dar a las actitudes, minoritarias, pero que son peligrosas y causan reproche en la sociedad. Desde nuestro punto de vista e intentando recoger la opinión del usuario, los delitos de tráfico deben mostrar claramente cuales son las actitudes individuales que la sociedad no está dispuesta a tolerar y que por su peligrosidad concreta hacia el resto de personas, pueden verse atacadas por los insolidarios e incívicos que, refugiándose en un mal entendido concepto de accidente, ponen en peligro la seguridad de las personas en las carreteras y en los espacios urbanos.

Debemos contribuir desde la sociedad a clarificar que el accidente no es una cuestión del azar, sino de la causalidad, por lo tanto existe una causa o causas que provocan el accidente, los denominados factores de riesgo que podemos controlar y evitar. Los accidentes de tráfico no dejan de ser una parte importante de la prevención en materia de salud.

En relación con la propuesta de modificación del Código penal, no consideramos necesario el incremento de las penas, sólo la clarificación del alguno de los tipos penales actuales y la incorporación de alguno nuevo.

Uno de los aspectos a considerar es la velocidad, que es otro elemento que depende de la voluntad del conductor y actúa como elemento multiplicador del riesgo de accidentes. Esta velocidad debe ser mensurable objetivamente y superar los incrementos que se especifican en vía administrativa, pero lo que la mayoría de la sociedad no consiente es que nuestras calles o carreteras se conviertan en circuitos de velocidad con coches a 200Km/h. Conocemos por nuestras encuestas un rechazo generalizado a aquellas velocidades que superan en 60-70Km/h los límites de velocidad establecidos de forma genérica en las carreteras y zonas urbanas. Por lo tanto, atendiendo a esta circunstancia social y al peligro que se crea, se debe considerar el delito de: "conducir un vehículo excediendo en 70 km/h el límite de velocidad reglamentariamente establecido", y la misma pena que la conducción con tasas de alcohol superior en un 100% a las reglamentarias.

La velocidad no sólo es un problema en España. La Conferencia Europea de Ministros de Transporte, en un documento de 19 de Abril de 2006, plantea la velocidad excesiva como un problema de la sociedad de carácter masivo, ya que un 50% de los conductores sobrepasa los límites de velocidad. La velocidad excesiva, además de elevar las emisiones de gases y el consumo de carburante, atenta contra la calidad de vida de los ciudadanos ya que una velocidad excesiva o inapropiada constituye el primer problema de seguridad viaria en muchos países, siendo el origen de muchos accidentes mortales y un factor que agrava todos los accidentes. La investigación de sus efectos negativos nos lleva a la siguiente regla matemática: un incremento del 5% de la velocidad produce un incremento del 10% del número total de accidentes con lesiones y de un 20% del número de accidentes mortales.

Por último, el proceso quedaría incompleto si no se da un alto valor al permiso de conducción o las licencias. Esta situación nos presenta dos casos diferentes: uno seria la conducción de un vehículo cuando se ha perdido por suspensión o cancelación el permiso, y el otro es el de la persona que conduce un vehículo sin tener la autorización administrativa ni haberla tenido nunca. En la primera situación la casuística es diversa, ya que se puede perder la autorización por haber agotado el crédito de puntos, por suspensión de la autoridad judicial o por no proceder a las renovaciones que la administración establece que deben realizarse cada equis años. Consideramos que se debe penalizar la conducción sin haber obtenido nunca el permiso, así como en los casos en los que éste se ha perdido, al haberse agotado los puntos o bien por sentencia judicial. La pérdida del permiso por no realizar las renovaciones debe quedar en una falta administrativa, y además es difícil comprobar la voluntad de conducir sabiendo que se carece de permiso que permita la conducción.

La pregunta que queda en el aire es ¿conseguiremos una reducción de los accidentes con los nuevos tipos penales y nuevos delitos?

TABLA COMPARATIVA ENTRE EL CP Y LA PROPOSICION DE LEY ORGÁNICA POR LA QUE SE MODIFICA EL CP EN MATERIA DE SEGURIDAD VIAL[1-2]

[1] Proposición de Ley, por la que se modifica la LO 10/1995, de 23-11, del Código Penal en materia de Seguridad Vial, presentada por los Grupos Parlamentarios Socialista del Congreso, Catalán (Convergència i Unió), de Esquerra Republicana (ERC), de Izquierda Unida- Iniciativa per Catalunya Verds, de Coalición Canaria-Nueva Canarias y Mixto; vid. BOCG, CONGRESO DE LOS DIPUTADOS, VIII LEGISLATURA, B, 22-6-2007, nº 283-1 (http://www.congreso.es/public_oficiales/L8/CONG/BOCG/B/B_283-01.PDF). Esta proposición parlamentaria consecuencia del bloqueo en el trámite Proyecto de modificación parcial del CP vigente, aprobado por el Consejo de Ministros celebrado el 24-11-2006, informado por parte del CGPJ el 3-11-2006 (http://www.poderjudicial.es/eversuite/GetDoc?DBName=dPortal&Uniqu eKeyValue=28431&Download=false&ShowPath=false), y publicado en el BOCG, CONGRESO DE LOS DIPUTADOS, VIII LEGISLATURA, A, 15-1-2007, nº 119-1 (http://www.congreso.es/public_oficiales/L8/CONG/BOCG/A/A_119-01.PDF), caducado por disolución de Las Cortes (9-1-2008, BOE 10-1) y que no superó la fase de ampliación de enmiendas; vid. la última en BOCG, CONGRESO DE LOS DIPUTADOS, VIII LEGISLATURA, A, 19-12-2007, nº 119-35 (http://www.congreso.es/public_oficiales/L8/CONG/BO-CG/A/A_119-35.PDF). Las reformas ya introducidas en el proyecto gubernamental inicial y mantenidas en la Proposición se resaltan en cursiva y las novedades de la Proposición de Ley se resaltan en negrita. El Pleno del Senado, en sesión de 7-11-2007 aprobó el texto correspondiente (BOCG, CONGRESO DE LOS DIPUTADOS, VIII LEGISLATURA, B, 15-11-2007, nº 283-11, http://www.congreso.es/public_oficiales/L8/CONG/BOCG/B/B_283-11.PDF); las modificaciones se resaltan en negrita y cursiva. Las enmiendas del Senado fueron aceptadas por el Pleno del Congreso en su sesión de 22-11-2007 (BOCG, CONGRESO DE LOS DIPUTADOS, VIII LEGISLATURA, B, 15-11-2007, nº 283-12, http://www.congreso.es/public_oficiales/L8/CONG/BOCG/B/B_283-12.PDF). Puede consultarse en detalle el iter (pre)parlamentario en http://www.ub.edu/dpenal/Seguridad%20Vial_2007_PlenoSenado.pdf. Finalmente, el BOE 1-12-2007 ha publicado el texto definitivo como LO 15/2007: http://www.boe.es/boe/dias/2007/12/01/pdfs/A49505-49509.pdf

[2] Su EdM reza como sigue:
"Entre las resoluciones aprobadas como consecuencia del debate sobre el Estado de la Nación de 2006 se incluye la número 19 en la que se declara, entre otros aspectos, que el Congreso de los diputados considera oportuno impulsar la modificación del Código Penal, teniendo en cuenta las distintas propuestas que se están estudiando en la Comisión de Seguridad Vial del Congreso de los Diputados, con el objetivo de definir con mayor rigor

todos los delitos contra la seguridad del tráfico y los relacionados con la seguridad vial, evitando que determinadas conductas calificadas como de violencia vial puedan quedar impunes.

La reforma sobre los delitos contra la seguridad vial cuenta con un amplio consenso de los grupos parlamentarios en torno a las propuestas formuladas ante la comisión sobre seguridad vial. Por ello, se presenta esta proposición de ley orgánica de reforma del Código penal en materia de seguridad vial, cuyo contenido básico persigue, de una parte, incrementar el control sobre el riesgo tolerable por la vía de la expresa previsión de excesos de velocidad que se han de tener por peligrosos o de niveles de ingesta alcohólica que hayan de merecer la misma consideración. A partir de esa estimación de fuente de peligro se regulan diferentes grados de conducta injusta, trazando una arco que va desde el peligro abstracto hasta el perceptible desprecio por la vida de los demás, como ya venía haciendo el Código. Las penas y consecuencias se incrementan notablemente, en especial, en lo concerniente a la privación del permiso de conducir, y a ello se añade la no menos severa posibilidad de considerar instrumento del delito al vehículo de motor o ciclomotor, en orden a disponer su comiso.

Al igual que sucede en el derecho vigente, se ofrece una específica regla para salvar el concurso de normas cuando se hubiera ocasionado además del riesgo prevenido un resultado lesivo. En tal caso se apreciará tan sólo la infracción más gravemente penada, aplicando la pena en su mitad superior y condenando en todo caso al resarcimiento de la responsabilidad civil que se hubiera originado. La negativa a someterse a la pruebas legalmente establecidas para detectar el grado de alcoholemia o de impregnación tóxica, en cambio, pierde su innecesario calificativo de delito de desobediencia y pasa a ser autónomamente castigada.

Una criticada ausencia era la conducción de vehículos por quienes hubieran sido privados judicial o administrativamente, del derecho a hacerlo por pérdida de vigencia del mismo. Cierto que algunos casos podrían tenerse como delitos de quebrantamiento de condena o de desobediencia, pero no todos; por ello se ha considerado más ágil y preciso reunir todas esas situaciones posibles en un solo precepto sancionador.

La creación del Centro de Tratamiento de Denuncias automatizadas, además de la práctica de la delegación con una casuística muy variada, así como la necesidad de acortar los plazos de tramitación de las sanciones, sin merma de las garantías del sancionado, urge a llevar a cabo una modificación del Real Decreto Legislativo 339/1990, de 2 de marzo, por el que se aprueba el Texto Articulado de la Ley sobre Tráfico, Circulación de Vehículos a Motor y Seguridad Vial.

La modificación que se propone conlleva la supresión del párrafo tercero de la Disposición Adicional cuarta de la Ley 6/1997, de 14 de abril, de Organización y Funcionamiento de la Administración General del Estado, que es la que atribuye a los Delegados y Subdelegados del Gobierno la competencia para sancionar las infracciones previstas en la Ley de Seguridad Vial.

CP pre LO 15/2007	Proyecto CP 2006	Proposición CP 2007

Art. 47

La imposición de la pena de privación del derecho a conducir vehículos a motor y ciclomotores inhabilitará al penado para el ejercicio de ambos derechos durante el tiempo fijado en la senten-cia. La imposición de la pena de privación del derecho a la tenencia y porte de armas inhabilitará al penado para el ejercicio de este derecho por el tiempo fijado en la sentencia.	1. La imposición de la pena de privación del derecho a conducir vehículos a motor y ciclomotores inhabilitará al penado para el ejercicio de ambos derechos durante el tiempo fijado en la sentencia. 2. La imposición de la pena de privación del derecho a la tenencia y porte de armas inhabilitará al penado para el ejercicio de este derecho por el tiempo fijado en la sentencia. 3. Cuando la pena impuesta lo fuere por un tiempo superior a dos años comportará la pérdida definitiva de los efectos del permiso o licencia que habilite para la conducción o la tenencia o porte respectivamente, así como la privación del derecho a obtenerlos durante el tiempo de la condena.	*Cuando la pena impuesta lo fuere por un tiempo superior a dos años comportará la pérdida de vigencia del permiso o licencia que habilite para la conducción o la tenencia o porte, respectivamente.*

La modificación de la Ley de Seguridad Vial se refiere al artículo 68 sobre Competencias, para atribuir la competencia sancionadora a los Jefes de Tráfico, previendo de manera expresa la posibilidad de que éstos deleguen en el Director del Centro de Tratamiento de Denuncias Automatizadas en las infracciones detectadas a través de medios de captación y reproducción de imágenes que permitan la identificación del vehículo.

Como consecuencia de la modificación anterior, se modifica también el artículo 80, sobre Recursos, ya que, con la nueva atribución de la competencia, el Director General de Tráfico es el competente para resolver el recurso de alzada contra las resoluciones sancionadoras de los Jefes de Tráfico o del Director del Centro; así como el artículo 82, sobre anotación y cancelación, para que la anotación de las sanciones firmes graves y muy graves en el Registro de conductores e infractores, se haga por el órgano competente de la Jefatura Central de Tráfico, en unos casos, por la Jefatura de Tráfico instructora del procedimiento y, en otros, por el propio Centro."

Capítulo IV, del Título XVII, del Libro II De los delitos contra la seguridad del tráfico	Capítulo IV, del Título XVII, del Libro II *De los delitos contra la Seguridad Vial*	Capítulo IV, del Título XVII, del Libro II De los delitos contra la Seguridad Vial

Art. 379[3]   *Art. 379[4]*

| | 1. El que condujere un vehículo de motor o un ciclomotor a velocidad superior en 50 kilómetros por hora en vía urbana o en 70 kilómetros por hora en vía interurbana a la permitida reglamentariamente, será castigado con la pena de prisión de tres a seis meses o a las de multa de seis a doce meses y trabajos en beneficio de la comunidad de 31 a 90 días, y, en cualquier caso, a la de privación del derecho a conducir vehículos a motor y ciclomotores durante un período de uno a cuatro años. | 1. El que condujere un vehículo de motor o un ciclomotor a velocidad superior en **sesenta** kilómetros por hora en vía urbana o en **ochenta** kilómetros por hora en vía interurbana a la permitida reglamentariamente, será castigado con la pena de prisión de tres a seis meses o a las de multa de seis a doce meses y trabajos en beneficio de la comunidad de treinta y uno a noventa días, y, en cualquier caso, a la de privación del derecho a conducir vehículos a motor y ciclomotores por tiempo superior a uno y hasta cuatro años. |
| El que condujere un vehículo a motor o un ciclomotor bajo la influencia de drogas tóxicas, estupefacientes, sustancias psicotrópicas o de bebidas alcohólicas será castigado con la pena de prisión de tres a seis meses o multa de seis a doce meses y, en su caso, trabajos en beneficio de la comunidad de treinta y uno a noventa días y, en cualquier caso, privación del derecho a conducir vehículos a motor y ciclomotores por tiempo superior a uno y hasta cuatro años. | 2. *Con las mismas penas* será condenado el que condujere un vehículo de motor o ciclomotor bajo la influencia de drogas tóxicas, estupefacientes, sustancias psicotrópicas o de bebidas alcohólicas. *En todo caso, será condenado con dichas penas el que conducir con* **una tasa de alcohol en aire espirado superior a 0´60 mg. por litro** *o sangre o una tasa de alcohol en sangre superior a 1,2 gramos por litro.* | 2. Con las mismas penas será **castigado** el que condujere un vehículo de motor o ciclomotor bajo la influencia de drogas tóxicas, estupefacientes, sustancias psicotrópicas o de bebidas alcohólicas. *En todo caso, será condenado con dichas penas el que condujere con* **una tasa de alcohol en aire espirado superior a 0,60** *miligramos* **por litro** *o una tasa de alcohol en sangre superior a 1,2 gramos por litro.* |

---

[3]   Modificado por LO 15/2003. Texto anterior: "El que condujere un vehículo a motor o un ciclomotor bajo la influencia de drogas tóxicas, estupefacientes, sustancias psicotrópicas o de bebidas alcohólicas, será castigado con la pena de arresto de ocho a doce fines de semana o multa de tres a ocho meses y, en cualquier caso, privación del derecho a conducir vehículos a motor y ciclomotores, respectivamente, por tiempo superior a uno y hasta cuatro años."

[4]   El orden de los preceptos es el que ofrecen la Proposición de Ley y no la numeración del texto penal aun vigente.

Art. 381 *Art. 380*

| El que condujere un vehículo a motor o un ciclomotor con temeridad manifiesta y pusiera en concreto peligro la vida o la integridad de las personas, será castigado con las penas de prisión de seis meses a dos años y privación del derecho a conducir vehículos a motor y ciclomotores por tiempo superior a uno y hasta seis años. En todo caso, se considerará que existe temeridad manifiesta y concreto peligro para la vida o la integridad de las personas en los casos de conducción bajo los efectos de bebidas alcohólicas con altas tasas de alcohol en sangre y con un exceso desproporcionado de velocidad respecto de los límites establecidos[5]. | 1. El que condujere un vehículo a motor o un ciclomotor con temeridad manifiesta y pusiere en concreto peligro la vida o la integridad de las personas será castigado con las penas de prisión de seis meses a dos años y privación del derecho a conducir vehículos a motor y ciclomotores por tiempo superior a uno y hasta cuatro años[6]. 2. A los efectos del presente precepto se reputará **manifiestamente** temeraria la conducción en la que concurriere cualquiera de los supuestos previstos en el artículo anterior. | 1. El que condujere un vehículo a motor o un ciclomotor con temeridad manifiesta y pusiere en concreto peligro la vida o la integridad de las personas será castigado con las penas de prisión de seis meses a dos años y privación del derecho a conducir vehículos a motor y ciclomotores por tiempo superior a uno y hasta *seis* años. 2. A los efectos del presente precepto se reputará *manifiestamente* temeraria la conducción en la que concurrieren *las circunstancias previstas en el apartado primero y en el inciso segundo del apartado segundo del* artículo anterior. |

---

[5]   Párrafo añadido por LO 15/2003.

[6]   "durante un período de uno a seis años".

Art. 384   *Art. 381*

Será castigado con las penas de prisión de uno a cuatro años, multa de seis a doce meses y privación del derecho a conducir vehículos a motor y ciclomotores por tiempo superior a seis y hasta diez años, el que, con consciente desprecio por la vida de los demás, incurra en la conducta descrita en el artículo 381. Cuando no se haya puesto en concreto peligro la vida o la integridad de las personas, la pena de prisión será de uno a dos años, manteniéndose el resto de las penas.	1. Será castigado con las penas de prisión de *dos a cinco* años, multa de *12 a 24 meses* y privación del derecho a conducir vehículos a motor y ciclomotores durante un período de seis a diez años el que, con *manifiesto* desprecio por la vida de los demás realizare la conducta descrita en el artículo *anterior*. 2. Cuando no se *hubiere* puesto en concreto peligro la vida o la integridad de las personas, las penas serán de prisión de uno a dos años, *multa de seis a doce meses y privación del derecho a conducir vehículos a motor y ciclomotores por el tiempo previsto en el párrafo anterior.* 3. El vehículo a motor o ciclomotor utilizado en los hechos previstos en el presente precepto se considerará instrumento del delito a los efectos del artículo 127 de este Código.	1. Será castigado con las penas de prisión de *dos a cinco meses* y privación del derecho a conducir vehículos a motor y ciclomotores durante un período de seis a diez años el que, con *manifiesto* desprecio por la vida de los demás realizare la conducta descrita en el artículo *anterior*. 2. Cuando no se *hubiere* puesto en concreto peligro la vida o la integridad de las personas, las penas serán de prisión de uno a dos años, *multa de seis a doce meses y privación del derecho a conducir vehículos a motor y ciclomotores por el tiempo previsto en el párrafo anterior.* 3. El vehículo a motor o ciclomotor utilizado en los hechos previstos en el presente precepto se considerará instrumento del delito a los efectos del artículo 127 de este Código.

Art. 383   *Art. 382*

Cuando con los actos sancionados en los artículos 379, 381 y 382 se ocasionara, además del riesgo prevenido, un resultado lesivo, cualquiera que sea su gravedad, los Jueces y Tribunales apreciarán tan sólo la infracción más gravemente penada, condenando en todo caso al resarcimiento de la responsabilidad civil que se haya originado. *En la aplicación de las penas establecidas en los citados artículos, procederán los Jueces y Tribunales según su prudente arbitrio, sin sujetarse a las reglas prescritas en el artículo 66.*	1. Cuando con los actos sancionados en los *artículos anteriores* se ocasionare, además del riesgo prevenido, un resultado lesivo, cualquiera que sea su gravedad, los Jueces o Tribunales apreciarán tan sólo la infracción más gravemente penada, *aplicando la pena en su mitad superior* y condenando en todo caso al resarcimiento de la responsabilidad civil que se hubiera originado.	Cuando con los actos sancionados en los artículos *anteriores* se ocasionare, además del riesgo prevenido, un resultado lesivo *constitutivo de delito*, cualquiera que sea su gravedad, los Jueces o Tribunales apreciarán tan sólo la infracción más gravemente penada, *aplicando la pena en su mitad superior* y condenando en todo caso al resarcimiento de la responsabilidad civil que se hubiera originado.

Art. 380 *Art. 383*

El conductor que, requerido por el agente de la autoridad, se negare a someterse a las pruebas legalmente establecidas para la comprobación de los hechos descritos en el artículo anterior, será castigado como autor de un delito de desobediencia grave, previsto en el artículo 556 de este Código.	El conductor que, requerido por un agente de la autoridad, se negare a someterse a las pruebas legalmente establecidas para la comprobación *de las tasas de alcoholemia* **drogas tóxicas, estupefacientes y sustancias psicotrópicas** *a que se refieren los artículos anteriores*, será castigado *con la*[s] **penas de prisión de seis meses a un año y privación del derecho a conducir vehículos a motor y ciclomotores por tiempo superior a uno y hasta cuatro años.**	El conductor que, requerido por un agente de la autoridad, se negare a someterse a las pruebas legalmente establecidas para la comprobación *de las tasas de alcoholemia* y **la presencia de las drogas tóxicas, estupefacientes y sustancias psicotrópicas** a que se refieren los artículos anteriores, será castigado con la [s] **penas de prisión de seis meses a un año y privación del derecho a conducir vehículos a motor y ciclomotores por tiempo superior a uno y hasta cuatro años.**

Art. 384 *[nuevo redactado]*

El que condujere un vehículo a motor o un ciclomotor habiendo sido privado judicial o administrativamente del derecho a hacerlo, o cuando el correspondiente permiso se encontrare suspendido o cancelado, será castigado con la pena de prisión de tres a seis meses o con las de multa de uno a dos años y, en su caso, trabajos en beneficio de la comunidad de 31 a 90 días. En cualquiera de los casos, se impondrá la pena de privación del derecho a conducir vehículos a motor y ciclomotores durante un período de uno a seis años.	El que condujere un vehículo *de* motor o un ciclomotor **en los casos de pérdida de vigencia del permiso o licencia por pérdida total de los puntos asignados legalmente** será castigado con la pena de prisión de tres a seis meses o con la de multa de **doce a veinticuatro meses** y trabajos en beneficio de la comunidad de treinta y uno a noventa días. **Las mismas penas se impondrán al que realizare la conducción tras haber sido privado cautelar o definitivamente del permiso o licencia por decisión judicial y al que condujere un vehículo de motor o ciclomotor sin haber obtenido nunca permiso o licencia de conducción.**

Art. 382　Art. 385

| Será castigado con la pena de prisión de seis meses a dos años o multa de doce a veinticuatro meses el que origine un grave riesgo para la circulación de alguna de las siguientes formas:
1.º Alterando la seguridad del tráfico mediante la colocación en la vía de obstáculos imprevisibles, derramamiento de sustancias deslizantes o inflamables, mutación o daño de la señalización, o por cualquier otro medio.
2.º No restableciendo la seguridad de la vía, cuando haya obligación de hacerlo. | Será castigado con la pena de prisión de seis meses a dos años o a las de multa de 12 a 24 meses y, *en su caso, trabajos en beneficio de la comunidad de 10 a 40 días,* el que originare un grave riesgo para la circulación de alguna de las siguientes formas:
1ª.- Colocando en la vía obstáculos imprevisibles, derramando sustancias deslizantes o inflamables o mutando, *sustrayendo* o *anulando* la señalización o por cualquier otro medio.
2ª.- No restableciendo la seguridad de la vía, cuando haya obligación de hacerlo. | Será castigado con la pena de prisión de seis meses a dos años o a las de multa de 12 a 24 meses y *trabajos en beneficio de la comunidad de 10 a 40 días,* el que originare un grave riesgo para la circulación de alguna de las siguientes formas:
1ª.- Colocando en la vía obstáculos imprevisibles, derramando sustancias deslizantes o inflamables o mutando, *sustrayendo* o *anulando* la señalización o por cualquier otro medio.
2ª.- No restableciendo la seguridad de la vía, cuando haya obligación de hacerlo. |

Disposición adicional[7]. *Revisión de la señalización vial y de la normativa reguladora de los límites de velocidad.*

El Gobierno impulsará, de acuerdo con las administraciones competentes, una revisión de la señalización vial y de la normativa reguladora de los límites de velocidad, para adecuar los mismos a las exigencias derivadas de una mayor seguridad vial.

Disposición transitoria primera. *Legislación aplicable[8].*

| 1. Los delitos y faltas cometidos hasta el día de la entrada en vigor de esta ley se juzgarán conforme a la legislación penal vigente en el momento de su comisión. No obstante lo anterior, se aplicará esta Ley, una vez que entre en vigor, si las disposiciones de la misma son más favorables para el reo, aunque los hechos hubieran sido cometidos con anterioridad a su entrada en vigor.
2. Para la determinación de cuál sea la ley más favorable se tendrá en cuenta la pena que correspondería al hecho enjuiciado con la aplicación de las normas completas del Código actual y de la reforma contenida en esta ley.
3. En todo caso, será oído el reo. | 1. Los delitos y faltas cometidos hasta el día de la entrada en vigor de esta ley se juzgarán conforme a la legislación penal vigente en el momento de su comisión. No obstante lo anterior, se aplicará esta Ley, una vez que entre en vigor, si las disposiciones de la misma son más favorables para el reo, aunque los hechos hubieran sido cometidos con anterioridad a su entrada en vigor.
2. Para la determinación de cuál sea la ley más favorable se tendrá en cuenta la pena que correspondería al hecho enjuiciado con la aplicación de las normas completas del Código actual y de la reforma contenida en esta ley.
3. En todo caso, será oído el reo. |

---

[7]　La Proposición de ley ha alterado el orden inicialmente propuesto de las disposiciones adicionales, transitorias y finales.

[8]　Se excluyen las disposiciones que no afectan al código penal

Disposición transitoria segunda. *Revisión de sentencias.*

1. El Consejo General del Poder Judicial, en el ámbito de las competencias que le atribuye el artículo 98[9] de la Ley Orgánica del Poder Judicial, podrá asignar a uno o varios de los Juzgados de lo Penal o secciones de las Audiencias Provinciales dedicados en régimen de exclusividad a la ejecución de sentencias penales la revisión de las sentencias firmes dictadas antes de la vigencia de esta ley.

Dichos jueces o tribunales procederán a revisar las sentencias firmes y en las que el penado esté cumpliendo efectivamente la pena, aplicando la disposición más favorable considerada taxativamente y no por el ejercicio del arbitrio judicial. En las penas privativas de libertad no se considerará más favorable esta ley cuando la duración de la pena anterior impuesta al hecho con sus circunstancias sea también imponible con arreglo a esta reforma del Código. Se exceptúa el supuesto en que esta ley contenga para el mismo hecho la previsión alternativa de una pena no privativa de libertad; en tal caso, deberá revisarse la sentencia.

2. No se revisarán las sentencias en que el cumplimiento de la pena esté suspendido, sin perjuicio de hacerlo en caso de que se revoque la suspensión y antes de proceder al cumplimiento efectivo de la pena suspendida. Igual regla se aplicará si el penado se encuentra en período de libertad condicional.

Tampoco se revisarán las sentencias en que, con arreglo a la redacción anterior de los artículos del Código y a la presente reforma, corresponda, exclusivamente, pena de multa.

1. Consejo General del Poder Judicial, en el ámbito de las competencias que le atribuye el artículo 98 de la Ley Orgánica del Poder Judicial, podrá asignar a uno o varios de los Juzgados de lo Penal o secciones de las Audiencias Provinciales dedicados en régimen de exclusividad a la ejecución de sentencias penales la revisión de las sentencias firmes dictadas antes de la vigencia de esta ley.

Dichos jueces o tribunales procederán a revisar las sentencias firmes y en las que el penado esté cumpliendo efectivamente la pena, aplicando la disposición más favorable considerada taxativamente y no por el ejercicio del arbitrio judicial. En las penas privativas de libertad no se considerará más favorable esta ley cuando la duración de la pena anterior impuesta al hecho con sus circunstancias sea también imponible con arreglo a esta reforma del Código. Se exceptúa el supuesto en que esta ley contenga para el mismo hecho la previsión alternativa de una pena no privativa de libertad; en tal caso, deberá revisarse la sentencia.

2. No se revisarán las sentencias en que el cumplimiento de la pena esté suspendido, sin perjuicio de hacerlo en caso de que se revoque la suspensión y antes de proceder al cumplimiento efectivo de la pena suspendida. Igual regla se aplicará si el penado se encuentra en período de libertad condicional.

Tampoco se revisarán las sentencias en que, con arreglo a la redacción anterior de los artículos del Código y a la presente reforma, corresponda, exclusivamente, pena de multa.

---

[9] "1. El Consejo General del Poder Judicial, podrá acordar, previo informe de las Salas de Gobierno, que en aquellas circunscripciones donde exista más de un juzgado de la misma clase, uno o varios de ellos asuman con carácter exclusivo, el conocimiento de determinadas clases de asuntos, o de las ejecuciones propias del orden jurisdiccional de que se trate, sin perjuicio de las labores de apoyo que puedan prestar los servicios comunes que al efecto se constituyan.

2. Este acuerdo se publicará en el "Boletín Oficial del Estado" y producirá efectos desde el inicio del año siguiente a aquel en que se adopte.

3. Los juzgados afectados continuarán conociendo de todos los procesos pendientes ante los mismos hasta su conclusión."

3.[10] *No serán revisadas las sentencias en que la pena esté ejecutada o suspendida, aunque se encuentren pendientes de ejecutar otros pronunciamientos del fallo, así como las ya totalmente ejecutadas, sin perjuicio de que el juez o tribunal que en el futuro pudiera tenerlas en cuenta a efectos de reincidencia deba examinar previamente si el hecho en ellas penado ha dejado de ser delito o pudiera corresponderle una pena menor de la impuesta en su día, conforme a esta ley.* *En los supuestos de indulto parcial, no se revisarán las sentencias cuando la pena resultante que se halle cumpliendo el condenado se encuentre comprendida en un marco imponible inferior respecto a esta ley.*	*3. No serán revisadas las sentencias en que la pena esté ejecutada o suspendida, aunque se encuentren pendientes de ejecutar otros pronunciamientos del fallo, así como las ya totalmente ejecutadas, sin perjuicio de que el juez o tribunal que en el futuro pudiera tenerlas en cuenta a efectos de reincidencia deba examinar previamente si el hecho en ellas penado ha dejado de ser delito o pudiera corresponderle una pena menor de la impuesta en su día, conforme a esta ley.* *4. En los supuestos de indulto parcial, no se revisarán las sentencias cuando la pena resultante que se halle cumpliendo el condenado se encuentre comprendida en un marco imponible inferior respecto a esta ley.*

Disposición transitoria tercera. *Reglas de invocación de la normativa aplicable en materia de recursos*[11].

En las sentencias dictadas conforme a la legislación que se deroga y que no sean firmes por estar pendientes de recurso, se observarán, una vez transcurrido el período de *vacatio*, las siguientes reglas: a) Si se trata de un recurso de apelación, las partes podrán invocar y el juez o tribunal aplicará de oficio los preceptos de la nueva ley, cuando resulten más favorables al reo. b) Si se trata de un recurso de casación, aún no formalizado, el recurrente podrá señalar las infracciones legales basándose en los preceptos de la nueva ley. c) Si, interpuesto recurso de casación, estuviera sustanciándose, se pasará de nuevo al recurrente, de oficio o a instancia de parte, por el término de ocho días, para que adapte, si lo estima procedente, los motivos de casación alegados a los preceptos de la nueva ley, y del recurso así modificado se instruirán las partes interesadas, el fiscal y el magistrado ponente, continuando la tramitación conforme a derecho.	En las sentencias dictadas conforme a la legislación que se deroga y que no sean firmes por estar pendientes de recurso, se observarán, las siguientes reglas: a) Si se trata de un recurso de apelación, las partes podrán invocar y el juez o tribunal aplicará de oficio los preceptos de la nueva ley, cuando resulten más favorables al reo. b) Si se trata de un recurso de casación, aún no formalizado, el recurrente podrá señalar las infracciones legales basándose en los preceptos de la nueva ley. c) Si, interpuesto recurso de casación, estuviera sustanciándose, se pasará de nuevo al recurrente, de oficio o a instancia de parte, por el término de ocho días, para que adapte, si lo estima procedente, los motivos de casación alegados a los preceptos de la nueva ley, y del recurso así modificado se instruirán las partes interesadas, el fiscal y el magistrado ponente, continuando la tramitación conforme a derecho.

---

[10]   Los incisos 3 y 4 corresponden a la DT 3ª del Proyecto.
[11]   Las DT y DF 1ª del Proyecto, decaen en estas propuestas por falta de referencia en el articulado proyectado.

TABLA COMPARATIVA 373

Disposición derogatoria única. Derogación normativa.

Queda derogado el párrafo tercero de la Disposición Adicional Cuarta de la Ley 6/1997, de 14 de abril, de Organización y Funcionamiento de la Administración General del Estado[12].

Disposición final segunda. Naturaleza de la Ley.

Tienen el carácter de Ley Orgánica todos los preceptos de esta Ley, excepto la disposición adicional, la disposición derogatoria única y la disposición final primera.

Disposición final tercera. Entrada en vigor[13].

La presente Ley Orgánica entrará en vigor al día siguiente de su publicación en el "Boletín Oficial del Estado", salvo el párrafo segundo del artículo 384 del Código Penal, recogido en el apartado octavo del artículo único de esta Ley, que entrará en vigor el 1 de mayo de 2008.

---

[12] "Igualmente corresponderá a los Delegados del Gobierno la imposición de sanciones por la comisión de infracciones graves y muy graves previstas en el texto articulado de la Ley sobre Tráfico, circulación de vehículos a motor y seguridad vial, aprobado por Real Decreto Legislativo 339/1990, de 2 de Marzo. La imposición de sanciones por infracciones leves previstas en dicha Ley corresponderá a los Subdelegados del Gobierno."

[13] DF 2ª del Proyecto.